Uni-Taschenbücher 904

KU-156-337

FÜR WISSEN
SCHAFT

Eine Arbeitsgemeinschaft der Verlage

Wilhelm Fink Verlag München
Gustav Fischer Verlag Stuttgart
Francke Verlag Tübingen
Paul Haupt Verlag Bern und Stuttgart
Dr. Alfred Hüthig Verlag Heidelberg
Leske Verlag + Budrich GmbH Opladen
J. C. B. Mohr (Paul Siebeck) Tübingen
R. v. Decker & C. F. Müller Verlagsgesellschaft m. b. H. Heidelberg
Quelle & Meyer Heidelberg · Wiesbaden
Ernst Reinhardt Verlag München und Basel
F. K. Schattauer Verlag Stuttgart · New York
Ferdinand Schöningh Verlag Paderborn · München · Wien · Zürich
Eugen Ulmer Verlag Stuttgart
Vandenhoeck & Ruprecht in Göttingen und Zürich

Franz K. Stanzel

Theorie des Erzählens

4., durchgesehene Auflage

Vandenhoeck & Ruprecht in Göttingen

Franz K. Stanzel, geb. 1923, Studium der Anglistik und Germanistik in Graz und an der Harvard University; 1955 Habilitation, danach Dozent an der Universität Göttingen; 1959–1962 an der Universität Erlangen-Nürnberg, seitdem an der Universität Graz o. Professor für englische Philologie. – Hauptveröffentlichungen: Die typischen Erzählsituationen im Roman (1955, 1963); Typische Formen des Romans (1964, 11. Aufl. 1987).

CIP-Kurztitelaufnahme der Deutschen Bibliothek

Stanzel, Franz K.:
Theorie des Erzählens / Franz K. Stanzel. –
4., durchges. Aufl. - Göttingen: Vandenhoeck u. Ruprecht, 1989
(UTB für Wissenschaft: Uni-Taschenbücher; 904)

ISBN 3-525-03208-0

NE: UTB für Wissenschaft / Uni-Taschenbücher

4., durchgesehene Auflage 1989

© 1989, 1979, Vandenhoeck & Ruprecht in Göttingen. –
Umschlaggestaltung: A. Krugmann, Stuttgart
Satz: Tutte Druckerei GmbH, Salzweg-Passau
Druck und Bindung: Hubert & Co., Göttingen

Inhalt

Vorwort

Ein Vierteljahrhundert ist vergangen, seit ich meine Theorie der typischen Erzählsituationen zur Diskussion gestellt habe. Das erste Echo darauf ließ zunächst eine nur kurze Dauer der kritischen Auseinandersetzung darüber erwarten. Ein Dutzend Jahre später mußte ich jedoch zur Kenntnis nehmen, daß der Begriff „Erzählsituation" daran war, so etwas wie ein „household word" der Romankritik und Erzählforschung zu werden. In den letzten Jahren haben sich die kritischen wie auch die zustimmenden Äußerungen zu meiner Theorie weiter vermehrt, auch die Relevanz der Argumente pro und contra hat in auffälliger Weise zugenommen.

Wäre ihm der Erfolg seines Werkes im voraus bekannt gewesen, soll Thomas Hardy zum unerwartet breiten Echo auf seinen Roman *Tess of the D'Urbervilles* gesagt haben, dann hätte er sich bemüht, einen wirklich guten Roman zu schreiben. Im Gegensatz zum Romanautor befindet sich der Romankritiker im Vorteil, früher begangene Fehler korrigieren, spätere Erkenntnisse nachtragen und mit den neueren Ergebnissen der Diskussion und der Forschung koordinieren zu können. Das vorliegende Buch ist im wesentlichen das Ergebnis solchen Bemühens. In welch hohem Maße ich dabei meinen Kritikern und allen jenen, die meinen theoretischen Ansatz weiter verfolgt oder in Untersuchungen und Interpretationen einzelner Erzählwerke angewendet und dabei das begriffliche Gerüst mit Belegen und Beispielen aufgefüllt haben, zu Dank verpflichtet bin, wird, so hoffe ich, aus meinen Anmerkungen ersichtlich werden. Eine weitere sehr wichtige Voraussetzung dafür, daß die neue Theorie des Erzählens auf einer breiteren Basis von Texten aufgerichtet werden konnte als die alte Typologie der Erzählsituationen von 1955, schufen meine Hörer an der Universität Graz, die in Seminar- oder Diplomarbeiten einen erheblichen Teil des dafür erforderlichen Materials aufbereiteten und auch so manchen für die Entwicklung der Theorie sehr fruchtbaren Gedanken beisteuerten. Auch meinen Mitarbeitern am Institut für Anglistik der Universität Graz ist für zahlreiche Anregungen zu danken. Fräulein Ingrid Buchegger hat durch unermüdliche und kompetente Hilfe bei der Klärung zahlloser bibliographischer Fragen, bei der Korrektur des Manuskripts und der Druckfahnen sehr viel dazu beigetragen, daß die Arbeit druckreif wurde. Frau Gerlinde Herfs hat Fassung um Fassung des Manuskripts in die Maschine geschrieben, selbst dann immer unverdrossen, wenn sie, wie beim Schema des Typenkreises, „im Kreise" schreiben mußte.

Zum Abschluß des Vorwortes ein Hinweis für den Leser. Die für meine Erzähltheorie grundlegenden Gedankengänge werden im ersten Kapitel, „Mittelbarkeit als Gattungsmerkmal der Erzählung", im dritten, „Die Neukonstituierung der typischen Erzählsituationen", und im siebten, „Der Typenkreis: Schema und Funktion", dargelegt. Eine verkürzte Lektüre des Buches sollte sich daher vor allem auf diese drei Kapitel konzentrieren. Englischsprachige Leser werden auf die Zusammenfassung der wichtigsten Gedankengänge des vorliegenden Buches in dem Artikel „Second Thoughts on *Narrative Situations in the Novel*: Towards a 'Grammar of Fiction' " in *Novel. A Forum on Fiction* (Spring 1978), 247–264, aufmerksam gemacht.

Wo immer es möglich und zweckmäßig schien, wurden die Textbelege aus leicht erreichbaren Taschenbuch- bzw. Paperback-Ausgaben zitiert. Um dem Leser das lästige Blättern im Anhang zu ersparen, werden die Anmerkungen am Fuß der jeweiligen Seite dargeboten. Rücksichtnahme auf die Druckkosten machten dabei einige Inkonsequenzen unvermeidbar, für die ich den Leser um Verständnis und Nachsicht bitte.

In der hohen Sulz
August 1978   F. K. St.

Vorwort zur zweiten Auflage (1982)

Die Neuauflage bot mir Gelegenheit, die Definition der Konstituente „Perspektive" neu zu formulieren. Dazu sah ich mich vor allem durch Dorrit Cohns Rezension der *Theorie des Erzählens* veranlaßt („The Encirclement of Narrative. On Franz Stanzel's *Theorie des Erzählens*", *Poetics Today* 2 (1981), 157–182). Eine ausführliche Auseinandersetzung mit diesem für die Diskussion der Erzähltheorie sehr wichtigen Beitrag von Dorrit Cohn, der im übrigen auch einen eingehenden Vergleich meiner Theorie mit Gérard Genettes *Narrative Discourse (Figures III)*, Ithaca, N.Y. 1980, enthält, muß aus Platzgründen an anderer Stelle erfolgen.

Im Text der Neuauflage wurden eine Reihe von Versehen der Erstausgabe korrigiert. Weiters konnten zahlreiche Hinweise auf Fachliteratur, die seit der Erstauflage erschienen ist, oder von der ich erst jetzt Kenntnis erhalten habe, in einem Anhang aufgenommen werden. Auf die zusätzlichen Anmerkungen und Literaturhinweise wird an den Stellen im Text, auf die sie sich beziehen, durch einen Asterisk [*] oder Obelisk [†] aufmerksam gemacht.

Eine englische Übersetzung der *Theorie des Erzählens* wird in ungefähr Jahresfrist bei der Cambridge University Press erscheinen.

Frau Mag. phil. Ingrid Buchegger habe ich wiederum für gewissenhafte Mitarbeit an den Korrekturen und für die Überarbeitung der beiden Register zu danken.

F. K. St.

Vorwort zur dritten Auflage (1985)

Es werden einige Versehen korrigiert, sonst aber keine Änderungen vorgenommen. Eine englische Fassung ist 1984 als *A Theory of Narrative* bei der Cambridge University Press erschienen.

F. K. St.

Einleitung

[. . .] vorläufig aber will ich bekennen, daß nach *Shakespeare* und *Spinoza* auf mich die größte Wirkung von *Linné* ausgegangen und zwar gerade durch den Widerstreit zu welchem er mich aufforderte. Denn indem ich sein scharfes, geistreiches Absondern, seine treffenden, zweckmäßigen, oft aber willkürlichen Gesetze in mich aufzunehmen versuchte, ging in meinem Innern ein Zwiespalt vor; das was er mit Gewalt auseinander zu halten suchte, mußte, nach dem innersten Bedürfnis meines Wesens, zur Vereinigung anstreben.

(Goethe, „Geschichte meines botanischen Studiums")

Als 1955 die *Typischen Erzählsituationen im Roman* erschienen, befand sich das Studium der Erzählkunst in seinem Linnéschen Zeitalter: im Vordergrund stand das Bemühen, auf dem Wege über eine Klassifikation der Arten des Erzählens und durch die Einführung einer möglichst klaren Nomenklatur jenes Maß an Ordnung zu stiften, das erforderlich war, um die Vielfalt und den Reichtum der Erzählformen überschaubar und damit für eine systematische Theorie zugänglich zu machen. Gleichzeitig galt es, der seit der Jahrhundertwende immer häufiger verwendeten Erzählweise (gekennzeichnet durch personale Erzählsituation, inneren Monolog, Segmentierung usw.) romantheoretisch Anerkennung zu verschaffen. Das negative Verdikt älterer Kritiker und Theoretiker über solche Neuerungen fand nämlich in den Fünfziger Jahren noch immer, wenn auch nur vereinzelt, Zustimmung.[1]

Als diese Ziele erreicht waren, konnte sich die Erzählforschung neuen Fragen zuwenden, die ihr – darin kündigt sich ein entscheidender Wandel an – nun zum Teil auch von anderen Disziplinen (Linguistik, Textwissenschaft, Kommunikationstheorie u. a.) gestellt wurden. Ein Blick in eine neuere Bibliographie, z. B. die „Auswahlbibliographie zur Erzählforschung", die Wolfgang Haubrichs dem von ihm 1976 herausgegebenen Band *Erzählforschung 1* angefügt hat, zeigt, daß die Beiträge jener Disziplinen, die 1955 noch gar nicht etabliert waren oder noch keinen Kontakt mit der Literaturwissenschaft hatten, heute bereits einen wesentlichen Teil der Erzählforschung darstellen. Eine

---

1 Vgl. Robert Petsch, *Wesen und Formen der Erzählkunst*, Halle (Saale) 1934, 331; und Wolfgang Kayser, *Entstehung und Krise des modernen Romans*, Stuttgart ²1955, 34.

Bestandsaufnahme der bisherigen Ergebnisse für den ganzen Bereich der Erzähltheorie im Rahmen eines handlichen Bandes ist aus diesem Grund nicht mehr möglich. Die vorliegende Abhandlung setzt sich daher ein begrenztes Ziel, das vielleicht ohne allzu starke Verkürzung der darzustellenden Probleme erreicht werden kann. Im wesentlichen geht es um eine Weiterentwicklung und Differenzierung der Typologie der Erzählweisen auf der Basis der 1955 beschriebenen Erzählsituationen. Als Folge der erwähnten Ausweitung der Erzählforschung ist auch ein – teils zustimmendes, teils kritisches – Echo der *Typischen Erzählsituationen* und der *Typischen Formen des Romans*[2] in mehreren Bereichen außerhalb der Literaturwissenschaft zu vernehmen: Textlinguistik, „linguistic criticism", Kommunikationstheorie usw. Deshalb wird die vorliegende Studie, trotz der vorgesehenen Beschränkung, auch auf Ergebnisse und Argumente der genannten Disziplinen einzugehen haben. Gerade an dieser Streuung der Reaktionen auf die *Typischen Erzählsituationen* läßt sich erkennen, wie in den letzten Jahrzehnten das, was 1955 noch im wesentlichen ein Anliegen der Romantheorie war, weit über den Raum der Literaturwissenschaft hinauszugreifen begonnen hat. Die neue Forschungslage ist dementsprechend auch durch die Offenheit des Problemhorizontes gekennzeichnet: Fast jede Einzelfrage der Erzähltheorie erscheint in irgendeinem Zusammenhang mit umfassenden Fragen der geistigen Situation unserer Kultur. So stellt sich heute die Frage, ob Literatur, im besonderen Werke der Erzählkunst, überhaupt einem systematisch-theoretischen Zugriff verfügbar sind, nicht mehr als rein literaturwissenschaftliches Problem, sondern als ein Teilproblem umfassenderer Bemühungen, die geistigen und sozialen Gegebenheiten unserer Kultur zu begreifen. Wenn Jurij Lotman und seine Mitarbeiter die Funktion von „culture" als „aggression of regularity against the sphere of the unregulated" zu verstehen suchen[3] und wenn Umberto Eco als das Ziel der von ihm konzipierten Semiotik eine „logic of culture" ins Auge faßt,[4] dann wird damit das größere Bezugsfeld sichtbar, in das sich der Versuch einer Theorie der Erzählkunst, einer systematischen

---

2 F.K. Stanzel, *Die typischen Erzählsituationen im Roman. Dargestellt an* „*Tom Jones*", „*Moby-Dick*", „*The Ambassadors*", „*Ulysses*" *u. a.*, Wien-Stuttgart 1955, und *Die typischen Formen des Romans* (1964), 10. Auflage mit einem Nachwort, Göttingen 1981.

3 Thomas A. Sebeok (Hrsg.), *The Tell-Tale Sign. A Survey of Semiotics,* Lisse (Niederlande) 1957, 60.

4 T. A. Sebeok, *The Tell-Tale Sign,* 17.

Darstellung der wesentlichsten Elemente des Erzählens und ihrer strukturellen Zusammenhänge, einzuordnen hat.

Die „Interdisziplinierung" des Erzählproblems hat nicht nur die Zahl der erkennbaren Facetten des zu untersuchenden Objekts vermehrt, sie hat auch zur Verfeinerung des Instrumentariums beigetragen, mit dem Erzähltexte analysiert werden können. Jede Differenzierung der Arbeitsbegriffe – das ist eine allgemeine Erfahrung jeder Forschung – vergrößert Zahl, Vielfalt, Variabilität der erkennbaren Formen und Phänomene. Auf die Begriffe der „typischen Erzählsituationen" von 1955 angewendet, heißt das, daß diese Begriffe im Lichte der neueren Erkenntnisse der Erzählforschung zu revidieren sind, wenn ihre Funktionsfähigkeit erhalten bleiben soll. Jetzt, nachdem das ursprüngliche Ziel einer ersten umfassenden und systematischen Tabulierung der wesentlichsten Erzählweisen erreicht ist, kann der Versuch unternommen werden, der „Widerspenstigkeit" des einzelnen Erzählwerkes etwas mehr als früher gerecht zu werden und damit auch die Theorie der Erzählung wiederum einen Schritt näher an die Realität der Erzähltexte heranzubringen. Wenn früher auf die Darstellung der Erzählsituationen als Idealtypen mehr Gewicht gelegt wurde als auf die Beschreibung der unendlich modulierfähigen Zwischenformen und Kombinationen von Erzählweisen, wie sie durch das Schema des Typenkreises andeutungsweise sichtbar gemacht werden, so ist es die vordringlichste Absicht der vorliegenden Arbeit, eine Dynamisierung und Differenzierung des Begriffs der typischen Erzählsituationen zu versuchen.

Es wird sich im Laufe dieser Untersuchung zeigen – das sei hier schon vorweggenommen –, daß hinter dem Bestreben, die Erzähltheorie von der groben Rubrizierung der Formen und Werke wegzuführen, wiederum eine, wie es zunächst scheint, gegenläufige Tendenz sichtbar wird. Es beginnen sich nämlich unter der Oberfläche der „Widerspenstigkeit" der einzelnen Erzählwerke neuerlich Konturen abzuzeichnen, die auf über das einzelne Werk hinausweisende, übergreifende Korrespondenzen, Bindungen, Ordnungssysteme, Strukturmuster hindeuten. Das ist nicht zuletzt ein Produkt der Betrachtungsweise des Strukturalismus, der stärker als andere Methodologien die neuere Literaturwissenschaft und ebenso die Linguistik bestimmt. Das Schema des Typenkreises in seiner neuen, strenger formalisierten Gestalt (siehe Diagramm am Schluß des Bandes) wird die Grundlage dafür bilden, solche in der Struktur des Erzählens begründeten Zusammenhänge, Korrespondenzen und Kontiguitäten anschaulich zu machen.

1. Mittelbarkeit als Gattungsmerkmal der Erzählung

> By definition narrative art requires a story and a story-teller.
>
> (Scholes/Kellogg, *The Nature of Narrative*)

Wo eine Nachricht übermittelt, wo berichtet oder erzählt wird, begegnen wir einem Mittler, wird die Stimme eines Erzählers hörbar. Das hat bereits die ältere Romantheorie als Gattungsmerkmal, das erzählende Dichtung vor allem von dramatischer unterscheidet, erkannt. Durch den Vergleich der mittelbaren Erzählung mit dem unmittelbaren Drama wurde der Schwerpunkt der Diskussion dieses Aspekts sehr stark auf die Frage verlagert, ob die Anwesenheit eines persönlichen Erzählers – an ihr wurde hauptsächlich die Mittelbarkeit des Erzählens erkannt – die Illusion des Lesers störe. Der Forderung eines Friedrich Spielhagen und seiner Anhänger nach Objektivität, d.h. nach Unmittelbarkeit der Darstellung auch im Roman, trat Käte Friedemann schon 1910 mit der Feststellung entgegen, daß die Mittelbarkeit des Erzählens keineswegs ein (im Vergleich zum Drama*) zweitrangiges Verfahren sei, sondern eine Art Analogon zu unserer Wirklichkeitserfahrung im allgemeinen bilde: „„der Erzähler' ist *der* Bewertende, *der* Fühlende, *der* Schauende. Er symbolisiert die uns seit Kant geläufige erkenntnistheoretische Auffassung, daß wir die Welt nicht ergreifen, wie sie an sich ist, sondern wie sie durch das Medium eines betrachtenden Geistes hindurchgegangen. Durch ihn trennt sich für unsere Anschauung die Tatsachenwelt in Subjekt und Objekt.‟[1] Die typischen Erzählsituationen (ES) sind zu allererst als grobe Beschreibung der drei grundsätzlichen Möglichkeiten, die Mittelbarkeit des Erzählens zu gestalten, zu verstehen. Für die Ich-ES ist kennzeichnend, daß die Mittelbarkeit des Erzählens ihren Ort ganz in der fiktionalen Welt der Romanfiguren hat: der Mittler, das ist der Ich-Erzähler, ist ebenso ein Charakter dieser Welt wie die anderen Charaktere des Romans. Es besteht volle Identität zwischen der Welt der Charak-

---

1 Käte Friedemann, *Die Rolle des Erzählers in der Epik* (1910), Darmstadt 1965, 26.

tere und der Welt des Erzählers. Welche Folgerung sich daraus für die Interpretation einer Ich-Erzählung ergibt, wird in diesem Buch eingehend zu diskutieren sein. Für die auktoriale ES ist charakteristisch, daß der Erzähler außerhalb der Welt der Charaktere steht; seine Welt ist durch eine ontische Grenze von jener der Charaktere getrennt. Der Vermittlungsvorgang erfolgt daher aus der Position der Außenperspektive, was weitreichende Konsequenzen für die Interpretation des so Erzählten im Vergleich zu einer Ich-Erzählung hat. In einer personalen ES schließlich tritt an die Stelle des vermittelnden Erzählers ein Reflektor: Eine Romanfigur, die denkt, fühlt, wahrnimmt, aber nicht wie ein Erzähler zum Leser spricht. Hier blickt der Leser mit den Augen dieser Reflektorfigur auf die anderen Charaktere der Erzählung. Weil nicht „erzählt" wird, entsteht in diesem Fall der Eindruck der Unmittelbarkeit der Darstellung. Die Überlagerung der Mittelbarkeit durch die Illusion der Unmittelbarkeit ist demnach das auszeichnende Merkmal der personalen ES. Ein Großteil der in den letzten Jahrzehnten veröffentlichten Romane nähert sich dieser ES. Auch die Bedeutung dieser Erzählweise für die Interpretation eines Romans wird ausführlich zu behandeln sein.

Die Mittelbarkeit des Erzählens bildet also die Grundlage der Unterscheidung der drei typischen ES, und zwar auf die Weise, daß in jeder ES ein anderes Element des Komplexes Mittelbarkeit als dominant anzusetzen ist: Identität der Seinsbereiche (erste Person ist Romanfigur) in der Ich-ES, Perspektive (Außenperspektive) in der auktorialen ES, und Modus (Reflektor) in der personalen ES.

Entsprechend seiner Bedeutung als Gattungsspezifikum der Erzählung findet der Begriff Mittelbarkeit bzw. der damit bezeichnete gattungstheoretische Sachverhalt auch in den meisten neueren Arbeiten zur Romantheorie – und zwar der verschiedensten Richtungen – Berücksichtigung.[2] Für K. Hamburger ist Mittelbarkeit („Aussagestruk-

---

2 Davon auszunehmen ist die ausschließlich auf die Erfassung der Tiefenstruktur hin orientierte „Narratologie", die sich von den grundlegenden Arbeiten Vladimir Propps (*Morphology of the Folktale,* Austin [2]1968) und Claude Lévi-Strauss' (*The Savage Mind,* Chicago 1966) herleitet. Kennzeichnend für ihre „Vernachlässigung der Textoberfläche" (E. Gülich) ist z. B., daß in W. O. Hendricks' narratologischer Analyse von A. Bierces Erzählung „Oil of Dog" die einzige Erwähnung der ES dieser Geschichte in eine Fußnote verbannt wird. Vgl. William O. Hendricks, „Structural Study of Narration", *Poetics* 3 (1972), 112, und Elisabeth Gülich, „Erzähltextanalyse", *Linguistik und Didaktik* 15 (1973), 326.*

tur") das Merkmal, das die fingierte Ich-Erzählung gegenüber der fiktionalen Er-Erzählung auszeichnet.[3] In J. Andereggs Unterscheidung zwischen einem „Berichtmodell" und einem „Erzählmodell" des literarischen Kommunikationsprozesses wird das Vorhandensein eines Mittlers oder „Senders" zum wichtigsten Kriterium dieser Trennung.[4] Auch in linguistisch fundierten Beschreibungen der Arten des Erzählens, wie z.B. jener von S. Chatman, die auf den „speech act"-Theorien von John Austin und John Searle aufbaut, wird im wesentlichen von dem Sachverhalt der Mittelbarkeit („narrative transmission") ausgegangen.[5] Und erst kürzlich hat R. Fowler in seinem interessanten Versuch einer *Linguistics and the Novel*[6] „proposition" und „modality" als die beiden Aspekte der Tiefenstruktur des Satzes bezeichnet, die sich in analoger Form auch in der Struktur des Romans nachweisen ließen. „Modality" bezeichnet nichts anderes als alle jene Merkmale der Erzählstruktur, die aus der Mittelbarkeit des Erzählens abzuleiten sind.

Mittelbarkeit, das heißt, gestaltete Mittelbarkeit, ist der wichtigste Ansatzpunkt für die Durchformung eines Stoffes durch den Autor einer erzählenden Dichtung. Jede Anstrengung, die Mittelbarkeit des Erzählens zu gestalten, erhöht die Literarizität (Roman Jakobson)[7] eines Romans oder einer Kurzgeschichte, d.h. die ganz spezifische Möglichkeit des Werkes, als literarisches und ästhetisches Gebilde zu wirken. Es ist daher kein Zufall, daß sich gerade der Trivialroman in der Regel mit einem Minimum an gestalteter Mittelbarkeit begnügt. Im deutlichen Gegensatz zum Trivialroman haben die Autoren von epochemachenden Werken der Erzählliteratur, wie *Don Quijote, Tristram Shandy, Madame Bovary, Ulysses* u.a. ihre Innovationskraft zu einem Gutteil der Gestaltung gerade des Erzählvorganges im Roman zugewendet. Solche Erzählleistungen wirken gleichsam den Ermüdungserscheinungen entgegen, denen sich kein weitverbreitetes und vielverwendetes Medium auf die Dauer ganz entziehen kann. Viktor Šklovskijs Interpretation des *Tristram Shandy* als literarisches Antidot

---

3 Käte Hamburger, *Die Logik der Dichtung* (1957), Stuttgart ²1968.

4 Johannes Anderegg, *Fiktion und Kommunikation: Ein Beitrag zur Theorie der Prosa* (1973), Göttingen ²1977.

5 Seymour Chatman, „The Structure of Narrative Transmission", in: *Style and Structure in Literature: Essays in the New Stylistics,* hg. Roger Fowler, Oxford 1975, 213–257.

6 Roger Fowler, *Linguistics and the Novel*, London 1977, 12 f.

7 Vgl. Roman Jakobson, *Fundamentals of Language*, Den Haag 1956, 55–82.

gegen die „Familiarisierung" der Erzählform des Romans, als „Entwöhnung" des Lesers durch den Einsatz von Verfremdung, zielte bereits 1925 auf diesen Punkt. So sagt Šklovskij in seinem Aufsatz „Die Parodie auf den Roman: *Tristram Shandy*" sehr zutreffend über den Autor des *Tristram Shandy:* „Die Bloßlegung des Kunstgriffs ist für ihn typisch".[8] Die Anomalien des Erzählaktes werden hier als Instrument für die Verfremdung der Mittelbarkeit als Gattungszug des Romans aufgefaßt. Tatsächlich liegt der wichtigere Teil der Handlung im Erzählakt selbst, und dieser Erzählakt dramatisiert Mittelbarkeit in ganz unerhörter Weise. In seiner eingehenden Darstellung des Erzählaktes, der von freien Assoziationen des Erzählbewußtseins ebenso beeinträchtigt erscheint wie vom körperlichen Wohlbefinden oder Unbehagen des Erzählers, hat Sterne auch die spannenden Wechselfälle im Konzeptions- und Abfassungsverlauf, aus der schließlich die einmalige Form dieses Romans hervorgeht, für den Leser einschaubar gemacht.[9] In dieser Tradition der „Entfamiliarisierung" des Erzählaktes steht auch J. Joyces *Ulysses*, was durch Scholes' strukturalistische Interpretation des *Ulysses* besonders unterstrichen wird: „In reading it we learn how to read it"; d.h. indem wir versuchen, die außergewöhnliche Gestalt, die hier die Mittelbarkeit erhalten hat, zu begreifen, werden wir als Leser verwandelt, wächst uns eine neue Erfahrungsdimension als Leser zu: „Our comprehension is exercised and stretched. We are led gradually to a method of narration and to a view of man (the two inseparable) different from those found in previous fiction".[10] Die Mehrzahl der Romane und Erzählungen liegt irgendwo in der Mitte zwischen diesen epochalen Innovationen und der abgeflachten Erzählweise der meisten Trivialromane, sie stehen also irgendwo innerhalb dieses hiemit abgesteckten Spannungsfeldes. In vielen Einzelwerken, so z.B. in Dickens' *A Christmas Carol*, oder aber im Gesamtwerk eines Autors ist so nicht selten ein entsprechendes Gefälle in der Gestaltung der Mittelbarkeit festzustellen. In der Regel ist ein gewisser Abfall, ein Nachlassen der Intensität, mit der der Erzählakt betrieben wird, zwischen Anfang und Ende eines Romans, zwischen den frühen und den späten Werken eines Autors zu beobachten. Der um-

---

8 Viktor Šklovskij, *Theorie der Prosa,* Frankfurt/Main 1966, 131.

9 Vgl. Bernhard Fabian, „Sterne: *Tristram Shandy*", in: *Der Englische Roman*, Düsseldorf 1969, Bd. 1, 232–269; F.K. Stanzel, „*Tristram Shandy* und die Klimatheorie", *GRM*, N.F. 21 (1971), 16–28; R. Scholes, *Structuralism in Literature,* New Haven 1974, 84f.

10 R. Scholes, *Structuralism in Literature,* 185.

gekehrte Vorgang ist ebenfalls möglich, wenn auch viel seltener, wie die Entwicklung des Erzählstils etwa bei Henry James und natürlich bei James Joyce zeigt. Dieses Phänomen, das bisher als allgemeines Problem der Erzählkunst noch kaum beachtet worden ist, wird im Zusammenhang mit den Begriffen „Dynamisierung der ES" und „Erzählprofil" noch näher erörtert werden.

Begriffe wie Intensität, Nachlassen der Anspannung, „Entropie", verwendet mit Bezug auf die Gestaltung der Mittelbarkeit in den typischen Erzählsituationen, bedürfen aber schon hier einer kurzen Erläuterung. Umfang, Ausmaß oder Grad der schöpferischen Energie, die von einer bestimmten Form literarischer Gestaltung gefordert wird, sind schwer – wenn überhaupt – meßbar. Für die Erzählliteratur bieten die in einer bestimmten Epoche geläufigsten Formen des Erzählens, also die historischen Erzählformen und der Grad der Deviation eines bestimmten Erzählwerkes von diesen Normen, gewisse Anhaltspunkte für die Einschätzung des Ausmaßes und der Intensität der aufgewendeten schöpferischen Energie. Für den viktorianischen Roman ist diese Norm in der Nähe entweder der auktorialen ES oder der quasi-autobiographischen Form der Ich-ES zu suchen. Sie ist auch im viktorianischen Roman am häufigsten anzutreffen, da ihre Durchführung an einen viktorianischen Autor die geringsten Anforderungen stellte. Für diese Epoche ist daher die Qualifikation der auktorialen ES als „the most lazy approach of the novel"[11] zutreffend. Dies gilt allerdings nicht mehr für Autoren unserer Zeit, denn die Erzählnorm des Romans der Mitte des 20. Jahrhunderts ist nicht mehr auktoriale oder eine autobiographische Ich-ES, sondern eine auktorial-personale ES. Im folgenden wird für die ES, die allem Anschein nach den Autoren einer bestimmten Epoche am geläufigsten ist, die von ihnen am wenigsten Aufmerksamkeit und kreative Anspannung bei der Abfassung fordert und die daher auch im Trivialroman vorherrscht, der Begriff „Prototyp der ES" verwendet. Wir werden demnach zwischen einem Prototyp der ES im viktorianischen Roman und einem Prototyp der ES im modernen Roman, genauer im Roman der Gegenwart, zu unterscheiden haben.

Da eine auf ungewöhnliche Weise gestaltete Mittelbarkeit die Komplexität des Sinngefüges einer Erzählung erhöhen, ihre Bedeutungsschichten und -facetten vermehren kann, wie an den oben erwähnten Werken sichtbar wird, kommt der planen Deckung der gestalteten Mittelbarkeit einer Erzählung mit einem der drei Idealtypen der ES

---

11 G. Steiner, „A Preface to *Middlemarch*", *NCF* 9 (1955), 275.

keinerlei Vorrang zu. In den frühesten Rezensionen der *Typischen Erzählsituationen* wurde öfters ein solcher Vorrang angenommen, ein Irrtum, dem vielleicht unscharfe Formulierungen in der ursprünglichen Beschreibung der Funktion der Typen Vorschub geleistet haben. Es sei hier noch einmal nachdrücklich klargestellt, daß die typischen ES als Idealtypen konzipiert sind und als solche keinerlei vorschreibenden Charakter haben.[12] Das Wesen von Idealtypen besteht nach Max Weber gerade darin, Abstraktion, gedankliche Konstruktion bleiben zu müssen, eine Abstraktion, die von keinem Werk realisiert werden kann: „Je schärfer und eindeutiger konstruiert die Idealtypen sind, je weltfremder sie also sind, desto besser leisten sie ihren Dienst, terminologisch und klassifikatorisch sowohl wie heuristisch".[13] Die „Widerspenstigkeit" des Werkes im Detail oder im Ganzen gegenüber dem Typus gehört zu seinem Wesen ebenso, wie die ideelle Stimmigkeit, die gedankliche Geschlossenheit zum Wesen des Idealtypus gehört. Ohne uns dem Shibboleth der heute so weit verbreiteten Deviationstheorie ganz zu verschreiben, können wir sagen, daß durch die „Verfehlung" des Idealtypus in der Gestaltung der ES u.U. einer Erzählung eher „poetische Qualität" oder „Literarizität" zuwächst als durch eine möglichst weitgehende Annäherung an einen Idealtypus.

Wenn man die Deviationstheorie, die Lehre, daß jedes Werk eine Abweichung von einer bestehenden literarischen Norm sei bzw. auf die Brechung solcher Normen ziele, auf unsere Typologie anwendet, dann ist zu berücksichtigen, daß jedes Werk in der Schnittlinie zweier einander entgegengesetzter Normsysteme liegt, dem des Prototyps der ES und dem der ES als Idealtypus. Die Deviation vom Idealtypus einer ES wird im allgemeinen unbewußt erfolgen, da dem Autor in der Regel das System der typischen ES gar nicht bekannt sein wird, die Deviation vom Prototyp ist dagegen als bewußte Reaktion des Autors auf das in der Massenliteratur geläufigste Erzählmodell aufzufassen.[14] In den letzten Jahrzehnten haben vor allem amerikanische Autoren, denen nur einige wenige, auffällig wenige, englische Autoren gefolgt

---

12 Vgl. *Typische Formen,* 8.
13 Max Weber, *Gesammelte Aufsätze zur Wissenschaftslehre,* Tübingen 1922, 190f.
14 Zum Begriff der Deviation und zur Kritik an der Deviationstheorie vgl.: Jan Mukařovský, „Standard Language and Poetic Language", in: *A Prague School Reader on Esthetics, Literary Structure, and Style,* Georgetown [3]1964, 17ff.; Jurij Lotman, *Die Struktur literarischer Texte,* München 1972, 111ff. und 423; Michael Riffaterre, *Strukturale Stilistik,* München 1973, 206, 234 et passim; S. Chatman, *Linguistics and Literature. An Introduction*

sind,[15] die Deviation von allen Normen und Konventionen der Erzählkunst bis zum äußersten getrieben: W. Burroughs, John Barth, Thomas Pynchon, Kurt Vonnegut jr. u.a. Auf einige ihrer Experimente, die für unseren Zusammenhang von besonderem Interesse sind, wird im Laufe dieser Arbeit noch hingewiesen werden. Im ganzen aber lassen sich diese Versuche noch nicht erzähltheoretisch klassifizieren oder endgültig interpretieren. Etwas anders liegen die Dinge mit dem französischen „Nouveau Roman", dessen Experimentierfreudigkeit von einer gründlicheren Reflexion der sprachlichen und literarischen Voraussetzungen für narrative Innovationen getragen zu sein scheint. So könnte z.B. Robbe-Grillets Versuch einer völligen Verdinglichung (»réification«) der dargestellten Wirklichkeit mit Hilfe einer optischen Erstarrung des Mittlers (etwa indem eine Person auf die Funktion eines Kameraauges reduziert wird) als eine Extremlösung gestalteter Mittelbarkeit aufgefaßt werden, aus der sich gewisse Grundsatzüberlegungen herleiten lassen. Über die ES des Romans *La Jalousie*, von der hier die Rede ist, wird später noch mehr zu sagen sein.

1.1 Mittelbarkeit und „Point of View"

Die Begriffe, die die Erzählforschung seit dem Ende des 19. Jahrhunderts immer wieder an das Problem der Mittelbarkeit herangeführt haben, sind „Erzähler" bzw. „persönlicher Erzähler" und „point of view". Für den englischen Terminus „point of view" hat die deutschsprachige Literaturwissenschaft keine prägnante Entsprechung, sie verwendet deshalb abwechselnd Standpunkt, Blickpunkt, Perspektive oder Erzählwinkel. Es empfiehlt sich daher, den ohnehin schon gut eingebürgerten englischen Ausdruck zu verwenden. „Point of view" ist zwar als Terminus prägnant, aber in seiner Verwendung keineswegs eindeutig. Zunächst ist zwischen der allgemeinen Bedeutung „Einstellung", „Haltung zu einer Frage", und der speziellen Bedeutung „Standpunkt, von dem aus eine Geschichte erzählt oder von dem aus die Begebenheit einer Geschichte von einer Figur der Erzählung wahrgenommen wird", zu unterscheiden. Wie aus dieser Definition

---

to Literary Stylistics, London 1973; Wolfgang Iser, *Der Akt des Lesens,* München 1976, 146f.

15 Vgl. Bernard Bergonzi, *The Situation of the Novel,* Harmondsworth 1972, 26.

der spezielleren Bedeutung hervorgeht, werden zwei Aspekte unter dem erzähltechnischen Terminus „point of view" zusammengefaßt, die erzähltheoretisch getrennt zu halten sind: erzählen, d.h. dem Leser etwas in Worten mitteilen, und erfahren, wahrnehmen, wissen, was im fiktionalen Raum vorgeht. Kristin Morrison, die darauf aufmerksam gemacht hat, daß „point of view" seit Henry James und Percy Lubbock mit dieser Doppeldeutigkeit verwendet wird, unterscheidet deshalb zwischen dem „speaker of the narrative words", das ist in unserer Terminologie eine Erzählerfigur, und dem „knower of the narrative story", also einem personalen Medium oder einer Reflektorfigur.[16] Die eigentliche Schwierigkeit liegt darin, daß sich die beiden Funktionen des „point of view" gegenseitig überlagern können, was besonders häufig dort zu beobachten ist, wo auktoriale und personale Elemente in der ES eines Romans in enger Verbindung erscheinen. Die Wahrnehmung der dargestellten Wirklichkeit erfolgt in diesem Fall vom Standpunkt eines personalen Mediums aus, aber in der Mitteilung dieser Wahrnehmung ist auch noch die Stimme eines auktorialen Erzählers zu vernehmen, dessen „point of view" somit ebenfalls, wenn auch auf recht unbestimmte Weise, vom Leser registriert werden kann. H. James liefert in seinen Romanen und Erzählungen zahlreiche Beispiele dafür. Die sogenannte Erlebte Rede (ER) ist die Form einer solchen Doppelperspektive von „knower" und „sayer", die am meisten Aufmerksamkeit erregt hat und die daher auch später noch Gegenstand unserer Betrachtungen sein wird.

Die älteren Arbeiten zu den „point of view"-Theorien von Henry James, Percy Lubbock, Jean Pouillon, Brooks und Warren, Norman Friedman, Robert Weimann u.a. sind bereits so oft in der Literatur zur Erzählforschung referiert worden,[17] daß hier nicht mehr darauf eingegangen werden braucht. Auf die Weiterentwicklung der „point of view"-Theorien durch Strukturalisten, wie z.B. G. Genette und B. Uspenskij, und von linguistisch orientierten Erzählforschern, wie z.B. L. Doležel, S. Chatman u.a.,[18] wird weiter unten noch ausführlicher

---

16 Sister Kristin Morrison, „James's and Lubbock's Differing Points of View", *NCF* 16 (1961), 245–55.

17 Vgl. Bertil Romberg, *Studies in the Narrative Technique of the First-Person Novel,* Stockholm 1962, und Françoise van Rossum-Guyon, „Point de vue ou perspective narrative", *Poétique* 1 (1970), 476–497.

18 Gérard Genette, *Figures III,* Paris 1972;* Boris A. Uspenskij, *A Poetics of Composition. The Structure of the Artistic Text and Typology of a Compositional Form,* Berkeley, Cal., 1973; Lubomír Doležel, „The Typology of the

einzugehen sein. Hier soll nur noch darauf hingewiesen werden, daß zwischen den „point of view"-Theorien mit ihren vorwiegend perspektivischen Erklärungen der Mittelbarkeit und der Verfremdungstheorie eines Šklovskij, wie auch dem vor allem von der russischen Literaturwissenschaft entwickelten Begriff des „skaz" mehrfache Querverbindungen bestehen. Unter „skaz" ist u.a. eine Form der Erzählperspektive, vor allem in Ich-Erzählungen, die auf einen mündlichen Vortrag hin stilisiert sind, zu verstehen. Der sehr komplexe Begriff des „skaz" wird in dieser Untersuchung nicht weiter diskutiert werden, es wird dafür auf die sehr eingehende Behandlung dieses Begriffs bei B. Ejchenbaum und Irwin R. Titunik verwiesen.[19] Auch V. Šklovskijs bereits erwähnte Verfremdungstheorie ist, soweit sie sich auf perspektivische Mittel der Verfremdung bezieht, eine „point of view"-Theorie. Seine Forderung an die Kunst, „die Wahrnehmung des Lebens wiederherzustellen, die Dinge fühlbar, den Stein steinig zu machen" (14), ist am ehesten durch die Übertragung des „point of view" von einem „speaker of the narrative words" an einen „knower of the narrative story" zu erreichen, vom Bericht eines Erzählers zur erlebten Wahrnehmung einer Romanfigur. Die verfremdende Wirkung der erlebten Wahrnehmung wird allerdings im modernen Roman meist nicht mehr mit allegorie- oder fabelähnlicher Rolleneinkleidung erzielt (Šklovskij führt Tolstojs Erzählung „Cholstomer" an, in der in Swiftscher Manier die Ereignisse aus der Sicht eines Pferdes dargeboten werden), sondern durch die Wahl von Charakteren vor allem aus den Randschichten der Gesellschaft. Die Zahl der Außenseiter, Verfemten, Deklassierten, die im modernen Roman mit dieser Funktion betraut werden – man denke an Leopold Bloom, Josef K., Bieberkopf, Meursault –, ist auffällig groß. Die Konzentration auf die Seh- und Erlebnisweise eines Geisteskranken oder Debilen – Benjy in *The Sound and the Fury* oder Chief Bromden in Ken Keseys *One Flew Over the Cuckoo's Nest* – ist als konsequente Fortsetzung der Tendenz zur Verfremdung durch

Narrator: Point of View in Fiction", in: *To Honor Roman Jakobson,* Den Haag 1967, Bd. 1, 541–552. Deutsche Übersetzung „Die Typologie des Erzählers: ‚Erzählsituationen' (‚Point of View') in der Dichtung", in: Jens Ihwe (Hrsg.), *Literaturwissenschaft und Linguistik,* Frankfurt/Main 1972, Bd. 3, 376–392; S. Chatman, „The Structure of Narrative Transmission", in: *Style and Structure in Literature,* Oxford 1975, 213–57.

19 Boris Ejchenbaum, „Die Illusion des ‚skaz' ", in: *Russischer Formalismus. Texte zur allgemeinen Literaturtheorie und zur Theorie der Prosa,* München 1971, 161–167; und Irwin R. Titunik, „Das Problem des ‚skaz'. Kritik und Theorie", in: *Erzählforschung 2,* Göttingen 1977, 114–140.

eine extreme Form der Mediatisierung zu verstehen. In allen diesen Fällen ist es gerade die totale Verlagerung des „point of view" in eine Außenseiter-Romanfigur, die den Verfremdungseffekt erzeugt, indem sie den Leser veranlaßt, eine ihm vertraute Wirklichkeit mit ganz „anderen" Augen zu sehen.[20] Das völlige Ausbleiben jeder auktorialen Kommentierung, der Verzicht auf jede ausdrückliche „Korrektur" des Abweichens der dargestellten Charaktere von einer erwarteten oder unbewußt vorausgesetzten Verhaltensnorm, wie wir sie in der auf Innenperspektive beschränkten Darstellung in einer personalen ES erleben, scheint die verfremdende Wirkung besonders zu fördern.

1.2 Mittelbarkeit und die Person des Erzählers

Indem die Wahrnehmung und die Erlebnisweise von Charakteren uneingeschränkt aus ihrer Perspektive, in ihrer unredigierten Subjektivität und „Fehlerhaftigkeit" vorgeführt werden, enthüllt sich auf besonders auffällige Weise, daß eine grundlegende Eigenart unserer Wirklichkeitserfahrung auch für die fiktionale Erzählung gilt: jedes wahrnehmende Erfassen der Wirklichkeit ist von einem mehr oder weniger zutreffenden Vorverständnis dieser Wirklichkeit abhängig. Gestaltete Mittelbarkeit kann daher auch verstanden werden als die mit den Mitteln der Erzählung konkretisierte „Vorurteilsstruktur des Verstehens".[21] Nicht nur die Wahrnehmung einer Reflektorfigur unterliegt der Vorurteilshaftigkeit des Verstehens, sondern auch die Deutung der dargestellten Welt durch einen persönlichen Erzähler, sei er ein Ich-Erzähler oder ein auktorialer Erzähler. Dieser grundlegende Sachverhalt war im wesentlichen bereits erfaßt, als K. Friedemann 1910 erklärte, daß es der Erzähler sei, der uns als „*der* Bewertende, *der* Fühlende, *der* Schauende" ein Bild von der Welt vermittelt, wie *er* sie erlebt, aber nicht, wie sie wirklich ist.[22] In der Interpretation wird

---

20 Vgl. B. A. Uspenskij, *Poetics,* 131.
21 Jürgen Habermas, „Der Universalitätsanspruch der Hermeneutik", in: *Hermeneutik und Ideologiekritik,* Frankfurt/M. 1971, 156; vgl. auch Christoph Kunze, *Die Erzählperspektive in den Romanen Alain Robbe-Grillets,* Diss. Regensburg 1975, 26 f.
22 S. o. Anm. 1.

dieses Grundprinzip des Erzählens auch heute noch nicht immer genügend beachtet. So kann man z.B. den angesehenen Dickens-Kritiker Philip Collins darüber klagen hören, daß Esther Summerson, die Ich-Erzählerin der einen Hälfte von Dickens' *Bleak House,* eine viel zu simple Person sei.[23] Gegen Esther Summerson als Erzählerfigur sind in der Tat eine Reihe von Einwänden zu machen. Sie aber gegen jemanden austauschen zu wollen, der möglichst wie Dickens selbst erzählen würde, hieße das Wesentliche der Struktur des Romans *Bleak House* verkennen, den Kontrast zwischen einer panoramatisch-omniszienten und einer persönlich-eingeschränkten Perspektive. Gleicht man die Eigenpersönlichkeit eines fiktionalen Erzählers um der Klarheit und Verläßlichkeit des Erzählten willen an die Persönlichkeit des Autors an, so verzichtet man auf die wichtigste Möglichkeit, die Mittelbarkeit der Erzählung zur Relativierung der Vorurteilshaftigkeit der Wirklichkeitserfahrung einzusetzen. Nicht selten wird ein so auf Vordermann gebrachter Erzähler einfach das Sprachrohr des Autors. Der Roman und im geringeren Maße auch die kürzere Erzählung haben sich stets gegen diese Tendenz zum auktorialen Essayismus, einer Art unbewältigter Mittelbarkeit, zur Wehr setzen müssen. Sie tritt bereits in Defoes *Moll Flanders* hervor, deren moralische Retrospektionen sehr oft mit der unverstellten Stimme Defoes anstatt mit der Stimme der jetzt reuigen Heldin vorgetragen werden.[24] Sie findet sich aber auch in Werken aller Epochen der Romangeschichte bis herauf in die Gegenwart. So kann bei einem Autor wie George Orwell der Gedankengang einer dem Autor zunächst recht unähnlichen Romanfigur unversehens zu einem unverhüllten Exkurs des Autors, etwa über den britischen Imperialismus in Indien oder Burma, werden.[25] Dagegen hat z.B. R. Musil, dessen *Mann ohne Eigenschaften* von den ersten Rezensenten als „figurierter Essay" aufgefaßt wurde, wobei man zwischen der Romanfigur Ulrich und dem Autor Musil eine weitgehende

23 Vgl. Philip Collins, *A Critical Commentary on ‚Bleak House‘,* London 1971, 30.

24 Vgl. Ian Watt, *The Rise of the Novel: Studies in Defoe, Richardson and Fielding,* London 1957, 98 f. und 115–118.

25 George Orwell, *The Collected Essays, Journalism and Letters of George Orwell,* Harmondsworth 1970, Bd. 4, 478: „One difficulty I have never solved is that one has masses of experience which one passionately wants to write about [. . .] and no way of using them up except by disguising them as a novel."

Identität unterstellte, deutlich gemacht, wie sehr es ihm auf die Mediatisierung des essayistischen Gehaltes durch Ulrich ankam: „Aber ich
kann, was ich sagen will, nur im Roman, durch das Medium von Vorgängen und Figuren sagen".[26] Bei Musil ist daher nicht wie bei Orwell
von jenem „Dilettantismus" zu sprechen, worunter J. Anderegg das
Versagen eines Autors bei der Umsetzung seiner eigenen Wirklich-
keitsvorstellung in das fiktive Bezugsfeld einer Erzählerfigur oder eines Romancharakters versteht.[27] Solche Fälle, in denen der Roman als
Vehikel für die direkte Propagierung einer Idee oder Ideologie des
Autors verwendet wird, verfehlen die eigentliche Funktion von „point
of view" und Erzähler als Mittel erzählender Gestaltung, die von N.
Friedman unter Bezug auf M. Schorer sehr treffend wie folgt beschrieben wird: „If Lubbock was concerned with the point of view as a means
to a coherent and vivid presentation, Schorer takes it one step further
by examining 'the uses of point of view not only as a mode of dramatic
delimitation, but, more particularly, of thematic definition'. A novel,
he says, normally reveals a created world of values and attitudes, and
an author is assisted in his search for an artistic definition of these values and attitudes by the controlling medium offered by the devices of
point of view; through these devices he is able to disentangle his own
prejudices and predispositions from those of his characters and there-
by to evaluate those of his characters dramatically in relation to one
another within their own frame."[28]
Es ist klar, daß eine solche Funktionsbestimmung des „point of view",
die im übrigen auch auf die Rolle des persönlichen Erzählers auszu-
dehnen ist, mehr auf den modernen als den älteren Roman zutrifft.
Ihre Gültigkeit ist daher romanhistorisch zu modifizieren. Die Geschichte des Romans zeigt ganz deutlich, daß sich etwa seit der Jahrhundertwende die Ansprüche der Autoren, Kritiker und Leser in einem für unsere Frage sehr wichtigen Punkt grundlegend geändert haben, nämlich im Grad der Perspektivierung und Mediatisierung des
Erzählten. In den meisten Romanen der viktorianischen Epoche wird
noch aperspektivisch erzählt, d.h. der Frage der optischen Perspektive
etwa bei der Schilderung eines Innenraums oder einer Landschaft wird
von den Autoren nur wenig Aufmerksamkeit zugewendet. In auffälli-

26 Wolfdietrich Rasch, „Erinnerung an Robert Musil", zitiert nach Uwe
    Baur, „Musils Novelle ,Die Amsel'", in: *Vom ,Törless' zum ,Mann ohne
    Eigenschaften',* München u. Salzburg 1973, 269.
27 Vgl. J. Anderegg, *Fiktion und Kommunikation,* 118.
28 Norman Friedman, „Point of View in Fiction", *PMLA* 70 (1955), 1167.

ger Parallelität dazu zeigt sich, daß auch die Perspektivierung im übertragenen Sinne – die Abgrenzung der Haltungen und Werturteile der Charaktere, vor allem der Protagonisten, von jenen des Erzählers, im besonderen des auktorialen Erzählers – meist recht unscharf bleibt. Ganz anders verhält sich in diesem Punkt ein Großteil der modernen Romane. Es ist also zwischen zwei verschiedenen Stilrichtungen zu unterscheiden, einer perspektivischen und einer aperspektivischen Erzählweise. Am sinnfälligsten werden sie repräsentiert etwa durch den Aperspektivismus eines frühen Dickens oder Thackeray und den Perspektivismus eines späten H. James bzw. eines Joyce oder einer V. Woolf. Auf diesen historischen Stilwechsel vom Aperspektivismus zum Perspektivismus wird bei der Interpretation von älteren Romanen oft viel zu wenig geachtet. Die Möglichkeiten, die der perspektivische, genauer der perspektivierende Erzählstil für die Gestaltung der Mittelbarkeit bereitstellt, sind grundlegend verschieden von den Möglichkeiten des aperspektivischen Erzählstils. Die Anwendung der Kriterien und Maßstäbe des Perspektivismus an ein aperspektivisch konzipiertes Werk hat einen gewissen heuristischen Wert für die Interpretationslehre, sie muß sich jedoch der historischen Inadäquatheit ihrer Ausgangsposition bewußt bleiben. Es wird daher notwendig sein, die Begriffe Perspektivismus und Aperspektivismus im Kapitel über die Perspektive noch genauer zu bestimmen.

Während sich die englischsprachige und ein Teil der anglistischen Romantheorie bei der Analyse der Mittelbarkeit des Erzählens vorzugsweise des „point of view"-Begriffs bedient, zieht die deutschsprachige und germanistische Romantheorie den Begriff „persönlicher Erzähler" vor. Daraus ergeben sich einige Unterschiede in der Akzentuierung und Abgrenzung des Phänomens. Das Kapitel über die „point of view"-Theorien muß daher durch einige weitere Bemerkungen zur Diskussion über den Erzähler ergänzt werden. Die Absonderung der Person des auktorialen Erzählers von der Persönlichkeit des Autors ist eine noch relativ junge romantheoretische Errungenschaft. Sie begann sich gegen Ende der Fünfziger Jahre allmählich durchzusetzen.[29] Es ist also davon auszugehen, daß der auktoriale Erzähler

---

29 In den *Erzählsituationen* (1955) werden daher noch des öfteren die Begriffe „Autor" und „Erzähler bzw. Autor" verwendet, wenn eigentlich der auktoriale Erzähler gemeint ist (S. 20, 23 et passim). Oder es wird von der „Anwesenheit des Autors in der Gestalt des auktorialen Erzählers" gesprochen (S. 27). Diese terminologische Unschärfe wird aber gleich zu Beginn durch eine sachliche Klarstellung kompensiert: „die Gestalt des auk-

eine innerhalb gewisser Grenzen eigenständige Gestalt ist, die vom Autor ebenso geschaffen wird wie die anderen Charaktere des Romans und die sich daher mit ihrer Eigenpersönlichkeit der Interpretation stellt. Erst wenn ein solcher Interpretationsversuch eindeutig negative Ergebnisse erbracht hat, kann eine Gleichsetzung von auktorialem Erzähler und Autor vorgenommen werden. In vielen Literaturgeschichten und auch in manchen, meist kurz gefaßten Abhandlungen über den Roman wird jedoch auch heute noch häufig ein auktorialer Erzähler einfach als der Autor identifiziert. Literaturgeschichten konservieren auch in anderen Fragen häufig den Stand der Literaturwissenschaft von gestern.

Mit der Unterscheidung zwischen Autor und auktorialem Erzähler ist dem Roman eine sehr wichtige Deutungsdimension verfügbar geworden, in der die Funktion des Erzählers als des relativierenden Mittlers zwischen Autor und Leser und zwischen Geschichte und Leser wirksam wird. Wer dieser Erzähler ist und wie er seine Mittlerfunktion erfüllt, soll im folgenden näher betrachtet werden.

„Wer erzählt den Roman?"[30] Mit dieser Frage hat sich die deutschsprachige Erzählforschung sehr intensiv beschäftigt und viele z.T. einander widersprechende Antworten darauf gefunden. In dieser Diskussion wird immer wieder auf Thomas Manns bedeutungsschweres Wort vom „Geist der Erzählung", der als der eigentliche Erzähler in einem Roman anzusehen sei, rekurriert und damit oft Verwirrung gestiftet. Thomas Mann verwendet diesen Begriff in der Einleitung zu seinem Roman *Der Erwählte,* um damit die selbstgestellte Frage, wer in diesem Roman erzähle, bewußt doppelsinnig zu beantworten. Es sei der „Geist der Erzählung", von dem die erzählte Geschichte herzuleiten sei:

Er ist luftig, körperlos, allgegenwärtig, nicht unterworfen dem Unterschiede von Hier und Dort. [. . .] So geistig ist dieser Geist und so abstrakt, daß grammatisch nur in der dritten Person von ihm die Rede sein [. . .] kann [. . .] Und doch kann er sich auch zusammenziehen zur Person, nämlich zur ersten, und sich verkörpern in jemandem, der in dieser [. . .] spricht: „Ich bin es. Ich bin der Geist der Erzählung, der, sitzend an seinem derzeitigen Ort, nämlich in der Bibliothek des Klosters St. Gallen im Alamannenland [. . .] diese Geschichte er-

---

torialen Erzählers [ist] nicht einfach der Persönlichkeit des Autors gleichzusetzen" (S. 24).
30 W. Kayser, *Die Vortragsreise. Studien zur Literatur,* Bern 1958, 82–101. Neu abgedruckt in: V. Klotz (Hrsg.), *Zur Poetik des Romans,* Darmstadt 1965, 197–216.

zählt [. . .] Ich bin Clemens der Ire, ordinis divi Benedicti, zu Besuch hier als brüderlich aufgenommener Gast und Sendbote meines Abtes Kilian vom Kloster Clonmacnois, meinem Hause in Irland [. . .]"[31]

Das Herauspräparieren des für unsere Frage Wesentlichsten muß notwendigerweise – die vielen Auslassungszeichen machen darauf aufmerksam – auf Kosten der Vielschichtigkeit des Originaltextes erfolgen. Schon R. Klesczewski hat gezeigt,[32] wie stark die Verwendung des Begriffs „Geist der Erzählung" in diesem, aber auch in anderen Werken Thomas Manns von Ironie durchsetzt ist, ein Sachverhalt, der bei der romantheoretischen Reklamation des Begriffs nicht immer genügend berücksichtigt worden ist, vor allem nicht bei Wolfgang Kayser, dagegen wohl bei K. Hamburger. Beide, Kayser und K. Hamburger, berufen sich in ihren Theorien auf den Mannschen „Geist der Erzählung",[33] wobei sie sich gegen die Annahme wenden, daß der (auktoriale) Erzähler eine Figur sei, deren Persönlichkeit (persönliche Geschichte, Erfahrungen, Ansichten, Urteile) Gegenstand der Interpretation sein könne. Kaysers Einwand richtet sich in erster Linie gegen die Vorstellung, daß der Erzähler im Roman zu vergleichen sei mit einer Person, die uns im täglichen Leben etwas erzählt, mitteilt, berichtet: „Der Erzähler des Romans – das ist nicht der Autor, das ist aber auch nicht die gedichtete Gestalt, die uns so oft vertraut entgegentritt. Hinter dieser Maske steht der Roman, der sich selber erzählt, steht der Geist dieses Romans, der allwissende, überall gegenwärtige und schaffende Geist dieser Welt" (213 f.). Und als Beweis für diese Ansicht führt Kayser die oben zitierte Stelle aus dem Roman *Der Erwählte* an. Es ist ein höchst eigentümlicher Umstand, daß gerade Kayser, dessen großes Verdienst es ist, die Gestalt des persönlichen (auktorialen) Erzählers vom Autor klar geschieden und damit für den interpretierenden Zugriff verfügbar gemacht zu haben,[34] hier diese Gestalt wieder preisgibt, indem er sie zu einer vagen Metapher reduziert. Genau dies ist auch der Punkt, wo sich seine Argumentation mit jener K. Ham-

---

31 Thomas Mann, *Der Erwählte,* Frankfurt/M. 1951, 10f.

32 R. Klesczewski, „Erzähler und ‚Geist der Erzählung'. Diskussion einer Theorie Wolfgang Kaysers und Bemerkungen zu Formen der Ironie bei Th. Mann", *Archiv für das Studium der Neueren Sprachen und Literaturen* 210 (1973), 126–131.

33 Vgl. K. Hamburger, *Logik,* 144 und 267; und W. Kayser, „Wer erzählt den Roman?", in: *Zur Poetik des Romans,* 171.

34 Vgl. W. Kayser, *Entstehung und Krise des modernen Romans, 17.*

burgers trifft. Hamburger leugnet bekanntlich die Existenz des Erzählers als Person im Er-Roman noch viel nachdrücklicher als Kayser:
„Einen fiktiven Erzähler [. . .] ,eine vom Autor geschaffene Gestalt'
(F. Stanzel), gibt es nicht, gibt es auch in den Fällen nicht, wo durch
eingestreute Ich-Floskeln wie ich, wir, unser Held u.a. dieser Anschein
erweckt wird [. . .] *Es gibt nur den erzählenden Dichter und sein Erzählen*".[35] Daher ist nach Hamburger die bereits zitierte Aussage K. Friedemanns über die Rolle des Erzählers als des „Bewertende[n], Fühlende[n], Schauende[n]" „nur scheinbar richtig" (vgl. 116 f. u. 151),
wie es sich überhaupt bei den Beschreibungen des persönlichen Erzählers nach Hamburger nur um „mehr oder weniger adäquate *metaphorische Scheindeskriptionen*" handle (117). An die Stelle des persönlichen Erzählers setzt K. Hamburger den Begriff der „Erzählfunktion".
„Das Erzählen [. . .] ist eine Funktion, durch die das Erzählte erzeugt
wird, die *Erzählfunktion* [. . .], der erzählende Dichter ist kein Aussa-
gesubjekt, er erzählt nicht von Personen und Dingen, sondern er erzählt die Personen und Dinge [. . .] *Zwischen dem Erzählten und dem
Erzählen besteht kein Relations- und das heißt Aussageverhältnis, sondern ein Funktionszusammenhang*".[36] Der Thomas Mannsche „Geist
der Erzählung" wird daher für Hamburger zu einer Art Allegorie der
„Erzählfunktion", also des Aktes der unpersönlichen erzählerischen
Hervorbringung und Vermittlung einer Geschichte: „‚Geist der Erzählung' [. . .] das bedeutet nichts anderes als die Erzählfunktion
selbst" (267; vgl. auch 144).
Der Widerspruch zwischen Hamburgers Position und der Position aller jener Romantheoretiker, für die der persönliche Erzähler in Romanen wie *Tom Jones, Agathon, Vanity Fair, Flegeljahre, Père Goriot,
Krieg und Frieden, Die Buddenbrooks,* eine für die Interpretation
greifbare Gestalt annimmt, ist so offensichtlich, daß er nicht einfach als
eine Meinungsverschiedenheit, sondern nur als eine grundlegende
Differenz im Ansatz der Argumentation erklärt werden kann.[37]

---

35 K. Hamburger, *Logik*, 115.
36 *Logik,* 113. Anders liegen hingegen laut Hamburger die Dinge im Ich-Ro-
    man: Der Ich-Erzähler ist eine vom Autor geschaffene Gestalt, zwischen
    ihm und seiner Erzählung besteht ein echtes Aussageverhältnis. Vgl. *Logik,*
    113, 115, 245 ff.
37 Vor kurzem hat W. Haubrichs die Diskussion der oben zitierten Textstelle
    aus dem Roman *Der Erwählte* in eine Richtung gelenkt, die – wie später
    noch deutlicher sichtbar werden wird – für unser Problem von Belang ist.
    Die zwei Ebenen des Erzählens und damit auch die beiden Erscheinungs-

Die Begriffe „Geist der Erzählung" und „Erzählfunktion" haben ihren eigentlichen Ort auf einer anderen Begriffsebene bzw. gehören zu einer anderen Schicht des Erzählwerkes als der Ausdruck „persönlicher Erzähler". Begriffe wie „Geist der Erzählung", „Erzählfunktion" und bis zu einem bestimmten Grad auch W. C. Booths „implied author"[38] müssen auf Verhältnisse bezogen verstanden werden, die hier der Kürze halber unter der Bezeichnung „Tiefenstruktur" eines Erzählwerkes zusammengefaßt werden sollen. Mit dem gleichlautenden Begriff der Transformationsgrammatik hat unser Begriff nur gemeinsam, daß die damit bezeichneten Verhältnisse einer Erzählstruktur erst mit Hilfe von theoretischen Operationen sichtbar gemacht werden können. Im Gegensatz dazu ist die „Oberflächenstruktur" eines narrativen Vermittlungsvorganges für den Leser direkt einschaubar. K. Hamburgers grundlegende These *„Die epische Fiktion ist der einzige erkenntnistheoretische Ort, wo die Ich-Originität (oder Subjektivität) einer dritten Person als einer dritten dargestellt werden kann"* (73) gilt als Befund über die „Tiefenstruktur" uneingeschränkt für die ganze Gattung der erzählenden Dichtung. (Diese Tiefenstruktur wird allerdings in der personalen Erzählung anders realisiert als etwa in der auktorialen.) Dagegen sind alle Benennungen der konkreten Mittlerfigur, sei es Ich-Erzähler, persönlicher oder allwissender Erzähler, auktorialer Erzähler, personales Medium oder Reflektor, auf eine andere Schicht, nämlich die der „Oberflächenstruktur", die für den Leser ohne theoretische Operationen einschaubar ist, zu beziehen.
Der oben zitierte Ausschnitt aus der Vorrede zum Roman *Der Erwählte* ist ein Kabinettstück der literarischen Metamorphose eines Begriffs. Aus dem in der luftigen Höhe der Abstraktion beheimateten „Geist der Erzählung" wird unversehens eine ganz konkrete Person, die sich als Erzähler in seinem Jetzt und Hier dem Leser präsentiert. In unserer Terminologie: ein Phänomen der „Tiefenstruktur" wurde in eine Erscheinung der „Oberflächenstruktur" transformiert. Das hat einige Erzähltheoretiker etwas verwirrt, verständlicherweise, denn in

---

weisen in der zitierten Stelle – die abstrakte als „Geist" und die konkrete als irischer Mönch – werden von Haubrichs in Beziehung gesetzt zur Opposition der Begriffe „Fabel" und „Sujet" bzw. „histoire" und „discours" der russischen Formalisten und der französischen Strukturalisten. Vgl. *Erzählforschung 1,* 11 f.

38 Vgl. W. C. Booth, *The Rhetoric of Fiction,* Chicago 1961, 73 f: „[. . .] the chief value to which *this* implied author is committed [. . .] is that which is expressed by the total form", charakterisiert *eine* der vielen Bedeutungsnuancen, die dieser Begriff bei Booth annimmt.

der theoretischen Diskussion ist es um der begrifflichen Klarheit willen besser, diese beiden Schichten und die zu ihnen gehörenden Begriffe getrennt zu halten. Hält man sie getrennt, dann lösen sich überraschend schnell einige Widersprüche zwischen Hamburgers Theorie der ,,Erzählfunktion" und meiner auf der Vorstellung eines persönlichen Erzählers aufgebauten Typologie der ES auf. Beide Thesen können nebeneinander bestehen: Hamburgers These gilt für den Bereich der Genese, der Konzeption und Hervorbringung einer Erzählung (also der Konstituierung einer anderen, nämlich fiktionalen Wirklichkeit), die Typologie der ES gilt dagegen im Bereich der Übermittlung des von der Erzählfunktion Hervorgebrachten mit Hilfe eines Erzählers quasi als Wirklichkeitsaussage.[39] Es empfiehlt sich, diese methodologisch wichtige Unterscheidung bei den weiteren Überlegungen im Auge zu behalten. Die Scheidung der auf die ,,Tiefenstruktur" einerseits und die ,,Oberflächenstruktur" andererseits gerichteten Begriffsapparate und Beschreibungsverfahren ermöglicht nun auch die Klarstellung, daß das Kriterium, mit dessen Hilfe die verschiedenen Typen der Erzählsituationen voneinander getrennt werden, nämlich die Mittelbarkeit des Erzählens, ausschließlich auf die ,,Oberflächenstruktur" der Erzählung zu beziehen ist. Zur ,,Oberflächenstruktur" gehören alle jene Erzählelemente und die Systeme ihrer gegenseitigen Zuordnungen, die der Vermittlung der Geschichte an den Leser dienen. Hauptträger dieses Vermittlungsvorganges ist der Erzähler, der vor den Augen des Lesers agieren, seinen Erzählakt selbst mit darstellen, oder aber so weit hinter den Charakteren der Erzählung zurücktreten kann, daß der Leser seine Präsenz nicht mehr wahrnimmt. Diese Erscheinungsweisen stehen einander nicht in separierten Blöcken gegenüber – hier der sichtbar und hörbar vor den Lesern agierende, persönliche Erzähler und dort der unsichtbar gewordene, unpersönliche Regieleiter hinter der Szene –, sondern bilden ein Kontinuum, dicht besetzt mit Zwischen- und Übergangsformen, das von einem Extrem der Möglichkeiten bis zum anderen reicht. Das Gleiche gilt für den Unterschied zwischen Ich-Erzählung und auktorialer Er-Erzählung. Beide haben einen persönlichen Erzähler gemeinsam, der allerdings in recht verschiedenen Graden der Präsenz und der Nähe zur fiktionalen Welt der Charaktere dem Leser gegenübertritt. Der Über-

---

39 K. Hamburger selbst nähert sich in ihrem Aufsatz ,,Noch einmal: Vom Erzählen", *Euphorion* 59 (1965), 70, dieser Erklärung, wenn sie den Begriff des ,,persönlichen Erzählers" der ,,stilistischen", jenen der ,,Erzählfunktion" der ,,strukturell sprachtheoretischen Untersuchungsbasis" zuordnet.

gang zwischen den beiden ES ist offen, es lassen sich mehrere Zwischenstationen zwischen ihnen finden. Auch hier ist demnach ein Kontinuum der Erzählformen anzunehmen, an dessen einem Ende die volle Zugehörigkeit des Erzählers zur Welt der Charaktere (Ich-ES) und an dessen anderem Ende die Trennung der Welt des Erzählers und der Charaktere (auktoriale ES) anzunehmen ist. Das Diagramm des Typenkreises macht diese Verhältnisse schematisch anschaulich (Siehe Diagramm am Ende des Buches).

Aus dem hier Dargelegten läßt sich schon jetzt folgern, daß auktorialer Erzähler und Ich-Erzähler zwar nach ihrem Verhältnis zur dargestellten Welt der Charaktere unterscheidbar sind, nicht aber in ihrer Zugehörigkeit zum erzählerischen Übermittlungsapparat. Beide sind Träger der gestalteten Mittelbarkeit der Erzählung und haben mit der Hervorbringung des Werkes, mit der Genese oder dem Akt, der die fiktionale Welt (Handlung, Schauplatz, Charaktere *und* Erzähler) als Vorstellung generiert, unmittelbar nichts zu tun. Sowohl Ich-Erzähler als auch auktorialer Erzähler sind Elemente der ,,Oberflächenstruktur" eines Erzählwerkes, sie entspringen gleichsam sekundär in der Genese des Werkes aus jener Ur-Motivation allen Erzählens, das Erfundene, das Nichtwirkliche, die Fiktion unter dem Aspekt des Wirklichen, Erfahrenen, Mitgeteilten erscheinen zu lassen. W. C. Booth hat für diesen Vorgang des Spurenverwischens – die Herkunft der Fiktion aus der Vorstellung des Autors soll verborgen bleiben – den recht zutreffenden Ausdruck ,,rhetoric of dissimulation" geprägt (44).

Es ist nun vielleicht auch schon deutlich geworden, warum K. Hamburgers These, daß in einer auktorialen ES kein Erzähler, sondern eine Erzählfunktion, in einer Ich-ES aber sehr wohl ein persönlicher Erzähler erkennbar sei, eine so breite und widerspruchsvolle Diskussion ausgelöst hat. In dieser These wechselt nämlich die Argumentation von der Schicht der ,,Tiefenstruktur" in die Schicht der ,,Oberflächenstruktur". Der Begriff ,,Erzählfunktion" gehört in den Bereich der ,,Tiefenstruktur", also dorthin, wo u.a. die Frage zu klären ist, wie Fiktion ganz allgemein entsteht, wie sich die Genese eines literarischen Erzähltextes von der eines nichtfiktionalen Berichts unterscheidet; der Begriff ,,Ich-Erzähler", so wie ihn auch K. Hamburger auffaßt (113 ff.), gehört dagegen zum Beschreibungsrepertoire der Schicht der ,,Oberflächenstruktur", wo der Vorgang der Mittelbarkeit der Erzählung für jeden Leser einschaubar gemacht wird. Die weitreichenden Folgen dieser Grenzüberschreitung werden durch den Begriff ,,Fluktuieren der Erzählfunktion", den K. Hamburger auf Grund der Einwände der Kritik gegen ihre These, daß in der Er-Erzählung kein

Erzähler figuriere, in der zweiten Auflage der *Logik der Dichtung* stärker hervorhebt, nicht ganz beseitigt.[40] Auch dieser „Irrtum" hat somit, wie viele andere Thesen dieses kontroversen Buches, die Erzählforschung befruchtet, indem er die Diskussion auf die hier vorgeschlagene Unterscheidung zwischen zwei Strukturschichten, die beide Gegenstand der Erzählforschung sein müssen, hingelenkt hat. Diese Unterscheidung kann auch von Nutzen sein, wo Ergebnisse der linguistischen Erzählforschung mit literaturwissenschaftlichen Erzähltheorien zu harmonisieren sind.

Es sei hier an dieser Stelle auch festgehalten, daß die ältere Debatte über den Erzähler, über sein Recht, sich in die Erzählung durch Zwischenreden und Kommentare einzuschalten, und über seine Fähigkeit, den Anschein zu erwecken, als habe er sich ganz aus der Erzählung zurückgezogen, ausschließlich im Bereich der „Oberflächenstruktur" des Erzählens, wo sich der Vorgang der Übermittlung an den Leser vollzieht, anzusiedeln ist, ebenso wie W. Kaysers vor zwei Jahrzehnten oft zitierte Prognose: „*Der Tod des Erzählers ist der Tod des Romans*".[41] Hierher gehört J. W. Beachs bekanntes Diktum über den Erzähler im modernen Roman: „Exit Author. In a bird's eye view of the English novel from Fielding to Ford, the one thing that will impress you more than any other is the disappearance of the author [= Erzähler]".[42]

Diese beiden Aussagen haben somit nichts mit K. Hamburgers „tiefenstrukturellem" Befund zu tun, daß es in der Gattung der epischen Fiktion keinen persönlichen Erzähler gäbe (115). Das ist in der ausführlichen Diskussion über Hamburgers Thesen nicht genügend klar geworden, und sei daher noch einmal hervorgehoben. In den Fünfziger Jahren war in der deutschsprachigen Romantheorie die Frage, ob sich ein Erzähler in einem Roman oder einer Kurzgeschichte persönlich zu Wort melden dürfe oder ob er sich aus der Erzählung möglichst herauszuhalten habe – eine Frage, die seit den Tagen F. Spielhagens sehr heftig diskutiert worden war –, endlich mit „sowohl – als auch" beantwortet worden, da man erkannt hatte, daß es sich dabei um zwei verschiedene, künstlerisch aber völlig gleichberechtigte Erzählweisen handelt.[43] In der englischsprachigen Romankritik und Romantheorie

---

40 Vgl. K. Hamburger, *Logik*[1], 1957, 72–114, mit *Logik*[2], 1968, 11–154.
41 W. Kayser, „Entstehung und Krise des modernen Romans", 34.
42 Joseph Warren Beach, *The Twentieth-Century Novel: Studies in Technique*, New York 1932, 14.
43 Vgl. *Typische Erzählsituationen*, 25–27.

scheint dagegen diese Frage noch immer nicht ganz außer Streit gestellt zu sein. So widmet W. C. Booth in seiner viel beachteten und häufig nachgedruckten *Rhetoric of Fiction* (1961) noch drei Kapitel einer Auseinandersetzung mit den verschiedenen „Dogmen", die sich in der Diskussion über die Person des Erzählers und die Objektivität der Darstellung ergeben haben. Dabei fällt der Akzent sehr stark auf die Zurückweisung der übertriebenen Ansprüche der „Objektivisten" und „Neutralisten", die jede Spur eines persönlichen Erzählers aus Romanen und Kurzgeschichten gelöscht sehen wollen (Kap. II u. III). Offensichtlich hat die Diskussion über den Erzähler in England und Amerika einen etwas anderen Verlauf genommen als in den deutschsprachigen Ländern. Die deutschsprachige Diskussion über die „Einmischung" des Erzählers war in den Anfängen, etwa von Friedrich Spielhagen und seinen Kontrahenten, heftiger und kompromißloser geführt worden als in England und Amerika, so daß John R. Frey in seinem historischen Überblick über diese Diskussion mit Recht von der „forced nature of so much of the German controversy" im Vergleich zu dem gemäßigten „commonsense approach" der meisten englischen und amerikanischen Diskussionsbeiträge sprechen konnte.[44] Es hat aber den Anschein, als hätte der heftigere Verlauf der deutschen Diskussion zur Folge gehabt, daß heute in der deutschsprachigen Romankritik über die Gleichberechtigung der beiden Erzählstile, des persönlich erzählenden und des objektiven, dramatischen oder „erzählerlosen", kaum mehr debattiert wird, während in der englischsprachigen Romankritik noch immer sehr engagierte Stellungnahmen pro und contra zu lesen sind. So widmete das *Times Literary Supplement* noch 1967 eine volle Seite der beredten Klage eines Autors darüber, daß das kritische Klima, vor allem an amerikanischen Universitäten, einer persönlichen Erzählweise noch immer nicht hold sei.[45] Und B. Bergonzi sah sich noch 1970 veranlaßt, diese Klage vielleicht nicht ganz zufällig in einem mit „The Ideology of Being English" überschriebenen Kapitel aufzugreifen, um dann eine Lanze für die persönliche Erzählweise zu brechen. Bergonzi faßt schließlich die Situation wie folgt zusammen: „The reaction against the dogmatic banishment of the author [gemeint ist der Erzähler] was inevitable, and it seems to have been started independently by several different critics in the late

---

44 John R. Frey, „Author-Intrusion in the Narrative: German Theory and Some Modern Examples", *Germanic Review* 23 (1948), 274–289.
45 Dan Jakobson, „Muffled Majesty", *Times Literary Supplement,* October 26, 1967, 1007.

fifties; there was Kathleen Tillotson's inaugural lecture at London University, *The Teller and the Tale*, and the late W. J. Harvey's *The Art of George Eliot*; and, most magisterially, Wayne C. Booth's *The Rhetoric of Fiction*. All these critics advanced much the same arguments: a novel is a narrative as well as an object, that is to say, it is a tale that has been told; even the most rigorously impersonal and dramatised piece of fiction was written by *someone*."[46]

Abgesehen von der Tatsache, daß die Debatte als eine interne Angelegenheit englisch-amerikanischer Romantheoretiker betrachtet wird, ist für uns vor allem der letzte Satz dieser Stelle von besonderem Interesse. In ihm unterstreicht auch Bergonzi die Mittelbarkeit allen Erzählens. Auf der Ebene der „Oberflächenstruktur", dort also, wo sich der Vorgang der Vermittlung der Geschichte an den Leser ereignet, kann die Mittelbarkeit in die Erzählung miteinbezogen oder verdrängt bzw. verdeckt werden. Wenn Bergonzi aber dann mit der Feststellung fortfährt, daß „even the most [. . .] dramatised piece of fiction was written by *someone*", verlagert auch er sein Argument von der Ebene der „Oberflächenstruktur" auf jene der „Tiefenstruktur", der Konzeption und Genese des Werkes. Hier zeigt sich noch einmal, wie durch die Vermengung der beiden Bezugssysteme die Diskussion konfusioniert werden kann. In jedem Wort der gedruckten Seite eines Romans hat die „Erzählfunktion" ihre Spur hinterlassen, „was written by *someone*". Der Prozeß der Produktion, die gattungsgemäße Genese eines Erzähltextes („Tiefenstruktur") muß jedoch, wie bereits ausgeführt wurde, getrennt gehalten werden vom Vorgang der Vermittlung, der vom Autor gleichsam zusätzlich zur Geschichte selbst eingerichtet worden ist, „a tale that has been told" („Oberflächenstruktur"). Es ist unstatthaft, die beiden Aussagen „a tale that has been told" und „[a] piece of fiction [that] was written by *someone*", wie es hier geschieht, parallel zu setzen: die erste bezieht sich nämlich auf den Erzähler (der „Oberflächenstruktur"), die zweite auf die Erzählfunktion (der „Tiefenstruktur"). Die Erzählstrategien der „Oberflächenstruktur" sind zwar durch die Sprache und ihre Normen mit den tieferen Schichten des Erzähltextes verbunden, sie werden aber nicht von dorther total determiniert. Die Mittelbarkeit der Darstellung des Erzähltextes ist vielmehr für den Autor eine Art Freiraum, wo für jede Geschichte ein ihr adäquater Erzählvorgang entworfen wird. Selbstverständlich ereignen sich der Akt der Konzeption und der Akt der Gestaltung der Mittelbarkeit fast immer in sehr enger, wechselseitig und simultan

---

46 Bernard Bergonzi, *The Situation of the Novel*, 84f. und 225.

wirkender Bindung, nur selten ist daher der letztere eindeutig posterior zum ersteren, was zum Beispiel an Hand von H. James' *Notebooks* nachgewiesen werden kann, wie im nächsten Kapitel gezeigt werden wird. Die klare Trennung der beiden Vorgänge ist eine methodologisch unbedingt notwendige Hilfskonstruktion, die der schärferen Konzeptualisierung der in Frage stehenden Verhältnisse dient.

Die zwei wichtigsten Begriffe für die kritische und theoretische Analyse des Vermittlungsvorganges in einer Erzählung sind also „point of view" und „Erzähler". Beide zielen auf ein und dasselbe epische Gattungsphänomen, die Mittelbarkeit, akzentuieren jedoch den Befund auf unterschiedliche Weise. „Point of view"-Theorien betonen besonders die Notwendigkeit der perspektivischen Trennung der Ansichten des Erzählers und der Charaktere („to disentangle [. . .] prejudices and predispositions"[47]), „Erzähler"-Theorien heben dagegen die Relativität und Modalität der narrativen Aussage hervor. Jede Wahrnehmung, jede Äußerung eines Gedankens des Erzählers, erfolgt von einem Standpunkt, der nicht nur nach räumlicher und zeitlicher Distanz zum Geschehen, sondern auch nach dem Grad seiner Einsichtigkeit in die äußeren und inneren Vorgänge mehr oder weniger genau definiert werden kann. Die Pose der Allwissenheit bildet davon keine Ausnahme, denn es gibt kaum ein Werk der Erzählliteratur, in dem sie von Anfang bis Ende ohne Einschränkung durchgehalten wird. Mittelbarkeit des Erzählens, sichtbar gemacht an der Gestalt des Erzählers, läßt daher auf besonders anschauliche Weise erkennen, wie in einer Erzählung die dialektische Einheit von Inhalt (Geschichte) und Form (gestaltete Mittelbarkeit) aufzufassen ist: „Form [ist die] relativierende Veräußerlichung des Inhalts."[48] Damit sind wir zu jenem Punkt zurückgekehrt, von dem unsere Überlegungen zur Mittelbarkeit als Gattungsspezifikum des Erzählens ihren Ausgang genommen haben, nämlich zu K. Friedemanns Wort vom Erzähler als „Symbol" dafür, daß „wir die Welt nicht ergreifen, wie sie an sich ist, sondern wie sie durch das Medium eines betrachtenden Geistes hindurchgegangen" (26). Beide Begriffe, „point of view" und „Erzähler", zielen auf diesen erzähltheoretisch zentralen Sachverhalt, heben jedoch jeweils einen Aspekt dieses Sachverhaltes stärker hervor, „point of view" jenen der Perspektivierung und „Erzähler" den der Modalität des Erzäh-

---

47 N. Friedman, „Point of View in Fiction", 1167. Vgl. dazu mein Zitat auf
Seite 26.
48 Helmut Winter, *Literaturtheorie und Literaturkritik*, Düsseldorf 1975, 14.

lens.* Perspektive und Modalität werden Gegenstand weiterer Betrachtungen in nachfolgenden Kapiteln sein.

Ehe mit der Argumentation zum Thema fortgefahren wird, soll noch
eine Klarstellung erfolgen. Die hier zu entwickelnde systematische
Theorie konzentriert sich auf die sprachlich-formale Seite des Erzählproblems. Es versteht sich von selbst, daß der hier analysierte sprachlich-formale Vorgang des Erzählens mit der Person des Autors eingebettet ist in einen historischen, gesellschaftlichen und politischen Kontext, aus dem sich Rückwirkungen nicht nur auf die Entstehungs-,
sondern auch auf die Übermittlungsphase einer fiktionalen Erzählung
ableiten lassen.† Robert Weimann ist daher zuzustimmen, wenn er die
Ausweitung der Diskussion auf die „Totalität der im Werke realisierten schriftstellerischen Einstellungen"[49] fordert. Die vorliegende Untersuchung kann aber, von einigen gelegentlichen Hinweisen abgesehen, Weimanns Forderung aus Gründen der räumlichen Beschränkung nicht entsprechen. Im Interesse der Klärung der in diesem Kapitel definierten Begriffe muß jedoch darauf aufmerksam gemacht werden, daß die von Weimann vorgeschlagene Terminologie, nämlich
„Erzählerstandpunkt" für die „Summe der poetisch realisierten Einstellungen des Schriftstellers", d. h. für sein historisch, sozial, politisch
bedingtes Verhältnis zur Wirklichkeit, und „point of view" oder „Erzählwinkel" für die „optische, erzähltechnische und sprachliche Dar-
bietungsform",[50] sich bisher nicht durchsetzen konnte, was wohl in der
geringen Prägnanz des ersteren Begriffs im Sinne von Weimanns Bedeutung begründet ist.

---

49 Robert Weimann, „Erzählerstandpunkt und ,Point of View'. Zur Geschichte und Ästhetik der Perspektive im englischen Roman", *Zeitschrift
für Anglistik und Amerikanistik* 10 (1962), 379.
50 R. Weimann, „Erzählerstandpunkt", 378f., und „Erzählsituation und
Romantypus. Zur Theorie und Genesis realistischer Erzählformen", *Sinn
und Form* 1 (1966), 119ff. Mit der Frage des Verhältnisses zwischen dem
„weltanschaulich-zeitgeschichtlichen Unterbau und [dem] mehr tech-
nisch-handwerklichen Überbau" beschäftigt sich unter Bezug auf Weimanns Vorschläge und auf meine Typologie Jürgen Peper in „Über transzendentale Strukturen im Erzählen", *Sprache im technischen Zeitalter* 34
(1970), 136ff.

2. Nullstufen der Mittelbarkeit: Synopse, Kapitelüberschrift, Entwurf

Im folgenden sollen Synopsen oder Inhaltsangaben, Entwürfe, das sind Skizzen und Materialnotizen aus der Werkstatt des Autors, und Kapitelüberschriften mit synoptischem Charakter unter dem Aspekt der Mittelbarkeit betrachtet werden. Die drei genannten Gruppen von Texten haben nämlich gemeinsam, daß in ihnen Mittelbarkeit noch keine oder nur ansatzweise eine Gestaltung erfahren hat, sie repräsentieren daher Texte, die sich der Nullstufe der Mittelbarkeit nähern. Gegenüber formalistischen und strukturalistischen Versuchen zur Rekonstruktion eines Modells für „Erzählung minus Mittelbarkeit" mit Hilfe von Begriffen wie „Fabel" (versus „Sujet") oder „histoire" (versus „discours")[1] hat unser Verfahren den Vorzug, daß es nicht auf theoretisch erarbeiteten Hypothesen, sondern auf Textmaterialien aus der literarischen Praxis aufbaut.[2]

---

1 Der erste „westliche" Hinweis auf die „fable-sujet" Opposition der russischen Formalisten findet sich bei R. Wellek u. A. Warren, *Theory of Literature* (1949, 226 u. 336), Harmondsworth 1970, 218 ff. Hinweise auf neuere Arbeiten zu „Fabel-Sujet" bzw. „histoire-discours" finden sich bei Wilhelm Füger, „Zur Tiefenstruktur des Narrativen. Prolegomena zu einer generativen ‚Grammatik' des Erzählens", *Poetica* 5 (1972), 268–292, und bei Thomas M. Scheerer und Markus Winkler, „Zum Versuch einer Erzählgrammatik bei Claude Bremond", *Poetica* 8 (1976), 1–24, bes. 11 ff. Vgl. auch E. Benveniste, *Problèmes de linguistique générale,* Paris 1966, bes. 250 ff.; Tz. Todorov, „Les Catégories du récit littéraire", *Communications* 8 (1966), 126 ff.; Lubomír Doležel, „Toward a Structural Theory of Content in Prose Fiction", in: *Literary Style,* hg. S. Chatman, London u. New York 1971, 95–110; G. Genette, „Discours du récit. Essai de méthode", in: *Figures III,* bes. 71 ff.; Claude Bremond, *Logique du récit,* Paris 1973, 102; K. Stierle, „Geschehen, Geschichte, Text der Geschichte", in: *Geschichte – Ereignis und Erzählung,* München 1973, 530–534; neu abgedruckt in Karlheinz Stierle, *Text als Handlung. Perspektiven einer systematischen Literaturwissenschaft,* München 1975, 49–55; J. Schulte-Sasse und R. Werner, *Einführung in die Literaturwissenschaft,* München 1977, 147–150; S. Chatman, *Story and Discourse,* Princeton 1978.

2 Der geläufigste Weg zum Nachweis der Mittelbarkeit der Erzählung, die

2.1 Die Synopse: Geschichte ohne Erzähler

,,There are few works of art which are not ridiculous or meaningless in synopsis (which can be justified only as a pedagogical device)".[3] Dieses Zitat ist charakteristisch für die allgemeine Einstellung der Literaturwissenschaft zu dem vielbenützten literarischen Behelf der Inhaltsangabe*.

Es ist erstaunlich, daß auch die Erzählforschung und die Interpretationslehre von der Synopsis bisher fast gar keinen Gebrauch gemacht haben, um jene Komponenten des Erzählvorganges, die maßgeblich die spezifische Form der Mittelbarkeit eines Romans oder einer Erzählung gestalten, anschaulich vor Augen zu führen.[4] Sicher ist die ,,Zusammenfassung eines Fiktivtextes sinnlos", wenn es um den ,,Kern der Sache" einer Erzählung geht, wie auch Anderegg meint;[5] die Bedeutung eines Romans wird immer nur aus dem Zusammenspiel von Inhalt und Erzählvorgang im Sinne von ,,Form als relativierende[r] Veräußerlichung des Inhalts"[6] zu erschließen sein. Wie weit jedoch diese Wirkung der Erzählweise in den Inhalt hineinreicht, kann in manchen Fällen durch nichts so deutlich sichtbar gemacht werden, wie durch die radikale Reduktion auf das synoptische Skelett. Besonders aufschlußreich in dieser Hinsicht sind jene Passagen eines Erzähltextes, die einer solchen Reduktion den größten Widerstand entgegensetzen, wo also die Synopsis gezwungen ist, sich selbst aufzugeben und zur Nacherzählung zu werden.

Liest man einige Inhaltsangaben von bekannten Romanen in einem der gängigen Nachschlagwerke, etwa dem *Concise Oxford Dictionary*

Gegenüberstellung von Roman und Drama, wird hier mit Absicht ausgeklammert. Klaus Kanzog hat allerdings vor kurzem gezeigt, daß auch dieses Verfahren interessante Aufschlüsse bringen kann. Kanzog geht von Dramatexten aus, die z. B. Brecht zum Zwecke der besseren Einfühlung der Schauspieler in ihre Rolle zunächst ,,episieren", d. h. in erzählte Rede umsetzen ließ. Diese Brechtschen ,,Episierungen" von Dramentexten verdienten eine noch eingehendere erzähltheoretische Analyse, als Kanzog sie im Rahmen seiner Einführung geben kann. Vgl. Klaus Kanzog, *Erzählstrategie*, Heidelberg 1976, 39–46.

3 R. Wellek und A. Warren, *Theory of Literature*, 140.

4 Fast als einzige Ausnahme ist die von K. Hamburger ausgelöste Diskussion über die Funktion des Präsens in Inhaltsangaben zu nennen. *Logik*, 59 et passim.

5 J. Anderegg, *Fiktion und Kommunikation*, 96.

6 H. Winter, *Literaturtheorie und Literaturkritik*, 14.

of English Literature, mit dem Blick auf unsere Fragestellung, dann bestätigt sich sogleich, was oben als allgemeines Merkmal der Inhaltsangabe hingestellt wurde, nämlich daß sie, von ganz wenigen und relativ unbedeutenden Ausnahmen abgesehen, nichts über die Gestaltung der Mittelbarkeit, also die Form, in der eine Geschichte erzählt wird, aussagen. Am ehesten ist noch ein Hinweis darauf zu finden, wenn es sich um einen Briefroman handelt. Aber bei Romanen, die uns von der Erzählweise her als so grundverschieden erscheinen wie z. B. *Emma, Vanity Fair, David Copperfield, Hard Times, Tess of the D'Urbervilles*, erfährt der im *Concise Oxford Dictionary of English Literature* nachschlagende Leser überhaupt nichts über diesen Unterschied! Allerdings ist nicht zu übersehen, daß in letzter Zeit auch in den Inhaltsangaben der Nachschlagwerke eine Entwicklung zu beobachten ist. Zwar wird die klassische Form der Inhaltsangabe in Nachschlagwerken von der Art des *Oxford Companion* noch immer gepflegt, daneben findet sich aber in zunehmendem Maße die Synopsis zusammen mit einer kurzen Charakteristik der Erzählform eines Romans, so etwa in dem vielbenützten *Student's Guide to 50 British Novels*[7] oder in den *Daten der englischen und amerikanischen Literatur von 1890 bis zur Gegenwart*. *Kindlers Literaturlexikon*[8] ist in dieser Hinsicht schon immer eigene Wege gegangen, indem es seine Inhaltsangaben mit literarhistorischen Informationen und kritischen Kommentaren verquickt. Streng genommen handelt es sich hier um Synopsen, denen mehr oder weniger ausführliche Interpretationshinweise angefügt werden. Immerhin läßt sich aus der Zunahme der Zahl solcher Nachschlagbehelfe schließen, daß die bloße Wiedergabe der inhaltlichen Fakten auch für die ganz knappe Charakterisierung einer Erzählung nicht mehr als ausreichend angesehen wird.

Die Inhaltsangabe verdankt ihren jüngsten Aufstieg aus der literaturwissenschaftlichen Demirespektabilität zunächst dem Umstand, daß sie mit auffälliger Konsequenz in fast allen Sprachen im Präsens gegeben wird. K. Hamburger trennt dieses „reproduzierende Präsens", das wir im übrigen auch bei der Inhaltsangabe von Dramen verwenden und das man daher auch das „synoptische Präsens" nennen kann, vom „historischen Präsens", welches im Gegensatz zum synoptischen Prä-

---

7 *A Student's Guide to 50 British Novels,* hg. Abraham H. Lass, New York 1966.
8 Wolfgang Karrer und Eberhard Kreutzer, *Daten der englischen und amerikanischen Literatur von 1890 bis zur Gegenwart,* München 1973. *Kindlers Literaturlexikon* (1964), Zürich 1965.

sens ein echtes Konkurrenztempus zum „epischen Präteritum" bildet. Das Präsens der Inhaltsangabe ist nach Hamburger ein „atemporales Präsens der Aussage über seiend Ideelles" (92). Von K. Hamburger ausgehend hat Roy Pascal diese Diskussion auch auf die ausführlicheren Kapiteltitel im älteren Roman, die – ebenfalls häufig im Präsens stehend – ein Mikro-Resümee des betreffenden Kapitels bieten (z. B. „Mr. Pickwick journeys to Ipswich and meets with a romantic adventure"), und die Materialnotizen von Autoren vor oder bei der Abfassung eines Romans, die in der Regel auch im Präsens gehalten sind, ausgedehnt. Das Präsens in Inhaltsangaben erklärt Pascal damit, daß die hier berichteten Begebenheiten sich immer wieder ereigneten, sobald ein Leser die Erzählung liest. Abschließend heißt es dann bei Pascal: „The present tense in this context has not so much a temporal as a generalizing function, and seems to be similar to that used in such statements as ‚emotions are dangerous' or ‚men have a habit of falling in love', etc.".[9] Es ist hinzuzufügen, daß solche Aussagen über Sachverhalte allgemeiner Gültigkeit nie „erzählt" werden können, wohl aber können sie in einer Erzählung Gegenstand der direkten Rede eines Erzählers – etwa in einem allgemeingültigen oder gnomischen Kommentar – oder einer Romanfigur sein. Als direkte Rede gehören sie, streng genommen, nicht zum narrativen, d. h. mittelbar dargestellten, sondern zum mimetischen, d. h. unmittelbar dargestellten Teil einer Erzählung. Werden sie dagegen in indirekter Rede oder in ER – also in mittelbaren Formen der Rededarstellung – wiedergegeben, dann verlieren sie sogleich den Anspruch auf allgemeine Gültigkeit und werden zur persönlichen Ansicht einer Romanfigur reduziert. Diese Ansicht kann auch „erzählt" werden, sie steht dann nicht mehr im Präsens, sondern im Präteritum: „He knew that emotions were dangerous", „She accepted the situation as it was: men had a habit of falling in love". Damit sind wir bereits auf einen wichtigen Unterschied zwischen einer synoptisch referierten und einer erzählten Aussage aufmerksam gemacht worden. Dieser Unterschied wird, wenn auch von einer anderen Ausgangsbasis ausgehend, von Harald Weinrich aufgegriffen, wenn er das synoptische Präsens nicht zu den Tempora der „erzählten Welt", sondern zu den Tempora der „besprochenen Welt" stellt.[10] Das auszeichnende Merkmal der „besprechenden"

9 Roy Pascal, „Tense and Novel", *Modern Language Review* 57 (1962), 8.
10 Harald Weinrich, *Tempus. Erzählte und besprochene Welt* (1964), Stuttgart [2]1971, 33 und 43.

Tempora ist nach Weinrich, daß sie *nicht* erzählen, was, in unsere Terminologie übertragen, heißt, daß sie Geschichte ohne Mittelbarkeit referieren.[11] Diese drei, im einzelnen divergierenden Ansichten stimmen also – teils explizit, teils implizit – in einem wesentlichen Punkt überein: in einer Inhaltsangabe wird nicht *erzählt*, sondern es wird etwas konstatiert, etwas als sachlich-allgemein Existierendes hingestellt, es wird Inhalt oder Stoff referiert oder, wie Weinrich sagt, „besprochen". Daher kann auch in einer Inhaltsangabe die Art und Weise des Erzählvorganges einer Geschichte unbeachtet bleiben. Zusammenfassend ist also festzuhalten, daß das Präsens in einer Inhaltsangabe als Signal dafür steht, daß in ihr Geschichte-minus-Mittelbarkeit oder Geschichte-ohne-Erzähler bzw. ohne Erzählvorgang referiert wird.

Für diese These gibt es noch eine weitere Beweismöglichkeit. Wenn die Inhaltsangabe einer Erzählung in einem Roman Gegenstand der Romanerzählung wird, erscheint in ihr sogleich das Präteritum.[12] In Doris Lessings *The Golden Notebook* findet sich im Abschnitt „Black Notebook" die Inhaltsangabe eines Romans, den die Hauptgestalt der „Black Notebook"-Handlung, Anna Wulf, auf einen Zettel geschrieben und in das „Black Notebook" eingeklebt hat. Das Tempus dieser Synopsis ist durchgehend das Präsens, wie wir es in einer Inhaltsangabe erwarten.[13]

---

11 Vgl. dazu auch Christian Paul Casparis, *Tense Without Time. The Present Tense in Narration*, Bern 1975, 127, wo Casparis, im wesentlichen der Ansicht Weinrichs beipflichtend, erklärt: „The purpose of any summary is to attract attention to *what* is being summarized not to *how* it is done" (127) und 143, wo er von den „besprechenden Tempora", zu denen das synoptische Präsens gehört, sagt, das ihnen Gemeinsame sei, „that the ‚world' is *not* narrated".

12 Auf ein höchst instruktives Beispiel eines Tempuswechsels in Lessings „Abhandlungen über die Fabel" hat K. Stierle aufmerksam gemacht und damit seine von L. Hjelmslev hergeleitete Unterscheidung zwischen „systematischen" und „narrativen" Texten gestützt. Vgl. *Text als Handlung. Perspektiven einer systematischen Literaturwissenschaft*, 20 ff. Es ist klarzustellen, daß sich trotz der Gemeinsamkeit der Tempusopposition die beiden Unterscheidungspaare „systematisch-narrativ" und „Synopse-Erzählung" nicht decken. Vielmehr sind in jeder Erzählung (mit einer persönlichen Erzählerfigur) neben „narrativen" auch immer „systematische" Textstellen enthalten. „Diegesis" und „narratio" im Sinne der antiken Rhetorik gehören in einer von einem persönlichen Erzähler vorgetragenen Geschichte immer zusammen.

13 Vgl. Doris Lessing, *The Golden Notebook*, New York 1972, 76 f.

Im „Yellow Notebook" desselben Romans erscheint dann die Synopsis einer Erzählung aus einem französischen Frauenmagazin. Hier wird jedoch die Inhaltsangabe Teil der Erzählung. Ella, eine Art Persona von Anna Wulf, verhandelt mit einem Vertreter des französischen Frauenmagazins über den Ankauf dieser Erzählung für eine englische Zeitschrift. Sie weiß bereits, daß sich diese Geschichte in der vorliegenden Form nicht für die von ihr vertretene englische Zeitschrift eignen wird:

> For form's sake, she began explaining to Monsieur Brun how the story would have to be adapted for England. It concerned a young and poor orphan, sorrowing for a beautiful mother who had been brought to an early death-bed by a callous husband. This orphan had been reared in a Convent by some good sisters. In spite of her piety, she was seduced at the age of fifteen by the heartless gardener [. . .] (308)

Ellas Referat über den Inhalt dieser Erzählung steht durchgehend im Präteritum, denn es ist Teil der Erzählung. Es ist dabei belanglos, ob es sich um einen Redebericht (Ella erzählt den Inhalt nach) oder um das Bewußtseinsbild handelt, das Ella vom Inhalt der Geschichte hat. Das Präteritum muß also als Bezeichnung des Modus der Mittelbarkeit verstanden werden. Das Präteritum steht hier aus dem gleichen Grund wie in unserem Beispielsatz: „He knew that emotions were dangerous". Es signalisiert, daß es jetzt nicht mehr um Stoffe oder Sachverhalte geht, sondern um erzählte Ansichten, Gedanken, Meinungen von Romanfiguren.

Mit dem Präteritum dieser erzählten Inhaltsangabe vergleichbar ist das Präteritum, das David Lodge in seiner kritischen Studie über den modernen Roman *The Novelist at the Crossroads* für die Charakterisierung des Inhalts von Julian Mitchells „non-fiction novel" *The Undiscovered Country* verwendet und dann folgendermaßen erklärt: „To have used the present tense in which one customarily summarizes fictions would have been to give the whole game away",[14] womit die für die Gattung „non-fiction novel" kennzeichnende Ambivalenz „fiction disguising itself as far as possible as fact" gemeint ist. Eine Inhaltsangabe im Präsens hätte – so meint offensichtlich Lodge – den referierten „non-fiction" Roman von vornherein als „fiction" klassifiziert. Tatsächlich ist das Präsens nur in der Inhaltsangabe von fiktionalen Werken das Oppositionstempus zum epischen Präteritum, nur dort signali-

---

14 David Lodge, *The Novelist at the Crossroads and Other Essays on Fiction and Criticism,* London 1971, 28.

siert seine Verwendung Fiktionalität, allerdings Fiktionalität mit der
Nullstufe der Mittelbarkeit. Es ist also das synoptische Präsens (als
Oppositionstempus zum epischen Präteritum, und nur als solches) das
einzige syntaktische Zeichen, an dem in der Synopsis die Fiktionalität
eines Erzähltextes erkennbar wird.

Die Synopse repräsentiert die Nullstufe der Mittelbarkeit des Erzählens nur so lange, als noch keine Erzählelemente in sie aufgenommen
werden. Die in dieser Form referierte Geschichte ist theoretisch noch
für jede mögliche Art der Vermittlung (Erzählsituation) offen. Anders
die Nacherzählung, die im Präteritum der Erzählung steht. In ihr haben wir nicht die Nullstufe, sondern eine Reduktionsstufe der Mittelbarkeit vor uns. In Nacherzählungen von dramatischen Texten, wie
z. B. Charles und Mary Lambs bekannten *Tales from Shakespeare*,
wird sogar Mittelbarkeit zum nacherzählten Text hinzugefügt. In der
Praxis des Literaturunterrichts nähert sich die Inhaltsangabe häufig
einer (verkürzten) Nacherzählung, weil einzelne Erzählelemente in sie
aufgenommen werden. Dabei zeigt sich, wie es scheint, eine Bevorzugung jener Erzählelemente, die, für sich genommen, die Erzählsituation noch nicht endgültig determinieren: z. B. Präteritum und Zeitadverbien (ausgenommen allerdings solche, die die Zeitorientierung eines personalen Mediums anzeigen). Ausgeschlossen ist dagegen z. B.
die Ich-Form, durch die die referierte Geschichte eindeutig auf eine
bestimmte Art der Gestaltung der Mittelbarkeit festgelegt werden
würde.

2.2. Synopse, Nacherzählung und Literaturdidaktik

Eine Gegenüberstellung von Synopse (Inhaltsangabe) und Nacherzählung eines Romans oder einer Short Story bietet – von der Litera-
turdidaktik bisher wenig genutzte – Möglichkeiten, um das Wesen der
Erzählung als literarischer Gattung an Hand von konkreten Textbeispielen zu erhellen. Dabei kann von einem Vergleich der Synopsen
und Nacherzählungen, die sich von einem bestimmten Erzählwerk in
verschiedenen Nachschlagwerken finden, ausgegangen werden, der
zeigen wird, daß es recht unterschiedliche Verfahren zur Wiedergabe
des Inhalts einer Erzählung gibt: die klassische Form der Inhaltsangabe im Präsens und ohne jeden Hinweis auf den Erzählvorgang und
die Kombination einer Inhaltsangabe mit einer daran anschließenden,
aber separaten Charakteristik der Erzählform. Daneben findet sich

auch noch eine bisher noch nicht erwähnte Art, nämlich eine Verquikkung von Inhaltsangabe und Nacherzählung. Gerade dieser Typus ist literaturdidaktisch besonders aufschlußreich, weil er es möglich macht, zu demonstrieren, wie manche Erzählungen einfach gar nicht auf eine synoptische Angabe des in ihnen enthaltenen Geschehens, des Stoffes reduziert werden können, weil ein wesentlicher Teil ihres „Inhalts" im Erzählvorgang selbst, d. h. in der Mittelbarkeit der erzählenden Darbietung liegt. Das zeigt sich z. B. dort, wo das synoptische Präsens durch das Präteritum der Nacherzählung ersetzt werden muß, weil anders die Zeitstruktur des erzählten Geschehens total verändert werden müßte, was dann der Fall ist, wenn eine Erzählung wesentlich von der linearen Chronologie der Handlung abweicht. Auch die zeitliche Gliederung in Haupthandlung und Vorgeschichte macht oft eine solche Verquickung von präsentischer Inhaltsangabe und präteritaler Nacherzählung erforderlich. Der dadurch bedingte Tempuswechsel ist am Beginn von Synopsen besonders auffällig, ereignet sich aber häufig auch mitten in einer Synopse. Für die Inhaltsangabe der Haupthandlung wird das Präsens, zur Nacherzählung der Vorgeschichte oder eines einzelnen chronologisch vorzeitlichen Ereignisses das Präteritum verwendet. Wieweit die Verfasser von Synopsen sich bei der Fixierung des zeitlichen Nullpunktes, an dem die Vorgeschichte in die Haupthandlung übergeht, von der jeweiligen Zeitstruktur eines Romans und der Erzählsituation bestimmen lassen, ist bisher kaum beachtet worden, es gibt daher darüber auch noch keine Untersuchungen. Wir müssen uns deshalb mit der Illustration des Sachverhaltes begnügen. In Abraham Lass' *Student's Guide* lesen wir über *Tristram Shandy*:

Immediately after Tristram's conception, which occurred sometime between the first Sunday and the first Monday of March, 1718, Tristram's father journeyed from Shandy Hall, the ancestral estate, to London, a trip his sciatica had hitherto prevented him from making [. . .]
On the night Tristram is born, his father and his Uncle Toby are comfortably debating some complicated and endless issue before a cheerful fire. When Susannah, the maid, informs them of the impending birth, they send for a midwife and for Dr. Slop [. . .][15]

Die ersten Ereignisse, Tristrams Zeugung und die London-Reise des Vaters, werden im Roman gleich zu Beginn erzählt, seine Geburt im 3. Buch. Von den ersteren erfahren wir durch eine knappe Nacherzählung im Präteritum, von den Umständen der Geburt durch eine Synop-

---

15 A. H. Lass, *A Student's Guide,* 41.

sis im Präsens. Zu diesem Verfahren sieht sich Lass u. a. durch die außergewöhnliche mehrdimensionale Erzählweise Sternes gezwungen, die sich der Reduktion auf die Zwei- oder Eindimensionalität einer Synopse mit aller Macht widersetzt. Die Kunstkniffe und Ausflüchte, zu denen sich die Verfasser von Synopsen durch die Thematisierung der Mittelbarkeit des Erzählens in diesem Roman gezwungen sahen, wäre eine gesonderte Studie wert.

Das Präteritum der Nacherzählung taucht häufig auch dort auf, wo eine Inhaltsangabe eine Erzählung in einer Erzählung zu referieren hat, wie z. B. in einer Inhaltsangabe von Gottfried Kellers *Die Leute von Seldwyla:*

In S. lebt in bescheidenen Verhältnissen eine Witwe mit ihren beiden Kindern, der anmutigen Esther und dem zwei Jahre älteren Pankraz. Dieser, ein unansehnlicher und ernster Knabe, ist ein Müßiggänger [. . .] Pankraz verschwindet spurlos aus S. Erst nach 15 Jahren kehrt er plötzlich als französischer Oberst zurück und erzählt der Mutter und seiner Schwester seine Geschichte. Zu Fuß ist er damals bis Hamburg gewandert, war in New York und kam dann als englischer Soldat nach Indien [. . .] verliebte sich in des Obersten kapriziöse Tochter, die schöne Lydia. Sie scheint zunächst seine Neigung zu erwidern.[16]

Die schließliche Rückkehr der Synopse der Binnengeschichte zum Präsens zeigt, daß das Präteritum in erster Linie zur Kennzeichnung des Erzählcharakters der Binnengeschichte eingesetzt wird: Vorübergehend tritt eine Nacherzählung an die Stelle der Synopse, weil diese die beiden Erzählebenen nivellieren würde. Es wäre interessant, zu prüfen, ab wann die Nacherzählung einer solchen Binnengeschichte wieder zum Präsens der allgemeinen Synopse zurückkehren kann. Ganz ähnlich legt auch Lass seine Synopse von E. Brontës *Wuthering Heights* an:

Mrs Dean tells him that years before Mr and Mrs Earnshaw lived at Wuthering Heights with their daughter, Catherine, and their son, Hindley. Returning from a trip to Liverpool one day, Mr Earnshaw brings back with him a filthy, ragged, dark-complexioned orphan boy [. . .][17]

Hier kann das Präteritum auch als Kennzeichnung der Gliederung Vorgeschichte–Hauptgeschichte verstanden werden. Diese Gliederung wird vom Verfasser in der Regel nicht willkürlich vorgenommen, sondern scheint von mehreren Faktoren der Erzählweise des Romans abzuhängen, von der Zeitstruktur, von der ES, die ihrerseits wieder

---

16 *Reclams Romanführer,* Stuttgart 5 1974, 338 f.
17 A. H. Lass, *A Student's Guide,* 110.

die Zeitstruktur bedingt, von der Verteilung berichtender, d. h. stärker raffender Erzählung und szenischer Darstellung usw. Hier kommt noch hinzu, daß ein Präsens im ersten Satz der Inhaltsangabe mit dem Zeitadverb „years before" nicht vereinbar wäre.

Die Zeitorientierung in einer Synopse mit Hilfe von Zeitadverbien stellt in der Tat ein schwieriges Problem dar. Auch dazu stehen noch eingehende Untersuchungen aus, in denen vor allem zu prüfen wäre, wie weit die zwei grundsätzlichen Möglichkeiten der Zeitorientierung – auf Grund der vorherrschenden Erzählsituation (zeitliches Orientierungszentrum in der Erzählgegenwart eines Erzählers oder in der Erlebnisgegenwart einer Romangestalt) oder durch die Verwendung bestimmter Zeitadverbien wie „gestern", „heute", „morgen", oder „am Tage zuvor", „an diesem Tag", „am nächsten Tag" – einen Ausdruck finden. In der Regel scheinen „heute", „morgen" und ähnliche auf die Zeiterfahrung einer Romanfigur bezogenen Adverbien in einer Synopse nicht, in einer verlebendigenden Nacherzählung dagegen schon möglich zu sein. Weinrich hat festgestellt, daß dort, wo der „erzählende Charakter eines Werkes [. . .] mitresümiert werden" soll – das ist dann keine Synopse, sondern eine Nacherzählung im historischen Präsens –, die „erzählenden Temporal-Adverbien eine gewisse Ambivalenz [aufweisen], die – zusammen mit anderen Merkmalen – konstitutiv für die Gattung Inhaltsangabe ist" (229). Die Einteilung Weinrichs in besprechende und erzählende Temporal-Adverbien wäre im Hinblick auf die zwei oben skizzierten temporalen Orientierungsmöglichkeiten noch einmal zu überprüfen. Wahrscheinlich ist die Verwendung von Zeitadverbien, die über die Charakterisierung des „und dann" – Nexus hinausgehen, als ein Eindringen von Erzählelementen in die Inhaltsangabe zu betrachten.

Der Vollständigkeit halber sei auch noch auf die Durchsetzung des Synopsistextes mit expliziten Zitaten, Wortechos u. ä. aus dem Erzähltext hingewiesen. Solche Übernahmen können auf sehr subtile, beinahe unterschwellige Weise vor sich gehen. Man kann diesen Vorgang mit der ebenfalls meist unterschwelligen „Ansteckung" der Erzählersprache durch die Figurensprache, auf die in einem späteren Kapitel noch einzugehen sein wird, vergleichen. Eine solche „Ansteckung" der Synopse durch den Erzähltext liegt nahe, wenn die Inhaltsangabe gleichzeitig auch Deutung und Illustration der Erzählung zu geben versucht, wie dies z. B. in *Kindlers Literaturlexikon* geschieht. Sie findet sich aber auch in gewöhnlichen Inhaltsangaben nicht selten. Manchmal ist die Übernahme einer Formulierung als Zitat gekennzeichnet, wie in der folgenden Stelle aus einer Inhaltsangabe von *Van-*

ity Fair, in der an den berühmten Titel von Kapitel 36 „How to live well on nothing a year" angespielt wird:

Egged on by Dobbin, however, George defies his father's will and marries Amelia, and the couple honeymoon in Brighton. There they meet Rawdon and Becky, who are deeply in debt as a result of living handsomely on „nothing a year".[18]

Später wird in derselben Inhaltsangabe der Tod von George Osborne in der Schlacht von Waterloo berichtet. Dabei lehnt sich der Text der Synopse wiederum sehr eng an den Erzähltext an, ohne daß direkt zitiert wird:

Meanwhile, George, after only six weeks of marriage to the docile but unexciting Amelia, has made overtures to Becky Sharp. The Battle of Waterloo interrupts his adulterous plans, however, and at the battle's end, George Osborne lies *dead with a bullet through his heart.* (118. Meine Hervorhebung)

Auf diese Weise übernimmt die Synopse laufend Elemente der Stilisierung des Erzähltextes. Man könnte daher von einer Auktorialisierung sprechen, durch die der Text der Synopse stilistisch an den Erzähltext angenähert wird. Das Aufsuchen solcher „auktorialer" Elemente, die als stilistische Deviationen von der Norm der rein referentiellen Prosa der Synopse zu definieren sind, ist ein Exerzitium, das den Sinn und das stilistische Gespür für auktoriale Äußerungen auch in einem Erzähltext zu schärfen vermag.

2.3. Die Nullstufe der Mittelbarkeit in den *Notebooks* von H. James

Die ersten Skizzen zur Handlung, die ein Autor für eine Erzählung macht, zeigen meistens die Geschichte in ihrem noch nicht erzählmittelbar gewordenen Zustand. Solche Handlungsentwürfe stehen wie Handlungssynopsen in der Regel im Präsens. Die Bezeichnung „reproduzierendes Präsens" scheint allerdings dafür nicht mehr zutreffend. Eher scheint das Tempus einer solchen Handlungsskizze mit dem Präsens verwandt zu sein, das allgemein in Tagebüchern bei der Registrierung von Wahrnehmungen, Eindrücken verwendet wird, wie überhaupt Werknotizen häufig zusammen mit tagebuchähnlichen

---

18 A. H. Lass, *A Student's Guide,* 118.

Aufzeichnungen eines Autors erscheinen. Die veröffentlichten Tagebücher von Romanautoren, wie z. B. Albert Camus oder Max Frisch,
liefern dafür reiches Belegmaterial.

Die *Notebooks of Henry James*, auf die sich die folgenden Ausführungen hauptsächlich stützen, sind besonders interessant, weil sie Tage-
bucheintragungen, Werknotizen, Entwürfe und eine ausführliche Arbeitssynopse für einen Roman (*The Ambassadors*) umfassen. Charakteristisch für die Art, wie James einen Einfall oder eine Anregung für
eine Erzählung, „the suggestive germ", in den *Notebooks* registrierte,
ist z. B. die erste Notiz zur Erzählung „The Lesson of the Master":

Another came to me last night as I was talking with Theodore Child about the
effect of marriage on the artist, the man of letters, etc. He mentioned the cases
he had seen in Paris in which this effect had been fatal to the quality of the work,
etc. – through overproduction, need to meet expenses, make a figure, etc. And I
mentioned certain cases here. Child spoke of Daudet – his *30 Ans de Paris*, as
an example in point. ‚He would never have written that if he hadn't married.' So
it occurred to me that a very interesting situation would be that of an elder artist
or writer, who has been ruined (in his own sight) by his marriage and its forcing
him to produce promiscuously and cheaply – his position in regard to a younger
confrère whom he sees on the brink of the same disaster and whom he endeav-
ours to save, to rescue, by some act of bold interference – breaking off the marriage, annihilating the wife, making trouble between the parties.[19]

Die Situation, in welcher der Autor auf diese Idee gestoßen ist, wird als
für ihn vergangenes Ereignis im Präteritum berichtet, der Inhalt des
„suggestive germ" wird im Präsens und dem dazugehörigen „present
perfect" referiert. Diese erste Notiz der Grundsituation von „The Lesson of the Master" enthält noch keinerlei Angabe darüber, wie die hier
notierte Begebenheit eventuell erzählt werden könnte. Manchmal notiert James zusammen mit der ersten Anregung zu einer Geschichte
auch gleich, welche Form der Mittelbarkeit bei der Erzählung der Geschichte verwendet werden soll. So heißt es am Ende der Notiz zu
„The Turn of the Screw": „The story to be told – tolerably obviously –
by an outside spectator, observer" (179). Öfter noch ist die ins Auge
gefaßte Form der Erzählung in der Notiz nur impliziert, muß also aus
ihr erschlossen werden. So geht aus der Notiz für „The Liar" ziemlich
eindeutig hervor, daß James zunächst vorhatte, die hier notierte Begebenheit vom Standpunkt der Gattin des Lügners aus darzustellen
(61 f.). In der Erzählung wird aber dann der Standpunkt in einer drit-

---

19 Henry James, *The Notebooks of Henry James,* hg. F. O. Matthiessen und
   K. B. Murdock, New York 1947, 87.

ten Person, die in der Notiz noch gar nicht erwähnt ist, fixiert. Dadurch erfährt der ursprüngliche Einfall eine für die Interpretation ganz entscheidende Umpolung. Die Frage, wer der eigentliche Lügner in dieser Geschichte ist, wurde erst durch die Einführung dieser neuen Mittlerfigur aufgeworfen. Es liegt also hier ein außergewöhnlich aufschlußreicher, gut dokumentierter Beleg dafür vor, daß im Zuge der Gestaltung der Mittelbarkeit einer Erzählung die Bedeutung eines in den *Notebooks* festgehaltenen „suggestive germ" eine wesentliche Abänderung erfahren kann. Über einige Probleme der Interpretation, die sich aus der besonderen Art der Gestaltung der Mittelbarkeit in „The Liar" und „The Turn of the Screw" ergeben, wird im Kapitel über die Modus-Opposition noch zu handeln sein.

H. James' Eintragungen in den *Notebooks* zum Roman *The Ambassadors* verdienen unser Interesse vor allem aus dem Grund, daß sie zwei verschiedene Stadien der Abfassung belegen. Im einzelnen handelt es sich um eine kurze erste Notierung der Grundidee des Romans (das Bewußtwerden der versäumten Gelegenheit zur Selbstverwirklichung in einem Manne, der den Zenith seiner Lebensbahn bereits durchschritten hat) und um eine ausführliche Synopsis („scenario") des ganzen Romans, die H. James noch vor Abschluß der Abfassungsarbeit für seinen Verleger hergestellt hat (370ff.). Es sind somit insgesamt drei genetische Stadien der Erzählung des Romans *The Ambassadors* verfügbar: erste Notiz, ausführliche Synopsis („scenario") und endgültiger Text. Von seinen Romansynopsen – es gab mehrere, doch scheint nur die für *The Ambassadors* erhalten geblieben zu sein – schrieb H. James einmal an H. G. Wells: „Those wondrous [...] preliminary statements (of my fictions that are to be) don't really exist in any form in which they can be imparted".[20] Was ihnen offensichtlich abgeht, ist die Form der Finalität, die ein Text erlangt, indem er, zur Übermittlung an den Leser, in Erzählform gebracht wird. Bezeichnet man den Zustand des Erzählstoffes in seinem frühesten Stadium, etwa als erste Skizze des Umrisses der Handlung, als die Nullstufe der Mittelbarkeit, so ist die ausführliche Synopsis, das „scenario" von *The Ambassadors*, bereits eine Übergangsform in Richtung zur Vollstufe der Mittelbarkeit, wie sie durch die ES des endgültigen Textes realisiert wird. Für die Nullstufe der *Ambassadors*-Notizen scheint kennzeichnend, daß der Blick des Autors noch ganz auf die „Materialien", die Personen, Szenen, Schauplätze des künftigen Romans gerichtet ist:

---

20 H. James, *Notebooks,* 370.

„It touches me – I can see him – I can hear him", gemeint ist die
Hauptgestalt Lambert Strether, „I seem to see his history, his temper-
ament, his circumstances, his figure, his life" (226). Diese ausschließ-
liche Blickrichtung auf den Stoff, die Fabel, „histoire", könnte man als
eine werkgenetische Vorstufe zu Todorovs „aspect du récit", den Todorov als „la façon dont l'histoire était perçue par le narrateur"[21] definiert, betrachten. Wesentlich ist, daß die Perspektive, in welcher die
Geschichte einmal dem Leser präsentiert werden soll, hier noch weitgehend unbestimmt ist. Ein anderes Merkmal der ersten Notiz ist die
noch freie Verfügbarkeit einzelner Elemente der „Materialien" für
den Autor:

He may be an American – he might be an Englishman [. . .] It might be London
– it might be Italy – it might be the general impression of a summer in Europe –
abroad. Also, it *may* be Paris [. . .] I can't make him a novelist [. . .] But I want
him ‚intellectual', I want him *fine*, clever, literary almost: it deepens the irony,
the tragedy. (226f.)

Das Präsens der Notizen bedeutet also Gegenwärtigkeit im Sinne eines „tabularischen Präsens"[22] („I can see him") und zugleich Verfügbarkeit der so aufgerufenen Personen und Handlungen im Konzep-
tionsstadium für den Autor („He may be an American"), eine Verfügbarkeit, die nach den geläufigen Konventionen realistischen Erzählens
mit der Umsetzung ins Präteritum, in den Modus der Mittelbarkeit,
abrupt endet. Eine der Funktionen der an diesem Punkte einsetzenden
Erzählrhetorik ist es, die Spuren der einstigen Verfügbarkeit von Charakteren und Handlung möglichst zu verwischen, ein Vorgang, für den
– wie bereits oben erwähnt – W. C. Booth den Begriff „rhetoric of dissimulation" geprägt hat. Einzelne Autoren der realistischen Tradition
(Fielding, Trollope) ironisieren zwar gelegentlich diese Konvention,
indem sie auch noch im Roman durchblicken lassen, daß die von ihnen
geschaffenen Charaktere auch weiterhin ihrer schöpferischen All-
macht und Verfügungsgewalt unterworfen seien. Andere Autoren,
unter ihnen H. James, haben eine solche ironische Haltung eines Autors zu seinem Werk als Illusionsstörung aufgefaßt.[23] Im modernen
Roman werden aber immer häufiger die einer solchen realistischen
Auffassung zugrundeliegenden Konventionen in Frage gestellt, etwa
indem der Verfügbarkeitstopos mit einer auf Realismus zielenden

21 Tz. Todorov, „Les Catégories du récit littéraire", 143.
22 Vgl. K. Hamburger, *Logik,* 69 und Anm. 66.
23 Vgl. *Typische Erzählsituationen,* 39 f.

Wirklichkeitsschilderung gekoppelt wird. So offeriert z. B. John Fowles drei mögliche Varianten für den Schluß seines Romans *The French Lieutenant's Woman*, und in Kurt Vonneguts Science Fiction, besonders auffällig in *A Breakfast of Champions*, wird oft ganz bewußt der dargestellten Welt jedwede Finalität abgesprochen. In Flann O'Briens kuriosem Roman *At Swim-Two-Birds* wird dieser Verfügbarkeitstopos ganz bewußt bis zu seiner absurden Umkehrung getrieben: einige Charaktere beanspruchen Verfügungsgewalt über den Autor der Binnengeschichte dieses Romans.[24]

An H. James' ausführlicher Synopsis zu *The Ambassadors*, die also auf halbem Weg des Konzeptions- und Abfassungsvorganges zum endgültigen Text des Romans anzusetzen ist, kann auch gezeigt werden, worauf es hier besonders ankommt, nämlich, daß Mittelbarkeit in der Vorstellung des Autors, d. h. während des Konzeptionsvorganges, nicht in einem „Arbeitsgang" an den Stoff, an die Geschichte appliziert wird. Eher scheint die Annahme einer über einen längeren Zeitraum sich erstreckenden Wechselwirkung zwischen Geschichte und Erzählform zuzutreffen. In diesem Vorgang rücken die determinierenden Konstituenten der endgültigen Erzählsituation, Erzähler bzw. Reflektor, Perspektive, Erzähltempus, Deixis usw. schrittweise in die ihnen entsprechenden Positionen ein. Zumindest scheint dies für Autoren zu gelten, die von den Erzählformen so bewußt Gebrauch machen wie H. James. Das soll an zwei Beispielen aus den *Notebooks* etwas näher beschrieben werden.

Das erste Beispiel, H. James' skizzenhafter Entwurf der Handlung von „The Friends of the Friends" in den *Notebooks*, soll illustrieren, wie der Konzeptionsvorgang ein Stadium erreichen kann, in dem neben den Grundzügen der Handlung und den groben Umrissen der Charaktere auch die Figur des Erzählers bereits vage sichtbar wird. Für unseren Zusammenhang ist daran besonders interessant, daß dieses Erzähler-Ich (in der endgültigen Fassung wird die Geschichte von einer Ich-Erzählerin dargeboten) im Entwurf in den *Notebooks* schrittweise aus dem Autor-Ich herauszutreten scheint. Als Folge davon ist es oft schwer zu sagen, ob das Personalpronomen der ersten Person Singular noch auf den Autor oder schon auf den fiktionalen Ich-Erzähler zu beziehen ist, wie das folgende Zitat zeigt:

I am doing for Oswald Crawfurd – in 7000 words – the little subject of the 2 people who never met in life [. . .] They perpetually *miss* each other – they are

---

24 Vgl. Flann O'Brien, *At Swim–Two–Birds* (1939), Harmondsworth 1960, 100–102, 150, 164–208, 215f.

the buckets in the well. There seems a fate in it. It becomes, *de part et d'autre*, a joke (of each party) with the persons who wish to bring them together: that is (in the small space) with *me*, mainly – the interested narrator. They say, each, the same things, do the same things, feel the same things. It's a JOKE – [. . .] *Chance* must bring the meeting about [. . .] The LAST *empêchement* to the little meeting, the supreme one, the one that caps the climax and makes the thing ,past a joke', *trop fort'*, and all the rest of it, is the result *of my own act*. I prevent it, because I become conscious of a dawning jealousy because something has taken place between the young man (the man of my story; perhaps he's not in his 1st youth) and myself. I was on the point of writing just above that, something takes place just before the last failure of the 2 parties to meet – something that has a bearing on this failure'. Well, what takes place is *tout simplement* THAT: I mean that he and the narrator become ,engaged'. (241f.)

Ähnlich verfährt H. James auch in Notizen oder Skizzen für einige andere Erzählungen[25]. Dieser Sachverhalt, der uns einen äußerst aufschlußreichen Einblick in das Geheimnis des Konzeptionsprozesses gewährt, ist von der James-Forschung bisher kaum beachtet worden.[26] Der hier illustrierte Fall einer Antizipation der ES der endgültigen Fassung einer Erzählung ist natürlich nur im Entwurf einer Geschichte zu erwarten, die schließlich in der Ich-Form erzählt wird. Das zweite Beispiel soll illustrieren, wie eine Antizipation der ES auch für eine Erzählung erfolgen kann, die schließlich in einer personalen Er-Form dargeboten wird.

In der *Ambassadors*-Synopsis finden sich einige bereits vollständig dialogisierte Passagen,[27] von denen der Autor später nur teilweise und wenn, dann fast immer nur in erweiterter Form Gebrauch gemacht hat. Daneben finden sich auch Stellen, in denen Rede- oder Dialogpassagen in einer Art der erlebten Rede (ER) notiert werden. Besonders auffällig ist dabei das für die ER im allgemeinen ungewöhnliche Präsens. Es handelt sich hier offensichtlich um das Tempus der Inhaltsangabe. Solche Stellen in ER stellen eine Zwischenstufe zwischen

---

25 Vgl. H. James, *Notebooks,* 88, 94, 201, 231, 243f., 274.

26 Edmund Wilson hat in seiner Interpretation von ,,The Turn of the Screw'' den Bedeutungswechsel des ,,Ich'' an der oben zitierten Stelle der *Notebooks* als ,,reflection of James' doubts, communicated unconsciously by James himself'' interpretiert. Eine solche Erklärung ist wenig überzeugend. Nicht die Unsicherheit des Autors, sondern allein die Unabgeschlossenheit des Abfassungsvorganges ist die Ursache dieser Erscheinung. Vgl. E. Wilson, ,,The Ambiguity of Henry James'', in: *A Casebook on Henry James's ,The Turn of the Screw',* hg. G. Willen, New York ²1969, 146.

27 Vgl. H. James, *Notebooks,* 386, 389, 390 et passim.

einem Resümee von Rede oder Gedanken einzelner Charaktere durch den Autor und einer Personalisierung von Rede oder Gedanken als Bewußtseinsinhalt einer Romanfigur, hier Lambert Strethers, der späteren Reflektorfigur des Romans, dar. Es erhebt sich hier die Frage, ob an solchen Stellen schon Lambert Strether als personales Medium im Sinne der endgültigen ES des Romans oder noch der Autor im Konzeptionsvorgang als „centre of consciousness" anzunehmen ist. Zur Illustration sei die synoptische Fassung einer Szene zwischen Strether und Maria Gostrey zitiert. Von Maria Gostrey, der beschieden ist, in der Rolle der Vertrauten oder „ficelle" Strethers Konversationspartnerin abzugeben, wird, entsprechend der ihr zugedachten Funktion, von Anfang an nur eine Außensicht geboten. In ihrem einleitenden Gespräch mit Strether über die Hintergründe und besonderen Umstände von Strethers Mission, die ihn von Woollett, Massachusetts, nach Paris gebracht hat, wird ein Teil der Exposition für den Leser nachgeholt. Eine besondere Rolle spielt dabei die sehr delikate Beziehung zwischen Strether und seiner Auftraggeberin Mrs. Newsome, einer vermögenden Witwe in Neuengland. Im Falle eines Erfolges seiner Mission ist eine Vermählung von Strether mit Mrs. Newsome zu erwarten. Das Gespräch darüber zwischen Maria Gostrey und Strether wird im Roman – weit auseinandergezogen – vorwiegend in direkter Rede wiedergegeben, in der Synopsis erscheint es vorwiegend in ER mit Präsens:

She [Maria Gostrey] even urges with exaggeration, almost with extravagance, his not disappointing a person who has made such an effort for him. Of course she's in love with him, Mrs. Newsome; but for many women that wouldn't have availed – the proceeding would have been too unusual. She herself, she, Miss Gostrey, would really like to know the person capable of it: she must be quite too wonderful. She will be, at all events, clearly, this heroic lady, his providence. Rich, clever, powerful, she will look after him in all sorts of charming ways, and guarantee and protect his future. Therefore he mustn't let her back out. He must *do* the thing he came out for. He must carry the young man home in triumph and be led to the altar as his reward. She gives the whole thing a humourous turn but we get from it all we need. (386)

Diese ER – sie herrscht mit Ausnahme des ersten und letzten Satzes im ganzen Zitat vor – wirkt nicht, wie an vergleichbaren Stellen des Romans *The Ambassadors*, rein personal, denn es ist noch nicht eindeutig das Bewußtsein Strethers, in dem diese Worte von Maria Gostrey einen Niederschlag finden, sondern es ist gleichzeitig auch noch der Autor und Verfasser der Synopsis, der die Rede von Maria Gostrey auf diese Weise resümiert. Das scheint nicht nur aus den „auktorialen"

Sätzen, die das Zitat einleiten und beenden, hervorzugehen, sondern auch aus einem Vergleich mit ähnlichen Stellen derselben Synopsis, in denen diese Form der ER zur resümierenden Darstellung von Gedanken oder Einstellungen solcher Romanfiguren wird, von denen im Roman, wie z. B. im Falle von Mrs. Newsome, nie eine personale, d. h. direkte Innensicht geboten wird. Im folgenden Zitat geht es um die Befürchtungen, die Mrs. Newsome hegt, seit ihr Sohn Chad sich geweigert hat, Paris zu verlassen und nach Neuengland zurückzukehren:

She has her theory of the *why* – it's all the dreadful woman. The dreadful woman looms large to her, is a perpetual monstrous haunting image in her thoughts, grotesquely enlarged and fantastically coloured. Details, particular circumstances have come to her – they form, about the whole connection, a mass of portentous lurid fable, in which the poor lady's own real ignorance of life and of the world infinitely embroiders and revolves. The person in Paris is above all a *low* person, a mere mercenary and ravening adventuress of the basest stamp. She would have gone out herself long since were it not that the same highly nervous conditions that prompt and urge also dissuade, deter, detain. She is a particularly intense and energetic invalid, moreover, but still an invalid, never sure of herself in advance [. . .] (381)

Was hier in der Synopsis referiert wird, ist trotz der gelegentlichen ER kein Vorgriff auf die Darstellung der Gedanken von Mrs. Newsome, sondern eine vom Autor gebotene Zusammenfassung der Einstellung Mrs. Newsomes zum Problem ihres Sohnes, die im Roman in sehr umständlicher Weise von Strether bzw. Maria Gostrey erst erschlossen werden muß. Es handelt sich daher hier eher noch um einen Inhalt referierenden oder „besprechenden" als um einen „erzählenden" Text im Sinne von Weinrichs Unterscheidung.[28] An einer solchen Stelle wird demnach sichtbar, wie dünn, um nicht zu sagen, durchlässig die Scheidewand zwischen einem „besprechenden" und einem „erzählenden" Text sein kann. Denn sobald wir annehmen, daß in dem ersten Zitat nicht mehr der Synopsis-Autor, sondern bereits Strether der Träger des Bewußtseins ist, in dem sich die Rede von Maria Gostrey auf solche Weise spiegelt, dann läge bereits eine personale Erzählsituation vor, die Darstellung wäre mittelbar (trotz des Präsens), und der Text wäre nicht mehr Synopsis, sondern Erzählung. Betrachten wir aber den Synopsis-Autor als den Träger des Bewußtseins, das diese Gedanken umfaßt, dann wird auch die erste Zitatstelle zu einem referierenden oder „besprechenden" Text, so wie die zweite Zitatstelle.

---

28 Vgl. H. Weinrich, *Tempus*, 44 ff.

Der „point of view" der Betrachtung und der Darstellung der Handlung ist also in der *Ambassadors*-Synopsis noch nicht fixiert, doch lassen sich bereits Ansätze zur Personalisierung der Erzählsituation in der Gestalt Strethers erkennen. Diese Ansätze sind allerdings noch nicht so stark ausgeprägt, wie die konsequente Durchführung der personalen ES im Roman erwarten ließe. Der Lektor des Verlages, dem H. James die Synopsis vorgelegt hat, ging in seinem (negativen) Gutachten auf die Person Strethers gar nicht ein,[29] hat also dessen spätere Funktion sicher noch nicht erkannt. Auch werden alle Charaktere in der Synopsis noch „auktorial" eingeführt, d. h. vom Autor vorgestellt, und nicht, wie im Roman, aus der Sicht Strethers präsentiert. Andererseits wird Strether von Anfang der Synopsis an mit dem Privileg der Innensicht freigebiger ausgestattet als irgendein anderer Charakter. Auch finden sich mehrere Hinweise des Autors darauf, daß eine bestimmte Situation im Roman vom Standpunkt Strethers her erkundet und dargestellt werden soll.[30] Die Frage aber, ob Strether als Ich-Erzähler oder personaler Reflektor der Hauptträger des „point of view" des Romans werden sollte, würde sich angesichts der Vorliebe des älteren James für Reflektorfiguren gar nicht stellen, wenn nicht der Autor selbst in seinem, allerdings erst etwas später verfaßten „Preface" zu diesem Roman solche Erwägungen angedeutet hätte.[31] Es läßt sich in der Synopsis kein eindeutiger Hinweis dafür finden, daß James bei ihrer Abfassung jemals die Möglichkeit vor Augen hatte, Strether zum Ich-Erzähler zu machen. Andererseits sprechen, wie schon erwähnt, mehrere Indizien dafür, daß Strether schon im Synopsis-Stadium des Werkes für eine Reflektorrolle – wenn auch vielleicht noch nicht für den ganzen Roman – ausersehen war. Man kann auch annehmen, daß die Neigung des Autors, in seiner Arbeitssynopse Dialog- und Gedankenkomplexe in einer Art ER zu resümieren, bereits eine wichtige, wenn auch vielleicht noch nicht bewußte Vorentscheidung darüber war, daß die Mittelbarkeit der Darstellung in diesem Roman schließlich in einer personalen ES Gestalt erhalten würde. Als erzähltheoretisch wichtigstes Ergebnis der vorausstehenden Überlegungen kann daher festgehalten werden, daß die endgültige Form der Mittelbarkeit einer Erzählung keineswegs immer von Anfang des Konzeptions- und Abfassungsvorganges an entschieden ist. Vielmehr ist anzunehmen,

---

29 Vgl. H. James, *Notebooks,* 372.
30 Vgl. H. James, *Notebooks,* 381, 390 et passim.
31 Vgl. H. James, *The Art of the Novel. Critical Prefaces,* hg. Richard P. Blackmur, New York 1950, 320 ff.

daß besonders bei erzählbewußt schaffenden Autoren die ES das Resultat eines längeren Gestationsprozesses ist.

2.4. Synoptische Kapitelüberschriften

Im älteren Roman waren ausführliche Kapitelüberschriften als Inhaltsangabe für ein Kapitel ganz allgemein üblich. Viele davon enthalten einen oder manchmal auch mehrere Sätze mit einer finiten Form
des Verbums. Nur diese sollen hier etwas näher betrachtet werden.
Nominaltitel wie „Podsnappery" oder Partizipialtitel wie „Cut
Adrift" haben eine eher symbolische oder leitmotivische als synoptische Funktion und werden daher unberücksichtigt bleiben. In Übereinstimmung mit dem Zeitengebrauch in der Inhaltsangabe steht in
synoptischen Kapitelüberschriften mit einer finiten Form des Verbums in der Regel das Präsens. Diese „Regel" wird aber sehr häufig
durchbrochen, in manchen älteren Romanen scheinen Präsens und
Präteritum einander in solchen Kapitelüberschriften wahllos abzulö-
sen. Eben dieser Wechsel des Zeitengebrauchs ist für unsere These,
daß das Präteritum u. a. auch die Funktion habe, den Modus der Mittelbarkeit zu bezeichnen, von Interesse. Falls diese These stimmt,
könnte sie vielleicht auch zur Erklärung des Wechsels zwischen den
beiden Tempora etwas beitragen. Bisher haben sich weder die Romantheorie noch die Linguistik eingehender mit diesem Phänomen
beschäftigt.
Zunächst sind alle jene Fälle von Satztiteln, genauer Kapitelüberschriften mit einer finiten Form eines Verbums, abzusondern, in denen
sich das Verbum auf den Erzählakt bzw. den Lesevorgang bezieht.[32]
Sie sind besonders häufig bei Fielding anzutreffen:

In which the author himself makes his appearance on the stage (*Tom Jones*,
Book III, Ch. VII).
Which concludes the first book; with an instance of ingratitude, which, we hope,
will appear unnatural. (*Tom Jones*, Book I, Ch. XIII).

In diesen Beispielen entspricht das Präsens der Zeitordnung einer
auktorialen ES, in welcher die Erzählgegenwart des Erzählers den

---

32 Solche Kapitelüberschriften sind „meta-narrative Texte" im Sinne von E.
Gülich, da sie den Erzählvorgang thematisieren. Vgl. Elisabeth Gülich,
„Ansätze zu einer kommunikationsorientierten Erzähltextanalyse", in:
Erzählforschung 1, 234 ff.

zeitlichen Nullpunkt darstellt; die auktorialen Kommentare zum Erzählakt stehen daher auch im Präsens. Dieses auktoriale Präsens ist Ausdruck der Unmittelbarkeit der auf den Leser gerichteten Rede des Erzählers und kann somit für unsere Beweisführung nicht herangezogen werden. Dagegen sind jene Satztitel besonders aufschlußreich, in denen sich das Verbum nicht auf den Erzählakt, sondern auf die Handlung der Charaktere bezieht. Läßt man vorerst einmal die historische Dimension des Problems außer Betracht – die Entwicklung der Kapiteltitel ist ein noch ungeschriebenes Kapitel der Romangeschichte[33] –, so können ganz grob sortiert zwei Modelle von solchen Kapitelüberschriften unterschieden werden, ein Modell der ,,besprechenden'' Kapitelüberschrift im Präsens und ein Modell der ,,erzählenden'' Kapitelüberschrift im Präteritum. Dabei ist für uns sehr wichtig, daß die beiden Modelle nicht nur am Tempus, sondern auch am Fehlen bzw. Auftreten von Wörtern oder Floskeln, die ,,Erzählen'' signalisieren, unterscheidbar sind. Zunächst einige Beispiele für ,,besprechende'' Kapitelüberschriften, die im Sinne unserer These als Normfall anzusetzen sind. Sie haben Synopsencharakter, d. h. sie referieren oder besprechen die dargestellte Wirklichkeit in ihrer Faktizität, als Stoff oder Material (,,Fabel'', ,,histoire''), aus dem die Erzählung (,,Sujet'', ,,discours'', ,,récit'') gestaltet wird. Sie verweisen daher auch nicht auf den Vorgang der Gestaltung dieses Stoffes als ,,erzählte'' Welt:

Agathon wird durch Ciclische Seeräuber aus einem gefährlichen Abenteuer gerettet, und in Smyrna zum Sklaven verkauft (*Agathon*, 1. Theil, 1. Buch).
Mr Pickwick journeys to Ipswich, and meets with a romantic Adventure with a middle-aged Lady in Yellow Curl Papers (*The Pickwick Papers*, Ch. XXII).

Kapitelüberschriften des ,,erzählenden'' Modells enthalten, wie bereits erwähnt, in der Regel ein Signal, welches darauf aufmerksam macht, daß es sich bei dem angezeigten Kapitel um eine Erzählung handelt, das heißt, die Mittelbarkeit wird dem Leser schon in der Überschrift zur Kenntnis gebracht. Aus diesem Grund erscheint in diesem Fall das epische Präteritum an Stelle des synoptischen Präsens. Solche Kapitelüberschriften sind nicht Mikrosynopsen, sondern Mikronacherzählungen, die dem jeweiligen Stand der eigentlichen Er-

---

33 Nach Abschluß des Ms. erhalte ich Kenntnis von E.-P. Wieckenberg, *Zur Geschichte der Kapitelüberschrift im deutschen Roman vom 15. Jahrhundert bis zum Ausgang des Barock*, Göttingen 1969. Wieckenbergs allgemeine Ergebnisse scheinen die hier vorgetragene These in mehreren Punkten zu bestätigen.

zählung ähnlich wie die in die Erzählung integrierten Vorausdeutungen vorgreifen:

Relates that Mr. Jones continued his journey, contrary to the advice of Partridge, with what happened on that occasion (*Tom Jones*, Book XII, Ch. XII).

Honourably accounts for Mr Weller's Absence, by describing a Soirée to which he was invited and went; also relates how he was entrusted by Mr Pickwick with a Private Mission of Delicacy and Importance (*The Pickwick Papers*, Ch. XXXVII).

Die Floskel „relates how", die „Erzählung" signalisiert, behält auch zu „how" verkürzt diese Signalfunktion bei. Die mit „How/Comment/Wie" beginnende Kapitelüberschrift ist eine beinahe stereotype Formel im älteren Roman, auf die auch beinahe ausnahmslos das epische Präteritum folgt. Mit „Comment" beginnen z. B. die meisten Kapitelüberschriften im *Gargantua und Pantagruel*, fast immer stehen sie in der Folge auch im Präteritum:

Comment Pantagruel trouva Panurge, lequel il ayma toute sa vie (*Pantagruel roy des Dipsodes*, Ch. IX).

Die viktorianischen Erzähler verfahren nicht viel anders. In *Vanity Fair* gehören alle Satztitel zum „besprechenden" Modell, mit zwei aufschlußreichen Ausnahmen:

How Captain Dobbin bought a Piano (Ch. XVII).
Who played on the Piano Captain Dobbin bought (Ch. XVIII).

Die Überschrift von Kap. 18 ist entweder zum Modell der „erzählenden" Kapiteltitel zu rechnen, weil „Who" ähnlich wie „How" ein „relating" impliziert und somit auf den Erzählvorgang hinweist, oder sie ist als Perseveranz des Erzählmodells des vorangehenden Kapiteltitels zu verstehen. Eine solche Perseveranz scheint auch durch den Bezug der beiden Überschriften auf ein und dasselbe Objekt naheliegend. Im übrigen kann ganz allgemein festgestellt werden, daß eine gewisse Tendenz zur durchgehenden Verwendung eines Modells vor allem dort besteht, wo in einem Roman sehr viele Kapitelüberschriften erscheinen, wie z. B. bei Rabelais. Diese Perseveranz eines bestimmten Modells der Kapitelüberschrift in einem Roman erschwert die Sichtung des Belegmaterials im Hinblick auf die Klärung der Frage, ob zwischen der in einem Kapitel vorherrschenden Erzählsituation und dem Modell der Überschrift zu diesem Kapitel ein Zusammenhang besteht. Nähere Aufschlüsse darüber sind erst auf Grund einer historischen Beschreibung der Entwicklung dieser Erzählkonvention zu erwarten.

Schon aus einem allgemeinen Überblick über die Geschichte dieser

Konvention wird eine Entwicklung erkennbar, die von großer Ausführlichkeit der Kapitelüberschriften, wie sie etwa noch bei Fielding
gegeben ist, zunächst zur Verkürzung des Satztitels, dann zum Übergang vom Satztitel zum Nominaltitel und Numeraltitel und schließlich
zum völligen Verschwinden der Kapitelüberschrift im modernen Roman führt. Auch bei einzelnen Autoren läßt sich eine deutliche Veränderung im Gebrauch dieser Erzählkonvention feststellen. Wieder
einmal findet sich im Werk von Dickens nicht nur die größte Vielfalt
der verwendeten Varianten der Form, sondern auch ein unverkennba-
rer Zuwachs an erzählerischer Funktionalität in der Verwendung der
Kapitelüberschriften. In den *Pickwick Papers* sind die Kapitelüberschriften noch sehr ausführlich, es finden sich ausgeprägte Beispiele
für beide hier definierten Modelle zusammen mit den entsprechenden
Perseveranzerscheinungen. Im *David Copperfield* sind die Überschriften schon viel knapper gefaßt. Alle Satztitel sind zwar dem Tempus
nach „besprechend", denn sie stehen im Präsens, der Form des Personalpronomens (erste Person!) nach aber sind sie „erzählend". In den
späteren Romanen, beginnend mit *Bleak House*, werden die Kapitelüberschriften immer knapper gefaßt, allerdings haben bereits *The Old
Curiosity Shop* und *Great Expectations* überhaupt keine Kapiteltitel
mehr, die Kapitel werden nur numeriert. Die Entwicklung der Konvention bei Dickens ist aber keineswegs ganz geradlinig. Einen besonders aufschlußreichen Sonderfall bildet *Dombey and Son*. In diesem
Roman enthalten von 62 Kapitelüberschriften 13 einen Satz mit finiter
Verbform, 12 davon stehen im Präsens, nur eine einzige (!) im Präteritum, nämlich der Titel von Kapitel 16: „What the Waves were always
saying". Zwischen diesem Titel und den im Präsens stehenden zwölf
anderen besteht ein auffälliger inhaltlicher Unterschied. Die Prä-
sens-Titel nehmen auf einen äußeren Vorgang Bezug, der Präter-
itum-Titel hingegen weist auf einen Vorgang der Innenwelt, eine personale Wahrnehmung, nämlich die des sterbenden Paul Dombey hin.
In diesem Titel ist aus gutem Grund die Mittelbarkeit des Erzählens
nicht eliminiert, denn zu seinem Inhalt gehört auch die Perspektive der
Wahrnehmung, die die Subjektivität der im Titel bezeichneten Erfahrung aufzeigt. Ein Titel mit synoptischem Präsens hätte diesen wichtigen Sachverhalt verdeckt. Wieviel dem Autor daran gelegen war, den
besonderen Inhalt dieser Kapitelüberschrift zu kennzeichnen, ist
daran zu erkennen, daß gleich drei Elemente erscheinen, die diesen
Titel dem Erzählmodell zuordnen: das einleitende „What", in dem ein
„relates" impliziert ist, das Präteritum und die Verstärkung des Präteritums durch die umschriebene Zeitform.

Liegt in dem besprochenen Beispiel aus *Dombey and Son* der Ansatz zur Gestaltung der Mittelbarkeit einer Kapitelüberschrift in Richtung auf eine personale ES vor (es ist im übrigen sehr aufschlußreich für die Erzählsituationen bei Dickens, daß es sich um ein Kapitel mit einer großen Sterbeszene handelt), so haben wir in *David Copperfield* Kapitelüberschriften, in denen der Ich-Bezug auf den Helden, wie er durch die Ich-ES des Romans vorgegeben ist, beibehalten wird, wenn auch mit deutlicher Abnahme der Häufigkeit bei den Kapiteln in der zweiten Hälfte des Romans. Das wirft zwei Probleme auf: einerseits, warum ist die erste Person, ein charakteristisches Element gestalteter Mittelbarkeit, entgegen der Konvention, die die Umsetzung in die synoptisch neutrale dritte Person fordert, beibehalten worden; und andererseits, warum wird das Präsens dem Präteritum, das besser zu der durch die erste Person signalisierten Mittelbarkeit passen würde, vorgezogen? Beide Probleme können hier nur zur Diskussion gestellt, nicht aber geklärt werden. Zur Frage der Person wäre ein Werk wie *Gulliver's Travels* vergleichend heranzuziehen, in dem die erste Person der Erzählung in den Kapitelüberschriften durch ,,the Author" und die darauf bezügliche dritte Person ersetzt ist:

The Author giveth some Account of himself and Family; his first Inducements to travel. He is shipwrecked, and swims for his Life; gets safe on shoar in the Country of *Lilliput*; is made a Prisoner, and carried up the Country (Ch. I).

In Übereinstimmung mit dieser Transponierung von der erzählenden 1. Person in die der referierenden Synopsis entsprechende 3. Person ist auch die fast durchgehende Verwendung des Präsens in den Kapitelüberschriften von *Gulliver's Travels* zu sehen. Diese Überschriften sind offensichtlich Einfügungen des (fiktionalen) Herausgebers des Werkes, Richard Sympson. Es ist dieser Herausgeber, der in den Kapitelüberschriften zum Leser spricht, ihm ist es daher auch möglich, den Erzählakt Gullivers in seine Inhaltsangabe miteinzubeziehen, ohne daß dadurch die Überschrift zur Erzählung wird. Darauf hat bereits Roy Pascal aufmerksam gemacht: ,,In these headings the events are seen in another perspective, they are resumed by the author as editor (not as storyteller)."[34] Swifts Verfahren mit den Kapitelüberschriften seiner Ich-Erzählung scheint dem allgemeinen Usus des 18. Jahrhunderts entsprochen zu haben.[35] So lautet für das erste Kapitel von Rob-

---

34 R. Pascal, ,,Tense and Novel", *Modern Language Review* 57 (1962), 6.
35 Auch im Briefroman kann – falls überhaupt Kapitel- bzw. Briefüberschriften vorkommen – der Ich-Bezug des Briefschreibers in einen Er-Bezug des

ert Paltocks quasi-autobiographischer Ich-Erzählung *The Life and Adventures of Peter Wilkins* (1750), 1973, das mit den Worten beginnt: „I was born at *Penhale*, in the Country of Cornwall [...]", die Überschrift folgendermaßen:

Giving an Account of the Author's Birth and Family; the Fondness of his Mother; his being put to an Academy at sixteen by the Advice of his Friend; his Thoughts of his own Illiterature (Ch. I).

Die Überschrift des zweiten Kapitels desselben Romans zeigt, daß die beiden oben unterschiedenen Titelmodelle auch in Verbindung miteinander erscheinen konnten:

How he spent his Time at the Academy; an Intrigue with a Servant-Maid there; she declares herself with Child by him; her Expostulations to him; he is put to it for Money; refused it from Home, by his Friend, who had married his Mother; is drawn in to marry the Maid; she lies-in at her Aunt's; returns to her Service; he has another Child by her (Ch. II).

Ehe man, wie Casparis vorschlägt, die Überschrift des ersten Kapitels von *David Copperfield* „I am born" als ironisch gemeint auffassen kann,[36] müßte man sich Klarheit darüber schaffen, ob Dickens mit diesem Titel eine damals noch bekannte Konvention gebrochen hat. Dabei würde auch zu berücksichtigen sein, wieweit die Spannung, die sich aus der Kontamination von einem „besprechenden" Element (Präsens) und einem „erzählenden" Element (Ich-Form) ergibt, vom Leser wahrgenommen oder wenigstens gespürt wird.

In *Henry Esmond* sind die Verhältnisse wegen des durchgehenden Ich-/Er-Bezugswechsels besonders komplex. Hier erscheint der Bezug auf den Titelhelden in den Kapitelüberschriften durchgehend in

---

Herausgebers verschoben werden, wie z.B. bei S. Richardson:

LETTER XI. *To her Mother.* – Cannot find her letter; so recites her master's free behaviour to her in the summer-house. Her virtuous resentment. Refuses his offers of money. He injoins her to secrecy, pretending he only designed to try her. (*Pamela or, Virtue Rewarded,* London 1801, Bd. 1, Contents VI.)

W. Zach macht darauf aufmerksam, daß „sich Richardson [hier] im wesentlichen an die Perspektive Pamelas hält, aber die Ereignisse auch z. T. auktorial interpretiert" werden. Vgl. Wolfgang Zach, „Richardson und der Leser: *Pamela – Shamela – Pamela II*", *Arbeiten aus Anglistik und Amerikanistik* 1, Graz 1976, 80. Genau betrachtet enthält also diese synoptische Überschrift ein erzählendes Element, nämlich einen Ansatz zur auktorialen Deutung.

36 Vgl. C.P. Casparis, *Tense Without Time,* 128.

der ersten Person („I go to Cambridge, and do but little good there"),
während in den Buchtiteln immer Er-Bezug steht. Die Verwendung
der ersten Person in den Kapitelüberschriften unterstreicht also die
Ich-Basis dieser Erzählung, bestätigt somit vor Beginn fast eines jeden
Kapitels noch einmal die Norm, zu der der in der Erzählung meist vorherrschende Er-Bezug sodann die Deviation bildet. Die Überschriften
von Kapitel 2 und 3 des ersten Buches zeigen im übrigen einen für unsere Frage interessanten Ansatz zu einer fortlaufenden Synopsis des
Inhalts:

Relates how Francis, Fourth Viscount, arrives at Castlewood (Ch. II).
Whither in the Time of Thomas, Third Viscount, I had preceded him as Page to
Isabella (Ch. III).

Das Präsens in der Überschrift von Kapitel 2 widerspricht unserer
These, kann aber vielleicht als Perseveranz- bzw. Analogieerschei-
nung erklärt werden: alle Satztitel des Romans sind referierend und
stehen daher, im Einklang mit unserer These, im Präsens. Noch auffälliger ist das „Whither", mit dem die Überschrift von Kapitel 3 beginnt.
Da der Bezugsort für „Whither" am Ende der Erzählung des zweiten
Kapitels nur zu erschließen ist, kann man folgern, daß der Autor zumindest diesen Kapiteltitel nicht bei der Abfassung des Kapitels, sondern erst später und ohne viel Rücksicht auf den Zusammenhang mit
dem Ende des vorausgehenden Kapitels geschrieben hat. Auffällig ist
auch das Plusquamperfekt der Überschrift zu Kapitel 3, das eigentlich
nicht zum „besprechenden" Tempus, dem Präsens aller übrigen Kapitel zu passen scheint. Diese Diskrepanz löst sich auf, wenn der Titel des
2. Kapitels in Übereinstimmung mit der oben aufgestellten Regel,
derzufolge Erzählhinweise wie „Relates" den Titel zu einem „erzählenden" machen, in dem folglich auch das Präteritum zu erwarten ist,
entsprechend transponiert wird:

Relates how Francis, Fourth Viscount, arrived at Castlewood/Whither in the
Time of Thomas, Third Viscount, I had preceded him as Page to Isabella.

Vergleichen wir diese Kapiteltitel mit dem aus *Dombey and Son* zitierten Titel des 16. Kapitels, so liegt der Schluß nahe, daß Thackerays
Sensorium für die Verschiebung der Erzähltempora etwas weniger
fein ausgebildet war als jenes von Dickens. Dagegen scheint Thackerays Gefühl für Modulationen der Ich-/Er-Opposition differenzierter
als jenes von Dickens gewesen zu sein. Auch dies wäre eines genaueren Vergleiches wert, wobei auch die grundsätzliche Bedeutung der
beiden Erzählkategorien „Tempus" und „Person", auf die K. Ham-

burger und H. Weinrich so nachdrücklich aufmerksam gemacht haben, mit in die Betrachtung einbezogen werden müßte.[37]
Die Untersuchung der Kapitelüberschriften im Roman muß erst auf eine größere Zahl von Werken ausgedehnt werden, ehe eine definitive Erklärung dieses, wie sich bereits zeigt, romantheoretisch äußerst interessanten, bisher aber wenig beachteten Phänomens gegeben werden kann. Auf Grund des hier referierten Belegmaterials lassen sich nur vorläufige Schlüsse ziehen. Kapitelüberschriften von Satzlänge sind der Synopsis, also den „besprechenden" Texten zuzuordnen, wenn sie im Präsens stehen. In diesem Fall ist die Mittelbarkeit des Erzählens in ihnen (noch) nicht wirksam. Kapitelüberschriften mit einem Verbum im Präteritum, meist verbunden mit Hinweisen auf die Mittelbarkeit des Erzählens, gehören zu den „erzählenden" Texten. Der Übergang von einem Titelmodell zum anderen in einem Roman ist allgemein üblich. Auch die Kontamination der beiden Modelle in einem Titel ist möglich, wenn auch ziemlich selten. Die Zuordnung eines Titels zum „erzählenden" Modell erfolgt, von eingeschobenen Erzählfloskeln abgesehen, in erster Linie durch das Präteritum, das hier wiederum als Ausdruck des Modus der Mittelbarkeit fungiert. Neben der Zeitenversetzung spielt aber auch die Verschiebung bzw. Nichtverschiebung der ersten zur dritten Person eine Rolle. Und schließlich konnte wenigstens in einem Fall gezeigt werden, daß die Opposition zwischen Erzähler und Reflektor in „erzählenden" Kapitelüberschriften einen Niederschlag finden kann. Somit liefert das hier untersuchte, noch sehr begrenzte Korpus von Texten bereits genügend Belegmaterial für den Schluß, daß die Satztitel von Kapiteln, wie sie im älteren Roman allgemein üblich waren, Aufschluß darüber geben können, wie sich in einem einzelnen Werk Texte mit der Nullstufe der Mittelbarkeit durch Hinzufügen bestimmter Erzählelemente in Texte mit – in verschiedenen Graden – gestalteter Mittelbarkeit verändern können. Beide Ergebnisse werden in einer künftigen „Grammatik" der Erzählkunst zu berücksichtigen sein.
Schließlich ist auch noch festzuhalten, daß die Überlegungen, die an Hand von Synopsen ganzer Romane und von Handlungsskizzen aus den Notizbüchern eines Autors angestellt wurden, zu Ergebnissen geführt haben, die sich mit den Resultaten, die an Kapitelüberschriften gewonnen wurden, zusammenfügen lassen. In allen drei Bereichen hat sich das Präteritum als deutlich erkennbares Signal für den Modus der

---

37 Vgl. K. Hamburger, *Logik,* 56ff., 245ff.; H. Weinrich, *Tempus, 26ff.*

Mittelbarkeit herausgestellt. Weiters hat sich gezeigt, daß die Erzählelemente, mit denen hauptsächlich die Mittelbarkeit in einem Roman
gestaltet wird, schrittweise oder in sukzessiven Stadien den Erzählstoff
durchstrukturieren, wobei eine sehr enge Wechselwirkung zwischen
„Stoff" und „Form" anzunehmen ist. Die Dialektik zwischen beiden
ist somit nicht nur ein Produkt des abgeschlossenen Werkes, sondern
ist ein für den Entstehungsprozeß charakteristischer Zustand. Die Erzählforschung wird sich mit dem hier skizzierten Ansatz noch weiter zu
beschäftigen haben. Die vorgeschlagenen Lösungen sind auch bewußt
tentativ formuliert, ihr Hauptziel ist es, einen Anstoß zur genaueren
Erforschung dieser bisher wenig beachteten Phänomene zu geben.

2.5. Nachtrag und Exkurs: Der Tempuswechsel in Bild-Textgeschichten

Nach Abschluß dieses Kapitels erhalte ich Kenntnis von einem wichtigen Beitrag zu unserem Thema. Otto Ludwig macht in seinem Artikel
„Thesen zu den Tempora im Deutschen"[38] darauf aufmerksam, daß
der „Wechsel von Präsens zu Präteritum [. . .] in erzählenden Unter-
schriften zu Bildgeschichten nachzuweisen [ist]". Bei Wilhelm Busch
finden sich zahlreiche Beispiele dafür, daß der Text, der eine Situation
auf einem Bild beschreibt, im Präsens steht, die auf dem Bild nicht
mehr dargestellte Handlung dagegen im Präteritum berichtet wird.
Neben W. Busch, auf den O. Ludwig hinweist, ist auch der *Struwwelpeter* zu nennen, in dem sich mehrere Beispiele dieser Art finden:

Paulinchen war allein zu Haus,/ Die Eltern waren beide aus [. . .]
Und Minz und Maunz, die Katzen,/ Erheben ihre Tatzen.
Sie drohen mit den Pfoten:/ Der Vater hat's verboten![39]

Auch im *Struwwelpeter* ist, wie bei W. Busch, dieser Wechsel von einer
Reihe anderer Faktoren (Reimzwang, traditionelle Erzählmuster
u. ä.) mitbestimmt. Die Regelmäßigkeit des Tempuswechsels ist daher
in diesen Bild-Textgeschichten relativ gering.
Was Ludwig bei der Erklärung des Tempuswechsels nicht in Betracht

---

38 Otto Ludwig, „Thesen zu den Tempora im Deutschen", *Zeitschrift für
    deutsche Philologie* 91 (1972), 58–81, vgl. bes. 68.
39 Heinrich Hoffmann, *Der Struwwelpeter,* Frankfurter Originalausgabe, o. J.,
    „Die gar traurige Geschichte mit dem Feuerzeug", 4.

zieht, ist die Möglichkeit, mit Hilfe des Tempuswechsels die Verteilung der Rollen in einem erzählenden Gedicht zu unterstreichen, was
einer, wenn auch rudimentären Perspektivierung gleichkommt. So
kann man an der von Ludwig zitierten Moritat „Der Unglücksschuß"
zeigen, daß das Präteritum dem Bericht von der Handlung der Verfol-
ger (Jäger, Hund) und das Präsens dem Bericht über die Gejagten
(Rehlein, Mädchen) zugeordnet wird. Die Kommentare des Erzählers
stehen im übrigen ebenfalls im Präteritum. Die Erklärung Ludwigs,
daß das Präsens dort erscheine, wo der Erzähler „szenisch darstellt"
(69), ist nicht ganz überzeugend, da der Unterschied zwischen „szenisch" dargestellten und berichteten Stellen in dieser Ballade sehr wenig ausgeprägt ist. Dagegen ist Ludwigs Erklärung des Präteritums als
Signal für die Sprecherfunktion „Vermittlung" (74) eine willkom-
mene Bestätigung unserer These, daß das Präteritum in der Erzählung
vor allem den Modus der Mittelbarkeit bezeichnet.
Der Wechsel des Tempus als Signal für einen Perspektivenwechsel
wurde im übrigen auch von Bronzwaer[40] beobachtet, und zwar an
W. B. Yeats' Gedicht „Leda and the Swan". Während Oktave und erstes Terzett dieses Sonetts eine Schilderung von Leda und dem sie be-
gattenden Schwan im Präsens bringen, enthält das letzte Terzett eine
Frage, die sich das lyrische Ich über die Bedeutung des beschriebenen
Vorganges stellt. Die Passivität der Betrachter-Perspektive, noch unterstrichen durch das „tabularische" Präsens der Beschreibung, verwandelt sich in eine Perspektive der Betroffenheit, in der das Präteritum, stärker als dies durch einen Ich-Bezug zum Ausdruck gebracht
werden könnte, eine persönliche Beziehung zwischen dem geschilderten Vorgang und dem Betrachter zu stiften scheint. Dieser Ausblick
auf den Tempuswechsel in der lyrischen Dichtung hat gezeigt, daß einige der von uns an erzählender Literatur gemachten Beobachtungen
über den Bereich der epischen Gattung hinaus Gültigkeit haben.[41]

---

40 Vgl. W.J.M. Bronzwaer, *Tense in the Novel,* Groningen 1970, 120f.
41 Einige Beobachtungen K. Hamburgers zum Tempusgebrauch in der Lyrik
in der ersten Auflage (1957) der *Logik* (S. 194) wurden nicht in die zweite
Auflage übernommen.

3. Die Neukonstituierung der typischen Erzählsituationen

> 'Bitzer,' said Thomas Gradgrind. "Your definition of a horse'.
> 'Quadruped. Graminivorous. Forty teeth, namely twenty-four grinders, four eye-teeth, and twelve incisive. Sheds coat in the spring; in marshy countries, sheds hoofs, too. Hoofs hard, but requiring to be shod with iron. Age known by marks in mouth.' Thus (and much more) Bitzer.
> 'Now girl number twenty,' said Mr. Gradgrind. 'You know what a horse is.'
> (Ch. Dickens, *Hard Times*)

Seit 1955, dem Erscheinungsjahr der *Typischen Erzählsituationen im Roman*, hat die Erzählforschung so große Fortschritte gemacht, daß die damals vorgelegte theoretische Begründung der Typen der ES heute nicht mehr ausreichend ist. Der gegenwärtige Stand der Diskussion auf diesem Gebiet erfordert einerseits eine eingehende Offenlegung der Ausgangspositionen und Annahmen, andererseits eine Formalisierung des Verfahrens, das bei der Konstituierung der Typen verwendet wird. Beiden Forderungen soll in diesem Kapitel so weit entsprochen werden, als dem Rahmen und der Zielsetzung dieser Untersuchung angemessen erscheint. Dabei werden auch einige weiterführende und kritische Argumente zu verwerten sein, die in der Fachdebatte, ausgelöst durch die *Typischen Erzählsituationen* und die *Typischen Formen*, vorgebracht wurden.[1]

---

1 Die letzten beiden größeren kritischen Auseinandersetzungen mit den *Typischen Erzählsituationen* (fast ein Vierteljahrhundert nach ihrem Erscheinen!) konnten nicht mehr in Einzelheiten berücksichtigt werden, doch sind mehrere dort erhobene Einwände vorwegnehmend in der *Theorie* berücksichtigt worden: Jürgen H. Petersen, „Kategorien des Erzählens. Zur systematischen Deskription epischer Texte", *Poetica* 9 (1977), 167–195, A. Staffhorst, *Die Subjekt-Objekt-Struktur. Einleitung zur Erzähltheorie,* Stuttgart 1979, bes. 17–22.

Einer der am häufigsten erhobenen Einwände gegen die Typen der ES fußt auf der Annahme, daß diese Typen das Erzählgeschehen auf eine Weise schematisieren, die der individuellen Besonderheit und Komplexität des einzelnen Erzählwerkes nicht angemessen sei. Es war selbstverständlich nicht beabsichtigt, mit der Typologie der ES die Vielfalt der Möglichkeiten des Erzählens auf einige wenige Kategorien zu beschränken, auch das soll im folgenden deutlicher herausgestellt werden als in den früheren Darstellungen.[2] Da die Erzählsituation eines Romans ständig, d. h. von Kapitel zu Kapitel oder von Absatz zu Absatz, Modifikationen unterworfen ist, wird es notwendig, nicht nur, wie in den früheren Anwendungen dieser Typologie, hauptsächlich die Dominanz einer der drei ES in einem Roman (z. B. „auktorialer Roman") zu bestimmen, sondern auch der Abfolge von Modifikationen, Übergängen, Überlagerungen der ES zwischen Anfang und Ende einer Erzählung besondere Aufmerksamkeit zuzuwenden, was durch die im System postulierten kontinuierlichen Übergänge zwischen den typischen ES erleichtert wird. Diese Anpassung des typologischen Befundes an die Besonderheit des einzelnen Erzähltextes nennen wir, der Kürze halber, die „Dynamisierung" der typischen ES.[3] Sie wird im zweiten Abschnitt dieses Kapitels eingehend dargestellt werden.

In einem weiteren Abschnitt dieses Kapitels werden schließlich jene Formkräfte zu beschreiben sein, die der Dynamisierung des Erzählvorganges entgegenwirken. Es handelt sich dabei um Tendenzen, die die Gestaltung der Mittelbarkeit nivellieren, wie sie vor allem im Bereich des Trivialromans zu beobachten sind. Diese Erscheinungen werden unter dem Begriff „Schematisierung" der Erzählsituationen zusammengefaßt.

---

2 Einige der hier dargebotenen Überlegungen wurden bereits vor einigen Jahren skizziert, aber erst kürzlich veröffentlicht in meinem Beitrag „Zur Konstituierung der typischen Erzählsituationen", in: *Zur Struktur des Romans,* Darmstadt 1978, 558–576.

3 Das Verfahren der Dynamisierung der typischen ES, d. h. der Anpassung der erzähltheoretischen Begriffe an den prozessualen Charakter des Erzähltextes, ist in einem gewissen Sinne entgegengesetzt dem Verfahren der strukturalistischen und linguistischen Narratologie, in dem durch „rewriting" (J. Ihwe) oder durch „normalization" (W. O. Hendricks) eine Formalisierung des Erzähltextes und damit seine Anpassung an das begriffliche Instrumentarium der Analyse angestrebt wird. Vgl. Jens Ihwe, „On the Foundations of a General Theory of Narrative Structure", und William O. Hendricks, „The

3.1. Die Konstituenten der typischen Erzählsituationen: Person, Perspektive, Modus

Mittelbarkeit als Gattungsspezifikum des Erzählens ist, das hat sich weiter oben schon gezeigt, ein mehrschichtiges und komplexes Phänomen. Um dieses Gattungsspezifikum zur Grundlage einer Typologie der Formen der erzählenden Übermittlung, d. h. der Erzählweisen, machen zu können, ist es notwendig, den Komplex in seine wichtigsten Konstituenten aufzulösen.* Diese begannen sich in der vorausgegangenen Erörterung der verschiedenen Stufen der Gestaltung der Mittelbarkeit bereits, wenn auch nur umrißhaft, abzuzeichnen. Sie sollen nun genauer definiert werden.

Die erste Konstituente ist in der Frage enthalten „Wer erzählt?" Die Antwort darauf lautet: ein Erzähler, der als eigenständige Persönlichkeit vor dem Leser erscheinen oder soweit hinter das Erzählte zurücktreten kann, daß er für den Leser praktisch unsichtbar wird. Damit sind auch bereits zwei Grundformen des Erzählens umschrieben, deren Unterscheidung in der Erzähltheorie ziemlich allgemein anerkannt ist und für die meist folgende Begriffspaare verwendet werden: „eigentliche" und „szenische Erzählung" (O. Ludwig), „panoramic" und „scenic presentation" (Lubbock), „telling" und „showing" (N. Friedman), „berichtende Erzählung" und „szenische Darstellung" (Stanzel).[4] Während die für die Erzählweise eines persönlichen Erzählers vorgeschlagenen Begriffe relativ eindeutig und klar sind, verbergen sich hinter den Begriffen für die szenische und erzählerlose Darstellung zwei Sachverhalte, die theoretisch getrennt zu halten sind, auch wenn sie in der Erzählung meist in enger Verbindung miteinander aufscheinen: dramatisierte Szene (reiner Dialog und Dialog mit knappen Regieanweisungen oder stark verkürztem Handlungsbericht eines unpersönlichen Erzählers, wie z. B. in Hemingways „The Killers") und unkommentierte Spiegelung der dargestellten Wirklichkeit im Bewußtsein einer Romangestalt, die wir im Gegensatz zum Erzähler einen Reflektor nennen (Stephen in Joyces *A Portrait of the Artist as a Young Man*). Die dramatisierte Szene, die nur, oder fast nur aus

---

Structural Study of Narration: Sample Analyses", *Poetics* 3 (1972), 7 und 101.

4 Vgl. Otto Ludwig, „Formen der Erzählung", in: *Epische Studien. Gesammelte Schriften,* hg. A. Stern, Bd. 6, Leipzig 1891, 202 ff.; Percy Lubbock, *The Craft of Fiction,* New York 1947, 67; N. Friedman, „Point of View in Fiction", 1161 ff.; F. K. Stanzel, *Typische Erzählsituationen*, 22.

Dialogen der Charaktere besteht, ist streng genommen kein narratives, sondern ein dramatisches Bauelement. Sie kann daher, auch wenn sie relativ häufig in Erzählungen anzutreffen ist, nicht zur Konstituierung der Grundtypen des Erzählens verwendet werden, was nicht bedeutet, daß ihr bei der Erstellung des Profils, das sich aus der Aufeinanderfolge der verschiedenen Bauelemente einer Erzählung ergibt, keine Bedeutung zukommt. Das eigentliche Narrative wird repräsentiert durch den Erzähler (in einer persönlichen oder unpersönlichen Rolle) und den Reflektor. Diese beiden bilden zusammen die erste Konstituente der typischen ES, den *Modus* der Erzählung. Unter Modus ist die Summe der möglichen Abwandlungen der Erzählweisen zwischen den beiden Polen Erzähler und Reflektor zu verstehen: *Erzählen* im eigentlichen Sinne der Mittelbarkeit, d. h. der Leser hat die Vorstellung, daß er einem persönlichen Erzähler gegenübersteht, und *Darstellen*, d. h. Spiegelung der fiktionalen Wirklichkeit im Bewußtsein einer Romangestalt, wobei im Leser die Illusion der Unmittelbarkeit seiner Wahrnehmung der fiktionalen Welt entsteht.

Ist die erste Konstituente, der Modus, ein Produkt der vielfältigen Relationen und Wechselwirkungen zwischen dem Erzähler bzw. Reflektor und dem Leser, so basiert die zweite Konstituente auf den Relationen und Wechselwirkungen zwischen dem Erzähler und den Romanfiguren. Wiederum läßt sich die Vielfalt der Möglichkeiten durch zwei polare Positionen verdeutlichen: die Seinsbereiche, in denen Erzähler und Charaktere beheimatet sind, können identisch oder getrennt, also verschieden, nicht-identisch sein. Lebt der Erzähler in derselben Welt wie die Charaktere, dann ist er nach der herkömmlichen Terminologie ein Ich-Erzähler. Steht der Erzähler existentiell außerhalb der Welt der Charaktere, dann handelt es sich nach der herkömmlichen Terminologie um eine Er-Erzählung. Die althergebrachten Begriffe Ich- und Er-Erzählung haben schon viel Verwirrung gestiftet, weil ihr Unterscheidungskriterium, das Personalpronomen, im Falle der Ich-Erzählung auf den Erzähler bezogen wird, im Falle der Er-Erzählung jedoch auf eine Figur der Erzählung, die nicht der Erzähler ist. Auch in einer Er-Erzählung, z. B. in *Tom Jones* oder im *Zauberberg*, gibt es ein Erzähler-Ich. Nicht das Vorkommen der ersten Person des Personalpronomens in einer Erzählung (außerhalb des Dialogs natürlich) ist also entscheidend, sondern der Ort der dazugehörigen Bezugsperson innerhalb oder außerhalb der fiktionalen Welt der Charaktere eines Romans oder einer Erzählung. Als Kennzeichnung dieser zweiten Konstituente soll trotzdem der Begriff *Person* wegen seiner Prägnanz beibehalten werden. Das wesentliche Kriterium der zweiten Konstituente – das muß nachdrücklichst hervorgehoben werden – ist aber nicht die relative Häufigkeit des Vorkommens eines der beiden Personalpronomina Ich oder Er/Sie, sondern die Frage nach der Identität bzw. Nicht-Identität der Seinsbereiche, in denen der Erzähler und die Charaktere beheimatet sind. Der Erzähler des *David Copperfield* ist ein Ich-Erzähler, weil er in derselben Welt lebt wie die anderen Charaktere des Romans, Steerforth, Peggoty, die Murdstones und Micawbers; der Erzähler des *Tom Jones* ist ein Er-Erzähler oder ein auktorialer Erzähler, weil er außerhalb der fiktionalen Welt, in der Tom Jones, Sophia Western, Partridge und Lady Bellaston leben, existiert. Identität und Nicht-Identität der Seinsbereiche des Erzählers und der Charaktere sind grundsätzlich verschiedene Voraussetzungen für den Erzählvorgang und seine Motivation.

Während bei der Unterscheidung der beiden Möglichkeiten des Modus die Blickrichtung des Lesers vornehmlich auf das Verhältnis des Lesers zum Vorgang des Erzählens oder Darstellens zielt, wird bei der dritten Konstituente, *Perspektive*, die Aufmerksamkeit auf die Art und Weise der Wahrnehmung der dargestellten Wirklichkeit durch den Leser gelenkt. Die Art und Weise dieser Wahrnehmung hängt wesentlich davon ab, ob sich der Standpunkt, von dem aus das Erzählte präsentiert wird, innerhalb der Geschichte befindet, d. h. in der Hauptfigur oder im Zentrum des Geschehens, oder außerhalb des Geschehens liegt, in einem Erzähler, der nicht selbst Träger der Handlung ist, sondern als Zeitgenosse der Hauptfigur und des Geschehens, als Beobachter oder unbeteiligter Chronist die Geschichte berichtet. Dementsprechend ist zwischen einer Innenperspektive und einer Außenperspektive zu unterscheiden. Das die Opposition Perspektive konstituierende Element ist also der Grad des Beteiligtseins der Mittlerfigur am Geschehen. Das die Opposition Person konstituierende Element ist dagegen das Ausmaß der Identität der Seinsbereiche, in denen die Träger der Handlung (Charaktere) und die Mittlerfigur (Erzähler oder Reflektor) beheimatet sind.

Die Opposition Innenperspektive – Außenperspektive erfaßt also einen eigenständigen, von den beiden anderen Konstituenten Person und Modus deutlich zu unterscheidenden Aspekt der Mittelbarkeit des Erzählens. Sie ist vor allem bestimmend für die raum-zeitliche Orientierung des Vorstellungsbildes, das sich der Leser vom Erzählten macht. Stellt sich die Geschichte gleichsam von innen heraus dar, dann ergibt sich daraus für den Leser eine andere Wahrnehmungslage als wenn das Geschehen von außen gesehen oder berichtet wird. Demzufolge zeigen sich auch Unterschiede in der Art, wie die räumlichen Relationen der Charaktere und Sachen in der dargestellten Wirklichkeit zueinander gestaltet sind (Perspektivismus – Aperspektivismus) und auch in der Art der Eingrenzung des Wissens- und Erfahrungshorizontes des Erzählers oder Reflektors („omniscience" – „limited point of view").

Der hier mit der Opposition Innenperspektive – Außenperspektive umschriebene Sachverhalt hat bislang eine etwas unterschiedliche Beachtung in der Erzähltheorie gefunden. E. Spranger, ein Psychologe, hat schon vor mehr als einem halben Jahrhundert mit seiner Unterscheidung zwischen „Berichtstandort" und „Innensichtstandort" Wesentliches unserer Opposition vorweggenommen; später war es E. Leibfried, der Perspektive als das wichtigste Kriterium für die Einteilung und Unterscheidung erzählender Texte bezeichnet hat.[5] Dagegen wird bei J. Pouillon, Tz. Todorov und G. Genette das, was hier mit Perspektive gemeint ist, anderen Konstituenten, und zwar solchen, die sich weitgehend mit unseren Begriffen Modus und Person decken, untergeordnet.[6] Es ist hier vielleicht eine grundsätzliche Klärung angebracht, nämlich die, daß vom Standpunkt der Erzähltheorie eine Typologie oder Taxonomie der Formen des Erzählens sowohl auf der Basis *eines* distinktiven Merkmals als auch von zwei, drei oder mehr solchen Merkmalen denkbar ist. Wohl aber ergibt sich aus der Zahl der Basiskonstituenten ein Unterschied in der Anwendbarkeit der so gewonnenen Kategorien. Je mehr Konstituenten in eine Typologie eingebracht werden, desto enger umgrenzt wird der Raum, in dem das individuelle Werk, das einem Typus zuneigt, seinen Platz finden muß. Das bringt zugleich einen Vorteil und einen Nachteil. Der Vorteil liegt in der größeren definitorischen Griffigkeit einer auf mehreren Konstituenten errichteten Typologie oder Taxonomie der Erzählformen, der

---

5 Vgl. Eduard Spranger, „Der psychologische Perspektivismus im Roman", neu abgedruckt in: *Zur Poetik des Romans,* hg. Volker Klotz, Darmstadt 1965, 217–238, und Erwin Leibfried, *Kritische Wissenschaft vom Text. Manipulation, Reflexion, transparente Poetologie,* Stuttgart ²1972, 244. Daß mit dem Begriff „Erzählsituation" nicht nur Perspektive gemeint ist, wie Leibfried hier unterstellt, ist durch die Neukonstituierung der ES auf der Basis von Person, Perspektive und Modus wohl ausreichend deutlich gemacht worden.

6 Vgl. J. Pouillon, *Temps et roman,* Paris 1946, 74–114; Tz. Todorov, „Les Catégories du récit littéraire", 125–159; G. Genette, *Narrative Discourse,* 185–198, wo „perspective" und „focalization" dem Aspekt „mood" untergeordnet werden.

Nachteil in der Gefahr des größeren Systemzwanges, der sich beim Versuch der Zuordnung des einzelnen individuellen Werkes zu einem Typus wegen der relativen Enge der so gewonnenen Typenbegriffe auswirken kann. Die hier vorgeschlagene triadische Basis für die Konstituierung der drei typischen Erzählsituationen hat sich, wie aus ihrer Anwendung in zahlreichen erzähltheoretischen Untersuchungen der letzten zwanzig Jahre hervorzugehen scheint,[7] praktisch bewährt; sie soll daher auch angesichts der Tatsache beibehalten werden, daß die meisten neueren erzähltheoretischen Typologien entweder monadisch (K. Hamburger) oder, noch häufiger, dyadisch angelegt sind.[8] Dorrit Cohn hat vorgeschlagen, aus meiner Typologie die Konstituente Perspektive zu eliminieren, da sie im wesentlichen inhaltsgleich sei mit der Konstituente Modus.[9] Diesem Vorschlag kann ich nicht Folge leisten, da ich damit auf einen, wie mir scheint, sehr wichtigen Vorzug, den mein Teilungssystem vor dyadischen oder monadischen Systemen aufweist, verzichten müßte. Dieser Vorzug scheint mir vor allem darin zu liegen, daß die triadische Anlage die kontinuierliche Geschlossenheit des Formensystems besonders deutlich herausstellt, während monadische und dyadische Systeme durch frontale Gegenüberstellung der Formengruppen immer zu einer schrofferen Differenzierung tendieren.[10] Im übrigen ist ein Übergreifen einzelner

---

7 Für eine (unvollständige) Liste solcher Arbeiten siehe F. K. Stanzel, „Zur Konstituierung der typischen Erzählsituationen", 568 ff.

8 Vgl. K. Hamburger, *Logik,* 11 ff. und 245 ff.; J. Anderegg, *Fiktion und Kommunikation,* 43 ff.; E. Leibfried, *Kritische Wissenschaft vom Text,* 244 f.; C. Brooks und R. P. Warren, *Understanding Fiction,* New York 1943, 659 ff.; G. Genette, *Narrative Discourse,* 30–32; Lubomír Doležel, „The Typology of the Narrator: Point in View in Fiction" in: *To Honor Roman Jakobson,* Den Haag 1967, Bd. 1, 541–552. Doležel hat vor kurzem seine Typologie auf recht aufschlußreiche Weise weiterentwickelt. Vergleiche vor allem die „Introduction" zu einem Buch *Narrative Modes in Czech Literature,* Toronto 1973.

9 Vgl. D. Cohn, „The Encirclement of Narrative. On Franz Stanzel's *Theorie des Erzählens",* *Poetics Today* 2 (1980), 174 ff. und 179 f.

10 Man vgl. dazu etwa, daß sich in D. Cohns vorgeschlagenem (dyadischen) System die Formen in deutlich voneinander abgegrenzten Sektoren oder Quadranten darbieten, während in meinem triadisch aufgebauten Typenkreis die einzelnen Formen auf den zwischen den Typenstellen sich erstreckenden Formenkontinua angesiedelt werden können. Vgl. Cohn, „The Encirclement", 163, Chart II, und 179, Figure 2.

Merkmale von dem Bereich der einen Konstituente auf den der anderen beiden bei allen drei Konstituenten festzustellen (Vgl. S. 79f.). Der Grund dafür ist in der idealtypischen Anlage des Systems, die mehr auf das Aufzeigen exemplarischer Möglichkeiten als auf die eindeutige Abgrenzung von narrativen Kategorien abzielt, zu suchen. Daß die Konstituente Perspektive auch unter Berücksichtigung dieses Umstandes nicht völlig mit der Konstituente Modus gleichgesetzt werden kann, wird außerdem, so ist zu hoffen, durch die Neudefinition des Begriffes Perspektive in dieser Auflage, zu der vor allem Dorrit Cohns Kritik Anlaß gegeben hat, deutlich werden.

Die typischen Erzählsituationen werden also durch die Triade Modus, Person und Perspektive konstituiert. Jede dieser Konstituenten gestattet eine Vielzahl von Realisationen, die sich als Formenkontinua darstellen lassen, weil sie die Strecke oder Skala zwischen den beiden extremen Möglichkeiten graduell abgestuft und kontinuierlich auffüllen. Zur Beschreibung solcher Formenkontinua bedient sich die neuere, strukturalistisch orientierte Literaturwissenschaft, den Anregungen de Saussures und Roman Jakobsons folgend, des Begriffs der binären Opposition.[11] Dem Begriff der binären Opposition liegt die Neigung des Menschen zugrunde, eine Vielzahl von geringfügig voneinander abweichenden Erscheinungen als Varianten einer Grundform wahrzunehmen, die distinktiven Charakter hat und in Opposition zu einer anderen Grundform des Systems steht. Das ist in der Sprache zu beobachten, gilt aber auch für andere Bereiche geistiger Aktivität, wo es erforderlich wird, eine Fülle von meist nur geringfügig voneinander differierenden Wahrnehmungen zu ordnen. Die binäre Opposition bietet sich daher gerade für eine Erzähltheorie, die davon ausgeht, daß die konkreten Erzählformen eine unübersehbare Fülle von Modifikationen und Modulationen gewisser Grundformen darstellen, als ein kongeniales Ordnungssystem an. So kann jedes der den drei Konstituenten entsprechende Formenkontinuum mittels einer binären Opposition in zwei diskrete, d. h. deutlich voneinander unterscheidbare, weil gegensätzliche Polbegriffe gefaßt werden. Für

---

11 Zur Bedeutung der binären Opposition zunächst für die Linguistik und in der Folge auch für die strukturalistisch orientierte Literaturwissenschaft vgl. Jonathan Culler, *Structuralist Poetics. Structuralism, Linguistics, and the Study of Literature,* Ithaca, N.Y., 1978, 14–16. Eine Einführung in diesen und andere strukturalistische Arbeitsbegriffe findet sich bei Jürgen Link, *Literaturwissenschaftliche Grundbegriffe. Eine programmierte Einführung auf strukturalistischer Basis,* München 1974.

unsere drei Konstituenten und die ihnen entsprechenden Formenkontinua lauten diese binären Oppositionen wie folgt:

Formenkontinuum Modus: Opposition Erzähler – Nichterzähler
                             (Reflektor)
Formenkontinuum Person: Opposition Identität – Nichtidenti-
                             tät (der Seinsbereiche des Erzählers
                             und der Charaktere)
Formenkontinuum Perspektive: Innenperspektive – Außenperspek-
                             tive
                             (Perspektivismus – Aperspektivis-
                             mus)

Jede dieser drei Oppositionen wird in einem der nachfolgenden Kapitel noch eingehend zu beschreiben sein.

Die Konstituierung der typischen Erzählsituationen auf der Basis der
drei Konstituenten und der ihnen entsprechenden binären Oppositionen erweitert und differenziert die Beschreibung der auktorialen, der
personalen und der Ich-Erzählsituation, wie sie in den *Typischen Erzählsituationen* von 1955 und den *Typischen Formen* von 1964 zum ersten Mal unternommen wurde. Dabei wurden auch die seither er-
schienenen Beschreibungen typischer Erzählformen, soweit sie erzähltheoretisch fundiert sind, berücksichtigt. Auf einige dieser Darstellungen der Erzählformen muß etwas ausführlicher eingegangen
werden, weil sie einerseits unter ausdrücklicher Berücksichtigung der
Typischen Erzählsituationen erstellt wurden, andererseits aber Lösungen vorschlagen, die vom System der typischen ES abweichen.

Lubomír Doležel hat in seinem Beitrag zur Festschrift für Roman Jakobson den Versuch einer streng strukturalistischen Klassifikation der
möglichen Erzählformen vorgenommen. Die Ableitung der von Doležel unterschiedenen Erzähltypen kann hier nicht im Detail wiederholt
werden, doch sind die von Doležel verwendeten Ausgangspositionen
festzuhalten: Texte mit Sprecher – Texte ohne Sprecher. Texte mit
Sprecher gliedern sich wiederum danach, ob der Sprecher ein Erzähler
oder eine (nichterzählende) Romanfigur ist. Ein Erzähler wiederum
kann sich aktiv oder passiv zum Geschehen und zum Erzählvorgang
verhalten. Erst in letzter Instanz wird auch zwischen dem Bezug in der
ersten und der dritten Person des Personalpronomens auf Erzähler
bzw. Romanfigur unterschieden. Wesentlich für Doležels System ist
daher, daß diejenigen seiner konstitutiven Oppositionen, die auch als
Konstituenten der typischen ES erscheinen, nämlich, persönlicher –
unpersönlicher Erzähler (Modus) und Er-/Ich-Opposition (Person)
nicht nebeneinander, sondern – nach dem Vorbild des linguistischen

Stammbaum-Modells – nacheinander als Teilungskriterien verwendet werden.[12]

Die Konstituente Perspektive fehlt bei Doležel bzw. findet nur implizite Berücksichtigung, bei Erwin Leibfried bildet sie dagegen das wichtigste Einteilungskriterium: Leibfried unterscheidet zwischen „Innenperspektive", das ist die Perspektive des mithandelnden Erzählers, und „Außenperspektive", der Perspektive eines nicht mit der Handlung verwobenen Erzählers.[13] Diese sehr wichtige Unterscheidung wird allerdings dadurch etwas verunklart, daß Leibfried ausgerechnet Jean Pauls *Flegeljahre* als Paradigma verwendet, einen Roman also, in dem die Unterscheidung zwischen Außen- und Innenperspektive wie auch zwischen Er- und Ich-Bezug sehr schwierig ist. Da Leibfried meint, der Begriff „Erzählsituation" bedeute nur Perspektive (243), wird auch sein kritischer Versuch der Weiterentwicklung des Begriffes ES etwas einseitig. Leibfried will weder die Er-/Ich-Opposition noch die Unterscheidung zwischen Erzähler und Nichterzähler (Reflektor) als typenscheidende Kriterien gelten lassen (247). So wird verständlich, warum Leibfried die personale ES als bloße Variante der Ich-Perspektive in Erwägung ziehen kann (244). Wie aus dem Typenkreis ersichtlich wird, sind personale ES und diejenigen Formen der Ich-ES, in denen das erzählende Ich völlig zurückgetreten ist, benachbart, nicht aber jene Formen der Ich-Erzählungen, in denen das Ich als Erzähler persönlich hervortritt. Diese stehen der auktorialen ES näher als der personalen ES.[14]

Ein anderer, die Diskussion kritisch weiterführender Versuch zur systematischen Darstellung der Erzählformen stammt von Wilhelm Füger.[15] Fügers konstitutive Oppositionen sind Außen- und Innenperspektive, Ich- und Er-Form. Hinzu kommen drei Stufen der Einsichtigkeit oder des Bewußtseinsstandes des Erzählers: Der Erzähler kann

---

12 Lubomír Doležel, „The Typology of the Narrator: Point of View in Fiction", in: *To Honor Roman Jakobson*, Bd. 1 (1967), 541–52. In Doležels Weiterentwicklung dieser Typologie wird neben dem Stammbaum-Modell auch das Kreisschema verwendet. Vergleiche vor allem die „Introduction" zu seinem Buch *Narrative Modes in Czech Literature,* Toronto 1973.

13 Vgl. Erwin Leibfried, *Kritische Wissenschaft vom Text. Manipulation, Reflexion, transparente Poetologie,* Stuttgart ²1972.

14 Vgl. auch F. K. Stanzel, „Zur Konstituierung der typischen Erzählsituationen", 574f.

15 Wilhelm Füger, „Zur Tiefenstruktur des Narrativen. Prolegomena zu einer generativen ‚Grammatik' des Erzählens", *Poetica* 5 (1972), 268–292.

besser, gleich oder schlechter informiert sein als die übrigen Romanfiguren bzw. der Leser. Füger verwendet, ebenso wie Doležel, das Stammbaum-Modell als Grundlage seiner Systematik. Als Vorteile dieses Modells können die logische Stringenz und die Feingliedrigkeit der möglichen Unterscheidungen angesehen werden. So werden von Füger zwölf Typen definiert, von denen allerdings ein Drittel fast nur hypothetischen Charakter hat. Eine so differenzierte Aufgliederung nützt sicherlich der Erzähltheorie mehr als der Interpretationslehre. Als Nachteil dieses Systemmodells muß angeführt werden, daß Typen, die in der literarischen Praxis und daher auch für die Interpretation benachbart oder verwandt erscheinen, innerhalb des Systems oft weit voneinander entfernt liegen. So steht z. B. Fügers Typus 10a, das ist eine personale ES mit auktorialen Elementen, weit getrennt von Typus 4a, das ist eine auktoriale ES, in welcher das Auftauchen von personalen Elementen möglich ist. Auf dem Typenkreis sind diese beiden Formen unmittelbar benachbart. Auch können die Übergänge zwischen den einzelnen Typen in Fügers Darbietungsschema keine Berücksichtigung finden.

Es ist klar, daß keine Systematisierung der Erzählformen den Anforderungen der Theorie und der Interpretationspraxis, der begrifflichen Ordnung und Konsistenz auf der einen Seite und der Textadäquatheit und Anwendbarkeit in der Interpretation auf der anderen Seite, in gleicher Weise entsprechen kann. Füger hat sich, ebenso wie Doležel, für den Primat der Systematik entschieden. In der folgenden Neukonstituierung der typischen ES soll dagegen versucht werden, einen Mittelweg zwischen Systematik der Theorie und Pragmatik der Interpretationslehre zu finden. Als Überleitung dazu soll über den Ansatz eines Vertreters der linguistisch orientierten „New Stylistics" berichtet werden, in dem bereits ein solcher Mittelweg angesteuert wird. Es handelt sich um Seymour Chatmans „feature analysis".[15a] Chatman unternimmt eine systematisch fundierte Beschreibung der Formen der „narrative transmission", womit im wesentlichen die Formen gestalteter Mittelbarkeit in der Erzählung gemeint sind. Auch Chatman geht von der Frage der Anwesenheit eines Erzählers aus und versucht, verschiedene Grade der Erzählerpräsenz im Bewußtsein des Lesers zu unterscheiden. Er bedient sich dabei der „speech act"-Theorie von John Austin.[15b] Unter „discourse feature" versteht Chatman „a single property of the narrative discourse, for example, the use of the first

---

15a S. Chatman, „The Structure of Narrative Transmission", 213–257.
15b John Austin, *How to Do Things With Words* (1955), New York 1962.

person singular or the use or non-use of time summary" (233). Chatman betont ausdrücklich, daß diese Erzählelemente völlig frei kombinierbar seien und daher auch isoliert betrachtet und beschrieben werden könnten. Diesen Standpunkt, der im übrigen auch von N. Friedman, W. C. Booth und den meisten englischen und amerikanischen Romankritikern geteilt wird, sucht Chatman dann durch Konfrontation mit dem typologischen Verfahren, das in den *Typischen Erzählsituationen* angewendet wurde, weiter zu profilieren. Dabei wird deutlich sichtbar, wo die Vor- und Nachteile der beiden Verfahrensweisen, systematische Typologie und „feature analysis", liegen. „Feature analysis" bietet größtmögliche Textnähe des Beschreibungsverfahrens, da sich die formale Analyse ganz auf die jeweilige Idiosynkrasie der Kombinationen von Erzählformen in einem Text konzentrieren kann. Das Ergebnis ist eine für Interpretationszwecke höchst aufschlußreiche Tabulatur der verschiedenen Präsenzstufen des Erzählers in der Erzählung. Was aber eine solche „feature analysis" nicht leisten kann, ist das Aufzeigen der Zusammenhänge, der gegenseitigen Abhängigkeiten zwischen den einzelnen Erzählelementen, also dessen, was im weitesten Sinne unter Erzählstruktur zu verstehen ist. Ein Verzicht auf die Aufhellung solcher Zusammenhänge ist letztlich auch ein Verzicht der Erzählforschung darauf, zu den höher organisierten Phänomenen und den komplexeren Interdependenzen zwischen den Erzählformen vorzudringen und sie in einen größeren systematischen Zusammenhang einzuordnen. Zu wünschen ist also, daß beide Verfahrensweisen, sich gegenseitig stützend, zur Geltung kommen können: „feature analysis", die genaue Beschreibung der einzelnen Erzählelemente in ihrer jeweiligen Besonderheit, *und* systematische Erzähltheorie, die die Korrespondenzen und Zusammenhänge zwischen den einzelnen Erzählphänomenen zu erhellen vermag. So bleibt z. B. Chatmans wichtige Feststellung, „in narrative, speech and thought are significantly different actions" (229) letztlich ohne theoretische Konsequenzen, da es im Rahmen der „feature analysis" keinen Systemrahmen gibt, an dem diese Erkenntnis festgemacht werden kann. Dagegen bietet die eine unserer Konstituenten der typischen ES, Modus, d. h. die Opposition Erzähler-Reflektor, einen theoretischen Orientierungspunkt, auf den hin die Beschreibung der beiden Darstellungsmodi, von denen einer auf „speech", der andere auf „thought" ausgerichtet ist, bezogen werden kann.

Aus der systematischen Einordnung der einzelnen „features" ergeben sich auch Konsequenzen für die Interpretation von Erzähltexten. So erkennt Chatman, der im übrigen einer der wenigen amerikanischen

Kritiker ist, die mit dem Begriff „erlebte Rede" (ER) gut vertraut sind, vollkommen richtig, daß ein Satz wie „John sat down" nicht nur die Beschreibung eines rein äußerlichen Vorganges ist, sondern auch einen gewissen Grad der Bewußtheit dieses Aktes von John implizieren kann, vor allem, wenn ein solcher Satz in einem Kontext mit ER erscheint (238 f). Es scheint aber doch nicht ausreichend, nur durch einen Wortaustausch (etwa „lounged" anstatt „sat") zu prüfen, ob in einem solchen Erzählsatz Außensicht oder Innensicht vorherrscht. Viel wichtiger ist das Erzählverfahren des größeren Kontextes, in dem ein solcher Satz erscheint. Dieses Verfahren wird durch die Zuordnung zu einer der typischen ES bestimmbar. Herrscht eine prägnant auktoriale ES vor, dann wird für den Satz „John sat down" nur Außensicht in Frage kommen. Ist dagegen eine personale ES vorherrschend, dann ist auch mit der Möglichkeit einer zumindest implizierten Innensicht zu rechnen. „Feature analysis" verlangt also nach dem Rahmen einer umfassenden und systematischen Erzähltheorie.

Abschließend sei noch auf ein Mißverständnis hingewiesen, das Chatman unterläuft (die Ursache dafür ist wahrscheinlich in einer Unschärfe des Textes der *Typischen Erzählsituationen* von 1955 zu suchen), weil es im Hinblick auf die Neukonstituierung der typischen ES von einigem Interesse ist. Chatman nimmt an, daß Person, Modus und die Anwesenheit des Erzählers in der fiktionalen Welt („narrator is present in the fictional world", 235) die drei Konstituenten der typischen ES bilden. Wie weiter oben aber bereits festgestellt wurde, sind Person und Identität der Seinsbereiche (Anwesenheit des Erzählers *in* der fiktionalen Welt) nur zwei verschiedene Bezeichnungen ein und derselben Konstituente. Dagegen fehlt in Chatmans Liste die Konstituente Perspektive!*

Die vorliegende Theorie des Erzählens auf der Basis der typischen Erzählsituationen unterscheidet sich von allen hier referierten Theorien vornehmlich dadurch, daß sie versucht, ein triadisches System zu entwerfen, in dem alle drei Konstituenten *in gleicher Weise* berücksichtigt werden. In jeder der drei typischen Erzählsituationen erlangt nämlich eine andere Konstituente bzw. ein Pol der ihr zuzuordnenden binären Opposition Dominanz über die anderen Konstituenten und ihre Oppositionen:

Auktoriale ES – Dominanz der Außenperspektive
(Aperspektivismus)
Ich-ES   – Dominanz der Identität der Seinsbereiche von
Erzähler und Charakteren
Personale ES – Dominanz des Reflektor-Modus

Ordnet man die so konstituierten typischen Erzählsituationen unter Berücksichtigung der zwischen ihnen gegebenen Korrespondenzen schematisch auf einem Kreis auf solche Weise an, daß die ihnen zugehörigen Oppositionsachsen diesen Kreis in gleichen Abständen schneiden, so erhält man ein Diagramm, das die Zuordnung der typischen Erzählsituationen zueinander und ihre Relationen zu den Polen der Oppositionsachsen sinnfällig hervortreten läßt. Das unten abgedruckte Diagramm zeigt, wie neben dem dominanten Oppositionselement die jeweils unmittelbar benachbarten Oppositionselemente gleichsam sekundär an der Konstituierung einer typischen ES Anteil haben. So ist z. B. die personale ES primär durch die Dominanz einer Reflektorfigur, sekundär einerseits durch das Überwiegen der Innenperspektive, andererseits durch die Nicht-Identität der Seinsbereiche, d. h. Er-Bezug (auf die Reflektorfigur) charakterisiert. Das Kreisschema hat auch, wie noch zu zeigen sein wird, gegenüber dem Stammbaumschema (Doležel, Füger) den Vorzug, daß auf ihm verwandte Erzählformen in unmittelbarer Nachbarschaft zueinander aufscheinen.*

Nach dieser theoretischen Grundlegung der typischen ES soll nun an Hand von drei Textbeispielen geprüft werden, ob die oben genannten Oppositionen tatsächlich wesentliche Gegensätze in der Gestaltung der Mittelbarkeit eines Erzähltextes bezeichnen, mit anderen Worten,

Kleiner Typenkreis

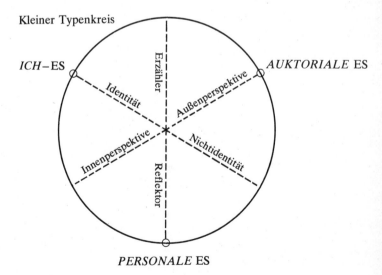

ob sie zur Struktur einer Erzählung gehören, deren Änderung eine Änderung der Bedeutung des Erzählten zur Folge hat, oder ob sie als stilistische Varianten der Erzählweise zu betrachten sind. Aus methodischen Gründen wird mit der bekanntesten und offensichtlichsten Konstituente, Person, begonnen, darauf folgen Perspektive und Modus.

3.1.1. Opposition I (Person): Ich-Bezug – Er-Bezug

Der Ich-Erzähler von J. D. Salingers *The Catcher in the Rye,* Holden Caulfield, steht als Hauptfigur der Erzählung mitten in der fiktionalen Welt, die der Roman darstellt. Die Identität der Seinsbereiche des Erzählers und der übrigen Charaktere ist also unzweifelhaft gegeben, sie bleibt auch aufrecht angesichts der Neigung dieses Ich-Erzählers, sich mit seinem Anliegen direkt an den Leser zu wenden. Man kann mit David Goldknopf über die Möglichkeit einer solchen Kommunikation staunen: „Someone *inside* the novel is talking to someone *outside* the novel. This strikes me as a remarkable, almost hair-raising phenomenon".[15c] Wie immer man dieses sicherlich erstaunliche Phänomen erklären mag – es wird später noch darauf zurückzukommen sein –, es ändert nichts an dem grundlegenden Sachverhalt der Identität der Seinsbereiche des Ich-Erzählers und der übrigen (fiktionalen) Charaktere des Romans. Holden Caulfield beginnt seine Erzählung folgendermaßen:

If you really want to hear about it, the first thing you'll probably want to know is where I was born, and what my lousy childhood was like, and how my parents were occupied and all before they had me, and all that David Copperfield kind of crap, but I don't feel like going into it. In the first place, that stuff bores me, and in the second place, my parents would have about two haemorrhages apiece if I told anything pretty personal about them. They're quite touchy about anything like that, especially my father. They're *nice* and all – I'm not saying that – but they're also touchy as hell. Besides, I'm not going to tell you my whole goddam autobiography or anything. I'll just tell you about this madman stuff that happened to me around last Christmas before I got pretty run-down and had to come out here and take it easy. (Harmondsworth 1958, 5)

Versucht man diese Ich-Erzählung in eine Er-Erzählung zu übertragen, d. h. die Personalunion zwischen Helden und Erzähler aufzuheben und einen Erzähler einzuführen, der außerhalb der dargestellten

---

15c David Goldknopf, *The Life of the Novel,* Chicago 1972, 33.

Welt der Romancharaktere steht (Nicht-Identität der Seinsbereiche von Erzähler und Charakteren),[15d] so stellen sich einer solchen Transponierung sogleich große Schwierigkeiten in den Weg. Wählt man als Transponierungsziel eine auktoriale Er-Erzählung nach dem Modell *Tom Jones* oder *Vanity Fair,* so muß die Person des Ich-Erzählers Holden Caulfield in zwei Figuren gespalten werden, in eine Romanfigur am Schauplatz der Handlung und in einen außerhalb der dargestellten Wirklichkeit stehenden Erzähler. Für einen solchen Erzähler wäre aber das schülerhaft vereinfachte System der Wertungen und Urteile Holdens ebenso unpassend wie die von Teenager-Slang durchsetzte Ausdrucksweise des Ich-Erzählers. Mit der Übertragung in die Ausdrucksweise eines Erwachsenen würde aber eine Distanz zwischen Erzähler und Erzähltem geschaffen, deren Fehlen gerade ein sehr signifikantes Merkmal des Originaltextes ist. Setzt man sich dagegen als Transponierungsziel eine Er-Erzählung nach dem Modell *Portrait of the Artist* (personale ES), dann wäre Holden Caulfield als Erzähler zu eliminieren. Es bliebe dann nur die Reflektorfigur Holden, dessen Gedanken und Gemütsbewegungen wir sehr genau kennenlernten, ohne daß dieser sie jedoch selbst erzählte. Damit ginge das Zwanghafte des Erzählaktes und der Konfessionscharakter der Erzählung, die ganz wesentliche Merkmale dieses Ich-Romans sind, verloren. Es zeigt sich also, daß der Zusammenhang zwischen Erlebnis und Erzählung, der durch die Identität der Seinsbereiche des Erzählers und der dargestellten Wirklichkeit gegeben ist, ohne schwerwiegende Eingriffe in das Sinngefüge des Romans nicht gelöst werden kann. Eine Transponierung der Ich-Erzählung in eine Er-Erzählung würde aber die Lösung dieses Zusammenhangs voraussetzen.

3.1.2. Opposition II (Perspektive): Innenperspektive – Außenperspektive

Die Opposition Innenperspektive – Außenperspektive kann an Hand einer Textstelle aus James Joyces *A Portrait of the Artist as a Young Man,* es handelt sich um Stephens Gang zur Beichte, dargestellt wer-

---

15d Aus Gründen der besseren Überschaubarkeit dieser Grundsatzüberlegungen wird hier auf die Möglichkeit einer Transponierung in eine Ich-ES mit einem peripheren Ich-Erzähler, von dem aus die zentrale Figur des Helden auch im Er-Bezug erscheinen würde (vgl. S. Butlers *The Way of All Flesh*), verzichtet.

den. Stephen wartet in einem Zustand großer psychischer und moralischer Anspannung vor dem Beichtstuhl:

The slide was shot to suddenly. The penitent came out. He was next. He stood up in terror and walked blindly into the box. At last it had come. He knelt in the silent gloom and raised his eyes to the white crucifix suspended above him. God could see that he was sorry. He would tell all his sins. His confession would be long, long. Everybody in the chapel would know then what a sinner he had been. Let them know. It was true. But God had promised to forgive him if he was sorry. He was sorry. He clasped his hands and raised them towards the white form, praying with his darkened eyes, praying with all his trembling body, swaying his head to and fro like a lost creature, praying with whimpering lips. (Harmondsworth 1963, 143)

Im ersten Teil dieser Textstelle fungiert Stephen als Reflektorfigur. Der Leser nimmt die Dinge der Außenwelt mit den Augen Stephens wahr und erhält zugleich unmittelbaren Einblick in Stephens innere Verfassung, seine Gedanken und seinen äußerst erregten Gemütszustand. Dieser innenperspektivische Teil mit Innenweltdarstellung – er reicht bis zum Ende des Satzes „He was sorry" – kann ohne Schwierigkeiten in die Ich-Form etwa von *The Catcher in the Rye* übertragen werden, in der ja auch eine Innenperspektive vorgegeben ist. Der letzte Satz des Zitats widersetzt sich jedoch einer solchen Transponierung, weil in ihm nicht mehr Innen-, sondern Außenperspektive und parallel dazu nicht Innen-, sondern Außenweltdarstellung vorherrscht. Hier wird auch die Stimme eines Erzählers wieder etwas deutlicher hörbar als im ersten Teil des Zitats, wo die Übermittlung durch einen Reflektor erfolgt. Aus der Tatsache, daß sich der innenperspektivische und der außenperspektivische Teil des Zitats im Transponierungsversuch so verschieden verhalten, ist auf einen strukturell verankerten Unterschied zwischen den beiden Möglichkeiten der Perspektive zu schließen.[16]

3.1.3. Opposition III (Modus): Erzähler – Reflektor

Stephen Dedalus fungiert auch in den ersten drei Kapiteln des *Ulysses* als Reflektorfigur. In der folgenden Textstelle hat ihm Mr. Deasy, der

---

16 Dorrit Cohn hat dieselbe Textstelle noch weitergehenden Transponierungsversuchen unterworfen, wobei sie zu Ergebnissen kommt, die vor allem für die Darstellung der Innenwelt mit Hilfe von ER sehr bedeutsam sind. Vgl. Dorrit Cohn, „Narrated Monologue: Definition of a Fictional Style", *Comparative Literature* 18 (1966), 98 ff.

Leiter der Schule, an der Stephen unterrichtet, eben einen Brief betreffend die Maul- und Klauenseuche mit der Bitte übergeben, diese
Stellungnahme dem Herausgeber einer Dubliner Zeitung zu über-
bringen. Stephen überfliegt, von Mr. Deasy dazu aufgefordert, den Inhalt dieses Briefes:

– I have put the matter into a nutshell, Mr. Deasy said. It's about the foot and
mouth disease. Just look through it. There can be no two opinions on the matter.
May I trespass on your valuable space. That doctrine of *laissez faire* which so often in our history. Our cattle trade. The way of all our old industries. Liverpool
ring which jockeyed the Galway harbour scheme. European conflagration.
Grain supplies through the narrow waters of the channel. The pluterperfect im-
perturbability of the department of agriculture. Pardoned a classical allusion.
Cassandra. By a woman who was no better than she should be. To come to the
point at issue.
– I don't mince words, do I? Mr. Deasy asked as Stephen read on. Foot and
mouth disease. Known as Koch's preparation. Serum and virus. Percentage of
salted horses. Rinderpest. Emperor's horses at Mürzsteg, lower Austria. Vete-
rinary surgeons. Mr. Henry Blackwood Price. Courteous offer a fair trial. Dic-
tates of common sense. Allimportant question. In every sense of the word take
the bull by the horns. Thanking you for the hospitality of your columns.
– I want that to be printed and read, Mr. Deasy said. (Harmondsworth
1969, 38 f.)

Die Textstellen zwischen den in direkter Rede zitierten Bemerkungen
Mr. Deasys enthalten den gedanklichen Reflex der Lektüre des Briefes im Bewußtsein Stephens. Dabei wird der Text des Briefes auf eigenartige Weise selegiert und fragmentiert. Bevorzugte Beachtung erfahren die zahlreichen stilistischen Klischees, die extravaganten Formulierungen Mr. Deasys und einige recht willkürlich ausgewählte, aus
dem Zusammenhang gelöste Informationen. Versuchte man den Inhalt dieser Stelle einer Erzählerfigur in den Mund zu legen, dann ver-
änderte sich seine Bedeutung ganz wesentlich. Das Hauptgewicht der
auf solche Weise erzählten Passage läge nicht mehr auf den subjektiven Impressionen, die der Brief im Bewußtsein der Reflektorfigur
Stephen hervorruft, sondern auf dem tatsächlichen Inhalt des Briefes.
Dieser Transponierungsversuch zeigt also, daß das Ersetzen einer Reflektorfigur durch eine Erzählerfigur eine entscheidende Veränderung
der erzählerischen Aussage zur Folge haben kann. Somit ist auch für
die Opposition Erzähler – Reflektor erwiesen, daß mit ihr strukturell
gegensätzliche Formen der Gestaltung der Mittelbarkeit einer Erzählung gegeben sind.

3.1.4. Der Typenkreis

Nachdem die strukturelle Wesentlichkeit der drei den typischen Erzählsituationen zugrundeliegenden Oppositionen von Person, Perspektive und Modus nachgewiesen worden ist, können wir zur Anordnung der typischen Erzählsituationen auf dem Schema des Typenkreises übergehen. Wie bereits ausgeführt, sind die den Idealtypen der drei Erzählsituationen entsprechenden Stellen jeweils an einem Polende der drei die Oppositionen repräsentierenden Achsen des Typenkreises zu lokalisieren (vgl. Diagramm: Kleiner Typenkreis S. 81).

Aus der triadischen Anlage eines solchen Systems, in das durch die Binäropposition auch ein dyadisches oder dualistisches Moment integriert ist, ergeben sich gegenüber einfachen dyadischen oder einfachen monadischen Systemen eine Reihe von Vorteilen:

– Jeder Typus dieses Systems ist nach drei Konstituenten (Person, Perspektive, Modus) definiert, sein Begriffsinhalt ist daher gattungstheoretisch umfassender bestimmt als die Typen eines auf einer einzelnen Opposition aufgebauten (monadischen) Systems.

– Die triadische Anlage der Typologie gestattet die Anordnung der Typen in Kreisform, aus der einerseits die Geschlossenheit des Systems, andererseits sein wesentlich dialektischer Charakter ersichtlich wird: jeder der drei Haupttypen steht in einem dialektischen Spannungsverhältnis zu den beiden anderen Typen, insofern als der typologische Gegensatz zwischen den anderen zwei Typen (siehe sekundäre Konstituenten) in einem gewissen Sinne in ihm aufgehoben erscheint. So sind z. B. die Gegensätze zwischen auktorialer und personaler ES nach Modus und Perspektive in der Ich-ES aufgehoben.

– Die Anordnung der typischen ES auf dem Schema des Typenkreises ermöglicht eine Darstellung des systematischen Ortes aller denkbaren typischen Formen und Modifikationen der Haupttypen. In diesem Sinne ist der Typenkreis als ein geschlossenes Kontinuum aufzufassen, das die unbegrenzte Zahl von Variationen der typischen Formen aufzunehmen imstande ist und ihre jeweilige Transponierbarkeit hin zu den beiden benachbarten Typen aufzeigt.

– Der Typenkreis verbindet also Idealtypen, oder ahistorische Konstanten,* das sind die drei typischen ES, mit historischen Formen des Erzählens, die sich als Modifikationen der Idealtypen beschreiben lassen.

Es scheint hier angebracht, noch einmal zu unterstreichen, daß Idealtypen keine literarischen Programme sind, für deren Realisierung Au-

toren mit einer Prämie der Kritik belohnt werden, sondern sie sind in
ihrer Funktion für die Kritik trigonometrischen Vermessungspunkten
vergleichbar, nach denen sich die Beschreibung der literarischen Er-
zähllandschaft mit ihrer unübersehbaren Vielfalt an topographischen
Erscheinungen und Formen orientieren kann. Die ältere Kritik an den
typischen Erzählsituationen ging oft von der irrigen Annahme aus, es
handle sich bei den Haupttypen der ES um normative Vorschreibungen oder zumindest um eine definitive Schematisierung der Erzähl-
möglichkeiten in drei Kategorien. Solche Einwände sind in den letzten
Jahren seltener geworden. Dennoch soll noch einmal klargestellt werden, daß diese Typologie die Vielfalt der Möglichkeiten des Erzählens
nicht beschränken, sondern, im Gegenteil, sichtbar machen will.

Zwischen den Idealtypen der ES als ahistorischen Konstanten und den
historischen Formen des Erzählens, wie sie von der Geschichte des
Romans, der Novelle und der Kurzgeschichte verzeichnet werden, besteht noch ein weiterer, sehr aufschlußreicher Zusammenhang, der zu
einem wesentlichen Teil in dem hier vorgelegten System bereits berücksichtigt wurde. Bei der Konstituierung der Haupttypen wurde
nämlich rein pragmatisch auf die Geschichte des Romans bereits insofern Rücksicht genommen, als von den sechs typischen ES, die sich an
den insgesamt sechs Polstellen der drei Oppositionen hätten errichten
lassen, tatsächlich nur drei konstituiert wurden, und zwar jene drei, für
die die breiteste historische Bewährung zu erwarten war. Daraus ergibt sich der Vorteil, daß sich die überwiegende Mehrzahl der von der
Geschichte des Romans verzeichneten Werke ohne weiteres einer der
drei konstituierten Typen der ES zuordnen läßt und somit nur relativ
wenige Romane übrig bleiben, die den potentiellen aber nicht realisierten Typenstellen nahestehen. Diese pragmatisch-historische Entscheidung zugunsten der Majorität der historisch gewachsenen typischen Formen kann jederzeit rückgängig gemacht und der Typenkreis
einer Revision unterzogen werden, wenn die künftige Entwicklung des
Romans dies notwendig machen sollte. Eine solche Revision könnte
z. B. erforderlich werden, wenn gewisse Darstellungstendenzen, die
sich im Roman nach Joyce zunächst nur vereinzelt, in letzter Zeit aber
mit zunehmender Häufigkeit zeigten, weiterhin an Umfang und Bedeutung zunehmen. Dazu gehört z. B. die äußerst rigorose Durchführung der Innenperspektive in der Form des inneren Monologs, wie sie
exemplarisch in Becketts Romantrilogie *Molloy, Malone Dies* und *The
Unnamable* beobachtet werden kann. Es ist denkbar, daß im Roman
der nächsten Jahrzehnte der innere Monolog den Rang einer typischen
Erzählsituation, die ihre Typenstelle am Innenperspektive-Pol der

Perspektivenachse haben müßte, erlangen wird. Auch die beiden anderen, noch nicht realisierten Typenstellen haben angesichts der gegenwärtig zu beobachtenden Tendenz zur Erschließung neuer Erzählformen gute Aussichten, auch historisch „besetzt" zu werden.* Darüber wird bei der ausführlichen Beschreibung des Typenkreises noch mehr zu sagen sein.

Das Schema des Typenkreises zeigt also auch auf, daß enge Zusammenhänge zwischen dem System der Erzählsituationen und der Geschichte von Roman und Kurzgeschichte anzunehmen sind. Trägt man z. B. alle Romane, die die Geschichte des Romans verzeichnet, in chronologischer Folge auf den ihnen entsprechenden Stellen im Typenkreis ein, so zeigt sich, daß bis über die Jahrhundertwende herauf zunächst nur Teile des Typenkreises, nämlich die Sektoren, in denen sich die Typenstellen der Ich-ES und der auktorialen ES befinden, „besiedelt" werden. Der Sektor mit der personalen ES beginnt sich dagegen erst nach der Jahrhundertwende zu füllen, zuerst noch langsam, dann aber – nach Joyce – umso rascher. Auch die neueste Entwicklung, wie sie durch die Werke Becketts, des „Nouveau Roman" und der Amerikaner Barth, Pynchon, Vonnegut u. a. gekennzeichnet ist, setzt diese Tendenz, wie schon oben angeführt wurde, fort: die Sektoren der bisher nicht realisierten Typenstellen werden immer stärker in Anspruch genommen. So betrachtet, erscheint das Schema des Typenkreises als ein Strukturprogramm für den Roman, das von der Geschichte des Romans, wie es scheint, Zug um Zug realisiert wird. Ohne das gedankliche Hilfsgerüst der Typologie und des durch den Typenkreis einschaubar gemachten Systems der Zuordnung der einzelnen Erzählformen zueinander wäre diese Korrespondenz zwischen allgemeinem System und partikulärer historischer Form wohl kaum so deutlich sichtbar geworden.

Schließlich bietet das Schema des Typenkreises auch einen Ansatz zur Modifizierung der Norm- und Abweichungstheorie. Angesichts der Zuordnung der Formen der Vermittlung einer Geschichte, wie sie sich im Typenkreis darstellt, ist die Abweichung von einem Typus immer zugleich auch eine Annäherung an den Typus einer anderen ES. Die Operationen, die z. B. Dubois und seine Mitarbeiter mit der von ihnen erschlossenen Norm des Erzählens durchführen (Detraktion, Adjektion, Immutation, Transmutation),[17] können, sofern sie sich auf Elemente der erzählenden Vermittlung dieser Geschichte beziehen, als

---

17 Jacques Dubois et al., *Allgemeine Rhetorik* (1970), übers. von Armin
    Schütz, München 1974, bes. 306 ff.

Verschiebung des Ortes einer Erzählung auf dem Typenkreis weg von einer ES und hin zu einer anderen verstanden werden. An die Stelle des Modells Norm-Deviation[18] tritt damit als neues Modell die Vorstellung eines geschlossenen Kontinuums transformationell generierter Formen, in dem es, genau genommen, keine Norm und keine Deviation von dieser Norm mehr geben kann, sondern nur ein ständiges Weiterrücken von Form zu Form in einer der beiden vom Typenkreis vorgezeichneten Richtungen. Was nach dem Norm-Modell als Deviation erscheint, zeigt sich an Hand dieses Modells als historisch folgerichtiger Schritt hin zur weiteren Erfüllung des Strukturprogramms Erzählung.

3.2. Die Dynamisierung der Erzählsituation

Daß die Erzähltheorie in den letzten Jahrzehnten ihr Linnésches Zeitalter, in dem die Klassifikation der Arten und Formen ihr erstes Ziel war, endgültig überwunden hat, wird auch in der Art der neueren Anwendung der Typologie der ES bei der Interpretation von Erzählwerken sichtbar. Das Augenmerk richtet sich nun nicht mehr vorwiegend darauf, festzustellen, welche ES in einer Erzählung vorherrscht, sondern auf das besondere Profil oder, um die räumliche Metapher durch eine zeitliche zu ersetzen, das rhythmische Muster, das sich aus der Aufeinanderfolge verschiedener Erzählsituationen oder von verschiedenen Modulationen einer bestimmten ES ergibt. Unter Dynamisierung ist die Tendenz zur Betrachtung der Erzählsituation in ihrem Wechsel während des Ablaufs eines Erzählvorganges in einem Roman oder in einer Kurzgeschichte zu verstehen. Es wird nach den Darlegungen im vorausgegangenen Abschnitt nicht überraschen, wenn, unserer Untersuchung vorgreifend, festgestellt wird, daß auch

---

18 Auf dem Deviationsmodell basiert auch Jürgen Links Unterscheidung zwischen einem „Normaltyp des epischen Diskurses" und einem „dialogisch verfremdeten epischen Diskurs". *Literaturwissenschaftliche Grundbegriffe,* 293–304. Genau betrachtet sind in dieser Distinktion mehrere Oppositionen enthalten: Er-/Ich-Erzählung, Reflektor-/Erzählerfigur und Andereggs Erzähltext-Berichttext. An einer Stelle setzt Link den „Normaltyp" ausdrücklich mit einer personalen ES gleich (vgl. 367). Dies scheint wie jede „Normalisierung" eines *einzelnen* Typus der möglichen ES problematisch.

im Wechsel und Wandel der ES im individuellen Werk eine gewisse
Regelmäßigkeit der Wiederkehr einzelner Phänomene, gewissermaßen ein Rhythmus erkennbar wird. Es ist anzunehmen, daß dieser
Rhythmus strukturell bedingt ist. Einige dieser strukturellen Bedingungen, die allem Anschein nach mit der ES zusammenhängen, sollen
jetzt beschrieben werden.

Die oben skizzierte Schwenkung der Aufmerksamkeitsrichtung in der
neueren Erzählforschung hat eine höchst aufschlußreiche Parallele in
einem Paradigmenwechsel,[19] der vor allem in der englischsprachigen
Romankritik der letzten Jahrzehnte zu beobachten ist: nach einer Pe-
riode, in der sich die an Form- und Strukturfragen interessierte Romankritik vor allem mit solchen Werken beschäftigt hat, die formal
mit großer Konsequenz gestaltet sind, wie z. B. die Romane des späten
H. James, oder jene Faulkners, Hemingways, Virginia Woolfs und natürlich J. Joyces, wendet sich das Interesse der theorieorientierten
Romankritik seit einiger Zeit in verstärktem Maße auch den „large
loose baggy monsters",[20] wie H. James einmal die großen, auf den ersten Blick so formlos erscheinenden viktorianischen Romane bezeichnet hat, zu. Die Folgen dieses Paradigmenwechsels sind zweifach: das
alle formalen Kategorien überwuchernde Textmaterial des viktorianischen Romans macht eine Modifikation des theoretischen Untersu-
chungsinstrumentariums notwendig; andererseits beginnt sich aber
auch zu zeigen, daß unter dem augenscheinlichen Wildwuchs so vieler
viktorianischer Romane Form- und Strukturgesetzmäßigkeiten verborgen liegen, die noch gar nicht zureichend erkundet worden sind.
Es ist wahrscheinlich kein Zufall, daß eine der ersten umfassenden
Untersuchungen in diesem Sinne an den Erzählungen und Romanen
Tolstojs, Dostoevskijs, Gogols und anderer russischer Autoren, die
mit den Viktorianern eine über alle formalen Konventionen aus-
ufernde Erzählvitalität gemeinsam haben, durchgeführt wurde. Es
handelt sich um Boris Uspenskijs *A Poetics of Composition. The Structure of the Artistic Text and Typology of a Compositional Form.*[21]

---

19 Zu diesem Begriff vgl. Thomas S. Kuhn, *Die Struktur wissenschaftlicher
Revolutionen*, Frankfurt/M. 1967; Hans Robert Jauss (Hrsg.), *Nachahmung und Illusion*, München 1969, und J. Anderegg, *Literaturwissenschaftliche Stiltheorie,* Göttingen 1977.

20 H. James, *The Art of the Novel,* Preface to „The Tragic Muse", 84.

21 Boris Andreevič Uspenskij, *Poetika kompozicii. Struktura chudožestven-
nogo texta i tipologija kompozicionnoj formy,* Moskau 1970. Englische
Übersetzung von Valentina Zavarin und Susan Wittig, *A Poetics of Com-*

Uspenskij, der der semiotischen Arbeitsrichtung Jurij Lotmans nahe-
steht, macht den Wechsel der Erzählperspektive (der russische Begriff
dafür ist „točka zrenija", er wird in der englischen Übersetzung mit
„point of view", in der deutschen als „Standpunkt" wiedergegeben)
zum zentralen Ansatzpunkt seiner Untersuchung: „In the transition
from one point of view to another, from one manner of describing to
another, there must be a harmony, an order, peculiar to the particular
work, which eventually would allow us to define the inner rhythm of
the work in question" (Translator's Preface, XVI). Es ist vor allem
diese prinzipielle Feststellung, die für den vorliegenden Zusammenhang wichtig ist. Es sei hier auch gleich festgehalten, daß die Verhältnisse im russischen Roman ganz besonders geeignet erscheinen, diese
Betrachtungsweise nahezulegen, weil dort, wie J. Holthusen und Wolf
Schmid gezeigt haben, die Voraussetzungen, die im Roman der westlichen Literaturen den erwähnten Paradigmenwechsel möglich, besser
noch notwendig gemacht haben, nicht im gleichen Maße gegeben sind.
Nach Holthusen und Schmid ist im russischen Roman die streng konsequente Durchführung einer bestimmten ES viel weniger anzutreffen
als im französischen, englisch-amerikanischen und deutschen Roman.[22] Allerdings zeichnet sich auch in den westlichen Romanliteratu-
ren neuerdings eine Tendenz zur Aufhebung der früher, d.h. in der
Nachfolge von Flaubert, H. James und Spielhagen, oft sehr gewissenhaft markierten Grenzen zwischen persönlicher und unpersönlicher
Erzählweise, zwischen dem Standpunkt des Erzählers und dem einer
Romanfigur ab. Ricardous Begriff des „narrateur flottant" ist bereits
ein Versuch, dieses Phänomen begrifflich zu erfassen, ebenso wie J.
Barths „viewless viewpoint".[23] W. H. Schober versucht Veränderung

---

position. The Structure of the Artistic Text and Typology of a Compositional
Form, Berkeley und Los Angeles 1973. Deutsche Übersetzung von Georg
Mayer in: Karl Eimermacher (Hrsg.), Poetik der Komposition, Frankfurt
1975.

22 In diesem Zusammenhang ist die Feststellung von J. Holthusen von besonderem Interesse, daß im russischen Roman die personale ES nie in völliger
Ablösung von der auktorialen erscheint. Vgl. J. Holthusen, „Erzählung und
auktorialer Kommentar im modernen russischen Roman", Welt der Slaven
8 (1963), 252–67, und Wolf Schmid, „Zur Erzähltechnik und Bewußtseinsdarstellung in Dostoevskijs ‚Večnyj muž'", Welt der Slaven 13 (1968),
305 f.

23 Vgl. Jean Ricardou, „Nouveau Roman, Tel Quel", Poétique 1 (1970),
433–454; und John Barth, Lost in the Funhouse, Garden City, N.Y., 1968,
38.

und Wechsel der ES, wie sie gerade im neueren Roman sehr häufig zu beobachten sind, durch den Begriff „Erzählposition" in den Griff zu bekommen: „Die Position ist ein Baustein eines Romans; sie hat eine perspektivische und eine umfangmäßige Komponente".[24] Als Maßeinheit für den Umfang einer „Erzählposition", d. h. für die Länge eines Erzähltextes, in dem sie vorherrscht, wird im allgemeinen ein Kapitel oder eine entsprechende Gliederungseinheit angenommen. Damit wird zweifellos erfaßt, daß sich in einem (modernen) Erzähltext die Erzählsituation häufig ändert.

Aber auch der Raster von insgesamt sechs mehr oder weniger kategorial voneinander geschiedenen Positionen reicht natürlich nicht aus, um die Mannigfaltigkeit des Erzählvorganges adäquat zu erfassen. Hier scheint die Zahl von nur drei – aber idealtypisch aufgefaßten – Erzählsituationen mit allen denkbaren Modifikationen der Besonderheit des einzelnen Erzähltextes näher zu kommen als die sechs „Positionen" Schobers.[25]

Der Wechsel der ES im Verlaufe des Erzählvorganges in einem Roman hängt mit einer Reihe von Faktoren zusammen, aus der zwei auf Grund ihrer Bedeutung hervorragen: die Gliederung des Inhalts, der Fabel, und der Aufbau des Romans aus bestimmten Grundformen des Erzählens. Die systematische Analyse des Aufbaus einer Erzählung aus Grundmotiven und archetypischen Mythen hat von Strukturalisten wie V. Propp und C. Lévi-Strauss wichtige Impulse erhalten. Die bisherigen Ergebnisse dieser Forschungsrichtung lassen, so interessant sie sind, noch keine Korrelation mit unserer Fragestellung zu; diese wird aber, so ist zu hoffen, eines Tages möglich werden. Wir konzentrieren uns daher auf die Beziehungen zwischen dem Aufbau des Romans aus den Grundformen des Erzählens und dem Wechsel der ES. Eberhard Lämmerts *Bauformen des Erzählens*[25a] beschreiben Formen des Aufbaus, die am Zeitgerüst einer Erzählung erkennbar wer-

---

24 Wolfgang Heinz Schober, *Erzähltechniken in Romanen. Eine Untersuchung erzähltechnischer Probleme in zeitgenössischen deutschen Romanen,* Wiesbaden 1975, 45.

25 In Schobers Begriff der „Erzählposition" ist von unseren drei Oppositionen vor allem Perspektive berücksichtigt. Modus und Person figurieren dagegen nur in untergeordneter Stellung. Die eigentliche Bedeutung dieser Untersuchung liegt in der eingehenden allgemeinen Charakteristik der ES von 37 Romanen, deren Reihe chronologisch von Thomas Mann bis Peter Handke und Andreas Okopenko reicht.

25a E. Lämmert, *Bauformen des Erzählens,* Stuttgart 1955.

den. Sie sind jedoch bereits relativ komplex, so daß sie für unser Verfahren, das zunächst auf die rudimentären Korrespondenzen zwischen Aufbauformen und Erzählsituation zielt, nicht geeignet sind. Wir müssen also noch in die Zeit vor Lämmerts „Bauformen" zurückgehen, etwa bis zu R. Petsch, der in seiner Pionierarbeit von 1934, *Wesen und Formen der Erzählkunst*, folgende Grundformen des Erzählens ermittelt hat: Bericht, Beschreibung, Bild, Szene und Gespräch. Diese bilden auch heute noch eine tragfähige Ausgangsbasis für eine Untersuchung der Frage, aus welchen Formen ein Roman aufgebaut ist und wie sich diese Formen im Gesamtbau des Romans verteilen und aneinanderreihen. Spätere Erzählforscher haben in Petschs Liste den einen oder anderen Begriff hinzugefügt oder auch weggelassen. So finden wir z.B. in Helmut Bonheims Viererliste drei von Petschs Grundformen wieder: Beschreibung (description), Bericht (report) und Gespräch (speech). Bonheims vierte Kategorie ‚Kommentar' (comment) ist bei Petsch im Bericht inbegriffen.[26] Für eine Romantheorie, die von der Mittelbarkeit als Gattungsspezifikum des Erzählens ausgeht, sind zwei Grundformen zu unterscheiden, die Gruppe der narrativen Formen (Bericht, Beschreibung, Kommentar, auktorialer Essay) und jene der nicht-narrativen oder dramatischen Formen (Gespräch, dramatisierte Szene). Die dramatisierte Szene, die im wesentlichen aus Dialog besteht, in den Erzählelemente mit der Funktion von Regieanweisungen und knappem Geschehnisbericht eingeflochten sind, kann sowohl zu den narrativen als auch zu den nicht-narrativen Formen gerechnet werden, je nach Vorherrschen des einen oder des anderen Elements. Diese Aufgliederung des Längsprofils einer Erzählung entspricht der bereits seit Plato geläufigen Unterscheidung zwischen Diegesis und Mimesis und der Definition des Epos als einer Mischform aus beiden.[27] Mimesis, im engeren Sinne von direkter oder drama-ähnlicher Darstellung, wird im Roman eigentlich nur durch den Dialog möglich. Die Dialogszene ist daher, streng betrachtet, ein „corpus alienum" im epischen Raum, denn ein ausführliches Zitat von direkter Rede muß im Roman als eine Umgehung der Mittelbarkeit, d.h. des Modus der Vermittlung durch einen Erzähler, betrachtet werden.* Das Auftreten von Dialogpassagen im Roman ist daher auch weitgehend unabhängig

---

26 Vgl. Helmut Bonheim, „Theory of Narrative Modes", *Semiotica* 14 (1975), 329 ff., u. *Submodes of Speech,* Kölner Angl. Papiere, Köln 1981.

27 Vgl. dazu auch Klaus W. Hempfer, *Gattungstheorie,* München 1973, bes. 156 ff., und Paul Hernadi, *Beyond Genre. New Directions in Literary Classification,* Ithaca und London 1972, bes. 55 ff., 155 f. und 187 ff.

von der jeweiligen Erzählsituation. ,,Properly speaking, in literature pure mimesis is only possible where [. . .] behaviour is only linguistic [. . .] the absolutely unmediated story or pure transcript or record, consists of nothing beyond the speech or verbalized thoughts of characters". Mit dieser Feststellung Chatmans[28] ist K. Hamburgers Ansicht in Beziehung zu setzen, daß der Dialog allein in der ,,mimetischen" Erzählung einen ,,autochthonen Ort" besitze, nicht aber in der mittelbaren Ich-Erzählung (143). Dieser Ansicht scheint jedoch zu widersprechen, daß in der Schicht der ,,Oberflächenstruktur" keine signifikanten Unterschiede in den Verhältnisziffern von narrativen Teilen zu Dialogstellen zwischen Ich-Erzählung und Er-Erzählung festzustellen sind.[29] Diese Verhältnisziffern schwanken an sich sehr stark, wie noch gezeigt werden wird. Dieses Schwanken ist aber nicht primär durch die ES bzw. durch den Unterschied zwischen ,,epischer Fiktion" und Ich-Erzählung im Sinne K. Hamburgers bedingt. Der Roman ist keine einheitliche Gattung, sondern eine Mischform aus diegetisch-narrativen und mimetisch-dramatischen Teilen. An den narrativen Teilen ist aber eine graduelle Abstufung vom ausgeprägt Diegetisch-Narrativen hin zum Mimetisch-Dramatischen zu erkennen: ER, indirekt zitierte Rede, Redebericht und weitgehend dramatisierte Szene stehen dem Mimetisch-Dramatischen näher als stark raffender Handlungsbericht eines Erzählers und auktorialer Kommentar. Eine Sonderstellung in dieser Reihe ist den verschiedenen Formen der Bewußtseinsdarstellung einzuräumen, sie überschreiten nämlich die hier postulierte Grenze. Auktorialer Gedankenbericht, Gedankendarstellung analog zur indirekten Rede, sowie ER gehören zu den narrativen Formen, innerer Monolog kann aber unter bestimmten Voraussetzungen auch als mimetisch-dramatische Form angesehen werden.

Diegesis, Erzählung im eigentlichen Sinne, und Mimesis, wie sie in ausführlichen Dialogszenen vorherrschend wird, lösen zwar verschiedene zeit-räumliche Orientierungshaltungen beim Leser aus, wie bereits in den *Typischen Erzählsituationen* (Kap. 2) dargestellt wurde, doch ist zwischen den beiden Möglichkeiten eine breite Übergangs-

---

28 S. Chatman, ,,The Structure of Narrative Transmission", 237.*

29 Narrative Teile sind die Abschnitte eines Erzähltextes, in denen die Mittelbarkeit des Erzählens zum Ausdruck kommt. Der Begriff in diesem Sinne ist daher abzugrenzen von der Bedeutung des Wortes im Begriff ,,narrative Texte" bei J. Link, wo damit ,,alle Texte, denen eine Handlung zugrunde liegt", gemeint sind. Narrative Texte umfassen bei Link neben Roman und Drama auch Filme, Hörspiele, Comics usw. *Literaturwissenschaftliche Grundbegriffe*, 272.

zone anzunehmen, in der es weitgehend von der Vorstellungsneigung des einzelnen Lesers abhängt, ob er sich auf eine episch-mittelbare oder dramatisch-unmittelbare Darstellung einrichtet. Alle Aussagen über das Erzählprofil oder den Erzählrhythmus eines Romans müssen daher den Unbestimmtheitsfaktor ‚Leser‘ mit in Rechnung stellen, im besondern seine Neigung zur Perseveranz: eine einmal eingenommene Lesehaltung mit der ihr zugehörigen zeit-räumlichen Orientierungslage wird solange beibehalten, bis ein im Erzähltext auffällig gesetztes Signal eine Änderung notwendig macht. Das ist auch die Erklärung dafür, daß Teile eines Erzähltextes, deren ES nur vage definierbar ist, wie z. B. weite Strecken von D. H. Lawrences *Women in Love,* vom Leser nicht notwendigerweise als perspektivisch ambivalent registriert werden. An solchen Stellen behält der Leser die einmal eingenommene Erzählhaltung so lange bei, bis er durch eindeutige Hinweise auf eine neue Orientierungslage zu einer Änderung veranlaßt wird.

3.2.1. Das Erzählprofil

Bei der Beschreibung der Dynamik des Erzählvorganges mit Hilfe des Erzählprofils eines Romans ist also vom Verhältnis der narrativen Teile des Romans zu den nicht-narrativen Teilen, Dialog und dramatisierter Szene, auszugehen, und zwar von den rein quantitativen Relationen der beiden zueinander und von ihrer Distribution. Hier sind zwischen einzelnen Werken erhebliche Unterschiede festzustellen. In Teilen von W. Paters *Marius the Epicurean* beträgt der Anteil der Dialoge weniger als 10% des Textes, in Henry Greens *Nothing* 80−85% und in Ivy Compton-Burnetts *Mother and Son* 90−95% des Romantextes. Die Romane von Henry Green und Ivy Compton-Burnett werden daher als Dialogromane bezeichnet. Ihre Lokalisierung auf dem Typenkreis ungefähr in der Mitte zwischen der auktorialen und der personalen ES ist aber primär nicht durch die Quantität ihrer Dialoge, sondern durch die erzählerische Voraussetzung für das Überhandnehmen der Dialoge bestimmt: das Zurücktreten des auktorialen Erzählers und das gleichzeitige Ausbleiben von personaler Darstellung. Der Dialog als nicht-narratives Bauelement einer Erzählung kann, für sich genommen, nicht maßgeblich die Einordnung eines Werkes auf dem Typenkreis determinieren.

Die genannten Werke stellen Extremfälle dar. Repräsentativer für den Durchschnitt der Romane und Erzählungen sind die Verhältniszahlen für narrative Teile und Dialoge etwa in den Romanen von D. H. Lawrence. Der Anteil der Dialoge in *Sons and Lovers* beträgt in den mittleren Kapiteln fast 50%, am Anfang und gegen Ende etwas weniger. In *The Rainbow* beträgt der Anteil der Dialoge nur 15%, steigt aber in *Women in Love* wieder auf 40% an. Für die Distribution der Dialogstellen bei Lawrence ist neben der bereits erwähnten, durch Exposition und Abrundung des Geschehens zu erklärenden Abnahme des prozentuellen Anteils der Dialoge am Beginn und am Schluß des Romans die große Streuung und Verteilung der Dialogstellen auf relativ kurze Erzähleinheiten kennzeichnend. Im Vergleich dazu läßt sich z. B. bei Trollope, in dessen Romanen der prozentuelle Anteil der Dialoge ebenfalls 50% und noch mehr erreicht, eine Tendenz zur Aufteilung in größere, monolithische Blöcke von Erzählung und Dialog feststellen.

Für die Analyse des Profils des Erzählvorganges genügt es aber nicht, den Wechsel zwischen diegetisch-narrativen und mimetisch-dramatischen Teilen einer Erzählung zu registrieren. Wichtig sind auch die Überlagerungen dieser beiden Bauelemente in der indirekten und erlebten Rede auf der einen Seite und andererseits in der Erzählfunktion mancher Dialoge und Monologe. Bei einigen Autoren, so z. B. bei Dickens, Hardy, aber auch bei D. H. Lawrence u. a. ist eine Tendenz zur Einschmelzung von Teilen eines Dialogs in den Erzählbericht feststellen: Teile der Rede von Charakteren werden zusammenfassend berichtet bzw. in erlebter Rede referiert, besonders häufig in Hardys *The Woodlanders* und *The Return of the Native*. Es kann auch vorkommen, daß in einer Dialogsituation die Rede des einen Gesprächspartners in direkter Rede, die des anderen in indirekter Rede oder in einem zusammenfassenden Redebericht wiedergegeben wird. Auch das quantitative Verhältnis von indirekter und direkter Rededarstellung, von denen die eine zur eigentlichen Erzählung, die andere zur mimetisch-dramatischen Darstellung gehört, ist für unser Thema von Belang. Häufig erreicht der Anteil der indirekten Rede nur einen Bruchteil der direkten Rede, sie tritt auffälligerweise in manchen Romanen, z. B. in *Sons and Lovers,* fast überhaupt nicht in Erscheinung. Das scheint der Annahme zu widersprechen, daß indirekte Rede die Form der Redewiedergabe sei, die sich am besten in die Berichtform einer Erzählung einfüge.[30] Einen besonderen Fall stellt die ER dar.

---

30 Vgl. W. Günther, *Probleme der Rededarstellung. Untersuchungen zur direkten, indirekten und erlebten Rede im Deutschen, Französischen und Italienischen,* Marburg 1928, 81 f.

Rededarstellung in der Form der ER ist sowohl in einer auktorialen ES als auch innerhalb einer personalen ES relativ häufig. Oft dient sie zur Gestaltung eines gleitenden Überganges von berichtender Erzählung zu szenischer Darstellung, sie tendiert also dazu, die Dynamik des Wechsels der Erzählweisen in einem Roman zu dämpfen.

Wie lange nun eine Dialogszene den narrativen Teil eines Romans unterbrechen muß, um beim Leser eine Umstellung seiner Vorstellungshaltung zu bewirken, um ihn zu veranlassen, sein Orientierungszentrum ganz vom Erzählvorgang abzuziehen und in die „in actu" vor ihm ablaufende Szene hineinzuverlegen, ist allgemein nicht festzustellen, sondern hängt sehr weitgehend von der Vorstellungsneigung des individuellen Lesers ab. Hierfür irgend einen Meßwert anzugeben ist auch deshalb sehr schwierig, weil Dialogszenen mit direkter Rede häufig von Passagen mit indirekter oder erlebter Rede durchsetzt sind, durch die der Erzählvorgang immer wieder in Erinnerung gebracht wird oder werden kann. Im ganzen gesehen muß daher festgestellt werden, daß wir über das, was in der Vorstellung des Lesers passiert, wenn er in der Lektüre von einer ausführlicheren narrativen Passage zu einer längeren Dialogstelle und von dieser wieder zurück zu einer narrativen Stelle geleitet wird, noch viel zu wenig wissen.[31] Fragen betreffend die temporale Bedeutung des epischen Präteritums, der zeitlichen Deixis und der Zeitorientierung in der fiktionalen Welt sind nicht zuletzt deshalb noch nicht restlos geklärt, weil darüber noch keine wirklich verläßlichen, das heißt nachprüfbaren Kenntnisse verfügbar sind. Vielleicht kann hier ein Vergleich mit den Medien Film und Fernsehen weiterhelfen. Gerade bei der Verfilmung von Romanen treten nicht selten Grenzsituationen auf, die u. U. Aufschlüsse auch für die Verhältnisse im Roman selbst geben können. So werden z. B. in der für das Fernsehen hergestellten Verfilmung von Dostoevskijs *Dämonen* mehrere Male Handlungsszenen auf die Leinwand projiziert, werden also dem Zuschauer „in actu" präsentiert, während gleichzeitig der Erzähler als „voice over" dieses Geschehen im Präteritum des Erzählberichts erzählt. Welche Darstellungsweise, die mimetisch-dramatische oder die diegetisch-narrative bestimmt hier den Vorstellungsakt des Lesers?

---

31 Vgl. K. Hamburger, *Logik,* 144 f.

3.2.2. Der Erzählrhythmus

Ergibt sich das Profil einer Erzählung aus der Art der Aneinanderrei-
hung von narrativen und dialogischen Blöcken, so ist der Rhythmus
einer Erzählung aus der Aufeinanderfolge der verschiedenen Grundformen des Erzählens, die den narrativen Teil eines Werkes ausma-
chen (Bericht, Kommentar, Beschreibung, mit Handlungsbericht
durchsetzte szenische Darstellung), und aus ihrem Verhältnis zum Erzählprofil ablesbar. Während sich der Wechsel von narrativen und dialogischen Teilen weitgehend unabhängig von der ES vollzieht, ist die
Aufeinanderfolge der Grundformen des Erzählens in einem Roman
primär durch die ES determiniert, wobei gerade die Übergänge von
einer ES zu einer anderen eine sehr wichtige Rolle spielen. Erzählungen mit starkem Wechsel der Grundformen und mit häufigen
Übergängen zwischen den ES weisen einen stark ausgeprägten
Rhythmus auf. Erzählungen, die nur auf eine oder zwei Grundformen
und auf einer einheitlich durchgeführten ES aufgebaut sind, weisen
dagegen einen relativ schwach ausgeprägten Rhythmus des Erzählvorganges auf. Letzteres bedeutet aber nicht, daß der literarische
Rang von Werken mit schwächer ausgeprägtem Erzählrhythmus in irgendeiner Hinsicht niedriger anzusetzen ist als der von Werken mit
ausgeprägtem Rhythmus. Sowohl in Schnitzlers nur aus einem inneren
Monolog bestehender Erzählung ,,Leutnant Gustl" als auch in Hemingways fast ausschließlich in szenischer Darstellung verlaufender
Erzählung ,,The Killers" ist der Erzählrhythmus wenig ausgeprägt.
Diese beiden Erzählungen sind sicherlich nicht flach und spannungs-
los, im Gegenteil, die Monotonie des Erzählvorganges trägt sogar zur
Spannungssteigerung in diesen Erzählungen bei. In Kafkas *Prozeß* mit
seiner vorherrschend personalen ES ist ebenfalls der Erzählrhythmus
im ganzen gesehen gedämpft. Es sind nur unauffällige Verschiebungen
in der ES vorhanden, die allerdings, wie die Untersuchungen von W.
Kudszus und W. H. Sokel gezeigt haben, für die Interpretation sehr
wichtig sind. So wird in den ersten Kapiteln die personale Perspektive
von Josef K. noch mehrere Male von jener eines vom Helden distanzierten auktorialen Erzählers überlagert. Die Abnahme dieser auktorialen Einreden läuft, wie Kudszus zeigt, parallel zur Zunahme des
,,perspektivischen Solipsismus" des Helden. Kapitel 6 mit seiner auktorialen Weitung des Blickwinkels bringt noch einmal eine vorüberge-
hende Umkehr dieser Tendenz, in der zweiten Hälfte des Romans erhalten dann aber die auktorialen Einschübe eine neue, von Kudszus
,,antipersonal" benannte Funktion, die auf die Zerstörung zunächst

des Realitätsbewußtseins und dann auch der Person Josef K.s vorbe-
reitet. Es kann also eine Parallelität zwischen der allmählichen Verschiebung der ES und dem sich ebenso graduell vollziehenden inneren
Prozeß der psychischen Erschöpfung und des schließlichen Zerfalls
der Persönlichkeit des Helden konstatiert werden.[32] Die Bedeutung
der Veränderung einer ES ist daher nicht immer aus dem Grad der dabei entwickelten Dynamik der Erzählweise zu entnehmen, vielmehr
hat jeder Roman das ihm eigene Maß, das darüber entscheidet, welche
Abweichung von der vorherrschenden ES noch als „merkmallos" und
welche bereits als „merkmalhaft" und damit für die Interpretation als
signifikant zu gelten hat. So wären z. B. die leisen Übergänge von personaler zu auktorialer Erzählsituation, die für die Deutung des *Prozeß*
so wichtig sind, im Kontext der sehr starken Erzähldynamik des An-
fangs etwa von *Anna Karenina* als „merkmallos" und für die Interpretation dieses Romans als unerheblich zu klassifizieren.[33]
Ähnlich sind die Anfänge von *Vanity Fair* und den *Buddenbrooks* gestaltet. Vergleicht man damit etwa einen Roman wie A. Trollopes
Phineas Finn, so zeigt sich ein wesentlicher Unterschied nicht nur im
Erzählprofil, sondern auch in der Dynamik des Wechsels der Grundformen des Erzählens und der ES. Trollopes Roman hält sich viel stärker an die zu Beginn eingerichtete auktoriale ES, die dann im wesentlichen nur durch den Einschub von immer längeren Dialogszenen unterbrochen wird. Auf solche Weise erfährt das Erzählprofil dieses
Romans eine gewisse Einebnung, und seine Erzähldynamik wirkt gedämpft. Anders wiederum sind Dickens' Er-Romane konturiert. Hier
sind die Passagen mit Bericht im Vergleich zu den Dialog- und drama-
tisierten Handlungsszenen weniger umfangreich, die Erzählung ist im
ganzen stärker durchgegliedert und wechselt häufiger als bei Trollope
von einer Grundform zu anderen. Auch ist ein Großteil des auktorialen Handlungsberichts „Sichtbericht",[34] d. h. der Erzähler beschränkt
sich weitgehend auf die Mitteilung dessen, was ein unsichtbarer Beob-

---

32 Vgl. W. Kudszus, „Erzählperspektive und Erzählgeschehen in Kafkas
    ‚Prozeß'", *DVjs* 44 (1970), 306–317, und Walter H. Sokel, „Das Verhält-
    nis der Erzählperspektive zum Erzählgeschehen und Sinngehalt in ‚Vor
    dem Gesetz', ‚Schakale und Araber' und ‚Der Prozeß'", *Zeitschrift für
    deutsche Philologie* 86 (1967), bes. 267–76.

33 Vgl. Paul Hernadi, *Beyond Genre,* 161 ff.

34 Vgl. Wolfgang Wickardt, *Die Formen der Perspektive in Charles Dickens'
    Romanen, ihr sprachlicher Ausdruck und ihre strukturelle Bedeutung,* Ber-
    lin 1933, 37 ff.

achter auf dem Schauplatz der Handlung selbst wahrnehmen könnte. In Dickens' Romanen liegt daher der Schwerpunkt des Erzählvorganges deutlich bei der von einem auktorialen Erzähler redigierten szenischen Darstellung, in die Passagen mit Dialogen integriert sind. Auffällig sind bei Dickens auch die Übergänge von auktorialer Außenperspektive zu personaler Innenperspektive, die fast immer thematisch zu erklären sind. Am häufigsten finden wir den Übergang zu einer länger durchgehaltenen Innensicht mit personaler ES in Szenen von großem inneren Pathos, vor allem in Sterbeszenen bzw. in der Vorbereitung solcher Szenen. Fast alle großen Sterbeszenen und die ihnen unmittelbar vorangehenden Erzählabschnitte weisen eine Tendenz zur personalen ES auf. Das klassische Beispiel ist das lange Siechtum und der schließliche Tod des kleinen Paul Dombey in *Dombey and Son.* Diese Tendenz zur Personalisierung setzt sich hier sogar, wie bereits erwähnt, in der Überschrift des Kapitels mit der Sterbeszene fort.[35] Eine noch deutlichere und perspektivisch konsequentere Fokusierung der ES bringt Kapitel 55 desselben Romans. Die Erzählung beschränkt sich fast ausschließlich auf eine Darstellung der Gedanken und Gefühle des von Todesahnungen überschatteten Carker, den am Ende dieses Kapitels tatsächlich sein Schicksal ereilt. Im Vergleich dazu wird die berühmteste Sterbeszene bei Thackeray, der Tod von Thomas Newcome am Ende des Romans *The Newcomes,* ganz in Außenperspektive berichtet, was allerdings aus der Ich-ES des Romans resultiert. Wie Fred W. Boege gezeigt hat,[36] scheint Dickens' Interesse an Fragen der Darstellungsperspektive im Laufe seiner Entwicklung als Romanautor ständig zugenommen zu haben, man denke nur an den für Dickens ganz ungewöhnlichen, strikt personalen Erzählanfang seines letzten Romans, *The Mystery of Edwin Drood,* doch ist bei ihm der Wechsel der ES, im besonderen der Übergang von auktorialem Bericht zu konsequenter personaler Darstellung, fast immer inhaltlich bedingt, stellt also allem Anschein nach kein bewußt eingesetztes Erzählmoment dar. Eine Ausnahme davon bildet *Bleak House,* in dem Abschnitte von jeweils mehreren Kapiteln mit prägnant auktorialer ES und ungefähr gleich lange Abschnitte mit ebenso prägnanter Ich-ES den ganzen Roman hindurch mit großer Regelmäßigkeit abwechseln. Die beiden ES repräsentieren zwei verschiedene Perspektiven, die panoramatische des zeitkritisch gestimmten auktorialen Er-

---

35 Vgl. *Dombey and Son,* Ch. 16, und oben S. 61.
36 Vgl. Fred W. Boege, „Point of View in Dickens", *PMLA* 65 (1950), 90–105.

zählers und die auf ihren häuslichen Beobachtungshorizont beschränkte, naive, aber anteilnehmende Sicht der Ich-Erzählerin Esther Summerson. Die Dynamik dieses Wechsels entspricht vielleicht nicht ganz dem Erzählaufwand, da die Regelmäßigkeit der Aufeinanderfolge ein wichtiges Moment, nämlich das der Überraschung, von Anfang an ausschließt, und auch weil dieser aufwendige Erzählapparat nur zum Teil zu einer echten Perspektivierung des Geschehens von zwei verschiedenen Blickpunkten aus eingesetzt wird.

In den Ich-Romanen des 18. und 19. Jahrhunderts ist, ebenso wie in den auktorialen Romanen, der ständige Wechsel von Teilen, in denen der Bericht vorherrscht, mit Stellen szenischer Darstellung und mit Dialogen kennzeichnend. Spezifisch für die Ich-ES ist die fortwährend sich wiederholende Einengung der Perspektive des erzählenden Ich auf den Blickpunkt und den Wahrnehmungshorizont des erlebenden Ich. Dieser Übergang ist fast immer graduell und kontinuierlich, für den Leser daher auch meistens unauffällig. Dennoch ist gerade dieser Wechsel für die Dynamik der Erzählung im Ich-Roman sehr wichtig, denn durch ihn wird die Spannung zwischen den beiden Phasen des Ich, die in einem quasi-autobiographischen Ich-Roman miteinander konfrontiert werden, Teil der Erzählstruktur. Die Dynamik der Modulationen des Ich-Ich Schemas verringert sich, wenn die Darstellung mehr und mehr auf den Blickpunkt und den Wahrnehmungshorizont des erlebenden Ich eingeschränkt wird, sie ist daher in *David Copperfield* größer als in Salingers *The Catcher in the Rye,* sie nimmt noch weiter ab in einem Roman, der sich der Form des inneren Monologs nähert, wie z. B. Faulkners *The Sound and the Fury.*

Im Roman mit vorherrschend personaler ES ist, von den auch hier regelmäßig erscheinenden, das Erzählprofil bestimmenden Dialogszenen abgesehen, die Dynamik des Wechsels von Grundformen und Erzählsituationen reduziert, da hier eine Tendenz zur Beibehaltung des Blickpunktes einer Romanfigur wirksam wird, die dem häufigen Wechsel der ES entgegensteht. Die häufigste Modulation erfolgt in Richtung auf eine stärker auktoriale ES, doch ist der Übergang fast immer gleitend und unauffällig, wie z. B. in Kafkas *Prozeß* und *Schloß.*

In Romanen mit konsequent durchgehaltener personaler ES wird, ähnlich wie im Ich-Roman mit ständiger Einengung des Wahrnehmungshorizontes auf das erlebende Ich, durch die Fixierung des Blickpunktes im personalen Medium die Struktur des Erzähl- bzw. Darstellungsvorganges relativ stabil, manchmal auch monoton, wie z. B. in der Bewußtseinsromanserie von Dorothy Richardson, *Pilgrimage.* In Romanen dieser Art kann trotz der geringen Dynamik des Erzählvorganges eine gewisse Rhythmisierung durch den Wechsel zwischen Bewußtseinsdarstellung und Dialog erzielt werden. So wirkt der Wechsel zwischen personaler Innensicht und Dialog in Joyces *A Portrait of the Artist as a Young Man* durch die große Beständigkeit des Umschlagens von außen nach innen, von laut zu still, von Dialog und Bericht zu personaler Innensicht rhythmisierend. Im nachfolgenden Zitat aus diesem Roman hat Stephen das Unvorstellbare gewagt und sich beim Rektor der Schule wegen einer unverdienten Züchtigung durch einen Präfekten beschwert. Bei seiner Rückkehr umringen ihn die Mitschüler neugierig:

The fellows had seen him running. They closed round him in a ring, pushing one against another to hear.
– Tell us! Tell us!
– What did he say?
– Did you go in?
– What did he say?
– Tell us! Tell us!
He told them what he had said and what the rector had said and, when he had told them, all the fellows flung their caps spinning up into the air and cried:
– Hurroo!
They caught their caps and sent them up again spinning skyhigh and cried again:
– Hurroo! Hurroo!
They made a cradle of their locked hands and hoisted him up among them and carried him along till he struggled to get free. And when he had escaped from them they broke away in all directions, flinging their caps again into the air and whistling as they went spinning up and crying:
– Hurroo!
And they gave three groans for Baldyhead Dolan and three cheers for Conmee and they said he was the decentest rector that was ever in Clongowes.
The cheers died away in the soft grey air. He was alone. He was happy and free: but he would not be anyway proud with Father Dolan. He would be very quiet and obedient: and he wished that he could do something kind for him to show him that he was not proud.
The air was soft and grey and mild and evening was coming. There was the smell of evening in the air, the smell of the fields in the country where they digged up turnips to peel them and eat them when they went out for a walk to Major Barton's, the smell there was in the little wood beyond the pavilion where the gallnuts were.
The fellows were practising long shies and bowling lobs and slow twisters. In the soft grey silence he could hear the bump of the balls: and from here and from there through the quiet air the sound of the cricket bats: pick, pack, pock, puck: like drops of water in a fountain falling softly in the brimming bowl. (59f.)

Hier wechseln Dialog und szenischer Bericht mit personaler Darstellung der Gedanken und Wahrnehmungen Stephens auf solche Weise, daß die Stimmen der Mitschüler in den Hintergrund gedrängt werden, die Gedanken Stephens aber immer mehr den Vordergrund der Darstellung beanspruchen. In diesem kurzen Textausschnitt spiegelt sich somit die narrative wie auch die thematische Grundstruktur des Romans: feingliedriger Bau aus relativ kurz gehaltenen Grundformen (Dialog, szenischer Bericht, personale Bewußtseinsdarstellung) und Darstellung der Außenwelt als Vorhof der Innenwelt, zu der alle Erfahrungen des Helden hindrängen. Selbst die Schilderung des stillen Herbstabends über der Landschaft, durch die nun deutlich personale ES ganz dem Bewußtsein Stephens zugeordnet, wird durch Metonymie in Innenwelt verwandelt. Die wohltuende Milde der Luft, der eine fruchtreiche Ernte verheißende Duft, das Dämmerlicht des anbrechenden Abends, alle diese Elemente der Landschaftsschilderung sind Ausdruck der inneren Verfassung des Helden in diesem Augenblick seines Triumphes, seiner ersten erfolgreichen Selbstbehauptung. Es wäre wenig sinnvoll, in einer Analyse der Grundformen dieses Romans diesen Absatz einfach unter »Beschreibung« zu rubrizieren. Das wichtigste an der Funktion dieses Absatzes für den Zusammenhang bliebe dabei außer Acht, nämlich die Zuordnung zum Bewußtsein des personalen Mediums und der Reflektorfigur des Romans: es ist eine *erlebte* Schilderung eines Stückes Außenwelt, die zum Spiegel der Innenwelt des Helden wird. Die Registrierung der Grundformen des Erzählens hat also stets unter Berücksichtigung der jeweils vorherrschenden ES zu erfolgen. Aussagen über die Wirkung eines bestimmten Erzählprofils und eines bestimmten Erzählrhythmus werden daher erst durch ihre Zuordnung zu einer Darstellungsfunktion sinnvoll, die in der Regel von der ES abhängig sein wird und aus der sich erst ihre Relevanz für die Interpretation erkennen läßt.

3.3. Die Schematisierung des Erzählvorganges: Erzählschablonen

Manches deutet darauf hin, daß der Prozeß der Konzeption der Erzählweise und die Gestaltung der Mittelbarkeit durch den entsprechenden Erzählapparat bei der Abfassung nicht gleichmäßig, sondern mit stark wechselnder Intensität ablaufen. Die letzten Gründe dafür sind vermutlich in den physiologischen Gesetzmäßigkeiten zu suchen, denen wenigstens zum Teil auch die schöpferische Produktionskraft eines Autors unterworfen ist. Schon Sternes Tristram Shandy wußte von der gegenseitigen Abhängigkeit und Wechselwirkung zwischen Körper und Geist: „– rumple the one – you rumple the other".[37] Auch im geistigen Bereich, in dem der kreative Prozeß abläuft, gibt es Erschöpfungszustände. Es kommt daher nicht überraschend, wenn besonders an längeren Romanen gegen Ende eine Art Abflachung des Erzählprofils oder eine Abschwächung der Dynamik des Erzählvorganges ausgemacht werden kann. Verwunderlich scheint eher, daß diese Erscheinung, von wenigen Einzelbeobachtungen abgesehen, durch die Erzählforschung noch nicht systematisch untersucht worden ist. Eine solche Abflachung wird verständlicherweise in einem Roman mit markantem Profil und hoher Dynamik des Erzählvorganges, wie z. B. *Vanity Fair* oder *Anna Karenina,* eher sichtbar werden als in einem Roman mit relativ flachem Profil und geringer Dynamik, wie z. B. in Ivy Compton-Burnetts *Men and Wives* oder Kafkas *Das Schloß.* Aus der Abflachung des Profils und dem Nachlassen der Erzähldynamik in längeren Erzählungen und Romanen kann geschlossen werden, daß die Gestaltung der Mittelbarkeit vom Autor ein hohes Maß an Anspannung, eine intensive Zuwendung seiner schöpferischen Vorstellungskraft an den Erzählakt fordert, die häufig auf die Dauer nicht mit gleicher Intensität durchgehalten werden kann. Dieses Phänomen verdient eine genaue, verschiedene Autoren vergleichende Untersuchung, wobei auch die Art der ES jeweils zu berücksichtigen sein wird, da anzunehmen ist, daß nicht jede ES einem Autor den gleichen Grad der Konzentration abfordert. Weiters wäre in einer solchen Untersuchung auch zu prüfen, ob sich der Trivialroman in diesem Punkt vom Roman der hohen Literatur unterscheidet.

Eine Abflachung kann im übrigen nicht nur im einzelnen Werk, sondern auch im Gesamtwerk eines Autors sichtbar werden. So ist bei jenen großen viktorianischen Erzählern, die wie etwa Thackeray und Trollope ein sehr umfangreiches Romanwerk produziert haben, allem Anschein nach eine gewisse Abflachung des Erzählprofils und ein Nachlassen der Erzähldynamik in den späteren Romanen festzustellen, wobei allerdings auch immer mit einer Tendenzumkehr im einzelnen Werk zu rechnen ist. Auch der Grad der Abflachung ist von Autor zu Autor verschieden: Trollope und auch Thackeray lassen, wie es scheint, eine stärkere Abflachung des Profils in ihren späteren Werken

---

37 Vgl. F. K. Stanzel, „*Tristram Shandy* und die Klimatheorie", 16.

erkennen als etwa Dickens. Bei Dickens ist dafür oft eine Abflachung des Profils innerhalb einzelner Werke erkennbar, was offensichtlich auch mit dem Zeitdruck, in dem manche Fortsetzungsteile geschrieben wurden, zusammenhängt. In *David Copperfield* ist diese Einbuße an Erzähldynamik wahrscheinlich auch mit der geänderten Zielrichtung in der zweiten Hälfte des Romans (nicht mehr primär Davids Lebensgeschichte, sondern eine Art Rundgang durch eine Charaktergalerie) sowie mit dem Wesen der quasi-autobiographischen Ich-ES und mit dem damit zusammenhängenden allmählichen Ausgleich bzw. der Annäherung des erzählenden an das erlebende Ich in Beziehung zu setzen. Solche Gründe können aber kaum für die deutliche Abflachung des Profils in einer relativ kurzen Erzählung wie *A Christmas Carol* geltend gemacht werden. Hier tritt z. B. zu Beginn ein Erzähler auf, dessen zahlreiche Selbstkundgaben und ausdrucksstarke Erzählgesten der Erzählung viel Dynamik verleihen. Später verblaßt die persönliche Erscheinung dieses Erzählers zusehends. Diese Abflachung ist u. a. an der Abnahme der Zahl der Ich-Bezüge des Erzählers abzulesen: sechs allein auf der ersten Seite und kein einziger auf den sieben Seiten des letzten Kapitels, von dem ‚Wir‘ der formelhaften Schlußwendung „God bless Us, Every One" abgesehen.

Durch die stereotype Rekurrenz einer bestimmten Kontur des Erzählprofils entsteht eine Erzählschablone. Das gegen Ende hin abflachende Profil einer Erzählung ist eine solche Schablone. Auch eine bestimmte Regelmäßigkeit im Wechsel zwischen narrativen Teilen und Dialogstellen kann – wenn sie nicht mehr durch Variationen dieses Sequenzmusters unterbrochen wird – als Schablone des Erzählvorganges betrachtet werden. Ebenso ist das auktorial-personale Gefälle, das besonders häufig im Übergang von der Exposition zum Hauptteil einer Erzählung oder am Kapitelanfang zu beobachten ist, hierher zu stellen. Diese Schematisierung des Erzählanfanges ist sehr häufig anzutreffen. So ist in den ersten Kapiteln von Kafkas *Prozeß* ein solches auktorial-personales Gefälle zu erkennen. Es ist auch bestimmend für die Struktur des Erzählvorganges in mehreren Erzählungen von Joyces *Dubliners,* ganz besonders deutlich in „A Painful Case" und in „The Dead". Bei Joyce ist diese Erzählschablone geradezu Ausdruck einer Idiosynkrasie in der Zielrichtung seiner schöpferischen Phantasie: die Neigung seiner Vorstellung, sich von der Außenwelt weg- und zur Innenwelt hinzuwenden; von der Registrierung der Oberflächenphänomene zur Epiphanie, zur geistigen Durchdringung dieser Oberfläche bis zum Transparentwerden einer unter der Oberfläche verborgenen Sinnhaftigkeit oder Symbolik: Der Schneefall am Anfang von

„The Dead" wird zunächst von einem auktorialen Erzähler als meteorologisches Phänomen geschildert, am Schluß der Erzählung dagegen vom personalen Medium Gabriel als erlebte Wahrnehmung reflektiert, wobei der Schneefall zum internalisierten Bild seiner emotionalen Situation wird. Hier ist sicherlich die Frage berechtigt, ob man in einem solchen Fall noch von einer Erzählschablone sprechen kann. Ein Versuch, diese Frage zu beantworten, würde uns mitten in die Problematik der Deviationstheorie führen. Aus Raumgründen muß darauf verzichtet werden.

In letzter Zeit ist Helmut Bonheim im Zuge einer Analyse der von ihm als „narrative modes" benannten Grundformen des Erzählens, „Speech", „Report", „Description" und „Comment", auf das Problem der Erzählschablonen gestoßen, ohne selbst diesen Begriff zu verwenden. So kann er bei verschiedenen amerikanischen Short-Story Autoren ausgeprägte Präferenzen für eine bestimmte Reihenfolge, in der diese Grundformen erscheinen und wiederkehren, nachweisen. Solche Rekurrenzmuster können, besonders bei stark stereotyper Ausbildung, auch als Schablonen angesehen werden. Bonheim verkennt nicht die Schwierigkeit, die sich dem „mode-chopping", wie er selbst einmal leicht ironisch sein Verfahren nennt, entgegenstellt: die starke Vermischung der „modes" in den meisten literarischen Texten.[38] Will man aber nicht bei einer deskriptiven Klassifizierung und Quantifizierung dieser Erscheinung – einer sicherlich unerläßlichen Vorarbeit – stehen bleiben, dann muß auch die die Abfolge der Grundformen oder „modes" übergreifende und z. T. auch determinierende ES berücksichtigt werden. Aus ihr ist in den meisten Fällen Aufschluß darüber zu gewinnen, welche Funktion eine der vier Grundformen in einem bestimmten literarischen Kontext hat. So wäre z. B. nicht sehr viel über das Sinngefüge der oben zitierten Stelle aus dem *Portrait of the Artist as a Young Man* ausgesagt, begnügte man sich mit einer Registrierung der „modes" und ihrer Abfolge, ohne gleichzeitig aufzuzeigen, daß sie als Teil einer personalen ES dazu beitragen, die Erfahrung und die Wahrnehmung Stephens zu gestalten. So gesehen ist der letzte Absatz der Zitatstelle nicht einfach die Beschreibung einer Abendlandschaft, also „description" nach Bonheims Register,

---

38 Vgl. H. Bonheim, „Theory of Narrative Modes", *Semiotica* 14 (1975), 329–344, und „Mode Markers in the American Short Story", in: *Proceedings of the Fourth International Congress of Applied Linguistics,* Stuttgart 1976, 541–550.

sondern die metonymische Darstellung einer inneren Erfahrung des Helden, wofür der Terminus „description" nicht mehr ganz adäquat zu sein scheint.

3.4. Dynamisierung und Schematisierung: Zusammenfassung

Unsere Analyse der Verschiebungen und Modulationen, denen die ES im Verlaufe einer längeren Erzählung unterworfen wird, hat zwei einander entgegengesetzte Tendenzen zutage gefördert, eine zur Dynamisierung, eine andere zur Schematisierung des Erzählvorganges. Unter Dynamisierung fassen wir alle Erscheinungen in der Gestaltung der Mittelbarkeit zusammen, die im Ablauf einer Erzählung den Vorgang der Übermittlung an den Leser beleben, ihn abwechslungsreich machen und so der Monotonie entgegenwirken, die sich aus einer überkonsequenten Durchführung einer bestimmten Erzählsituation ergeben könnte. Unter Schematisierung ist dagegen die Bereitschaft zu verstehen, die Rekurrenz bestimmter Sequenzmuster in der Aufeinanderfolge der Grundformen des Erzählens zu dulden. Als Folge der Schematisierung ergeben sich Erzählschablonen, wie z.B. die allgemeine Abflachung des Erzählprofils gegen Ende einer längeren Erzählung.

Es wäre aber falsch, aus der Feststellung dieser beiden Grundtendenzen den Schluß zu ziehen, daß die Dynamisierung des Erzählvorganges immer nur das Ergebnis kreativer Produktivität und Schematisierung immer nur die Folge kreativer Entropie, der Erschöpfung der kreativen Produktionskraft eines Autors, seien. Beide Tendenzen sind vielmehr als Einheit bzw. in ihrer Interdependenz zu sehen. Der Wechsel zwischen dynamisierten und schematisierten Teilen eines Erzähltextes ist ein Strukturmerkmal des literarischen Erzähltextes im Gegensatz etwa zu dem in der Regel einheitlicher strukturierten Sachtext in einem Lehrbuch, in einer Krankengeschichte oder einem Polizeiprotokoll. In dieser Eigenart des literarischen Erzähltextes spiegelt sich ein Grundgesetz der Tektonik ästhetischer Gebilde, nämlich ihr Bau abwechselnd aus gespannten und ungespannten Elementen.

Von dieser Überlegung bieten sich gedankliche Anschlüsse zur Frage des Verhältnisses zwischen dem Roman der hohen Literatur und dem Trivialroman an. Sind zwischen ihnen Unterschiede nicht nur in der quantitativen Relation dynamisierter und schematisierter Teile, sondern auch in der Art ihrer Zuordnung zueinander zu erkennen? Ein

weiterer gedanklicher Anschluß geht in Richtung auf Unterschiede im Leserverhalten angesichts dynamisierter und schematisierter Erzählteile. Im Zusammenhang mit der Erörterung des Begriffs der „Komplementärgeschichte", den ich anderswo zur Diskussion gestellt habe, zeigte sich bereits, daß auch der Leser bei der Lektüre eines längeren Erzählwerkes in seiner Einstellung zur Erzählung eine Art Wechsel von systolischen und diastolischen Phasen erfährt: „Der Kommunikationsvorgang zwischen Erzähler und Leser ist also auch im großen Roman als eine Abfolge von In-Frage-Stellen bzw. Verfremden und Behauptung bzw. Bestätigung des Leserbezugsfeldes vorzustellen. Allein schon die Länge eines Romans und die daraus folgende Dauer der Lektüre läßt aus rein physiologischen Gründen nicht zu, daß sich der Leser die ganze Zeit über im Zustand des Betroffenseins über die Fragwürdigkeit oder Banalität seines eigenen Bezugsfeldes befindet. Die Rollenhandlung des Lesers impliziert neben der für ihn charakteristischen Rollenqualität, die Weinrich ‚Heiterkeit' nennt und mit der er einen Freiheitsraum meint, den der Leser angesichts der Negativität der Welt (aus Autorensicht) in Anspruch nimmt, auch die Freiheit der Leserphantasie, die Banalität und Klischeehaftigkeit der Wirklichkeit und das Unbetroffensein des Lesers gleichsam als Interlinearversion in den Text der erzählten Geschichte nachzutragen. Die Lektüre eines Romans als Ineinander von erzählter Geschichte und Komplementärgeschichte ist ein ständiger Wechsel von Systole und Diastole, von Verfremdung und Identifikation, von Betroffenheit und Bestätigung, von Durchgliederung und Schematisierung, von Bereitschaft zur Innovation und von Neigung zur Stereotypisierung."[39]
Hier breitet sich also vor der Erzählforschung noch ein weites Feld aus, das erst an seinen Rändern erkundet worden ist, dessen genauere Erforschung aber dringend zu wünschen wäre.

39 F. K. Stanzel, „Die Komplementärgeschichte. Entwurf zu einer leserorientierten Romantheorie", in: *Erzählforschung 2*, 258.

4. Die Opposition „Person":
Identität – Nichtidentität der Seinsbereiche
des Erzählers und der Charaktere
(Ich-Bezug – Er-Bezug)

> Someone *inside* the novel is talking to some-
> one *outside* the novel. This strikes me as a
> remarkable, almost hair-raising phenome-
> non.
>
> (David Goldknopf, *The Life of the Novel*)

Die gegenseitige Annäherung von Linguistik und Literaturwissenschaft in den letzten Jahren hat der Erzählforschung neue und kräftige
Impulse gegeben. Die Erzähltheorie hat sich revanchiert, indem sie
vor allem der Textlinguistik einige wichtige Begriffe und Fragestellun-
gen lieferte. So findet man in Egon Werlichs *A Text Grammar of English* ein ganzes Kapitel über „Point of View" und im Kapitel „Text
Form" Unterabschnitte über „The narrative", „The report", „The
news story" etc.[1] Roger Fowler hat kürzlich die den beiden Disziplinen
gemeinsame Operationsbasis folgendermaßen definiert: „I shall
maintain that [narrative] texts are structurally *like* sentences (as well as
being constructed out of sentences). That is to say, the categories of
structure that we propose for the analysis of individual sentences (in
linguistics) can be extended to apply to the analysis of much larger
structures in [narrative] texts".[2] Es gelingt R. Fowler tatsächlich auch
für einen Teil dieser ebenso interessanten wie kühnen Hypothese
konkrete Belege anzuführen. Der andere Teil der hier aufgestellten
Behauptungen wird allerdings noch eingehend zu diskutieren und zu
überprüfen sein, wie etwa die folgende These: „Characters and inci-
dents in fiction may closely resemble the stock of predicate-types and
noun-types [as deep-structure elements of language]." (17).
Auch die Verwendung des Begriffs Opposition, der in der Linguistik
seit de Saussure weite Verbreitung gefunden hat (vgl. oben S. 75f.),

---

1 Egon Werlich, *A Text Grammar of English,* Heidelberg 1976.
2 Roger Fowler, *Linguistics and the Novel,* 5.

weist auf eine gemeinsame Basis von Erzähltheorie und Linguistik in einem sprachlich fundierten Phänomen hin: „bei den sprachlichen Zeichen […] kommt es auf ihre gegenseitige Sonderung und Abgrenzung an. Nicht daß eines anders ist als das andere, ist wesentlich, sondern daß es neben allen andern und ihnen gegenüber steht. Und der ganze Mechanismus der Sprache […] beruht auf Gegenüberstellungen dieser Art […]."[3] In der folgenden Beschreibung der die ES konstituierenden Elemente sollen daher diese Konstituenten an Hand von Gegenüberstellungen der strukturell jeweils bedeutsamen Paare analysiert werden. Aus methodischen Gründen wird mit der offensichtlichsten Opposition, nämlich jener der „Person", begonnen. Anschließend daran werden dann die Oppositionen „Perspektive" und „Modus" eingehend erörtert.

4.1 Die Diskussion über Ich- und Er-Erzählung bei W. Kayser, W. C. Booth u. a.

Auf die Frage, ob zwischen Ich-Erzählung und der sogenannten Er-Erzählung ein wesentlicher, d. h. ein strukturell begründeter Unterschied bestehe, hat die Erzähltheorie bis zum heutigen Tag keine allgemein akzeptierte Antwort finden können. Das ist eigentlich etwas überraschend, da die älteren Ansichten über die Ich-Erzählung, die lange einem rechten Verständnis der Besonderheit dieser Erzählweise im Gegensatz zur Er-Erzählung im Wege gestanden hatten, heute als überwunden gelten dürfen. Dazu gehörte z. B. die Ansicht, daß das Ich eines Ich-Erzählers weitgehend identisch sei mit dem Ich des Autors. Sie hatte sich vor allem bei der Interpretation der großen Bildungsromane in der Ich-Form, die eine solche Identifizierung nahelegten, wie z. B. *Der grüne Heinrich* und *David Copperfield,* herausgebildet. Es ist ein auch heute noch immer lesenswertes Kuriosum, wie der entschlossene Verfechter der Objektivität im Roman, Friedrich Spielhagen, gerade in der nach Ansicht des 19. Jahrhunderts subjektivsten Form der Erzählung, dem Ich-Roman, der Verwirklichung seines Programms am nächsten zu kommen glaubt. Im Ich-Roman verwandelt der Autor,

---

3 Ferdinand de Saussure, *Grundlagen der allgemeinen Sprachwissenschaft* (1916), Berlin ²1967, 145, zitiert nach Theodor Lewandowski, *Linguistisches Wörterbuch*, Heidelberg 1975, Bd. 2, 459.

so meint Spielhagen, sein Ich zunächst in ein Er: ,,Verwandelt sich nun das Er wieder zurück in ein Ich, so ist es, so kann es selbstverständlich das alte, erfahrungsmäßige, naive, enge und beschränkte Ich nicht mehr; so muß es ein neues, künstlich seiner Beschränkung enthobenes, reflektiertes sein [. . .]''.[4] Durch diese zweimalige Verwandlung des subjektiven Autor-Ich im Ich-Roman wird ,,,Objektives mit Subjektivem''', wie Spielhagen in Anlehnung an Schiller sagt, verschmolzen, was für ihn und viele seiner Zeitgenossen gleichbedeutend war mit der Lösung des Erzählproblems schlechthin. Wie leicht sich aber die der Zeit Spielhagens so wichtigen Begriffe ,,objektiv'' und ,,subjektiv'' in ihrer Zuordnung umkehren ließen, wird bereits beim ersten Theoretiker des Ich-Romans deutlich. Bei K. Forstreuter liest man nämlich über den Unterschied zwischen Ich- und Er-Erzählung: ,,Der große Unterschied ist[. . .] der, daß in der Erform jede Wertung und Deutung objektive Gültigkeit beanspruchen darf, weil sie vom Dichter ausgeht, während das Urteil des Ich-Erzählers durch seine Person bedingt und also für den Leser keineswegs verbindlich ist''.[5] Sieht man von der subjektiv/objektiv-Problematik ab, so wird hier etwas Wichtiges postuliert: Der Ich-Erzähler ist für Forstreuter nicht mehr eine Rollenmaske für den Autor, sondern eine selbständige fiktionale Figur. Das Erkennen der Fiktionalität des Ich-Erzählers ging also dem Erkennen der Fiktionalität des Er-Erzählers zeitlich voraus.[6] Wie im Kapitel über den persönlichen Erzähler bereits ausgeführt wurde, ist die Fiktionalität des auktorialen Er-Erzählers erst seit der Mitte der Fünfziger Jahre allgemein erkannt worden. Sobald nun Ich-Erzähler und auktorialer Er-Erzähler als fiktionale Erzählerfiguren und damit in einem ganz entscheidenden Punkt als gleichartig galten, wurde diese Gemeinsamkeit zum Anlaß genommen, um den Unterschied zwischen Ich- und Er-Erzählung recht niedrig anzusetzen. Daß die Ansicht auch heute noch viele Anhänger hat, hängt wohl damit zusammen, daß sie von zwei namhaften neueren Romantheoretikern geteilt wird: Wolf-

---

4 Friedrich Spielhagen, ,,Der Ich-Roman'', in: *Zur Poetik des Romans,* 128.
5 Kurt Forstreuter, *Die deutsche Ich-Erzählung. Eine Studie zu ihrer Geschichte und Technik,* Berlin 1924, 44.
6 Das gilt zumindest für die allgemeine Diskussion. Daß vereinzelt die ,,Nichtidentität von Autor und auftretendem Erzähler'' auch schon vor Spielhagen registriert wurde, darauf hat Hellmuth Himmel in seinem Nachwort zum Neudruck von Spielhagens romantheoretischen Schriften aufmerksam gemacht. Vgl. F. Spielhagen, *Beiträge zur Theorie und Technik des Romans,* Göttingen 1967, 354f.

gang Kayser und W. C. Booth. Kayser hat, wie bereits erwähnt, durch
seine definitive Klarstellung, daß der Erzähler eines Romans, sci cs in
einem Ich- oder Er-Roman, nicht mit dem Autor gleichzusetzen sei,
die Romantheorie einen entscheidenden Schritt weitergebracht. Es
war aber dann gerade diese so wichtige Erkenntnis, die ihm den Blick
für die eigentlichen Unterschiede zwischen Er- und Ich-Erzählung
versperrte. Da das erzählende Ich nicht mit dem Autor identisch, sondern eine vom Autor geschaffene Erzähler-Rolle ist, sei dieses erzählende Ich, meint Kayser, weniger eine Person mit eigener Lebensgeschichte, nämlich jener, die im Ich-Roman erzählt werde, sondern
vielmehr eine Verkörperung der Erzählfunktion des Autors: „Der
Ich-Erzähler eines Romans ist [...] keineswegs die geradlinige Fortsetzung der erzählten Figur. In ihm steckt mehr; seine Erzählergestalt als
altgewordener Held ist nur eine merkliche Rolle, hinter der etwas anderes steht".[7] Dieser Satz wird bezeichnenderweise nicht mit Bezug
auf David Copperfield oder Heinrich Lee, sondern auf den Ich-Erzähler des *Moby-Dick* formuliert, an dem tatsächlich eine Tendenz zur
Auktorialisierung der Erzählerrolle erkennbar wird. Kayser möchte
daher die sich jedem Leser eines Ich-Romans aufdrängende Analogie
zwischen dem Ich-Erzähler und dem „Großvater, der den Enkeln von
seiner Jugend erzählt", nicht gelten lassen: „Wir verkennen nicht, daß
Thomas Mann enge Fäden zwischen dem erzählten und dem erzählenden Krull spinnt [...] aber selbst da denken wir nicht in der Kategorie
einer geschlossenen individuellen Entwicklung und vereinigen keineswegs den jungen mit dem alten Felix Krull" (208 f.). Das ist ein
höchst erstaunlicher Befund, weil er, wie bereits in den *Typischen
Formen* gezeigt wurde, die vom Autor eines quasi-autobiographischen
Ich-Romans thematisierte persönliche Identifizierung des Erzählers
mit dem Helden einfach nicht zur Kenntnis nimmt.[8] In Kaysers Theorie wird daher auch das für die quasi-autobiographische Form des
Ich-Romans *(Der grüne Heinrich, David Copperfield, Felix Krull)* be-
stimmende Strukturgesetz, das Spannungsgefüge zwischen dem älteren, gereiften, einsichtigeren Ich als Erzähler und dem noch völlig in
seiner existentiellen Situation befangenen Ich als Helden verdeckt.
Es liegt eine gewisse Ironie im Gang der Aufhellung dieses Problems,
daß derselbe Romantheoretiker, der dem auktorialen Erzähler endgültig zur Autonomie als Romangestalt verhalf, dem Ich-Erzähler ei-

---

7 W. Kayser, „Wer erzählt den Roman?", in: *Zur Poetik des Romans,* 209.
8 Vgl. *Typische Formen,* 34f. Vgl. auch B. Romberg, *Studies in the Narrative
Technique of the First-Person Novel,* 84.

nen wesentlichen Teil seiner autonomen Persönlichkeit zu nehmen trachtete, nämlich die existentielle Kontinuität zwischen dem Erzähler-Ich und dem Ich des Helden der Geschichte. Ein Grund für Kaysers Ansicht ist vermutlich, daß in vielen Ich-Romanen die Bindung des erzählenden Ich an das erlebende Ich, vor allem in seinen frühen Stadien, nur sehr locker oder nur andeutungsweise konkretisiert wird. Oft unterbleibt auch eine entsprechende psychologische Perspektivierung und Distanzierung der länger zurückliegenden Phasen des Erlebens und es wird darauf verzichtet, die Erzählung des zeitlich länger Zurückliegenden als persönliche Erinnerung des Ich-Erzählers zu charakterisieren. Beides ist z. B. in Stifters *Nachsommer* zu beobachten.[9] Aus der Tatsache, daß einige Autoren von der Darstellungspotenz einer bestimmten Erzählform keinen oder nur einen geringen Gebrauch machen, darf aber nicht geschlossen werden, daß diese potentielle Gestaltungsform für die Gattung generell unwesentlich sei. Der *Nachsommer* ist im übrigen auch als aperspektivisch erzählter Roman zu betrachten. Aperspektivismus bedeutet, wie noch zu zeigen sein wird, daß auch der zeitlichen Perspektivierung, d. h. dem Verhältnis des erzählenden Ich zum erlebenden Ich, wenig Aufmerksamkeit zugewendet wird.

Mit der These von der Wesensgleichheit von Ich- und Er-Erzählung wird im übrigen auch oft eine zu enge Vorstellung vom Ich-Erzählvorgang verknüpft, nämlich daß der Ich-Erzähler nur erzählen könne, was er selbst erfahren habe und woran er sich noch erinnere. Das erzählende Ich hat aber nicht nur retrospektive, sondern auch rekreative Kompetenz. Mit anderen Worten, ein Ich-Erzähler ist nicht nur ein sich an sein früheres Leben Erinnernder, sondern auch ein dieses frühere Leben in seiner Phantasie Nachgestaltender. Sein Erzählen ist daher nicht streng an den Erfahrungs- und Wissenshorizont des erlebenden Ich gebunden, wie z. B. David Copperfield immer wieder demonstriert.[10]

Von einem anderen Standpunkt aus betrachtet W. C. Booth den Unterschied zwischen Ich- und Er-Erzählung als strukturell bedeutungs-

---

9 Es ist daher kein Zufall, wenn Gerhart von Graevenitz, der in seinen im übrigen sehr tiefschürfenden Untersuchungen zur Romantheorie der Ich-/Er-Opposition, wie Booth und Kayser, nur geringe Relevanz zubilligt, gerade diesem Roman besondere Aufmerksamkeit zuwendet. Vgl. *Die Setzung des Subjekts,* Tübingen 1973, 68–73.

10 Vgl. dazu Lothar Cerny, *Erinnerung bei Dickens,* Amsterdam 1975, Kap. III. 3. „Erinnerung als dichterische Vergegenwärtigung", bes. 106 ff.

los. In seiner einflußreichen *Rhetoric of Fiction* kommt er zu dem für unsere Frage folgenschweren Schluß: „Perhaps the most overworked distinction is that of person. To say that a story is told in the first or third person will tell us nothing of importance unless we become more precise and describe how the particular qualities of the narrators relate to specific effects".[11] Der Nachsatz, der zunächst wie eine wesentliche Einschränkung der Behauptung des Vordersatzes klingt, modifiziert in Wirklichkeit diese Behauptung kaum, denn er besagt nicht viel mehr als eine methodologische Binsenweisheit, die für jede literarische Klassifizierung gilt. Auch wenn Booth zeigen kann, daß das für ihn so wichtige Unterscheidungskriterium „dramatized" – „undramatized narrator",[12] womit er im wesentlichen den Unterschied zwischen einer persönlichen und unpersönlichen Erzählweise meint, sowohl an Ich- wie auch an Er-Erzählern zu beobachten ist, so ist damit in keiner Weise bewiesen, daß das eine Kriterium wesentlich, das andere aber unwesentlich sei. In unserer Typologie erscheinen beide als völlig gleichwertige Konstituenten: Person und Modus.[13] Booths Negierung der distinktiven Bedeutung der Kategorie Person steht offensichtlich in einem Zusammenhang mit zwei in seiner *Rhetoric* sehr ausgeprägten Tendenzen. Zunächst handelt es sich bei ihm um eine (durchaus verständliche) Abneigung gegen Vereinfachungen, wie sie vor allem in den in den USA sehr weit verbreiteten *Manuals of Creative Writing* und ihren simplifizierenden Anweisungen auch für den Gebrauch der Ich- und Er-Form in der Erzählung zu finden sind. Weniger akzeptabel erscheint dagegen der andere Grund für Booths Bagatellisierung der Ich-/Er-Opposition, nämlich sein Mißtrauen gegenüber jeder Art der systematischen Literaturwissenschaft,[14] ein Mißtrauen, das bis vor kurzem im übrigen in englischen Arbeiten viel stärker als in deutschen zum Ausdruck kam.

Falls zwischen Ich-Erzählung und sogenannter Er-Erzählung ein struktureller Unterschied gegeben ist, dann kann dieser aber nur mit

---

11 W. C. Booth, *Rhetoric,* 150.

12 Vgl. W. C. Booth, *Rhetoric,* 150 ff.

13 Vgl. auch meine Stellungnahme zu Booth in „Second Thoughts on *Narrative Situations in the Novel*", *Novel. A Forum on Fiction* 11 (1978), 254 f.

14 Besonders kraß tritt dieses Vorurteil in W. C. Booths Aufsatz „Distance and Point of View", *Essays in Criticism* 11 (1961), 60–79 hervor. Dort wird auch deutlich, daß Booth die von ihm so gering geschätzte systematische Literaturwissenschaft vor allem mit Arbeiten in deutscher Sprache assoziiert.

Hilfe eines theoretisch begründeten und systematisch durchgeführten Verfahrens nachgewiesen werden. Ein Ansatz dazu wurde weiter oben an Hand der Textstelle aus *The Catcher in the Rye* gemacht. Ehe mit einer ausführlichen Beweisführung begonnen wird, sollen noch einige Argumente für die Unterscheidung zwischen Er- und Ich-Erzählung aus dem weiten Vorfeld der Romantheorie, nämlich der literarischen Praxis, beigebracht werden.

4.2. Die Praxis der Autoren

Wenn manche Autoren einer der beiden Erzählformen ganz eindeutig den Vorzug gegeben haben, wie z. B. Defoe der Ich-Erzählung und Fielding der auktorialen Er-Erzählung, dann ist zu vermuten, daß solche Präferenzen nicht nur stilistische, sondern strukturelle Ursachen haben. Ganz sicher trifft dies für jene Fälle zu, wo Autoren auf Grund von eingehenden Überlegungen einen Roman, oder Teile davon, aus der einen in die andere Form umgeschrieben haben: J. Austen konzipierte zunächst in der Ich Form eines Briefromans, was später zur auktorial-personalen Er-Erzählung *Sense and Sensibility* wurde; G. Kellers *Grüner Heinrich* ist der klassische Fall einer, wenn auch zögernd und gegen viele Bedenken vorgenommenen Transponierung von der Er- in die Ich-Form; F. Kafka hat die ersten Kapitel des Romans *Das Schloß,* die ursprünglich in einer Ich-Fassung vorlagen, in eine personale Er-Form übertragen. Von vielen anderen Autoren ist bezeugt, daß ihnen die Wahl zwischen der Ich- und der Er-Form viel Kopfzerbrechen bereitete. So berichtet J. Cary über das für ihn recht unbefriedigende Ergebnis der Transponierung eines Kapitels von *A Prisoner of Grace* von der ersten in die dritte Person.[15] Und schließlich haben wir das Zeugnis jenes Autors, der die überlegte Blickpunktwahl zum ersten Gebot der Erzählkunst machte, Henry James, daß die Entscheidung zwischen der ersten und der dritten Person für ihn mehrfach Anlaß zu eingehender Prüfung der Besonderheiten dieser beiden Darstellungsmöglichkeiten war. Im „Preface" zu seinem Roman *The Ambassadors* teilt er mit, daß er die Ich-Form für diesen Roman wohl in Erwägung gezogen, schließlich aber verworfen habe, und zwar wegen der „looseness" und der „terrible *fluidity* of self-revelation",[16] die in

---

15 Vgl. Joyce Cary, *Art and Reality,* Cambridge 1958, 97 f.

16 H. James, *The Art of the Novel,* 320 f. Vgl. auch *Notebooks,* 130, wo im er-

der Ich-Form angelegt sei. Genau besehen richtet sich dieser Einwand nicht nur gegen die Ich-Erzählung, sondern auch gegen die formale Anspruchslosigkeit einer unreflektierten persönlichen Erzählweise, sei es in der Ich- oder in der Er-Form. H. James hat in seiner späteren Phase als Autor der unpersönlichen Erzählweise in der Form der personalen ES den Vorzug vor den Formen persönlichen Erzählens gegeben. Die Entscheidung gegen die Ich-Erzählung ist bei ihm fast immer auch eine Entscheidung für eine unpersönlichere Erzählweise als, nach seiner Auffassung, die Ich-Erzählung ermöglicht.

So wie H. James haben sich viele andere Autoren über die Entscheidung zwischen Ich- und Er-Form den Kopf zerbrochen oder haben sich mit großem Nachdruck für oder gegen die Ich-Form ausgesprochen. Daraus muß gefolgert werden, daß die Entscheidung zwischen Ich- und Er-Form für sie nicht eine Frage des stilistischen Dekorums, sondern der Struktur der Erzählung war. Eine zusammenfassende historische Darstellung der Ich-/Er-Opposition aus der Sicht der Romanautoren steht noch aus, doch sind einige Belegstellen bereits aufgearbeitet u. a. bei R. Stang, *The Theory of the Novel in England, 1850–1870,* New York 1959; Kenneth Graham, *Criticism of Fiction in England 1865–1900,* Oxford 1965; Miriam Allott, *Novelists on the Novel,* London 1959; Reinhold Grimm (Hrsg.), *Deutsche Romantheorien: Beiträge zu einer historischen Poetik des Romans in Deutschland,* Frankfurt/M. 1968; Eberhard Lämmert (Hrsg.), *Romantheorie: Dokumentation ihrer Geschichte in Deutschland seit 1880,* Köln 1975. Weiters wären die Monographien über die Ich-Erzählung von K. Forstreuter, B. Romberg, M. Henning u. a. zu konsultieren.

Die Ich-Erzählung und ihre Abgrenzung von der Er-Erzählung ist auch für die Autoren der Gegenwart noch immer ein aktuelles Problem. In der Opposition von Ich- und Er-Erzählung und der ihr zugrundeliegenden Opposition von Identität und Nichtidentität der Seinsbereiche des Erzählers und der Charaktere haben mehrere Autoren der Gegenwart ein weites Feld für ebenso einfallsreiche wie gewagte Innovationen des Erzählvorganges gefunden. Im Roman in eng-

---

sten Entwurf für *The Golden Bowl* einen Augenblick lang die Ich-Form in Betracht gezogen, gleich darauf aber verworfen wird. In seinen Erzählungen mittlerer Länge, den „Tales", hat H. James dagegen die Ich-Form relativ häufig gewählt. Ansätze zu einer Erörterung der Gründe für die Wahl der Ich-Form und eine vollständige Liste der „Tales" mit Kennzeichnung der Ich-Erzählungen finden sich in Krishna Baldev Vaids *Technique in the Tales of Henry James,* Cambridge, Mass., 1964.

lischer Sprache haben die ungewöhnlichen Ich-Erzählungen von Samuel Beckett, *Molloy, Malone Dies* und *The Unnamable* einen Maßstab für solche Versuche gesetzt.[17] Die wichtigsten Werke dieser Art im deutschen Roman wurden von P. F. Botheroyd untersucht.[18] Botheroyd analysiert drei Ich-Romane, deren Bedeutung zu einem erheblichen Teil darin begründet ist, daß ihre Themen erst durch die ungewöhnliche Verwendung der Ich-Form ihre eigentliche Definition erfahren: Günter Grass' *Die Blechtrommel*, Uwe Johnsons *Das Dritte Buch über Achim* und Max Frischs *Mein Name sei Gantenbein*. Von diesen drei Autoren könnten auch die meisten ihrer anderen Werke als Beleg dafür angeführt werden, daß die Ich-Erzählung in der Literatur der Gegenwart eine Sonderstellung einnimmt. In diesen modernen Ich-Romanen wird, so scheint es, die Problematisierung der strukturellen Grundlagen der Opposition von Ich zu Er mit solcher Konsequenz vorangetrieben, daß die erste Person der Erzählung heute bereits als ein Synonym für komplex, schwierig, verfremdet gelten kann, wie z. B. aus dem folgenden Diktum von M. Frisch: „Wie aber ist Entfremdung als Begriff abstrakt darzustellen, wenn nicht an einer Ich-Person" (Botheroyd, 126) hervorzugehen scheint.

4.3. Die Verfilmung von Ich- und Er-Erzählungen

Nicht weniger überzeugende Argumente für die Wichtigkeit der Unterscheidung zwischen Ich- und Er-Form lassen sich aus einem Vergleich zwischen Erzählungen bzw. Romanen und den auf ihnen basierenden Filmen gewinnen. Ich-Erzählungen stellen Filmregisseure vor ganz andere Probleme der Umsetzung in das filmische Medium als auktoriale Er-Erzählungen, weil die Filmkamera zwar sehr gut, besser sogar und leichter als die literarische Erzählung, die räumliche Perspektive scharf zu erfassen in der Lage ist, bei der ausführlicheren

---

17 Vgl. Hugh Kenner, *Samuel Beckett. A Critical Study,* London 1962.
18 P. F. Botheroyd, *ich und er. First and Third Person Self-Reference and Problems of Identity in Three Contemporary German-Language Novels,* Den Haag und Paris 1976. Auch im amerikanischen Roman ist, wie Dieter Meindl gezeigt hat, eine „Renaissance" des Ich-Romans zu beobachten. Vgl. dazu Dieter Meindls interessanten Beitrag „Zur Renaissance des amerikanischen Ich-Romans in den fünfziger Jahren", *Jahrbuch für Amerikastudien* 19 (1974), 201–218.

Wiedergabe der Subjektivität einer Romanfigur, wie sie sich in einer
Ich-Erzählung ergibt, jedoch erheblichen Schwierigkeiten begegnet,
deren Überwindung fast immer einen großen darstellungstechnischen
Aufwand erforderlich macht. Stanley Kubrik hat daher aus gutem
Grund Thackerays Ich-Roman *Barry Lyndon* für die Verfilmung in
eine auktoriale Er-Erzählung umschreiben lassen. Dabei wird oft
recht willkürlich mit der Aussagestruktur des literarischen Originals
umgegangen, so etwa, wenn auf sich selbst bezogene Aussprüche Barrys einfach einem auktorialen „voice over"-Kommentar, das ist die
kommentierende Stimme einer Person, die nicht auf der Filmleinwand
sichtbar ist, in den Mund gelegt wird. Wie sich dabei der Sinn eines solchen Kommentars verändern kann, ist durch folgendes Beispiel zu illustrieren. Als der Abenteurer und Soldat Barry der zarten Bande, die
ihn nach seiner Verwundung im Siebenjährigen Krieg an ein deutsches
Lischen [sic] binden, überdrüssig geworden ist, versucht er sein Gewissen mit folgendem, für seinen Charakter recht kennzeichnenden Gedankengang zu beschwichtigen:

A lady who sets her heart upon a lad in uniform must be prepared to change
lovers pretty quickly, or her life will be but a sad one. (Chap.5)

Indem dieser Gedanke Barrys im Film von der unpersönlichen „voice
over" ausgesprochen wird, erhält er einen ganz anderen Stellenwert
als im Roman: Barry wird von seinem Zynismus entlastet, der Aus-
spruch wird zur allgemeingültigen Lebensweisheit eines unbeteiligten
Beobachters. Ähnlich ist man bei der Verfilmung von Ken Keseys
Ich-Roman *One Flew Over the Cuckoo's Nest* vorgegangen. Auch hier
ging die dem Filmmacher mißliebige Ich-Perspektive über Bord, was
zu einer schwerwiegenden Verzerrung der Aussage des Romans führte. Viel näher bleiben dagegen meist Verfilmungen von auktorialen
Er-Erzählungen der literarischen Vorlage, wie z. B. Ken Russels Film
über D. H. Lawrences *Women in Love,* Rainer Werner Fassbinders
Film *Fontane: Effi Briest* oder Eric Rohmers Filmversion der Kleist-
Novelle *Die Marquise von O.* Gerade dieser Film zeigt, wie das Bemühen um möglichst authentische Erfassung der literarischen Vorlage
den Regisseur veranlaßt, der Tendenz zur Unmittelbarkeit des Mediums Film mit Hilfe von narrativen Elementen, die Mittelbarkeit signalisieren, entgegenzuwirken. So blendet Eric Rohmer mehrere Male
einzelne Sätze aus Kleists Erzählung als Text in das Filmgeschehen auf
der Leinwand ein, ein Verfahren, das auch von Fassbinder in *Fontane:
Effi Briest* mit Erfolg verwendet wird. Ähnlich wird übrigens auch auf
Andeutung der Mittelbarkeit gezielt, wenn in einem Film zwischen-

durch immer wieder die Stimme eines Erzählers akustisch, d.h. als „voice over", zu vernehmen ist. Es fällt auf, wie häufig neuerdings dieses Erzählelement bei Verfilmungen eingesetzt wird. So hören wir die Stimme eines Erzählers, wie schon erwähnt, in *Barry Lyndon* und in *Fontane: Effi Briest*. Besonders ausführlich kommt der Ich-Erzähler von Dostoevskijs *Die Dämonen* in dem gleichnamigen Fernsehfilm des NDR und ORF zu Wort, und zwar als Ich-Erzähler, der selbst im Bild erscheint, nie jedoch als erzählendes Ich, sondern immer nur als erlebendes Ich. Das Bemühen des Regisseurs, in diesem Film auch die Mittelbarkeit der Erzählung des Romans hörbar werden zu lassen, geht sogar so weit, daß einzelnen Filmszenen eine Ich-Perspektive unterlegt wird, die im Roman ohne ausdrückliche Zuordnung zum Ich-Erzähler berichtet werden, wie z. B. das Duell zwischen Stawrogin und Gaganow.[19] Zu diesem Zweck wird im Film der Ich-Erzähler zum Sekundanten Gaganows gemacht, im Roman fungiert Drosdow in dieser Rolle. Im Roman ist also der Ich-Erzähler beim Duell gar nicht persönlich anwesend – wie auch in vielen anderen Szenen, die er sehr eingehend und so, als wäre er selbst dabei Augenzeuge gewesen, schildert. Eine solche Überschreitung der Grenzen der Ich-Perspektive – der Ich-Erzähler erzählt hier weniger aus seiner unmittelbaren Erinnerung, er läßt vielmehr das Geschehen aus seiner Phantasie entstehen – ist im Roman des 19.Jahrhunderts relativ häufig zu beobachten. Es ist auffällig, daß der Film gerade von dieser Lizenz des Ich-Erzählers der *Dämonen* keinen Gebrauch macht.

Aus den hier nur skizzenhaft angedeuteten Beziehungen zwischen Roman und Film wird vielleicht schon ersichtlich, wie Analysen von Romanfilmen zu einer Erhellung gerade der spezifisch narrativen Besonderheiten nutzbar gemacht werden können. Die Literaturwissenschaft des laut McLuhan nunmehr zu Ende gehenden „Gutenberg-Zeitalters"[20] wird in zunehmendem Maße die Veränderung eines literarischen Textes durch die Wiedergabe in einem nichtsprachlichen Medium zu berücksichtigen haben. Zur Problematik der Umsetzung von Literatur in Film liegen bereits einige recht interessante Studien vor.[21] Das Problem der Umsetzung bestimmter literarischer Erzähl-

19 Vgl. F.M. Dostoevskij, *Die Dämonen,* München 1977, 321–329.
20 Vgl. H. M. McLuhan, *The Gutenberg Galaxy*, Toronto und London 1962.
21 William Jinks, *The Celluloid Literature. Film in the Humanities,* Beverly Hills 1974; Helmut Schanze, *Medienkunde für Literaturwissenschaftler,* München 1974 (mit ausführlicher Bibliographie); Adam J. Bisanz, „Linea-

strukturen und ES in andere Medien ist aber noch nicht zureichend erforscht. Diese Studie versteht sich daher nicht zuletzt auch als Vorarbeit zu einer weiteren Aufhellung dieses Problems, dem – was bisher kaum berücksichtigt wurde – auch eine wichtige literaturdidaktische Komponente innewohnt: die Umsetzung von einem Medium in das andere kann zum Ausgangspunkt einer Analyse der gattungsspezifischen Merkmale von Roman und Film gemacht werden. Selbst Filme, in denen die literarische Vorlage nur in einer groben Entstellung sichtbar wird, können in diesem Sinne noch genützt werden, etwa indem sie zur Restauration des ursprünglichen Sinngefüges herausfordern, wobei u. U. die Bedeutsamkeit mancher Aspekte der literarischen Struktur erst richtig erkannt werden wird.

4.4. Versuch einer neuen erzähltheoretischen Begründung der Ich-/Er-Opposition

Diese Vorüberlegungen führen zur Frage, ob der hier bereits mehrfach sichtbar gewordene strukturelle Unterschied zwischen Ich- und Er-Erzählung auch literaturwissenschaftlich und erzähltheoretisch erklärt werden kann. Die erzähltheoretische Begründung dieses strukturellen Unterschieds im Rahmen unseres Systems muß von der bereits postulierten Opposition zwischen Identität und Nichtidentität der Seinsbereiche des Erzählers und der Charaktere in einer fiktionalen Erzählung ausgehen. Von dieser Gegebenheit sind die distinktiven Merkmale der Ich-Erzählung einerseits und der Er-Erzählung andererseits abzuleiten.

Zunächst ist zu klären, wie weit in der Erzählforschung bereits versucht wurde, den Unterschied zwischen Ich- und Er-Erzählung auch theoretisch zu begründen.* Hier ist wieder einmal K. Hamburgers *Lo-*

---

rität versus Simultaneität im narrativen Zeit- Raum-Gefüge. Ein methodisches Problem und die medialen Grenzen der modernen Erzählstruktur", in: *Erzählforschung 1*, 184–223; Horst Meixner, „Filmische Literatur und literarisierter Film", in: *Literaturwissenschaft – Medienwissenschaft*, Heidelberg 1977, 32–43. Literaturtheoretische Ansätze zur Klärung der Verhältnisse zwischen literarischer und filmischer Erzählung finden sich bereits in Susanne Langer, *Feeling and Form: A Theory of Art Developed From 'Philosophy in a New Key'*, London [4]1967, 411ff., und in K. Hamburger, *Logik*, 176ff.

gik an erster Stelle zu nennen, denn von ihr wurde die bisher eingehendste literaturwissenschaftliche Begründung der gattungsmäßigen Wesentlichkeit der Ich-/Er-Opposition vorgelegt. Für K. Hamburger läuft zwischen der „epischen Fiktion", dem Roman in der Er-Form, und der „fingierten Wirklichkeitsaussage" der Ich-Erzählung eine kategoriale Grenze, die zwei grundlegend verschiedene Erzählweisen voneinander trennt: „epische Fiktion" ist Er-Erzählung, hervorgebracht von einer unpersönlichen Erzählfunktion, und „fingierte Wirklichkeitsaussage" ist der persönliche Bericht eines Ich-Erzählers. Fast alle Phänomene des Erzählens, die K. Hamburger in ihrer *Logik der Dichtung* aufgedeckt oder neu definiert hat, sind an dieser Gattungsgrenze angesiedelt, d. h. sie erfahren bei Überschreiten dieser Grenze eine Veränderung oder sind überhaupt durch sie terminisiert, d. h. enden an ihr: die Bedeutung des epischen Präteritums, die Funktion der Verben der inneren Vorgänge, die Erscheinung der erlebten Rede, der Bereich des persönlichen Erzählers und jener der unpersönlichen Erzählfunktion usw. Die eingehende und breite Diskussion, die K. Hamburgers Theorie in den vergangenen Jahren erfahren hat, macht es überflüssig, im einzelnen noch einmal auf die hiemit aufgeworfenen Fragen einzugehen. Allerdings kann K. Hamburgers Beweisführung für die Gültigkeit der Er-/Ich-Opposition, wie weiter oben bereits angedeutet wurde, nicht ohne Einschränkungen übernommen werden. Der wesentlichste Einwand richtet sich gegen ihren Versuch der Eliminierung des persönlichen Erzählers aus der Er-Form der epischen Fiktion, in der, wie sie meint, nur eine unpersönlich aufzufassende „Erzählfunktion" wirksam sei. Da die Abschwächung dieser These durch den Begriff des „Fluktuierens" der Erzählfunktion, dem K. Hamburger in der „stark veränderten" 2. Auflage der *Logik* mehr Raum gewährt, ihre Theorie im grundsätzlichen nicht verändert, kann sie hier außer Betracht bleiben. Nach K. Hamburger stehen sich an der Er-/Ich-Grenze des Romans nicht zwei Erzähler in verschiedenen Rollen gegenüber, sondern eine unpersönliche „Erzählfunktion", die sich im Normalfall nicht mit der Vorstellung einer persönlichen Erzählerfigur verbinden läßt, und ein persönlich auftretender Ich-Erzähler, dessen Jetzt und Hier im Erzählakt dem Leser jederzeit bewußt gemacht wird. Daraus ergibt sich für K. Hamburger, daß in einer Ich-Erzählung, und nur hier, wirklich erzählt wird: ein persönlicher Erzähler berichtet, was er zu einem früheren Zeitpunkt erlebt, beobachtet oder was er darüber in Erfahrung gebracht hat. Die „epische Fiktion" der Er-Erzählung ist dagegen gekennzeichnet durch die mimetische, unpersönliche Darstellungsleistung der bereits genannten Erzählfunktion. Somit liegt das Wesentliche des Unterschieds zwischen Er- und Ich-Erzählung nach K. Hamburger in einer Opposition, die je nach Akzentuierung mit folgenden Begriffspaaren zu erfassen ist: Mimesis – Diegesis, unpersönliches – persönliches Erzählen, Fiktion – Illusion der Wirklichkeitsaussage. Wie weiter oben bereits dargelegt wurde, kann diese Opposition auf der Ebene der „Tiefenstruktur" des Erzählens eine gewisse Gültigkeit beanspruchen. Auf der Ebene der „Oberflächenstruktur", auf der in der vorliegenden Arbeit die Erzählphänomene analysiert und beschrieben werden, ist diese Opposition aus dem gewichtigen Grund nicht aufrecht zu erhalten, daß in der Er-Erzählung auch ein persönlicher Erzähler hervortritt, nämlich der auktoriale Erzähler. Nur im Bereich der neutralisierten Erzählweise der auktorialen und personalen ES (siehe Typenkreis) und in der personalen ES selbst gilt, was K. Hamburger für alle Formen der Er-Erzählung ansetzt.

W. Lockemann übernimmt in seinem Artikel „Zur Lage der Erzählforschung"[22] zum Teil die Ergebnisse von Hamburgers Theorie, versucht jedoch im einzelnen eine andere Beweisführung, bei der dann gerade jene Aspekte berührt werden, die für unsere weitere Argumentation wichtig sind. Ausgehend von den Anfangssätzen aus *Wilhelm Meisters Lehrjahren* zeigt Lockemann, daß ein Unterschied in der „Glaubwürdigkeit" einer erzählten Aussage für den Leser besteht, je nachdem ob diese Aussage in der Er-Form oder in der Ich-Form, in die sie transponiert werden könnte, steht. Hier ist in der Tat ein weiterer, sehr wesentlicher Unterschied zwischen Er- und Ich-Form angesprochen. Der Ich-Erzähler ist nämlich per definitionem ein „unreliable narrator", um die Terminologie Booths[23] zu verwenden. Die „Unverläßlichkeit" des Ich-Erzählers ist aber primär nicht in seiner persönlichen Eigenschaft als Romanfigur begründet (nach ihrem Charakter, dem Grad ihrer Wahrheitsliebe, Aufrichtigkeit etc. gibt es ebenso viele „reliable" wie „unreliable" Ich-Erzählerfiguren), sondern in der ontologischen Basis der Position des Ich-Erzählers in der Welt der Erzählung: er kann auf Grund seines Standortes in der Welt der Charaktere und auf Grund seiner Ausstattung mit einer auch körperlich determinierten Eigenpersönlichkeit – aus beiden ergibt sich eine Eingrenzung seines Wahrnehmungs- und Wissenshorizontes – nur eine persönlich-subjektive und daher bedingt gültige Ansicht von den er-

22 W. Lockemann, „Zur Lage der Erzählforschung", *GRM,* N. F. 15 (1965), 63–84.
23 Vgl. W. C. Booth, *Rhetoric,* 158 et passim.

zählten Vorgängen haben. Diese bedingte „Glaubwürdigkeit" allein reicht als Unterscheidungskriterium nicht aus, denn auch manche auktoriale Er-Erzähler, das wird von Lockemann (81) übersehen, sind nur bedingt „glaubwürdig", weil auch sie als fiktionale Figuren zu gelten haben, die vom Autor geschaffen und mit einer gewissen Eigenpersönlichkeit ausgestattet worden sind. Allein der uneingeschränkt allwissende Erzähler wäre von dieser Bedingtheit der Erzählerrolle auszunehmen. Nur gibt es praktisch überhaupt keinen durchgehend allwissenden Erzähler. Fast jeder sich zunächst allwissend gebende auktoriale Erzähler wird früher oder später einer Einschränkung seines Wissenshorizontes unterworfen, oder die Fähigkeit zur letztgültigen Beurteilung einer Figur, eines Ereignisses wird ihm vorübergehend entzogen, wie schon in den Romanen Fieldings zu beobachten ist. „Reliability" ist daher, wie auch Booth meint, ein Problem des ‚dramatized narrator' ganz allgemein, also sowohl des persönlich sich kundgebenden auktorialen Erzählers als auch des persönlich sich kundgebenden Ich-Erzählers.

Der wesentliche Unterschied zwischen Er- und Ich-Erzählung liegt also nicht im Aspekt der „Glaubwürdigkeit" oder im „Gewißheitsgrad" der jeweiligen Erzählform, wenngleich auch hier graduelle Verschiedenheiten zwischen den beiden Erzählweisen erkennbar werden.[24] Wenn die „Glaubwürdigkeit" eines Er-Erzählers begrenzt ist, dann sind dafür im wesentlichen andere Gründe maßgeblich als beim Ich-Erzähler. Diese Gründe gilt es nun zu definieren, denn sie führen uns zum strukturell wichtigsten Differenzmerkmal zwischen Ich- und Er-Erzählung.

Bei der Darstellung des Systems der drei typischen Erzählsituationen wurde der Hauptunterschied zwischen einem persönlichen Ich-Erzähler und einem auktorialen Er-Erzähler als Konsequenz der Zugehörigkeit bzw. Nichtzugehörigkeit des Erzählers zur dargestellten Wirklichkeit, der fiktionalen Welt, in der die Charaktere leben, definiert. Der Ich-Erzähler unterscheidet sich demnach vom auktorialen Er-Erzähler durch die körperlich-existentielle Verankerung seiner Position in der fiktionalen Welt. Mit anderen Worten, der Ich-Erzähler verfügt

---

24 Der hier verwendete Begriff der „Glaubwürdigkeit" deckt sich teilweise mit G. Waldmanns „jemandem-etwas-glauben" als einem grundlegenden Moment jedes sprachlichen Kommunikationsverfahrens. Waldmann ordnet jeder der drei ES eine Variante davon zu. Vgl. Günter Waldmann, *Kommunikationsästhetik. Die Ideologie der Erzählform,* München 1976, 185–197.

über ein „Ich mit Leib" in der Welt der Charaktere, der auktoriale Erzähler, der ja auch „ich" sagt, wenn er sich auf sich selbst bezieht, verfügt dagegen weder innerhalb noch außerhalb der fiktionalen Welt der Charaktere über ein solches „Ich mit Leib". An einem auktorialen Erzähler können zwar recht ausgeprägte persönliche Züge sichtbar werden – daher ist auch bei ihm das Kriterium der „Glaubwürdigkeit" anwendbar –, doch werden diese Persönlichkeitsmerkmale nicht mit der Vorstellung einer bestimmten Körperlichkeit verknüpft. Wo dies in einem auktorialen Roman dennoch geschieht, bleibt dieser auktoriale Körper ein bloßer Funktionsmechanismus, der etwa am Schreibtisch sitzend die Feder übers Papier führt und der daher das auktoriale Ich nicht existentiell determiniert. Ganz anders der Ich-Erzähler der „klassischen", d. h. der quasi-autobiographischen Form des Ich-Romans; sein Ich ist ganz konkret ein „Ich mit Leib", d. h. seine Körperlichkeit ist Teil seiner Existenz, die als erlebendes Ich dem Leser bekannt gemacht wird. Aber auch dem erzählenden Ich haftet diese Körperlichkeit noch an, wenngleich sie bei verschiedenen Autoren in recht unterschiedlichem Ausmaß konkretisiert wird. Der Ich-Erzähler der *Bekenntnisse des Hochstaplers Felix Krull* besitzt, das ist kaum zu übersehen, ein solches „Ich mit Leib", dem auch das erzählende Ich noch tributpflichtig ist. Die Leiblichkeit dieses erzählenden Ich wird gleich zu Beginn thematisiert, indem der Erzähler über eine große Müdigkeit klagt, die ihn bei der Abfassung seiner Lebensgeschichte behindert.

Indem ich die Feder ergreife, um in völliger Muße und Zurückgezogenheit – gesund übrigens, wenn auch müde, sehr müde (so daß ich wohl nur in kleinen Etappen und unter häufigem Ausruhen werde vorwärtsschreiten können), indem ich mich also anschicke, meine Geständnisse in der sauberen und gefälligen Handschrift, die mir eigen ist, dem geduldigen Papier anzuvertrauen, beschleicht mich das flüchtige Bedenken, ob ich diesem geistigen Unternehmen nach Vorbildung und Schule denn auch gewachsen bin. Allein, da alles, was ich mitzuteilen habe, sich aus meinen eigensten und unmittelbarsten Erfahrungen, Irrtümern und Leidenschaften zusammensetzt und ich also meinen Stoff vollkommen beherrsche, so könnte jener Zweifel höchstens den mir zu Gebote stehenden Takt und Anstand des Ausdrucks betreffen, und in diesen Dingen geben regelmäßige und wohlbeendete Studien nach meiner Meinung weit weniger den Ausschlag, als natürliche Begabung und eine gute Kinderstube. (Frankfurt/M. 1955, 9)

Die körperliche Müdigkeit dieses „Ich mit Leib" ist als unmittelbare Folge der Lebensgeschichte des erzählenden Ich, die es sich anschickt zu erzählen, zu verstehen. Sie signalisiert also einen existentiellen Zu-

sammenhang zwischen den Erlebnissen des Helden und dem Erzählvorgang, zwischen dem erzählenden und dem erlebenden Ich.[25] In einer auktorialen Erzählung würde eine ähnliche Selbstcharakteristik
des Erzählers ein ins Leere weisender autobiographischer Schnörkel
bleiben. In Sternes *Tristram Shandy* wird die Leiblichkeit des erzählenden Ich sogar eines der Zentralthemen der Erzählung. Man könnte
daher ein treffendes Wort B. Fabians[26] über Sternes Roman variieren
und *Tristram Shandy* als Romanversuch eines „Ich mit Leib" über die
Unmöglichkeit, mit einer solchen leiblichen Last einen Roman zu
schreiben, bezeichnen. Im Vergleich zu *Tristram Shandy* und *Felix
Krull* bleiben die Erzähler des *Tom Jones* oder des *Zauberberg,* die
nicht weniger häufig „ich" sagen als die genannten Ich-Erzähler und
deren geistige Physiognomie für den Leser auch deutlich erkennbar
wird, körperlos, unleiblich. Hier also liegt der entscheidende Unterschied zwischen Ich- und Er-Bezug in der Erzählung. Nicht der Aspekt
der Persönlichkeit (Ich-Erzähler) und der Unpersönlichkeit (Erzählfunktion) des Erzählvorganges ist, wie K. Hamburger meint, aus-
schlaggebend, sondern das Maß der „Leiblichkeit" des ‚ich'-sagenden
Erzählers. Diese „Leiblichkeit" kennzeichnet in der Form des quasi-
autobiographischen Ich-Romans sowohl das erlebende als auch das
erzählende Ich. Mit der Reduktion der Darstellung des erzählenden
Ich (vgl. Typenkreis) nimmt auch der Grad der „Leiblichkeit" des erzählenden Ich ab, doch tritt dafür die „Leiblichkeit" des erlebenden
Ich umso deutlicher hervor.

25 W.J.M. Bronzwaer bedient sich in seiner Analyse von Iris Murdochs Ich-
    Roman *The Italian Girl* eines etwas anderen Bezugssystems und anderer
    Begriffe, kommt aber dennoch zu ähnlichen Ergebnissen. Über den An-
    fangssatz des Romans „I pressed the door gently" (der Ich-Erzähler kehrt
    nach längerer Abwesenheit in das Haus seiner Kindheit zurück) heißt es
    z. B. bei Bronzwaer: „In the first analysis, the I here refers to the implied au-
    thor or the narrator. It is a purely instrumental pronoun, which can for that
    reason function as the initiator of the narrative. With the definite article in
    ‚the door', however, the I's involvement in the story is suddenly brought
    about: he is now talking about a door that is familiar to him. His response to
    the door [...] is not that of a narrator; it is that of a character, a human be-
    ing who has known this door from childhood and cannot help responding to
    it emotionally". Vgl. *Tense in the Novel. An Investigation of Some Potentia-
    lities of Linguistic Criticism,* 90.
26 „*Tristram Shandy* [...] als Roman über die Unmöglichkeit, einen Roman
    zu schreiben". Bernhard Fabian, „L. Sterne: *Tristram Shandy*", 240.

4.5. Die zeit-räumliche Deixis in Ich- und Er-Erzählungen

Der hier aufgezeigte Unterschied zwischen Ich- und Er-Erzählung
reicht bis in tiefere Schichten der Struktur einer Erzählung, das kann
an der zeit-räumlichen Deixis, an den Orts- und Zeitadverbien, die in
der jeweiligen ES dazu eingesetzt werden können, nachgewiesen werden. Zur Illustration soll ein Beispielsatz aufgegriffen werden, der bereits von K. Bühler eingeführt und dann von K. Hamburger wieder
verwendet wurde, um die deiktische Eigenart der Fiktionsstruktur zu
demonstrieren. Bühler verwendet das Beispiel eines Romanhelden,
von dem berichtet wird, daß er sich in Rom befindet, um daran die
Versetzungstheorie zu demonstrieren. Nach Bühler könne ein „Romanautor", d.h. natürlich ein auktorialer Erzähler, nach Mitteilung
dieses Sachverhalts nach Belieben, d.h. je nachdem ob eine Versetzung seines Standpunktes zum Ort der Handlung erfolgt oder nicht,
mit „dort" oder „hier" fortfahren: „,Dort' stapfte er den lieben langen
Tag auf dem Forum herum, dort [...] Es könnte ebensogut ‚hier' heißen".[27] K. Hamburger kann dieser Versetzungstheorie nicht zustim-
men, da eine solche Erklärung die Annahme eines persönlichen Erzählers mit einem eigenen zeiträumlichen Orientierungssinn voraus-
setzt. Für K. Hamburger ist beim fiktionalen Erzählen (Er-Erzählung)
nur das Orientierungssystem (Ich-Origo) der Romanfigur(en) maßgeblich, nicht aber das des Erzählers bzw. der Erzählfunktion. Doch
Hamburgers Erklärung wird durch ihr eigenes Beispiel widerlegt, mit
dem sie zu belegen sucht, daß „ein Dort [...] nicht anders als ein Hier
auf die fiktive Gestalt, die fiktive Ich-Origo der Romanperson bezogen [sei]. Dies wird sogleich ersichtlich, wenn man ein deiktisches
Zeitadverb mit dem Dort verbindet: ‚dort stapfte er heute den ganzen
Tag herum' kann es ebenso gut heißen wie ‚hier stapfte er heute...'"
(107). Das Ferndeiktikon „dort" kann aber in einer auktorialen Er-
Erzählung nicht ohne weiteres zusammen mit dem Nahdeiktikon
„heute" in einem Satz erscheinen, wohl aber in einer Ich-Erzählung.
Ein Grund für diesen Sachverhalt ist die Leiblichkeit des Ich-Erzählers, die körperliche Anwesenheit am Ort des Geschehens, auf den
sich die Aussage bezieht. Durch sie wird die raum-zeitliche Orientierung so nachdrücklich determiniert, daß sich ein selbständiges, auto-
nomes Orientierungssystem um dieses Ich herum aufbaut, innerhalb
dessen Fern- und Nah-Deixis nebeneinander möglich werden. Ein

---

27 Karl Bühler, *Sprachtheorie* (1934), Stuttgart ²1965, 138.

auktorialer Er-Erzähler ist wegen seiner Unkörperlichkeit nicht ohne weiteres imstande, ein ähnlich autonom funktionierendes Orientierungssystem aufzubauen. Er muß gleichsam von Satz zu Satz entscheiden und diese Entscheidung dem Leser deutlich signalisieren, ob er das Orientierungszentrum in das Jetzt und Hier einer Romanfigur verlegt haben möchte, oder ob es in der unbestimmten zeitlichen und räumlichen Ferne bleiben soll, die durch den auktorialen Erzählvorgang suggeriert wird. Das heißt, daß Bühlers Versetzungstheorie eigentlich nur für die auktoriale ES gültig ist. Wiederum anders funktioniert die Erzähldeixis im Zusammenhang mit einer personalen ES, wie bei der Besprechung der Opposition Erzähler-Reflektor noch zu erörtern sein wird.[28]

4.6. Die „Leiblichkeit" des Erzählers und die Motivation zum Erzählen

Nach diesem Exkurs über den Unterschied zwischen den in einer Er-Erzählung und einer Ich-Erzählung vorherrschenden deiktischen Verhältnissen kehren wir zum eigentlichen Thema dieses Kapitels zurück, dem Gegensatz zwischen einem Erzähler-„Ich mit Leib" und einem Erzähler ohne solche leibliche Determiniertheit, also zwischen einem Ich-Erzähler und einem auktorialen Er-Erzähler. Aus der Leiblichkeit bzw. Nichtleiblichkeit des Erzähler-Ich ergibt sich ein sehr wichtiger, vielleicht sogar der wesentlichste Unterschied in der Motivation des Erzählers zum Erzählen. Für ein „Ich mit Leib" ist diese Motivation existentiell, sie hängt direkt mit seinen Lebenserfahrungen, seinen erlebten Freuden und Leiden und seinen Stimmungen, Bedürfnissen zusammen. Sie kann von daher etwas Zwanghaftes, Schicksalhaftes, Unausweichliches erhalten, wie es z. B. am Ich-Erzähler von *The Catcher in the Rye* erkennbar wurde. Die Erzählmotivation kann aber auch einem Bedürfnis nach ordnender Überschau, einer Sinnsuche vom Standpunkt des gereiften, abgeklärten Ich, das

---

28 Das Problem der Deixis in der Erzählung ist noch weit von einer endgültigen Klärung entfernt, doch liegen gerade in der neuesten Erzählforschung schon einige sehr interessante Arbeiten dazu vor. Es sei hier besonders verwiesen auf den Beitrag von Reinhold Winkler, „Über Deixis und Wirklichkeitsbezug in fiktionalen und nicht-fiktionalen Texten", in: *Erzählforschung 1*, 156–174. Dort auch weiterführende Literaturangaben.

den Irrungen und Wirrungen des Lebens entwachsen ist, entspringen. Hier ist ebenso, wenn auch über eine größere Erlebnisdistanz hinweg, die Motivation zum Erzählen letztlich existentiell bedingt, denn in einer Ich-Erzählung bildet der Erzählvorgang immer mit Erlebnis und Erfahrung des Ich einen Zusammenhang, eine eigentliche Einheit, bzw. ist der Leser dazu verhalten, in seinem Vorstellungsbild diese existentielle Einheit von Erleben und Erzählen zu konkretisieren. Mit anderen Worten, die Vollendung des Lebens eines Ich-Erzählers wird erst mit der Vollendung des Erzählaktes erreicht. So ist z. B. der Erzählakt der von Geistererscheinungen heimgesuchten Gouvernante in Henry James' Ich-Erzählung „The Turn of the Screw" nichts anderes als der letzte Akt der Selbstdramatisierung dieser Figur, also die direkte Fortsetzung der Rolle, die die Gouvernante in der Handlung der Geschichte spielt.

Für den Er-Erzähler gibt es dagegen keinen existentiellen Zwang zum Erzählen. Seine Motivation ist eher literarisch-ästhetisch als existentiell. Der auktoriale Erzähler des *Tom Jones* oder des *Zauberberg* kann mit dem Schicksal seines Helden mitfühlen, Zuneigung oder Abneigung gegen ihn hegen. Diese Einstellung wird unter Umständen auch auf das Erzählverfahren („the rhetoric of fiction" im Sinne von W. C. Booth) Einfluß haben, sie motiviert aber den Erzähler nicht existentiell zum Erzählen. Daraus ist weiter abzuleiten, daß einem auktorialen Erzähler ein Rollenwechsel, etwa vom allwissenden Olympier zum unkörperlichen und daher auch unsichtbaren Augen- und Ohrenzeugen auf der Szene des Geschehens, viel leichter fällt als einem „Ich mit Leib". Dieses „Ich mit Leib" ist an seine Körperlichkeit auch darin gebunden, daß es den ihm zugewachsenen Leib mit sich herumschleppen muß, auch wenn er ihm als Erzähler lästig wird, wie z. B. dem Ich-Erzähler vom S. Becketts *Molloy* und *Malone Dies*.

Das alles wird dem Leser im allgemeinen nicht bewußt, er kann sich aber dennoch der ganz spezifischen suggestiven Wirkung, die z. B. von der existentiellen Motivation eines erzählenden „Ich mit Leib" ausgeht, nicht entziehen. Auch haben die Innovationen moderner Autoren im Bereich der Ich-Erzählung sehr viel dazu beigetragen, diese Verhältnisse auch für den Leser zu problematisieren und wenigstens teilweise einschaubar zu machen, wobei ihnen allerdings L. Sterne bereits ein gutes Stück des Weges vorausgegangen ist. *Tristram Shandy* ist geradezu das Paradigma für die existentielle Gebundenheit des Ich-Erzählers an seine Leiblichkeit:

No – I think, I said, I would write two volumes every year, provided the vile cough which then tormented me, and which to this hour I dread worse than the devil, would but give me leave –[29]

Max Frisch macht gerade diese Bindung zum Ansatzpunkt der Identitätssuche seiner Ich-Erzähler. So kann man seinen Roman *Mein Name sei Gantenbein* auch so lesen, daß hier ein zunächst körperloses, fast auktoriales „Buch-Ich" gleichsam experimentell erprobt, welches „Ich mit Leib", Enderlin, Gantenbein oder Svoboda, am besten geeignet ist, sein weitgehend anonymes und abstrahiertes Erzähler-Ich-Dasein mit jener menschlichen Substanz zu füllen, die eine existentiell wie auch ästhetisch befriedigende Ganzheit des Seins gewährleisten würde. In der Erzählung *Montauk* des selben Autors mühen sich, so könnte man sagen, ein „Ich ohne Leib" und ein „Ich mit Leib" damit ab, an das Elusive der Persönlichkeit der Hauptgestalt, die einmal als Er dann wieder als Ich erscheint, heranzukommen.

4.7. Einige Konsequenzen für die Interpretation

Der eigentliche Unterschied zwischen einem Ich-Bezug und einem Er-Bezug in einer Erzählung ist, wie bereits bei der Neukonstituierung der ES dargelegt wurde, in der Opposition Identität und Nicht-Identität der Seinsbereiche von Erzähler und Charakteren begründet. Der Hilfsbegriff „Ich mit Leib" für den Ich-Erzähler läßt einen Aspekt, der sich aus der Identität der Seinsbereiche in der Ich-Erzählung ergibt, deutlich hervortreten, nämlich die Bindung des Erzählaktes an die existentiellen Bedingungen des Erzähler-Ich in der dargestellten Wirklichkeit. Damit wird, wie schon angedeutet, die Motivation für die besondere Art und Weise des Erzählaktes und der Vorgang der Auswahl des Erzählten einschaubar und aus dem aufgezeigten Zusammenhang interpretierbar. Die Relativierung der Aussage durch die Erzählform stellt sich in ihrer existentiellen Bedingtheit dar. In einer auktorialen Er-Erzählung können wir dagegen nur literarische oder ästhetische Konventionen als den Erzählakt bedingende Faktoren in Rechnung stellen.

An zwei Textbeispielen soll nun ein Aspekt dieser Unterscheidung

---

29 Laurence Sterne, *Tristram Shandy,* VII, 1. Vgl. auch F. K. Stanzel, „*Tom Jones* und *Tristram Shandy*", in: *Henry Fielding und der englische Roman des 18. Jahrhunderts,* Darmstadt 1972, 446.

demonstriert werden. Es bieten sich dazu Beispiele aus den „Tales"
von H. James an, in denen, wie bereits erwähnt, der Autor im Gegensatz zu seinen Romanen, wo er die auktoriale bzw. personale Er-Form
sehr bewußt wählt und konsequent durchführt, ein gewisses Schwanken zwischen den Konventionen der Ich- und der Er-Form erkennen
läßt. In der Erzählung „The Real Thing" ist die Hauptfigur, ein Maler
auf der Suche nach geeigneten Modellen für eine Serie von Romanillu-
strationen, der Ich-Erzähler der Geschichte. Dieser Ich-Erzähler berichtet über seine Erfahrung mit einem sehr vornehm aussehenden
Ehepaar, das, offensichtlich durch finanzielle Schwierigkeiten gezwungen, sich als Modell verdingen möchte:

I liked them – they were so simple; and I had no objection to them if they would
suit. But, somehow, with all their perfections I didn't easily believe in them. After all they were amateurs, and the ruling passion of my life was the detestation
of the amateur. Combined with this was another perversity – an innate pref-
erence for the represented subject over the real one: the defect of the real one
was so apt to be a lack of presentation. I liked things that appeared; then one
was sure. (*Complete Tales,* hg. Leon Edel, VIII, 236 f.)

Die Vorbehalte, die der Maler damals, als das Paar bei ihm Beschäftigung suchte, gegen sie hatte, werden durch die Ich-Form der Erzählung in einer Weise relativiert, wie dies in einer Er-Form nicht möglich
wäre. Zunächst ist daran die Erzähldistanz, die zeitliche und psychologische Ferne, aus der das erzählende Ich jetzt die Überlegungen und
Gefühle des erlebenden Ich von damals berichtet, beteiligt. Das Präteritum „was" in „the ruling passion of my life was the detestation of
the amateur" und „Combined with this was another perversity" bedeutet für den Erzähler und damit auch für den Leser wirkliche Vergangenheit, die die Gegenwart des Ich-Erzählers von diesen Ansichten freihält. Dies wird bekräftigt durch den ungewöhnlich krassen
Ausdruck für eine der überwundenen Ansichten des Malers: „perversity". Die Wahl dieses Wortes ist jedenfalls auf das Konto des erzählenden Ich zu buchen, das sich damit nachdrücklich von dieser früheren Auffassung distanziert. Daraus muß der Leser schließen, daß das
Erzähler-Ich seit der Zeit der berichteten Vorgänge eine Wandlung
durchgemacht hat, die eine Revision seiner Lebens- und Kunstauffas-
sung zur Folge hatte. Alles das ist von weitreichender Bedeutung für
die Interpretation der Erzählung, im besonderen der Einstellung des
Malers zu dem erwähnten Ehepaar. Der Schluß wird nur verständlich,
wenn die existentielle Voraussetzung des Erzählaktes, nämlich eine
entsprechende Änderung der Ansichten der Ich-Figur als Mensch und

Künstler, auf die sich im Laufe der Erzählung auch einige Male Hinweise finden, in die Deutung der Erzählung mit eingebracht wird. Stünde diese Erzählung in der Er-Form, bliebe die Erzähldistanz, wie schon ein kurzer Transponierungsversuch zeigt, merkmallos und insignifikant, das Präteritum ,was' bedeutete dann nicht, daß es jetzt nicht mehr so ist. Es stünden sich nur die differierenden Ansichten des Hauptcharakters, nämlich des Malers, und eines auktorialen Erzählers gegenüber, ohne daß es zu einer Konfrontation der verschiedenen Ansichten im Bewußtsein *einer* Person käme.

Mit dieser Stelle aus einer Ich-Erzählung sei nun eine ähnliche Stelle aus einer Er-Erzählung vom selben Autor verglichen. ,,The Pupil" erzählt die Geschichte des Hauslehrers Pemberton und seines Schülers Morgan, jüngstes und kränkliches Kind einer amerikanischen Familie, die in Florenz, Venedig, Nizza und Paris ein ruheloses, durch zunehmende wirtschaftliche Schwierigkeiten überschattetes Touristendasein fristet. Pemberton, der nie ein geregeltes Gehalt für seine Dienste erhält, sieht sich durch die faszinierende Persönlichkeit seines frühreifen, gescheiten Schützlings, mit dem er in der folgenden Stelle Paris erkundet, hinreichend entschädigt:

They learned to know their Paris, which was useful, for they came back another year for a longer stay, the general character of which in Pemberton's memory today mixes pitiably and confusedly with that of the first. He sees Morgan's shabby knickerbockers – the everlasting pair that didn't match his blouse and that as he grew longer could only grow faded. He remembers the particular holes in his three or four pair of coloured stockings.

Morgan was dear to his mother, but he never was better dressed than was absolutely necessary. (VII, 422f.).

Die in einer Er-Erzählung unerwartete Erwähnung von Pembertons späterer Erinnerung an diese Tage in Paris ist für die Interpretation der Erzählung wenig relevant. Die Erzähldistanz ist hier, obgleich durch den Tempuswechsel von Präteritum zu Präsens – dieses Präsens bezeichnet auch die Erzählgegenwart des auktorialen Erzählers – stark hervorgehoben, nahezu merkmallos und insignifikant. Der Grund dafür liegt in der Er-Form der Erzählung, durch die der Erzählakt nicht mit der existentiellen Situation Pembertons über das Ende der Geschichte, markiert durch Morgans plötzlichen Tod, hinaus verbunden und daher auch von dorther nicht motiviert wird. Die späteren Erinnerungen Pembertons an diese Episode, vom auktorialen Erzähler, wie es scheint, etwas willkürlich ausgewählt, bleiben daher für das Sinngefüge der Erzählung nahezu belanglos. Transponiert man diese Stelle in die Form einer Ich-Erzählung, so erlangt die Aussage, daß sich der Ich-Erzähler jetzt, im Erzählvorgang, an diesen Eindruck, den die Erscheinung Morgans damals auf ihn machte, erinnert, eine gewisse Bedeutung. Es ist nicht mehr eine zufällig herausgegriffene Episode, sondern erhält durch die Selektion, die ihr in der Erinnerung des Ich-Erzählers zuteil wird, eine gewisse existentielle Relevanz.

Es liegt trotz der künstlerischen Sorgfalt, mit der H. James in der Regel seine Erzählungen verfaßt hat, nahe, anzunehmen, daß in dem Vorgriff auf eine spätere Rückerinnerung Pembertons ein Rest einer früheren Abfassungsschicht, in der die Erzählung vielleicht noch in der Ich-Form mit Pemberton als Ich-Erzähler konzipiert war, sichtbar wird. (Von den zehn Erzählungen, die unmittelbar vor und nach „The Pupil" entstanden sind, stehen auffälligerweise fünf in der Ich- und fünf in der Er-Form.[30]) Für diese These spricht auch, daß in mehreren anderen Er-Erzählungen von H. James ebenfalls solche, für Er-Erzählungen ungewöhnliche, in Ich-Erzählungen aber allgemein übliche Vorgriffe auf die spätere Erinnerung an ein Erlebnis zu finden sind. Man vergleiche dazu die folgende Stelle aus „The Lesson of the Master":

He still, whenever he likes, has a vision of the room, the bright red sociable talkative room with the curtains that, by a stroke of successful audacity, had the note of vivid blue. He remembers where certain things stood, the particular book open on the table and the almost intense odour of the flowers placed, at the left, somewhere behind him [. . .] (VII, 284).

Eine andere, allgemeinere und für die Erzähltheorie daher vielleicht ebenso interessante Erklärung wäre, diese Erzähleigenart auf eine Tendenz zum Ausgleich des Unterschiedes zwischen Ich-Erzählung und auktorialer bzw. personaler Er-Erzählung zurückzuführen. Indem ein auktorialer Erzähler einer seiner Figuren das Privileg der Rückerinnerung von einem Zeitpunkt nach Abschluß des erzählten Geschehens aus verleiht, ein Privileg, das in der Regel nur ein Ich-Erzähler besitzt, nähert er diese Figur an einen Ich-Erzähler an. Diese privilegierte Figur betrachtet einzelne Episoden ihrer Erfahrung wie ein Ich-Erzähler aus einer entsprechenden zeitlichen Distanz. Mit einem Ich-Erzähler hat sie dann – wenn auch nur vorübergehend – gemeinsam die existentielle Bedingtheit ihres Bewußtseinszustandes im Augenblick des Rückblickes durch die Bindung an ein erlebendes Subjekt, das wir beim Ich-Erzähler „Ich mit Leib" genannt haben.

---

30 Vgl. K. B. Vaid, *Technique in the Tales of Henry James*, „Chronology of Tales", 264f.

Auch das Heranführen der Handlungszeit an die Erzählgegenwart am Schluß der Erzählung – sie drückt sich im Übergang des Erzähltempus vom Präteritum zum Präsens aus, eine Konvention, die sowohl im älteren Ich-Roman als auch im älteren auktorialen Roman weit verbreitet ist – zielt in die gleiche Richtung. Am Ende von „The Lesson of the Master" wird die Erlebnisgegenwart der Hauptfigur der Erzählung, des jungen Romanautors Paul Overt, so in die Erzählgegenwart des auktorialen Erzählers eingebunden: „Paul doesn't yet feel safe. I may say for him, however, that[. . .]" (VII, 284).

Es ist also in den Erzählungen („Tales") von H. James eine Tendenz festzustellen, die in seinen Romanen anscheinend keine Entsprechung findet, nämlich die Er-Erzählung an die Ich-Erzählung anzunähern, indem der Autor Hauptfiguren von Er-Erzählungen jene existentielle Bedingtheit ihrer Rückerinnerung mitzugeben trachtet, die eigentlich nur Ich-Erzählern zusteht. Gleichzeitig nähert sich auch der auktoriale Erzähler in solchen Passagen der Welt der Charaktere, indem er seine Erzählgegenwart mit der schließlichen Erlebnisgegenwart der Figuren zusammenfließen läßt. Über diese Tendenzen zur Angleichung der auktorialen ES an die Ich-ES, wie sie von älteren Autoren sehr häufig in viel auffälligerer Form unternommen wird, etwa in der Pumpernikkel-Episode von Thackerays *Vanity Fair,* wird sogleich noch mehr zu sagen sein.

Fassen wir das Ergebnis unserer Erörterung der Opposition Ich-/Er-Erzählung zusammen: Das Wesentliche der Ich-Erzählung im Vergleich zur Er-Erzählung liegt in der Art und Weise, wie die Begebenheiten einer Geschichte vom Erzähler betrachtet werden, und in der Art der Motivierung der Auswahl dessen, was erzählt wird. Alles, was in der Ich-Form erzählt wird, ist irgendwie von existentieller Relevanz für den Ich-Erzähler. Für diese existentielle Relevanz des Erzählten für den Ich-Erzähler gibt es in der Er-Erzählung – von den bei H. James beobachteten Annäherungen an die Ich-Erzählung abgesehen – keine entsprechende, ähnlich wirkende Sinndimension. Die Erzählmotivation eines auktorialen Erzählers ist literarisch-ästhetischer, nie aber existentieller Art.

Dieser Aspekt des Unterschiedes zwischen Ich- und Er-Erzählung hat in der Erzähltheorie bisher noch kaum Beachtung gefunden. Am nächsten scheint ihm David Goldknopfs Begriff des „confessional increment", einer Art Sinnzuwachs durch die Form des Selbstgeständnisses, zu kommen: „The ,confessional increment' means simply this: everything an I-narrator tells us has *a certain characterizing significance* over and above its data value, *by virtue of the fact that he is telling it to us.* This added significance may be minor, of course, depending on what he tells us. For example. ‚He was born nineteen years ago in San Diego, California,' and ‚I was born nineteen years ago in San Diego, California,' are almost equivalent, because there is nothing especially noteworthy about a person telling us when and where he was born. The meaning of both statements is largely confined to their factual content. But if the informant is a woman, and the age is forty, and the place has a slightly lurid connotation – for example, Las Vegas – the confessional increment begins to operate [. . .] Assume that an author tells us, ‚He was born nineteen years ago in San Diego, California. His mother was a whore'. An I-character giving us the same data becomes the *kind* of person who calls his mother a whore. And in our liberal age that becomes a much more important characterizing element than the lineage itself [. . .] this increment is the most valid reason for using an I-narrator."[31] Goldknopfs Begriff des „confessional increment" bezeichnet im wesentlichen jenen Aspekt der Ich-Erzählung, für dessen Beschreibung hier der Begriff der existentiellen Bedingtheit des Ich-Erzählaktes durch ein „Ich mit Leib" verwendet wurde. Goldknopfs These führt also im wesentlichen zum gleichen Resultat wie unsere Überlegungen, obgleich seine Blickrichtung der unseren entgegengesetzt zu sein scheint. Für Goldknopf determiniert der Erzählakt das Ich, für uns determiniert das Ich den Erzählakt. In beiden Fällen aber ist die wechselseitige Abhängigkeit von erzählendem und erlebendem Ich von entscheidender Wichtigkeit für die Interpretation. Die Ansicht des amerikanischen Romantheoretikers und Romanautors Goldknopf ist eine umso gewichtigere Bestätigung unserer These, als sie ausdrücklich im Widerspruch zu Booths Ansicht von der Banalität des Unterschiedes zwischen der Ich- und Er-Form der Erzählung formuliert wurde (vgl. 39).

---

31 D. Goldknopf, *The Life of the Novel*, Chicago 1972, 38 f. (Hervorhebung in Zeilen 2–4 von mir).

4.8 Der Wechsel zwischen Ich-Bezug und Er-Bezug

> Ich möchte nicht das Ich sein, das meine Geschichte erlebt.
> (M. Frisch, *Mein Name sei Gantenbein*)
> Das *er* ist ein auf Distanz gehaltenes *ich*.
> (Dubois et al., *Allgemeine Rhetorik*)

Ein Widerstand des erzählenden Ich gegen seine totale Identifizierung mit dem erlebenden Ich ist latent in vielen Ich-Romanen vorhanden. Die Scheu vor der Enthüllung der vergangenen Irrungen und Wirrungen des eigenen Ich kann dafür nur ganz vordergründig als Erklärung gelten, wenngleich sie recht gerne von Ich-Erzählern, wie z.B. in S. Maughams *Cakes and Ale,* in Anspruch genommen wird:

I wish now that I had not started to write this book in the first person singular [. . .] it is not so nice when you have to exhibit yourself as a plain damned fool. (Harmondsworth 1969, 143 f.).

Die eigentliche Ursache dieses Widerstrebens sitzt tiefer und hängt mit der „Leiblichkeit" des erlebenden Ich zusammen, von der das erzählende Ich, das mehr auf Geistiges hin orientiert ist, auf Erinnerung, Imagination und Zerebralisierung, nicht immer in so offen eingestandener, aber doch merklicher Weise Abstand zu gewinnen trachtet. Die prägnanteste Form, in der ein solches Distanzierungsstreben des erzählenden Ich Ausdruck finden kann, ist der Pronominalwechsel von Ich zu Er im Bezug auf das frühere Ich des Ich-Erzählers. Darin bestätigt sich die Diagnose von Dubois und Mitarbeitern: „Das *er* ist ein auf Distanz gehaltenes *ich*". Daneben gibt es aber auch noch einige andere Ausdrucksmittel für diese Neigung eines Ich-Erzählers. So wird z.B. in *David Copperfield* der Ich-Bezug praktisch nie aufgegeben, dafür zeigt der Ich-Erzähler hier große Bereitschaft, seine Erinnerung an bestimmte Episoden und Szenen aus seinem früheren Leben nicht im üblichen Erzähltempus, dem Präteritum, sondern im Präsens darzustellen. Die Bezeichnung „historisches Präsens" ist dafür nicht ganz zutreffend, da es sich dabei nur selten um eine die Entwicklung verlebendigende Vergegenwärtigung des Erinnerten handelt.[32] Häufig er-

---

32 Vgl. dazu die Diskussion über die Frage, ob das Erzählpräsens eine vergegenwärtigende oder eine andere Funktion hat, bei K. Hamburger, *Logik*, 84 ff.; C. P. Casparis, *Tense Without Time*, 17 ff.; L. Cerny, *Erinnerung bei Dickens*, 95 ff.; M. Markus, *Tempus und Aspekt*, München 1977, 36 ff.

zeugt dieses Präsens eine Art Tableau-Effekt: das Erinnerte wird wie ein Bild in einiger Entfernung, d.h. gut überschaubar und für die ruhige, distanzierte Betrachtung fixiert, vorgestellt. Auch daraus resultiert eine Distanzierung: das Ich auf dem fixierten Tableau ist fast schon ein Er. Die am häufigsten in diesem Zusammenhang zitierte Stelle aus *David Copperfield* ist der Anfang des 43. Kapitels („Another Retrospect"):

Once again, let me pause upon a memorable period of my life. Let me stand aside, to see the phantoms of those days go by me, accompanying the shadow of myself, in dim procession. Weeks, months, seasons, pass along. They seem little more than a summer day and a winter evening. Now, the Common where I walk with Dora is all in bloom, a field of bright gold; and now the unseen heather lies in mounds and bunches underneath a covering of snow. In a breath, the river that flows through our Sunday walks is sparkling in the summer sun, is ruffled by the winter wind, or thickened with drifting heaps of ice. Faster than ever river ran towards the sea, it flashes, darkens, and rolls away [. . .]
We have removed, from Buckingham Street, to a pleasant little cottage very near the one I looked at, when my enthusiasm first came on [. . .] What does this portend? My marriage? Yes!
Yes! I am going to be married to Dora! [. . .]
Still I don't believe it. We have a delightful evening, and are supremely happy; but I don't believe it yet. I can't collect myself. I can't check off my happiness as it takes place. I feel in a misty and unsettled kind of state; as if I had got up very early in the morning a week or two ago, and had never been to bed since. I can't make out when yesterday was. I seem to have been carrying the licence about, in my pocket, many months. (Harmondsworth 1975, 691–95)

4.8.1 Der Ich-/Er-Bezugswechsel in Henry Esmond

Das interessanteste Beispiel für einen konsequenten Wechsel zwischen Ich- und Er-Bezug aus der englischen Romangeschichte ist Thackerays *Henry Esmond* (1852).[33] Im Ich-Roman *Henry Esmond*

---

33 Auch in dem fast gleichzeitig entstandenen Roman von Dickens, *Bleak House* (1852–53), wechseln regelmäßig längere, jeweils mehrere Kapitel umfassende Abschnitte, in denen eine ausgeprägt auktoriale ES vorherrscht, mit Abschnitten, in denen ein Ich-Erzähler auftritt. Da der auktoriale Erzähler und der Ich-Erzähler (Esther Summerson) zwei verschiedene Personen sind, die die Dinge von verschiedenen Standpunkten und auf recht unterschiedliche Weise sehen, handelt es sich bei *Bleak House* eigentlich um eine Kombination von 2 verschiedenen Erzählungen über ein und dasselbe Thema, nicht aber um einen Bezugswechsel.

begegnet uns der Wechsel des Bezugs bereits im Übergang von Buch-
zu Kapiteltitel und von Kapiteltitel zu Erzähltext:

Book II
Contains Mr. Esmond's Military Life, and other Matters Appertaining to the
Esmond Family.

Chapter I.
I am in Prison, and Visited, but not Consoled There.

Those may imagine, who have seen death untimely strike down persons revered
and beloved, and know how unavailing consolation is, what was Harry Esmond's anguish after being an actor in that ghastly midnight scene of blood and
homicide. He could not, he felt, have faced his dear mistress, and told her that
story. (Harmondsworth 1972, 203)

Die Verhältnisse hier sind also relativ kompliziert. Vielleicht ist dies
ein Grund dafür, daß der Bezugswechsel in *Henry Esmond* noch nicht
befriedigend erklärt worden ist. Ein weiterer Grund dafür ist vermutlich, daß von der Thackeray-Kritik bisher ziemlich übereinstimmend
angenommen wurde, Thackeray habe sich bei diesem für uns heute so
auffälligen Experiment von keiner bestimmten künstlerischen Absicht
leiten lassen. Unter diesem Aspekt schien auch eine eingehende Analyse dieser Besonderheit nicht notwendig. Ganz in diesem Sinne
spricht z.B. Geoffrey Tillotson von ,,strange vacillations in *Esmond*
between first and third person",[34] diskutiert sie aber weiter nicht.
Auch James Sutherland hat in seiner sonst sehr interessanten Thackeray Studie zu dieser Frage nichts zu sagen.[35] John Loofbourow beschränkt sich auf den – allerdings sehr wichtigen – Hinweis, daß
Thackerays Vorlage für den Bezug des Ich-Erzählers auf sich selbst in
der dritten Person in der zeitgenössischen Memoirenliteratur zu suchen sei.[36] Ein weitergehender Ansatz, den für diesen Roman charakteristischen Wechsel zwischen Ich- und Er-Bezug in die Interpretation
des Romans einzubringen, findet sich erst bei W. Iser.[37] Iser erklärt
den Übergang von Ich zu Er mit dem Bestreben des Autors und seines
Erzählers, ,,ein Doppeltes zum Vorschein" zu bringen, ,,zunächst die
Tatsache, wie relativ die zeitweiligen Standpunkte waren, die frühere
Haltungen und vergangene Ereignisse bedingten; ferner die Einsicht,

---

34 Geoffrey Tillotson, *Thackeray the Novelist*, Cambridge 1954.
35 Vgl. James Sutherland, *Thackeray at Work*, London 1974, 66 ff.
36 Vgl. John Loofbourow, *Thackeray and the Form of Fiction*, Princeton
    1964, 119.
37 Vgl. W. Iser, *Der implizite Leser*, München 1976, 206 ff.

daß in der Zwischenzeit das Bewußtsein der Selbstbeurteilung gewachsen sein muß, wenn es sich nun zur eigenen Vergangenheit so distanziert verhalten kann" (206 f.). Damit ist auch bereits der zentrale
Punkt der Wirkung dieses Bezugswechsels erfaßt: die Distanzierung
des Ich-Erzählers von seinen eigenen früheren Erlebnissen.* Etwas
wurde dabei allerdings noch nicht berücksichtigt, nämlich daß sich der
Bezugswechsel von Ich zu Er nicht nur auf der Ebene des erlebenden
Ich, das als Harry, Henry Esmond, Mr. Esmond, Captain und später
Colonel Esmond erscheint, sondern auch auf der Ebene des erzählenden Ich vollzieht. Dort, wo sich auch das *erzählende* Ich in ein Er verwandelt, beginnt ein Rollenspiel des Erzählers, das eine weitere Sinndimension ins Spiel bringt, die Kontrastierung der „vita activa" des
Soldaten Esmond und der „vita contemplativa" des Erzählers Esmond. Dabei muß sich auch das erzählende Ich häufig eine leicht ironisch klingende Verfremdung gefallen lassen: die Distanzierung des
Erzählers vom erlebenden Ich greift sozusagen auch auf das erzählende Ich über:

Seeing that my lord was bent upon pursuing this quarrel, and that no entreaties
would draw him from it, Harry Esmond (then of a hotter and more impetuous
nature than now, when care, and reflection, and grey hairs have calmed him)
thought it was his duty, to stand by his kind generous patron, [. . .] Esmond's
good-luck again attended him: he escaped without a hurt, although more than a
third of his regiment was killed, had again the honour to be favourably mentioned in his commander's report, and was advanced to the rank of major. But
of this action there is little need to speak, as it hath been related in every Gazette,
and talked of in every hamlet in this country. To return from it to the writer's
private affairs, which here, in his old age, and at a distance, he narrates for his
children who come after him. (193 u. 313 f.)

Es scheint, daß die Versetzung des erzählenden Ich in die dritte Person
immer nur im Zusammenhang mit einer Versetzung des erlebenden
Ich, gleichsam als Fortsetzung davon, erfolgt.
Der für die Interpretation des Romans und für unseren Zusammenhang wichtigere Bezugswechsel betrifft aber nicht das erzählende,
sondern das erlebende Ich. Für den Ich-/Er-Wechsel auf der Ebene
des erlebenden Ich ist festzuhalten, daß der Übergang von Ich zu Er
jederzeit möglich zu sein scheint, was verständlich ist, da der Übergang
zu einer vorübergehend weniger intimen, distanzierteren Betrachtung
des eigenen Ich zu den Konventionen der Autobiographie und der
Memoirenliteratur ganz allgemein gehört. Diese Abweichung von der
Erzählnorm der Ich-Erzählung wird aber von Thackeray, so scheint es,
nicht an jeder beliebigen Stelle wieder zurückgenommen. Die Rück-

kehr von Er zu Ich setzt nämlich einen gewissen Grad der Personalisierung der ES voraus. Die Rückkehr von Er zu Ich vollzieht sich daher am häufigsten dann, wenn von Esmond eine Innensicht in einer Art von personaler ES geboten wird, etwa die Darstellung einer Beobachtung, eines Eindrucks oder eine ausführlichere Darlegung seiner Gedanken und Gefühle. So geht z.B. dem Wechsel von Er zu Ich am Ende des 13. Kapitels des zweiten Buches, wo Esmonds Besuch am Grab seiner Mutter erzählt wird, eine ausführlichere Schilderung des Friedhofs vom Standpunkt Esmonds sowie der Gedanken, die der Anblick der Gräber in ihm auslöst, voraus. Ähnlich vollzieht sich der Übergang von Er zu Ich in der Szene, in welcher sich Esmond, nach längerer Abwesenheit nach Castlewood zurückgekehrt, zum ersten Mal alleine Lady Castlewood, seiner späteren Gattin, gegenübersieht. Dieser entscheidenden Stelle geht eine Darstellung von Esmonds Erinnerungen und Gefühlen während der schlaflos verbrachten Nacht voraus. Am Morgen danach ist er gerade dabei, in Familiendokumenten zu blättern, die er im Nebenraum seines Gemachs gefunden hat, als Lady Castlewood erscheint:

Next Esmond opened that long cupboard [. . .] There were a bundle of papers here [. . .] This was the paper, whereof my lord had spoken, which Holt showed him the very day he was arrested, and for an answer to which he would come back in a week's time. I put these papers hastily into the crypt whence I had taken them, being interrupted by a tapping of a light finger at the ring of the chamber-door: 'twas my kind mistress, with her face full of love and welcome. She, too, had passed the night wakefully, no doubt; but neither asked the other how the hours had been spent. There are things we divine without speaking, and know though they happen out of our sight. This fond lady hath told me that she knew both days when I was wounded abroad. Who shall say how far sympathy reaches, and how truly love can prophesy? „I looked into your room" was all she said; „the bed was vacant, the little old bed! I knew I should find you here." And tender and blushing faintly with a benediction in her eyes, the gentle creature kissed him. (439 f.)

Die Zitatstelle beginnt mit einem Er-Bezug. Es werden Gedanken und Erinnerungen Esmonds in einer Weise berichtet, die sich der erlebten Rede und damit einer personalen ES nähern: „This was the paper [. . .]". Mit dieser personalen Innensicht ist die Voraussetzung für die Rückkehr des Er-Bezugs zum Ich-Bezug gegeben: „I put these papers [. . .]". Besonders auffällig ist jedoch die unerwartete, erneut distanzierende Rückkehr zum Er-Bezug im letzten Satz: das Ich flüchtet sich förmlich vor dem Ansturm seiner Gefühle in das Er. Nicht als Ich, sondern als Er empfängt Esmond diesen späten, ersten Kuß der von ihm schon sehr lange verehrten Dame. Dieser erneute Übergang zur distanzierenden dritten Person erfolgt jedoch auch hier nicht ganz unvorbereitet. Vor dem direkten Redezitat erscheinen Aussagen, die sowohl durch den Charakter der Allgemeingültigkeit wie auch durch das Präsens als dem erzählenden Ich zugehörig ausgewiesen werden. Die Distanzierung erfolgt also, genau besehen, in zwei Stufenschritten: Zuerst löst sich das erzählende Ich vom erlebenden Ich, dann wird der Bezug auf das erlebende Ich zur weiteren Distanzierung noch in die dritte Person verschoben.[38]

Die strukturellen Verhältnisse beim Wechsel der Pronominalbezüge in diesem Roman – sie werden noch komplexer durch die häufige Verwendung von ‚we', einmal für Esmond und seine Gefährten, dann aber auch für Esmond, das erlebende Ich, und den Erzähler, das erzählende Ich – bedürfen noch einer genaueren Untersuchung, von der weitere wichtige Aufschlüsse über die Funktion der Ich-/Er-Opposition in der Erzählung ganz allgemein zu erwarten sind. Vorläufig kann als ein Ergebnis jedoch schon festgehalten werden, daß der Rückkehr des Bezugs von Er zu Ich – wie gezeigt wurde – fast immer eine Personalisierung der ES vorausgeht. Diese Erkenntnis ist für unser Thema besonders wichtig, weil sie auf einen später noch genauer zu begründenden Befund vorausweist, nämlich den, daß der Wechsel zwischen Er- und Ich-Bezug im Bereich einer Erzählerfigur (etwa in einer auktorialen ES) eine andere Funktion hat als im Bereich einer Reflektorfigur (in einer personalen ES).

Das bisherige Ergebnis der Überlegungen zum Ich-/Er-Bezugswechsel kann folgendermaßen zusammengefaßt werden: Der Wechsel von Ich zu Er erfolgt meist zum Zwecke der Distanzierung des erzählenden Ich vom erlebenden Ich. Dieser Bezugswechsel kann praktisch jederzeit im Zusammenhang einer Erzählung erfolgen, da in der Erzähldistanz zwischen erzählendem und erlebendem Ich diese Möglichkeit schon angelegt ist. Der Wechsel von Er zu Ich, also die Rückkehr zum charakteristischen Personalbezug der Ich-Erzählung, setzt dagegen eine gewisse Personalisierung der ES voraus. Welcher Wechsel signifikanter und für den Leser auffälliger ist, der Ich-/Er- oder der Er-/Ich-Wechsel, muß erst in einer noch eingehenderen Analyse als hier

---

38 Vgl. dazu *Typische Erzählsituationen*, 62. Meine damalige Erklärung, der Er-Ich-Er-Wechsel trete stets dort auf, wo heftige Gefühlsäußerungen dargestellt werden, ist zu allgemein und muß daher im Sinne der hier vorgelegten Beweisführung ergänzt werden: eine wesentliche Voraussetzung für die Rückkehr des Bezugs von Er zu Ich ist die Personalisierung der ES.

möglich war, untersucht werden. In solche Untersuchungen wäre auch der Wechsel der Pronominalbezüge in Thackerays anderen Romanen, vor allem *Pendennis* und *The Newcomes*, miteinzubeziehen.
Wenn sich bisher die Thackeray-Forschung solchen Fragen gegenüber relativ wenig interessiert gezeigt hat, so ist das z.T. in der weitverbreiteten Annahme begründet, daß Thackeray nur geringes Interesse an Strukturfragen hatte, wie man auch an Hand der Revision des Romans *Henry Esmond* durch den Autor glaubt nachweisen zu können.[39] Es besteht jedoch ein Unterschied zwischen Änderungen, die Thackeray erst im Laufe der Abfassung vorgenommen hat, wie z.B. der Anfügung des Herausgeberapparates ab dem dritten Buch, und jenen Aufbauelementen des Romans, die, wie der Wechsel des Ich-/Er-Bezugs, von Anfang an in der Erzählweise des Romans angelegt waren und die auch konsequent vom Anfang bis zum Ende durchgehalten wurden. Der Wechsel des Ich-/Er-Bezugs in *Henry Esmond* gehört zweifellos zu der planmäßig und konsequent durchgeführten Erzählform des Romans; er verdient daher auch eine entsprechend genaue Analyse. Ein möglicher Ansatzpunkt für eine solche Analyse wurde hiemit dargeboten.

4.8.2 Der Ich-/Er-Bezugswechsel im modernen Roman: Herzog, Mein Name sei Gantenbein, Montauk

Im modernen Roman erscheint dieser Bezugswechsel mit zunehmender Häufigkeit in den Werken der verschiedensten Autoren. Die folgende Liste enthält nur einige der bekanntesten englischen und deutschen Romane oder Erzählungen mit Bezugswechsel, sie ist keineswegs vollständig: J. Conrad, *Under Western Eyes,* R. P. Warren, *All the King's Men,* S. Bellow, *Herzog,* M. Drabble, *The Waterfall,* K. Vonnegut jr., *A Breakfast of Champions,* G. Grass, *Die Blechtrommel* und die Romane von M. Frisch, in denen sich bis hin zu *Montauk* nicht nur eine zunehmende Frequenz dieser Erscheinung, sondern auch eine zunehmende Komplexität ihrer Bedeutungsfunktion erkennen läßt.[40]

---

39 Vgl. J. Sutherland, *Thackeray at Work*, 66.
40 Vgl. dazu P. F. Botheroyd, *ich und er*, bes. 118 ff.; Margit Henning, *Die Ich-Form und ihre Funktion in Thomas Manns ,,Doktor Faustus'' und in der deutschen Literatur der Gegenwart*, Tübingen 1966, bes. 156 ff.; und W. Jens, *Deutsche Literaturgeschichte der Gegenwart*, München 1961, 93 f., wo der Wechsel von Ich zu Er als Versuch der Objektivierung einer Ich-Erzählung bezeichnet wird.

In *Gantenbein* splittern vom Erzähler-Ich neue Ich-Subjekte ab, die dann das ältere Ich auf Er-Distanz rücken; man könnte auch sagen, das Erzähler-Ich probiert zu seinem erzählenden Ich verschiedene Rollen eines erlebenden Ich aus: „Ich probiere Geschichten an wie Kleider."[41] Allein schon die Verfügbarkeit der alternativen Ich-Rollen rückt den Roman in die Er-Kategorie, auch wenn diese nicht immer grammatikalisch durchschlägt, denn Verfügungsgewalt über die dargestellte Welt der Charaktere ist ein Privileg, das eigentlich nur dem auktorialen Erzähler über Er-Figuren vorbehalten ist. Ein Ich-Erzähler steht in einer existentiellen Abhängigkeit von seinem „Ich mit Leib", über das er daher auch keine Verfügungsgewalt hat. Ein Ich-Erzähler, der, wie das „Buch-Ich" des *Gantenbein,* dennoch diese Verfügungsgewalt in Anspruch nimmt, rückt damit um eine Stufe der Position des auktorialen Erzählers näher. Es ist sehr aufschlußreich, daß hier, wo sich Bezugswechsel und auktoriale Verfügung über die fiktionale Welt verbinden, der Strukturunterschied zwischen Ich- und Er-Erzählung besonders deutlich in Erscheinung tritt. Ein auktorialer Erzähler hat innerhalb gewisser Grenzen die Möglichkeit, die von ihm erzählte Wirklichkeit zu verändern, etwa indem er – wie bei den viktorianischen Autoren von Fortsetzungsromanen mehrfach belegt ist – auf Wunsch einiger Leser eine Romanfigur vor dem ihr zugedachten Schicksal bewahrt, dieses Schicksal gleichsam in letzter Minute abändert. Ein Ich-Erzähler, der Ähnliches versucht, stellt damit die fiktionale Basis seiner eigenen Position in Frage. Da er selbst Teil der fiktionalen Welt ist, ein „Ich mit Leib" in der Welt der Charaktere, ist jeder Ansatz dazu gleichbedeutend mit einer Ironisierung der Voraussetzungen seiner eigenen Existenz. Gerade das Paradoxe dieser Situation scheint für einen Autor wie K. Vonnegut jr., der gerne gegen den Strich der geläufigen Erzählkonventionen schreibt, ein Anreiz zu sein, sie immer wieder zu gestalten. Der Bezugswechsel in dem Ausruf des Ich-Erzählers von *Slaughterhouse-Five* beim Anblick einer der Figuren des Romans: „That was I. That was me. That was the author of this book"[42] ist sicher nicht mehr mit den Begriffen Objektivierung und Distanzierung zu erfassen. Hier wird die letztliche Unvereinbarkeit der Erzählstruktur der Ich-Erzählung und jener der Er-Erzählung zum Thema der Darstellung, ein Thema, das in *Breakfast of Champions* mit noch radikalerer Paradoxie vorgeführt wird.

---

41 Max Frisch, *Mein Name sei Gantenbein*, Frankfurt/M. 1964, 20.
42 Kurt Vonnegut jr., *Slaughterhouse-Five, or the Children's Crusade,* New York 1969, 85 f.

An dem Phänomen des Ich-/Er-Bezugswechsels im modernen Roman muß zwischen einem inhaltlichen und einem formalen Aspekt unterschieden werden. Inhaltlich steht dieser Wechsel ganz offensichtlich in einem Zusammenhang mit der Psychologie der Bewußtseinsspaltung. Ichbewußtsein und Bewußtseinsspaltung sind psychologisch betrachtet nicht nur im pathologischen Bereich problematisch. So ist der Wechsel von Ich zu Er und umgekehrt in der Sprache des Kindes, vor allem in der Entwicklungsphase der sogenannten „Vorichlichkeit", aber auch im gesellschaftlichen oder psychologisch motivierten Rollenspiel von Erwachsenen zu finden. In der Schizophrenie ist der Wechsel zwischen Ich- und Er-Bezug eines Patienten auf sich selbst ein distinktives Symptom dieses Krankheitsbildes. Es ist sehr wahrscheinlich, daß, wie Botheroyd auch vermutet, die Zunahme der Häufigkeit des Ich-/Er-Bezugswechsels im modernen Roman ein Ausdruck der wachsenden Identitätsproblematik des modernen Menschen ist.[43]

Der in unserem Zusammenhang primär interessierende formale Aspekt erhält vor diesem Hintergrund eine zusätzliche Aktualität. Es wird nämlich hier wieder einmal deutlich, daß Literatur (als Kunstprodukt) und Wirklichkeit nicht immer denselben Gesetzmäßigkeiten unterworfen sind. In der Literatur scheint nämlich, wie jetzt noch zu zeigen ist, der Ich-/Er-Bezugswechsel gerade im Zusammenhang mit einer Bewußtseinsdarstellung weniger signifikant zu sein als in einer Erzählung von äußeren Begebenheiten. Daß dieser Wechsel im Bereiche der Darstellung von Gedanken, Beobachtungen etc. der Ich-Figur leichter als anderswo zu vollziehen ist, wurde bereits an *Henry Esmond* gezeigt. Der moderne Roman gestattet eine noch allgemeinere Fassung dieses Befundes: In der Bewußtseinsdarstellung (mittels einer personalen ES oder mittels eines stillen Monologs) kann die Ich-/Er-Opposition ihre strukturelle Bedeutung verlieren. Das ist daran zu erkennen, daß in Bewußtseinspassagen der Bezug zwischen Er und Ich ständig wechseln kann, ohne daß sich daraus eine Konsequenz für den Gehalt einer solchen Passage ergibt, mit anderen Worten, die Ich-/Er-Opposition ist hier merkmallos geworden. Dieses Problem wird weiter unten noch eingehender erörtert (287 ff.). Diese eigenartige Merkmallosigkeit des Bezugswechsels innerhalb der Bewußt-

---

43 Vgl. dazu die bei Botheroyd vor allem in der „Introduction" angeführte Fachliteratur, *ich und er*, 1–27 und 132–140.

seinsdarstellung ist heute auch in Romanen, die sich näher an die kon-
ventionellere Erzählweise halten als *Ulysses,* zu beobachten. Ein auf-
schlußreiches Beispiel dafür ist S. Bellows *Herzog,* ein Roman mit
vorherrschend personaler ES:

The telephone rang – five, eight, ten peals. Herzog looked at his watch. The
time astonished him – nearly six o'clock. Where had the day gone? The phone
went on ringing, drilling away at him. He didn't want to pick it up. But there
were two children, after all – he *was* a father, and he must answer. He reached
for the instrument, therefore, and heard Ramona – the cheerful voice of Ramona calling him to a life of pleasure but metaphysical, transcendent pleasure –
[. . .]
Please, Ramona, Moses wanted to say, you're lovely, fragrant, sexual, good to
touch – everything. But these lectures! For the love of God, Ramona, shut it up.
But she went on. Herzog looked up at the ceiling. The spiders had the mouldings
under intensive cultivation, like the banks of the Rhine. Instead of grapes, en-
capsulated bugs hung in clusters. I brought all this on myself by telling Ramona
the story of my life – how I rose from humble origins to complete disaster. But a
man who has made so many mistakes can't afford to ignore the corrections of
his friends. (Harmondsworth 1965, 157 u. 159)

Der Grund für die Unauffälligkeit, mit der hier der Er-Bezug zum
Ich-Bezug wird, liegt darin, daß die Darstellung des Bewußtseinsinhaltes hier, wie auch in vielen anderen modernen Romanen, in Abwesenheit eines persönlichen Erzählers erfolgt: der Bewußtseinsträger
selbst fungiert als Reflektor, in dessen Gedanken, Wahrnehmungen
und Gefühle der Leser unmittelbar Einblick zu erhalten glaubt. Sobald
das „er dachte" eines persönlichen Erzählers ausbleibt, kann der Inhalt des Gedachten in der ersten wie in der dritten Person formuliert
werden. Die erste Person bietet sich dafür als die Entsprechung zur
Wiedergabe einer gesprochenen Äußerung in direkter Rede, die dritte
als Entsprechung zur indirekten Rede an. Nur verliert der Unterschied
zwischen direktem und indirektem Zitat seine Bedeutung, wenn kein
Erzähler mehr da ist, der als Vermittler des indirekten Zitats fungieren
könnte. Im Raum der Bewußtseinsdarstellung werden also die Kategorien ‚direkte' und ‚indirekte Gedankenwiedergabe' oder ‚erste' und
‚dritte Person' als Bezug auf den Bewußtseinsträger merkmallos. Der
Wechsel von der einen zur anderen Kategorie wird in der Regel vom
Leser gar nicht mehr registriert.
Dieser Ausgleich zwischen den verschiedenen Darstellungformen von
Innenwelt ist manchmal sogar zusammen mit einem auktorialen Erzähler zu beobachten, allerdings unter einer Voraussetzung: der auk-

toriale Erzähler muß sich an einer solchen Stelle auf Gedankenbericht und Schilderung der inneren Verfassung einer Romanfigur beschränken. In der folgenden Stelle aus D. H. Lawrences *Women in Love* sinniert Gudrun in einem Berggasthof irgendwo in Tirol über den neben ihr schlafenden Gerald:

'Oh, my dear, my dear, the game isn't worth even you. You are a fine thing really – why should you be used on such a poor show!'
Her heart was breaking with pity and grief for him. And at the same moment, a grimace came over her mouth, of mocking irony at her own unspoken tirade. Ah, what a farce it was! She thought of Parnell and Katherine O'Shea. Parnell! After all, who can take the nationalization of Ireland seriously? Who can take political Ireland really seriously, whatever it does? And who can take political England seriously? Who can? Who can care a straw, really, how the old patched-up Constitution is tinkered at any more? Who cares a button for our national ideas, any more than for our national bowler hat? Aha, it is all old hat, it is all old bowler hat!
That's all it is, Gerald, my young hero. At any rate, we'll spare ourselves the nausea of stirring the old broth any more. You be beautiful, my Gerald, and reckless. There *are* perfect moments. Wake up, Gerald, wake up, convince me of the perfect moments. Oh, convince me, I need it. (Harmondsworth 1973, 471)

Hier wechselt die Ich-Form des inneren oder stillen Monologs (mit und ohne Anführungszeichen) mit der Er-Form der erlebten Rede (ER) („Ah, what a farce it was!") und des auktorialen Gedankenberichts („She thought of Parnell"). Fast ebenso unauffällig und merkmallos wie der Ich-/Er-Bezugswechsel vollzieht sich der Übergang vom Präteritum zum Präsens. Das Präteritum ist das Erzähltempus des Gedankenberichts und der ER, das Präsens jenes des inneren Monologs. Hier erscheint nun aber das Präsens auch in Sätzen, die nach Ausweis des Kontextes eher zur ER als zum Gedankenbericht zu stellen sind: „After all, who can take the nationalization of Ireland seriously?" Das Präsens eines solchen Satzes rückt den in ihm formulierten personalen Gedanken in die Nähe eines auktorialen Kommentars mit Anspruch auf allgemeine Gültigkeit.[44] Bei D. H. Lawrence erscheint dieses „gnomische Präsens"[45] innerhalb von ER fast immer

---

44 Vgl. dazu auch die letzte Zitatstelle aus *Henry Esmond* und *Herzog* oben S. 138 u. 143.

45 Zum Begriff des „gnomischen Präsens" vgl. Günter Steinberg, *Erlebte Rede. Ihre Eigenart und ihre Formen in neuerer deutscher, französischer und englischer Erzählliteratur,* Göppingen 1971, 225 ff.

dort, wo sich die politischen, moralischen oder philosophischen Ansichten des auktorialen Erzählers (oder Autors) mit jenen einer Romanfigur decken.

Innenweltdarstellung und Zurücktreten des persönlichen Erzählers bzw. seine Beschränkung auf Innenweltbericht sind die Voraussetzungen, unter denen der Ich-/Er-Bezugswechsel merkmallos werden kann. In Max Frischs neuestem Roman, *Montauk* (1975), wird der Ich-/Er-Bezugswechsel mit jener Merkmallosigkeit, wie sie für Stellen mit Bewußtseinsdarstellung charakteristisch ist, durchgehend verwendet. Es entsteht dabei eine sehr eigenartige Spannung zwischen der Präsenz eines persönlichen Ich-Erzählers und der personalen ES mit ihrem Er-Bezug auf die Person des Erzähler-Ich. Diese Art des Wechsels zeigt sich schon bald nach dem Beginn, dort zunächst noch auf verschiedene Segmente der Erzählung verteilt; dieser Wechsel wird später immer häufiger und, wie es scheint, willkürlicher, bis schließlich sogar innerhalb eines und desselben Satzes der Umsprung erfolgen kann:

MAX, YOU ARE A FORTUNATE MAN
sagt Lynn, nachdem er, um nicht über Meilen hin zu schweigen, wieder einmal die Geschichte erzählt hat, wie ich das Gast-Apartment der Marlene Dietrich bekommen habe, 1963 [. . .] (Frankfurt/M. 1975, 165)

Hier wird allem Anschein nach vom Autor eine bewußte „Verfremdung" der Normen, die die Verwendung des Erzählelementes Person regieren, angestrebt. „Verfremdung" ist hier in jener ursprünglichen Bedeutung zu verstehen, in der Viktor Šklovskij diesen Begriff eingeführt hat.[46] Eine Lesererwartung, die im wesentlichen auf einer Erfahrung mit konventionellen Erzähltexten beruht, in welchen eine Erzählung mit einem persönlichen Erzähler entweder auf einen Ich-Bezug oder einen Er-Bezug eingestellt sein muß, wird hier in auffälliger Weise nicht erfüllt. Eine solche Verweigerung macht den Erzähltext „sperrig", erschwert seine Aufnahme und fordert damit den Leser zu erhöhter Aufmerksamkeit heraus. Dem Autor wird so möglich, sein Thema auch mit formalen Mitteln zu gestalten: die Schwierigkeiten der Hauptfigur, zu sich selbst, d.h. zu ihrem momentanen Erlebnis und zu ihrer Erinnerung an frühere Erlebnisse genau jene Distanz zu finden, die eine Lösung ihres Identitätsproblems gestatten würde:

---

46 Vgl. V. Šklovskij, *Theorie der Prosa*, und Renate Lachmann, „Die Verfremdung' und das ‚Neue Sehen' bei Viktor Šklovskij", *Poetica* 3 (1970), 226–249.

Nach Jahren sehe ich mich und erkenne mich nicht: – sie befindet sich in der Bircher Benner Klinik, Zürich, und da kommt er, um sie zu besuchen. (152)

„Ich" und „er" in diesem Satz beziehen sich auf ein und dieselbe Person. Es gelingt nicht oder aber es wird gar nicht ernstlich versucht, das Ich für längere Zeit auf jene Distanz zu rücken, daß aus ihm, wie in *Henry Esmond,* ein Er werden könnte. Die Unmöglichkeit einer solchen Distanzierung wird in der gegen Ende des Romans zunehmenden Hektik, mit der Ich-Bezug und Er-Bezug wechseln, immer deutlicher. Im übrigen werden neben dem Ich-/Er-Bezugswechsel auch andere Erzählelemente in den Vorgang der Verfremdung der Erzählformen miteinbezogen. In direktem Zusammenhang mit dem Ich-/Er-Bezugswechsel steht z.B. die Kontamination der Formen der direkten und indirekten Rede- bzw. Gedankendarstellung innerhalb eines Satzes:

Zum Beispiel *sagt er, daß ich* in meinem Leben nie in einem Bordell gewesen *bin.* (107)
Die Frage, ob man beim Schreiben an den Leser denke, kommt in jeder Universität. Zum Beispiel, *denkt er, habe ich mir* die Leser nie barfüßig vorgestellt. (138, meine Hervorhebung)

Das weiter oben schon zitierte Diktum aus dem *Gantenbein,* „Ich probiere Geschichten an wie Kleider", ist also nicht nur auf den Inhalt der Geschichten, sondern auch auf die Weise, wie diese Geschichten erzählt werden können, zu beziehen. Die „einfältige Erzähler-Position", worunter die Hauptfigur des Romans in *Montauk* zunächst die Möglichkeit meint, „erzählen können, ohne irgendetwas dabei zu erfinden" (82), ist auch im erzähltheoretischen Sinne eine Unmöglichkeit.

Die Opposition zwischen Ich- und Er-Erzählung hat, wie hier nachgewiesen werden konnte, strukturelle Bedeutung für Erzählung und Roman, soferne ein persönlicher Erzähler in ihnen sichtbar wird. Die Ich-/Er-Opposition muß daher in einer systematischen Darstellung der Erzählformen bzw. bei der Konstituierung der typischen ES unbedingt berücksichtigt werden. W. C. Booths Hinwegsehen über diese Opposition als „the most overworked distinction" hat sich als Irrtum herausgestellt. Die strukturelle Bedeutung der Ich-/Er-Opposition wurde an Hand von Texten wie auch von Aussagen aus der Praxis der Autoren und mit Hilfe eines Vergleichs von Romanen und ihren Verfilmungen demonstriert. Für diesen Befund wurde dann eine erzähltheoretische Erklärung angeboten. Dabei mußte das Augenmerk besonders jenen Werken und Textstellen zugewendet werden, in denen Ich- und Er-Bezug wechseln. Hier zeigte sich, daß der ursprüngliche,

allgemein formulierte Befund einzuschränken ist: im Bereich der Bewußtseinsdarstellung wird nämlich der Gegensatz zwischen Ich- und
Er-Bezug weitgehend merkmallos, verliert also dort die strukturelle
Bedeutung, die er im Bereich der Außenweltdarstellung mit Hilfe eines persönlichen Erzählers hat. Das Phänomen des Bezugswechsels
steht offensichtlich in einem Zusammenhang mit dem Funktionsun-
terschied zwischen Erzählerfigur und Reflektorfigur. Es wird daher
bei der Analyse der Modus-Opposition noch einmal darauf zurückzukommen sein.

Das Kapitel über die Ich-/Er-Opposition, das auf längere Strecken hin
zu einer Analyse der Ich-Erzählung geworden ist, muß hier abge-
schlossen werden. Die Darstellung der erzähltheoretischen Probleme,
die von der modernen Ich-Erzählung aufgeworfen werden, konnten in
diesem Rahmen nur umrissen, nicht aber erschöpfend dargestellt werden. Daß dieser Erzählform ein besonderes Faszinans nicht nur für
den Erzähltheoretiker, sondern auch für den Autor innewohnt, spricht
nicht zuletzt auch aus dem abwehrenden Gestus Samuel Becketts im
letzten seiner Ich-Romane, in dem das Experiment mit dieser Erzählform am weitesten getrieben wird:

But enough of this cursed first person, it is really too red a herring. I'll get out of
my depth if I'm not careful. (*Molloy · Malone Dies · The Unnamable,* Paris 1959,
345).

Einige weitere Aspekte der Ich-Erzählung und ihrer Opposition zur
Er-Erzählung werden im Zusammenhang mit der Beschreibung des
Typenkreises noch zur Sprache gebracht werden.

5. Die Opposition „Perspektive":
Innenperspektive – Außenperspektive

No longer a figure that leans and looks out of
a window, scanning a stretch of memory –
that is not the image suggested by Henry
James's book. It is rather as though the reader himself were at the window, and as
though the window opened straight into the
depths of Strether's conscious existence. The
energy of his perception and discrimination is
there seen at work.
(Percy Lubbock über *The Ambassadors* in
The Craft of Fiction).

5.1. Das Verhältnis der Opposition „Perspektive" zur Opposition „Person"

Die beiden Oppositionen „Person" und „Perspektive" haben miteinander gemeinsam das Problem des Standpunktes („Point of view"),
von dem aus erzählt bzw. das Erzählte wahrgenommen wird. Was sie
in diesem Punkt voneinander trennt, sind die Konsequenzen, die unter
diesen beiden Gesichtspunkten aus der Wahl eines Erzählstandpunk-
tes gezogen werden. Wie bereits dargestellt wurde, ergeben sich aus
der Opposition von Identität und Nichtidentität des Bereichs, in dem
der Erzähler seinen Standpunkt einnimmt, mit jenem, in dem die Charaktere zuhause sind, Folgerungen für die Interpretation (vor allem
bezüglich der existentiellen Basis und Motivation des Erzählaktes),
die wiederum entscheidend sind für die Fragen der „Verläßlichkeit"
des Erzählten. Die Opposition Innenperspektive – Außenperspektive
erfaßt dagegen die Steuerung des Apperzeptionsvorganges, den der
Leser zu vollziehen hat, um zu einem konkreten Vorstellungsbild der
dargestellten Wirklichkeit zu gelangen. Neben dieser Steuerung der
Wahrnehmung der dargestellten Wirklichkeit und der zeiträumlichen
Orientierung des Lesers in dieser Welt bezeichnet der Begriff Perspektive der Erzählung auch die Voraussetzungen, die die Wahl eines
bestimmten Weltausschnittes für die Darstellung und die Selektion

der einzelnen Dinge und Ereignisse innerhalb der fiktionalen Welt er-
klärbar machen.

Innenperspektive herrscht vor, wenn der Standpunkt, von dem aus die
erzählte Welt wahrgenommen oder dargestellt wird, in der Hauptfigur
oder im Zentrum des Geschehens liegt. Demnach findet sich Innenperspektive in der autobiographischen Form der Ich-Erzählung, im
Briefroman, im autonomen inneren Monolog und im Bereich der personalen ES.

Außenperspektive herrscht vor, wenn der Standpunkt, von dem aus
die erzählte Welt wahrgenommen oder dargestellt wird, außerhalb der
Hauptfigur oder an der Peripherie des Geschehens liegt. Hierher gehören Erzähltexte mit auktorialer ES oder mit einem peripheren
Ich-Erzähler.[1]

An den Übergangsstellen ergeben sich, wie immer, gewisse Probleme
der Zuordnung. J. Conrads *Lord Jim* mit dem peripheren Ich-Erzähler
Marlow hat die Grenzen der Innenperspektive in Richtung Außenperspektive bereits überschritten, denn Jim ist eindeutig die Hauptfigur
des Romans. In der Erzählung *Heart of Darkness* des gleichen Autors
kann dagegen u. U. der Ich-Erzähler Marlow als die eigentliche
Hauptfigur angesehen werden, weil er im Zentrum des Geschehens
stehend die Geschichte stärker als Mr. Kurtz beherrscht. So gesehen,
ist für *Heart of Darkness* Innenperspektive anzunehmen. Im Übergang
von der auktorialen ES (mit Außenperspektive) zur personalen ES
(mit Innenperspektive) ergeben sich ähnliche Abgrenzungsschwierig-
keiten, da im Rahmen einer auktorialen ES stellenweise Innensicht
der Charaktere in der Form der ER auftreten kann, wodurch, wie z. B.
in J. Austens *Emma*, vorübergehend Innenperspektive entsteht. Auch
das Zurücktreten des auktorialen Erzählers bei gleichzeitiger Zunahme der Länge der Dialogszenen und ähnlicher, szenisch dargestellter Passagen kann, wie etwa in Hemingways Erzählung „The Killers",
zu einer innenperspektivischen Vermittlung führen. Es wird in solchen
Fällen auch der Neigung des einzelnen Lesers überlassen sein, ob er
sich bei dem Bild, das er sich in seiner Vorstellung vom erzählten Ge-

---

1 Brooks' und Warrens Opposition „Internal analysis of events – Outside ob-
  servation of events" kommt unserer Opposition „Innenperspektive – Außenperspektive" sehr nahe, während sich ihre zweite Unterscheidung „Narrator as a character in the story" und „Narrator not a character in the story"
  weitgehend mit unserer Opposition „Person" deckt. Dagegen fehlt in ihrem
  Schema die Opposition „Modus". Vgl. C. Brooks und R. P. Warren, *Understanding Fiction,* 660.

schehen macht, an einem imaginären Standpunkt am Schauplatz des
Geschehens, also innenperspektivisch, oder an der auch hier noch immer hörbaren Stimme des auktorialen Erzählers, das heißt außenperspektivisch, orientiert.

Die Opposition Innenperspektive – Außenperspektive dient in erster
Linie der Beschreibung jenes Teilbereiches des Erzählvorganges, der
die Apperzeption des Erzählten durch den Leser mittels der räumlichen und zeitlichen Wahrnehmungskategorien steuert. Dabei scheint
Innenperspektive eine gewisse Affinität zur Wahrnehmungskategorie
Raum, Außenperspektive eine gewisse Affinität zur Wahrnehmungskategorie Zeit aufzuweisen. Als Folge davon kommt bei Vorherrschen
von Innenperspektive die Perspektivierung im räumlichen Sinne stärker zum Tragen als bei Außenperspektive: die Relation der Personen
und Sachen zueinander im Raum, die optischen Fluchtlinien der Betrachtung oder Schilderung einer Szene von einem fixierten Standpunkt aus nehmen an Bedeutung für die Interpretation zu. Auch die
schärfere Horizontierung, also die Eingrenzung des Wissens- oder Erfahrungshorizontes der Erzähler- oder Reflektorfigur („limited point
of view"), gewinnt dabei an Relevanz und Aussagekraft. Außenperspektive ist dagegen mehr dem Erzählen als Zeitkunst verpflichtet,
d. h. die räumlichen Relationen von Personen und Sachen zueinander
und die Eingrenzung des Wissenshorizontes des Erzählers werden
hier in der Regel nicht erzählerisch thematisiert oder bleiben dem
„und–dann" Schema, das den Erzählermodus dominiert, untergeordnet.

Vielleicht könnte man diese allgemeine Überlegung sogar noch einen
Schritt weiter führen. Nur bei Innenperspektive wird Perspektivierung
semiotisch signifikant, d. h. die Aspekte der räumlichen Relationen,
des Standpunktes der Betrachtung und der sich daraus ergebenden optischen Fluchtlinien und schließlich der Horizontierung des Wissens
über die erzählte Welt werden für die Interpretation relevant, weil sie
im Darstellungsvorgang thematisiert werden. Bei Außenperspektive
gewinnt dagegen – als Folge ihrer Affinität zur Wahrnehmungskategorie Zeit – nicht selten ein gewisser Aperspektivismus die Oberhand,
und die räumlichen Relationen der dargestellten Wirklichkeit verlieren an Bedeutung. In die Opposition Innenperspektive – Außenperspektive geht daher auch der Gegensatz zwischen Perspektivismus und
Aperspektivismus ein.

Zum Problemkreis Perspektive gehört weiters auch die Unterscheidung zwischen dem Standpunkt des Wahrnehmenden („knower") und
dem des Erzählenden („sayer"), auf die weiter oben bereits aufmerk-

sam gemacht worden ist (vgl. S. 22). Innerhalb einer Innenperspektive
ergeben sich daraus meist keine besonderen Schwierigkeiten, denn wo
diese Unterscheidung notwendig wird, nämlich in der autobiographischen Form der Ich-Erzählung, ist sie durch die Unterscheidung zwischen erzählendem und erlebendem Ich zureichend abgedeckt. Weniger leicht fällt dagegen oft die Abgrenzung zwischen Wahrnehmendem und Erzählendem in einer außenperspektivisch angelegten Erzählung. So ist z. B. Aschenbach in Th. Manns „Der Tod in Venedig"
für den größten Teil der Darstellung der äußeren und inneren Welt der
Wahrnehmende. Seine Sicht der Dinge läßt sich aber nicht – genauer,
läßt sich im Verlaufe der Erzählung immer weniger – mit jener des
auktorialen Erzählers zur Deckung bringen. Aus dieser Einbettung
von Aschenbachs Wahrnehmung in die Aussage des Erzählers darüber ergeben sich einige sehr diffizile Interpretationsprobleme.

Um diesen und ähnliche Sachverhalte besser beschreibbar zu machen,
soll der Begriff „Fokus" hier eingeführt werden. Der Fokus einer Erzählung, bzw. die scharfe Fokusierung eines Teiles der dargestellten
Wirklichkeit, lenkt die Aufmerksamkeit des Lesers auf den thematisch
jeweils wichtigsten Sachverhalt einer Erzählung oder eines Teils einer
Erzählung. Man könnte daher Fokusierung auch als ein thematisches
„foregrounding" im Rahmen der Erzählperspektive bezeichnen. So
wird etwa durch die scharfe Fokusierung der Darstellung eines Raums
die Aufmerksamkeit des Lesers auf die thematische Relevanz der
räumlichen Relationen der Personen und Sachen zueinander gelenkt.
Darüber hinaus ist auch die Verlagerung des Darstellungsschwer-
punktes entweder auf das erzählende oder auf das erlebende Ich im
Rahmen einer Ich-ES als Fokusierung zu verstehen. Bei Außenperspektive etwa in einer auktorialen ES kann vorübergehend der Erzählvorgang stärker als das erzählte Geschehen im Brennpunkt liegen.
Ebenso ist das episodische Hervortreten einer Nebenfigur in einer
Szene eine Art Fokusierung. Macht ein auktorialer Erzähler von dem
Privileg der Allwissenheit auf solche Weise Gebrauch, daß er von einzelnen Charakteren eine Innensicht, eine Darstellung ihrer Gedanken
und Gefühle, anbietet, anderen Charakteren dagegen eine Innensicht
vorenthält, so liegt ebenfalls eine – für den Leser sehr wichtige, weil
seine Einstellung gegenüber den Charakteren steuernde – Form der
Fokusierung vor. Schließlich ist auch innerhalb der Bewußtseinsdarstellung eine solche Scharfeinstellung der Optik zu beobachten. Der
Fokus der Aufmerksamkeit und damit auch der Darstellung durch
eine Reflektorfigur kann hauptsächlich in der Darstellung von Vorgängen der äußeren Welt oder aber der Innenwelt der Reflektorfigur

liegen. So befinden sich z. B. in der Bewußtseinsdarstellung des Stephen Dedalus in der „Proteus"-Episode des *Ulysses* vorwiegend innenweltliche Vorgänge im Bewußtsein Stephens im Zentrum der Aufmerksamkeit, in der Bewußtseinsdarstellung Leopold Blooms in der „Lestrygonen"-Episode des gleichen Romans sind es hingegen vorwiegend außenweltliche Vorgänge, die Wahrnehmungen Blooms auf seinen Wegen durch Dublin.[2]

An dieser Stelle wird es notwendig, die Begriffe „Perspektive" und „Fokus" zu G. Genettes Begriff der „focalisation" (engl. „focalization") in Beziehung zu setzen.[2a] Genettes „focalization" deckt sich im wesentlichen mit unserem Begriff „Perspektive". Von den drei Arten der „focalization", die Ganette unterscheidet, entspricht „internal focalization" unserer Innenperspektive (Genettes Beispiele: H. James' *The Ambassadors* und *What Maisie Knew*), die beiden anderen Arten der „focalization", „zero focalization" (Allwissenheit eines auktorialen Erzählers) und „external focalization" (Genettes Beispiel: „The Killers") decken sich mit unserer Außenperspektive.[3] Unser Begriff „Fokusierung" darf also nicht mit Genettes „focalization" gleichgesetzt werden. Fokusierung bedeutet, wie weiter oben ausgeführt wurde, eine thematische Akzentuierung innerhalb der Opposition Innenperspektive – Außenperspektive. Dieser Aspekt findet bei Genette nur zum einen Teil Berücksichtigung im Begriff der „focalization", zum anderen Teil geht er in die für Genettes Theorie besonders wichtige Unterscheidung zwischen „mood" und „voice", oder zwischen „Who sees?" und „Who speaks?" ein.[4]

Im Nachfolgenden müssen wir uns noch mit zwei Theorien auseinandersetzen, in denen unter ausdrücklichem Bezug auf die *Typischen Erzählsituationen* die Notwendigkeit einer Unterscheidung zwischen „Person" und „Perspektive" bestritten wird. W. Lockemann verneint die Möglichkeit einer Trennung der beiden Erzählaspekte „Person"

---

2 J. Joyce, *Ulysses,* 42 ff. und 150 ff.

2a Für einen ausführlichen und kritischen Vergleich von Genettes *Narrative Discourse* und meiner *Theorie des Erzählens* kann auf Dorrit Cohns „The Encirclement of Narrative. On Franz Stanzel's *Theorie des Erzählens*", vor allem 160 ff. und 174 ff., verwiesen werden.

3 Daß es sich bei Genettes „zero focalization" und „external focalization" nur um Varianten einer und derselben außenperspektivischen Gestaltung handelt, hat Mieke Bal überzeugend nachgewiesen. Vgl. „Narration et focalisation", *Poétique* 29 (1977), 113 und 119.

4 Vgl. *Narrative Discourse,* 186 und 212 ff.

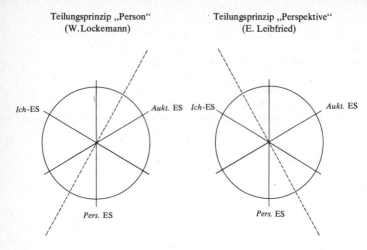

Teilungsprinzip „Person"   Teilungsprinzip „Perspektive"
    (W. Lockemann)   (E. Leibfried)

Ich-ES   *Aukt.* ES   *Ich*-ES   *Aukt.* ES

Pers. ES   *Pers.* ES

und „Perspektive", weil für ihn, wie auch für K. Hamburger, die einzige grundlegende Unterscheidung jene zwischen „Er- und Ich-Erzählung" ist, also jene, die hier durch die Opposition „Person" erfaßt wird. Für Lockemann sind daher auch auktoriale und personale Erzählsituation, von denen die erstere in unserem System durch Außenperspektive, die letztere durch Vorherrschen der Innenperspektive charakterisiert ist, nicht voneinander zu trennen.[5]

Während Lockemann versucht, die Opposition „Perspektive" jener der „Person" unterzuordnen, schlägt E. Leibfried den umgekehrten Weg ein; er möchte die Opposition „Person" jener der „Perspektive" unterordnen. Am deutlichsten wird die gegensätzliche Zugrichtung der beiden Theorien in ihrer Kritik an der personalen ES. Leibfried will die personale ES nur als eine innenperspektivische Variante der Ich-ES gelten lassen,[6] während Lockemann sie als bloße Variante der auktorialen ES auffaßt (82).

Diese Divergenzen sind, genau betrachtet, keine Widersprüche im Grundsätzlichen, sondern ergeben sich notwendig aus der Verschiedenheit der Ansätze. Lockemann und Leibfried bedienen sich eines Ansatzes, der im wesentlichen auf nur *einer* Opposition beruht („Person" bei Lockemann, „Perspektive" bei Leibfried). Ihr Teilungs-

5 Vgl. W. Lockemann, „Zur Lage der Erzählforschung", *GRM*, N.F. 15 (1965), 81f.

6 Vgl. E. Leibfried, *Kritische Wissenschaft vom Text*, 244.

schema ist also großzügiger oder gröber als unseres, das auf einem triadischen Ansatz aufgebaut ist. Es bestehen daher auch keine grundlegenden Schwierigkeiten, das triadische System unter Verzicht auf die weitergehenden Differenzierungsmöglichkeiten, die in ihm gegeben sind, auf die einfacheren, weniger differenzierten Systeme von Lockemann oder von Leibfried zu reduzieren. Die weiter oben bereits aufgezeigten Vorteile des triadischen Systems vor einem monadischen oder dyadischen sprechen aber dafür, an dem differenzierteren triadischen Ansatz festzuhalten.[7]

5.2 Perspektive und die Darstellung des Raumes

Erzählen ist eine Zeitkunst im Sinne von Lessings *Laokoon,* ihre eigentliche Dimension daher das Nacheinander. Die anschauliche Darstellung des Raumes in einer Erzählung, also des Nebeneinander, setzt daher eine zusätzliche Anstrengung voraus, die bei der erzählenden Wiedergabe eines zeitlichen Handlungsablaufes nicht erforderlich wird, eine Anstrengung nämlich zur Überwindung der der Erzählung inhärenten Proklivität zum Zeitlichen.* So ergibt sich die Perspektivierung eines erzählten Raumes keineswegs von selbst, etwa so wie sich die Chronologie der Ereignisse einer Geschichte beim Erzählen von selbst einzustellen scheint. Die erzählende Darstellung des Raumes hat nämlich eine ,,natürliche", d. h. gattungsmäßig bedingte Tendenz zum Aperspektivismus, so wie die filmische Darstellung des Raumes eine ,,natürliche" Tendenz zum Perspektivismus zeigt.[8] Jede Kunst-

---

7 Selbstverständlich ist die theoretische Scheidung zwischen ,,Person" und ,,Perspektive" nicht eine ,,conditio sine qua non" für das Verständnis der damit bezeichneten Phänomene, doch schärft sie die Wahrnehmungsfähigkeit dafür und erleichtert die Diskussion darüber. So kommt F. van Rossum-Guyon in ihrem Buch *Critique du roman* (Paris 1970) zu sehr interessanten und erzähltheoretisch wohlfundierten Einsichten über das, was sie ,,La Perspective Narrative" (Kap. III) nennt, ohne zwischen ,,Person" und ,,Perspektive" eine begriffliche Trennung vorzunehmen. Ihr Hauptinteresse gilt allerdings der vous-Erzählform in Butors *La Modification,* deren Einordnung in unsere Opposition von Ich- und Er-Form Schwierigkeiten bereiten würde, wenn man sie nicht als eine, wenn auch sehr bedeutungsvolle, Variante der Ich-Form gelten läßt.

8 Vgl. Kapitel 4, Anmerkung 21, wo Literatur über Erzähltheorien mit Berücksichtigung der Filmwissenschaft angegeben wird. Es wird hier bewußt

gattung, jedes Medium kann natürlich die ihm inhärente Tendenz
überwinden, doch setzt dies immer einen zusätzlichen Aufwand
an Aufmerksamkeit zunächst des Produzenten, dann auch des Rezipienten voraus. Für die literarische Perspektivierung bedeutet das,
daß sie nie ganz die optische Schärfe der Perspektivierung der Raum-
künste erreichen kann. Sie wirft auch ganz spezifische Probleme hinsichtlich ihrer Interpretation auf. Erzählende Perspektivierung ist weniger auf die Entdeckung und Darstellung der räumlichen Ordnung
der Dinge und ihrer Relationen zueinander als auf die Selektion der
dargestellten Objekte und auf die semiotische Gewichtung, die Verteilung der Sinnakzente auf die einzelnen Gegenstände im Raum, gerichtet. Erzählter Raum ist, wie schon Roman Ingarden gezeigt hat,
immer ein „schematisches Gebilde", das nur teilweise bestimmt ist,
zum anderen Teil aber „Unbestimmtheitsstellen"[9] enthält, die für den
Leser offen bleiben; ihre Konkretisation oder Auffüllung ist weitgehend der Phantasie des Lesers überlassen. Es wird noch zu zeigen sein,

---

davon abgesehen, daß der Film eine Mischform aus Raum- und Zeitkunst
darstellt. Der Vergleich mit dem Medium Film erfolgt hier vor allem im Hinblick auf die Raumdarstellung. Ein eingehender Vergleich der beiden Medien müßte natürlich auch die Auswirkung der Literarisierung des Films berücksichtigen, durch die diese Unterschiede z. T. wieder aufgehoben werden.
Horst Meixner führt folgende „literarisch-technische Muster" an, die vom
Film übernommen wurden: „Die Fabel, die Metaphorik in Gestalt der At-
traktionsmontage, die Einbeziehung der Vergangenheit als Rückblende, die
figurale Typisierung (z. B. gut – böse), die Verklammerungstechnik von
Rahmen- und Binnenhandlung, die Selbstrepräsentation des Mediums im
Medium (Film im Film, z. B. in Murnaus ‚Tartuffe'), der räsonnierende Erzähler, später dann der Multiperspektivismus (z. B. in ‚All about Eve'), die
Leitmotivik, der innere Monolog in Gestalt von Off-Stimmen, Verschiebung
der Zeitebenen (ebenfalls durch Off-Stimmen), der Style indirect libre und
der Perspektivismus der Entfremdung (theoretisch entfaltet bei Pasolini),
schließlich die Selbstreflexion des Mediums (z. B. in ‚Blow up', ‚Roma',
‚Amerikanische Nacht'). Im Zuge dieser Literarisierung erreichte der an-
spruchsvolle Film immerhin den Stand der Erzähltechnik von etwa 1950.
Die Übernahme von Erzähltechniken aus dem literarischen Bereich machte
den narrativen Film zum ‚Bruder des Romans'. Horst Meixner, „Filmische
Literatur und literarisierter Film", in: *Literaturwissenschaft – Medienwissenschaft*, 36.

9 Vgl. Roman Ingarden, *Vom Erkennen des literarischen Kunstwerks*, Tübingen 1968, bes. 12, 49 ff., 250 ff., 300 ff., 409 ff., und *Das literarische Kunstwerk*, Tübingen [4]1972, 261 ff., s. auch „Konkretisation und Rekonstruktion", in: *Rezeptionsästhetik*, München 1975, 44 ff.

daß gerade bei der räumlichen Perspektivierung eines Schauplatzes in einer Erzählung solche „Unbestimmtheitsstellen" sehr zahlreich sind und auch für die Interpretation oft recht schwierige Fragen aufwerfen. Der erzählte Raum ist nämlich häufig dort „unbestimmt", wo z.B. der Film eine annähernd totale Bestimmtheit der dargestellten Welt anbietet. Es wäre falsch, dies generell als einen Nachteil des literarischen Mediums anzusehen; im Gegenteil, diese gattungsbedingte Eigenschaft kann u.U. sogar als ein Vorzug verstanden werden. So urteilt der Romanautor John Fowles auf Grund seiner Erfahrung mit der Verfilmung seiner Romane wie folgt über den Vorteil der relativen „Unbestimmtheit" erzählter Gegenstände im Vergleich zu ihrer „Bestimmtheit" im Film:

There are hundreds of things, a novel can do that cinema can never do. The cinema can't describe the past very accurately, it can't digress, above all it can't exclude. This is the extraordinary thing in the cinema – you've got to have a certain chair, certain clothes, a certain decor. In a novel you can leave all that out. All you give is a bit of dialogue. It's this negative thing that cinema makers never realize. You don't have to 'set up' the whole screen. The delight of writing novels is what you can leave out on each page, in each sentence.[10]

Die Romantheorie hat diesen Sachverhalt, von R. Ingardens Theorie der Unbestimmtheitsstellen abgesehen, bisher noch kaum hinterfragt. Ansätze dazu finden sich neuerdings bei Boris A. Uspenskij, dessen *Poetics of Composition* allerdings hauptsächlich einer vergleichenden Studie der Perspektivierung in der Literatur und der Malerei gewidmet ist (vgl. 76–80). Grundsätzlich ist also festzuhalten, daß für den erzählten Raum eine andere Norm als Maßstab der Inklusivität der konkreten Gegenstände anzusetzen ist als für die Darstellung des Raumes auf einem Gemälde oder in einem Film. Das wird bei der Interpretation zu berücksichtigen sein, etwa wenn es darum geht zu klären, welche Bedeutsamkeit der ausführlichen oder der knappen Darstellung eines konkreten Details in einer Erzählung beizumessen ist. Auch E. Hemingways Prinzip des Weglassens wird in seiner Bedeutung für die Erzählung erst vor dem Hintergrund der bereits gattungsbedingten „Unbestimmtheit" des literarischen Textes erkennbar.[11]

10 Daniel Halpern und John Fowles, „A Sort of Exile in Lyme Regis", *London Magazine*, March 1971, 46f. Vgl. auch F. K. Stanzel, „Die Komplementärgeschichte", in: *Erzählforschung 2*, 245.

11 Siehe E. Hemingway, *A Moveable Feast*, Harmondsworth 1966, 58: „[. . .] my new theory that you could omit anything if you knew that you omitted, and the omitted part would strengthen the story and make people feel something more than they understood." Vgl. auch R. Winkler, *Lyrische*

Die große Bereitschaft des Lesers, sich mit einem „schematischen Gebilde", dessen konkrete Bestimmtheit auf einige wenige Züge reduziert ist, abzufinden, hängt wahrscheinlich auch mit einem Umstand der Wahrnehmung im allgemeinen zusammen, auf den bereits Aldous Huxley in *The Doors of Perception* hingewiesen hat: mit der Auswahl und Reduktion der in der äußeren Wirklichkeit verfügbaren Daten durch den Wahrnehmungsprozeß.[12] Damit hat sich in letzter Zeit auch die Wahrnehmungspsychologie eingehend befaßt. So kommt u.a. Robert E. Ornstein zum Schluß, daß unsere Sinnesorgane gar nicht als offene Fenster zur Welt, sondern eher als Systeme der Datenreduktion aufzufassen sind, die es uns ermöglichen, uns auf die für das biologische und psychische Überleben wichtigsten Eindrücke und Informationen zu konzentrieren.[13] Eine erzähltheoretische Relevanz dieser Erkenntnis scheint naheliegend, wenn man die Reduktion der dargestellten fiktionalen Wirklichkeit durch den literarischen Gestaltungsvorgang als Fortsetzung bzw. als Analogon zur Datenreduktion in unserer alltäglichen Wirklichkeitswahrnehmung auffaßt. Wir kennen heute einige der biologischen und psychologischen Faktoren, die diese Datenreduktion in unserer Wahrnehmung steuern. Welche Kriterien aber bestimmen die Selektion der Daten im Vorgang einer literarischen Darstellung von Wirklichkeit? Diese Frage wird wohl nie ganz schlüssig beantwortet werden können, da die Gesetzmäßigkeiten des schöpferischen Bewußtseins nicht definitiv zu ergründen sind. Beschreibbar und analysierbar sind allerdings die Ergebnisse des literarischen Selektionsprozesses bzw. die durch literarische Konventionen

---

Elemente in den Kurzgeschichten Ernest Hemingways, Diss. Erlangen 1967, 72 ff. Nach Beginn der Drucklegung erschien: Gerhard Hoffmann, *Raum, Situation, erzählte Wirklichkeit*, Stuttgart 1978.

12 Aldous Huxley, *The Doors of Perception*, Harmondsworth 1963, 20. Huxley beruft sich zunächst auf die diesbezüglichen Theorien von C. D. Broad und fährt dann fort: „To make biological survival possible, Mind at Large has to be funneled through the reducing valve of the brain and nervous system [. . .] To formualte and express the contents of this reduced awareness man has invented and endlessly elaborated those symbol-systems and implicit philosophies that we call languages." Huxleys Interesse gilt aber hier nicht den literaturwissenschaftlichen Konsequenzen dieses Sachverhaltes, sondern der Frage, wie durch „bypasses" eine Umgehung des „reducing valve" und damit eine Bewußtseinserweiterung erzielt werden könne.

13 Vgl. Robert E. Ornstein, *The Psychology of Consciousness*, San Francisco 1972, 19–42.

bedingte „Schematik" der dargestellten Wirklichkeit, die als Ergebnis eines solchen Selektionsprozesses im Erzähltext sichtbar wird.[14] Hier zeigt sich im übrigen auch die Problematik jener von Henry James u.a. häufig thematisierten Dichotomie „life" – „art" im Hinblick auf den relativen Vollständigkeitsgrad des künstlerisch dargestellten Objektes im Vergleich zum wirklichen. So heißt es in Henry James' „Preface" zu *The Spoils of Poynton:*

> Life being all inclusion and confusion, and art being all discrimination and selection, the latter, in search of the hard latent *value* with which alone it is concerned, sniffs round the mass as instinctively and unerringly as a dog suspicious of some buried bone. (*The Art of the Novel,* 120)

Auch „life", unsere Erfahrung und unsere Wahrnehmung der Wirklichkeit, ist – wie Ornstein zeigt – bereits selegiert, ist also, genau betrachtet, nur ein „schematisches Gebilde". Mit „life" und „art" stehen einander nicht eine vollständige („life") und eine unvollständige („art") Wirklichkeit gegenüber: beide sind bereits selegiert. Die eigentliche Frage ist daher, ob in beiden „Fassungen" der Wirklichkeit, der realen und der fiktionalen, dieselben oder wenigstens ähnliche Selektionsprinzipien wirksam werden. Oder, mit anderen Worten, können wir annehmen, daß die Schematisierung unserer realen Wirklichkeitserfahrung das Grundmuster liefert für die Schematisierung der fiktionalen Welten durch die schöpferische Phantasie des Autors? Die Beantwortung dieser Fragen überstiege – falls sie überhaupt möglich ist – bei weitem den Rahmen dieser Untersuchung und die Kompetenz ihres Verfassers. Wir werden sie daher nicht weiter verfolgen, sondern kehren mit dem nächsten Abschnitt wieder zu textnäheren Problemen zurück.

5.2.1 Zwei Modelle der Darstellung des Raumes in der Erzählung

Um dem Prinzip der Schematisierung und Selegierung des „Inhaltes" fiktional dargestellter Räume auf die Spur zu kommen, empfiehlt es sich, zunächst solche Textstellen zu analysieren, wo das Problem am sinnfälligsten hervortritt, das sind Beschreibungen von deutlich abge-

---

14 Darauf ist auch schon E. M. Forster aufmerksam geworden: „Well, in what senses do the nations of fiction differ from those of the earth? [. . .] they need not have glands, for example, whereas all human beings have glands". *Aspects of the Novel,* New York 1927, 81.

grenzten Innenräumen, die als Schauplätze fiktionalen Geschehens fungieren. Ein erster grober Sortierungsversuch von fiktionalen Raumbeschreibungen nach dem Grad ihrer perspektivischen Schematisierung erbringt zwei Sorten von Beschreibungen: Texte mit deutlich perspektivierter Raumdarstellung und Texte mit aperspektivischer Raumdarstellung. Beispiele für streng perspektivierte Raumdarstellungen finden sich vor allem in Romanen, in denen eine „Sicht-Bericht"-Darstellung vorherrscht, die man bei sehr strikter Durchführung auch als „Camera Eye"-Technik bezeichnet. Sie findet sich bei E. Hemingway, John Dos Passos, Christine Brooke-Rose und natürlich im „nouveau roman", besonders deutlich ausgeprägt in Alain Robbe-Grillets *La Jalousie*. Bei Vorherrschen einer personalen ES, wie z. B. in Joyces *A Portrait of the Artist,* ergibt sich die relativ strenge Fokusierung nicht durch ein unpersönliches „Camera Eye", sondern durch das Bewußtsein der Reflektorfigur Stephen. In der nachfolgend zitierten Stelle ist Stephen vom Direktor der Jesuitenschule, die er besucht, zu einer Aussprache über ein sehr heikles Thema, die Möglichkeit von Stephens Eintritt in den Orden, gerufen worden. Für dieses Interview hat sich der Direktor wohl mit Absicht so vor dem Fenster des Raumes postiert, daß Stephen nur die Umrisse seiner Gestalt, nicht aber seinen Gesichtsausdruck erkennen kann. Die perspektivische Fixierung der Linie Stephen – Direktor – Fenster als Hintergrund trägt also wesentlich zur thematischen Definition dieser Szene, die der Leser mit den Augen Stephens wahrnimmt, bei:

The director stood in the embrasure of the window, his back to the light, leaning an elbow on the brown crossblind, and, as he spoke and smiled, slowly dangling and looping the cord of the other blind. Stephen stood before him, following for a moment with his eyes the waning of the long summer daylight above the roofs or the slow deft movements of the priestly fingers. The priest's face was in total shadow, but the waning daylight from behind him touched the deeply grooved temples and the curves of the skull. Stephen followed also with his ears the accents and intervals of the priest's voice as he spoke gravely and cordially of indifferent themes, the vacation which had just ended, the colleges of the order abroad, the transference of masters. The grave and cordial voice went on easily with its tale and in the pauses Stephen felt bound to set it on again with respectful questions. He knew that the tale was a prelude and his mind waited for the sequel [. . .] (154 f.)

Mit der scharfen Fokusierung der Szene, des Raumes und der Positionen der beiden Figuren zueinander erscheint auch die Auswahl und die Akzentuierung bestimmter Details des gegenständlichen Inventars der Szene motiviert. So wird durch die optische Fluchtlinie vom Betrachter über den Betrachteten zum hellen Fenster die Schädelkontur des Jesuitenpaters wie ein impliziter Kommentar zum Thema Askese des Ordenslebens herausziseliert: „the waning daylight from behind him touched the deeply grooved temples and the curves of the skull". Ebenso wird durch die Perspektivierung der Kontrast zwischen dem für die Blicke Stephens undurchdringlichen Dunkel vor dem Gesicht des Direktors und dem hellen Ausschnitt des Fensters, hinter dem ein schöner Sommertag kühl zu Ende geht, hervorgehoben. Dieser Kontrast zwischen der hellen, heiteren Welt draußen und der düsteren, ernsten Stimmung im Zimmer des Ordensgeistlichen findet eine emphatische Verstärkung am Ende der Unterredung, als Stephen, vom Direktor hinausbegleitet, das Haus verläßt und als erstes eine Gruppe junger Leute erblickt, die singend und tanzend zu den Klängen einer Konzertina durch die Straßen ziehen (160). Durch die scharfe Fokusierung der Szene im Zimmer des Direktors vom Blickpunkt Stephens wird auch die Auswahl, genauer die Ausklammerung der Details, die etwa von der Kleidung der Charaktere und der Einrichtung des Zimmers mitgeteilt bzw. nicht mitgeteilt werden, determiniert. Da das Bewußtsein des Blickpunktträgers Stephen diese Selektion vornimmt, gewinnt jede Einzelheit, die dieses Bewußtseinsfilter passiert, Bedeutsamkeit und Relevanz für Stephens Situation. Bei einer Filmaufnahme derselben Szene würden wahrscheinlich auch eine Reihe anderer Einzelheiten mit ins Bild kommen, wie z.B. Einrichtungsgegenstände oder der besondere Faltenwurf der Soutane des Geistlichen u.a. Diese größere konkrete Bestimmtheit der Szene in einem Film würde aber vielleicht die Auswahl des eigentlich Bedeutsamen für den Betrachter erschweren bzw. müßte die Kamera das Wesentliche im „close up" heraussortieren. Bei der Interpretation einer literarischen Erzählung ist daher immer im Auge zu behalten, daß gerade die Reduktion und Selektion der Einzelheiten der dargestellten Wirklichkeit eine semiotische Erhöhung dieser Einzelheiten bewirken. Der Stellenwert des Selegierten steigt noch weiter an, wenn die Selektion durch erlebte Perspektivierung erfolgt, d.h. durch die Wahrnehmung einer Reflektorfigur wie im obigen Zitat.

Ganz anders verläuft der Vorgang, wenn der Raum und die Positionen der Figuren zueinander im Raum nicht perspektiviert werden, wenn also aperspektivisch dargestellt wird. In Dickens' *Bleak House* findet sich im 44. Kapitel eine rein äußerlich mit der aus dem *Portrait* zitierten Szene vergleichbare Situation: Die Ich-Erzählerin, Esther Summerson, das Mündel von John Jarndyce, wird von diesem zu einer Aussprache gebeten; unmittelbar nachher läßt er ihr einen Brief mit seinem Heiratsantrag überreichen. In der Erzählung Esthers von dieser wie auch von der darauffolgenden Begegnung, als sie den Brief schon gelesen hat, ist nicht einmal ein Ansatz zu einer Perspektivierung des Raumes und der räumlichen Relationen zwischen den beiden Charakteren zu registrieren:

My guardian called me into his room next morning, and then I told him what had been left untold on the previous night. There was nothing to be done, he said, but to keep the secret [. . .]
On entering the breakfast-room next morning, I found my guardian just as usual; quite as frank, as open, and free. There being not the least constraint in his manner, there was none (or I think there was none) in mine. I was with him several times in the course of the morning, in and out, when there was no one there; and I thought it not unlikely that he might speak to me about the letter; but he did not say a word. (Harmondsworth 1974, 663 u. 669)

Die Vermittlung dieser Episode erfolgt nicht wie im *Portrait* durch eine Reflektor-, sondern durch eine Erzählerfigur. Das ist ein wichtiger Unterschied. „Telling", der Bericht eines Erzählers, zeigt in der Regel eine gewisse Affinität zum Aperspektivismus, während „showing", szenische und personale Darstellung, eine Affinität zum Perspektivismus erkennen lassen.

Ein recht verläßlicher und auch literaturdidaktisch aufschlußreicher Test zur Unterscheidung von perspektivischer und aperspektivischer Raumdarstellung ist die gezeichnete Raumskizze. In einer vorherrschend aperspektivischen Erzählung wird das Innere des Raumes nie so geschildert, daß davon eine anschauliche Skizze angefertigt werden könnte, auch wenn dem Leser ein mehr oder weniger vollständiges Inventar der Einrichtungsgegenstände mitgeteilt wird. Die folgende Zitatstelle aus Anthony Trollopes *Barchester Towers* kann als charakteristisches Modell für eine Innenraumschilderung im viktorianischen Roman angesehen werden. Zwei geistliche Würdenträger von Barchester, Dr. Grantly und Mr. Harding, machen – wenn auch etwas widerstrebend, da sie mit der Ernennung nicht ganz einverstanden sind – ihren Antrittsbesuch bei Dr. Proudie, dem neuen Bischof von Barchester:

His lordship was at home, and the two visitors were shown through the accustomed hall into the well-known room where the good old bishop used to sit. The furniture had been bought at a valuation, and every chair and table, every bookshelf against the wall, and every square in the carpet was as well known to each of them as their own bedrooms. Nevertheless they at once felt that they were strangers there. The furniture was for the most part the same, yet the place had been metamorphosed. A new sofa had been introduced, a horrid chintz affair, most unprelatical and almost irreligious; such a sofa as never yet stood in the study of any decent High Church clergyman of the Church of England [. . .] Our friends found Dr. Proudie sitting on the old bishop's chair, looking very nice in his new apron; they found, too, Mr. Slope standing on the hearth-rug, persuasive and eager, just as the archdeacon used to stand; but on the sofa they also found Mrs. Proudie, an innovation for which a precedent might in vain be sought in all the annals of the Barchester bishopric! (New York 1963, 42f., Kap. 5)

Diese Stelle scheint für unsere Analyse besonders interessant, weil hier ein Raum und seine Einrichtung in den Mittelpunkt der Erzählung gerückt werden. Obgleich die Veränderungen, die der neue Bischof, genauer seine Gattin, im Empfangssalon des Bischofspalais vorgenommen hat, den Besuchern sogleich ins Auge springen, so etwa das neue Sofa „a horrid chintz affair", wird dennoch mit keinem einzigen Wort der Standort dieses die Besucher horrifizierenden Möbels angedeutet. Der Leser erhält ein ziemlich vollständiges Inventar der Einrichtungsgegenstände im Raum, aber keinen Hinweis auf ihre räumliche Ordnung zueinander. Die Konkretisation dieses Raumes im Vorstellungsbild des Lesers ist nur insofern bis zu einem gewissen Grad möglich, als die Anordnung der Möbelstücke im Raum eventuell einem für viktorianische Empfangsräume typischen Grundplan entspricht. Die Kenntnis dieses Grundplans würde also beim Leser vorausgesetzt, so wie sie für die beiden Besucher vorauszusetzen ist („the well-known room"). Für den modernen Leser jedenfalls bilden die räumlichen Verhältnisse eine Unbestimmtheitsstelle, da im Erzähltext selbst keine Hinweise darauf enthalten sind. Genau betrachtet wird der Leser bei der Lektüre dieser Stelle gar nicht aufgefordert, sich im geschilderten Raum nach links, rechts, vorne, hinten, gegenüber usw. zu orientieren. Das hat weitreichende Folgen für die Art des Vorstellungsbildes, das er sich von dem erzählten Raum macht. Er erfährt eine ganze Reihe von Geschmacks- und Werturteilen über einzelne Einrichtungsgegenstände, es kommt aber zu keinem konkreten Eindruck, zu keiner erlebten Wahrnehmung des Raumes selbst. Die einzelnen Möbel haben eine Funktion wie Versatzstücke auf der Bühne: der Bischofsthron ist der Ort, von dem aus der Bischof, das Sofa jener, von dem aus Mrs. Proudie die Welt von Barchester zu regieren trachtet. Zwischen diesen beiden „Schaltzentren" der Macht wird es, das merkt der aufmerksame Leser schon hier, zu Konflikten kommen. Wo in diesem Kräftespiel ist der Ort des Kaplans Dr. Slope? Er hat jetzt Position „on the hearth-rug", also beim Kamin, bezogen. Ein moderner Autor würde sich wohl kaum die Gelegenheit entgehen lassen, durch eine entsprechende Perspektivierung der Wahrnehmung Bischofsstuhl, Sofa und Kamin in ihren räumlichen Relationen zueinander zu markieren und damit semiotisch bedeutungsvoll zu machen. Der Aperspektivismus des viktorianischen Romans schließt, von wenigen Ausnahmen abgesehen, diese Implikationsebene im allgemeinen aus.

Die ES der zitierten Stelle ist auktorial, wenngleich auch der auktoriale Erzähler sich weitgehend die Ansichten und (unausgesprochenen) Kommentare der Besucher zu eigen macht. Es herrscht Außenperspektive vor. Es sind also jene Faktoren gegeben, von denen bereits gesagt wurde, daß sie eine deutliche Affinität zum Aperspektivismus aufweisen. Dennoch ist der Aperspektivismus der zitierten Stelle nicht notwendigerweise eine Folge der auktorialen ES, was durch einen Vergleich mit einer ebenfalls auktorialen Raumschilderung aus Thomas Manns *Die Buddenbrooks* belegt werden kann:

Durch eine Glastür, den Fenstern gegenüber, blickte man in das Halbdunkel einer Säulenhalle hinaus, während sich linker Hand vom Eintretenden die hohe weiße Flügeltür zum Speisesaale befand. An der anderen Wand aber knisterte [. . .] der Ofen. (Berlin 1930, 12).

Hier wird trotz der auktorialen ES eine gewisse Tendenz zur Perspektivierung vernehmbar: der Erzähler versetzt sich an den geschilderten Schauplatz, scheint es. Auf diese Weise wird auch dem Leser eine Orientierung im Salon der Buddenbrooks möglich. K. Hamburger hat an Hand dieser Stelle zu demonstrieren versucht, wie das vor sich geht. Sie meint, daß „die reale Ich-Origo des jeweiligen Lesers aufgerufen wird und dieser sich an Hand seines ‚Körpertastbildes' eine Vorstellung von den Verhältnissen dieses Zimmers machen kann" (109). Dies gilt aber nur für eine perspektivierte Raumdarstellung; in einer aperspektivischen wird es dem Leser, wie ein Vergleich mit der aus *Barchester Towers* zitierten Stelle zeigt, nicht gelingen, ein Raumbild „an Hand seines ‚Körpertastbildes'" in seiner Vorstellung aufzubauen. Eine Versetzung des Lesers „an Hand seines ‚Körpertastbildes'" in die dargestellte Wirklichkeit, wie sie K. Hamburger für die „epische Fiktion", also für die Er-Erzählung generell annimmt, wird nur dort möglich, wo die Raumdarstellung entsprechend perspektivisch erfolgt. Bei einer aperspektivischen Raumdarstellung bleibt die Orientierung im Raum unbestimmt, sie wird daher von jedem Leser auf Grund seiner individuellen Vorstellungsneigungen vorgenommen werden, vielleicht aber überhaupt nicht konkretisiert.

5.3 Perspektivismus – Aperspektivismus: Ihre historische Dimension

Der ältere Roman zeigt eine ausgeprägte Vorliebe für eine aperspektivische Erzählweise. Fast alle großen Viktorianer, Dickens, Thackeray, George Eliot, Trollope, aber auch ihre Zeitgenossen Balzac, Jean Paul, Tolstoj u.a. erzählen, von wenigen, meist nur kurzen Ausnahmen abgesehen, aperspektivisch. Eine Wende hin zum Perspektivismus beginnt sich erst mit den Romanen von Flaubert und H. James abzuzeichnen, um dann im neueren Roman zur vorherrschenden Stilrichtung zu werden. Das Vordringen des perspektivischen Erzählstils seit dem Ausgang des 19. Jahrhunderts hat literarische und außerliterarische Ursachen, zwischen denen allerdings eine wechselseitige Beeinflussung anzunehmen ist. Die literarischen Ursachen sind im wesentlichen mit den Bemühungen Flauberts, Spielhagens, H. James' und einiger Gleichgesinnter identisch, den Roman objektiv, unpersönlich, dramatisch-szenisch zu machen.[15] Der Perspektivismus kommt dieser Absicht insofern entgegen, als er die Illusion des Lesers fördert, die Schauplätze der dargestellten Wirklichkeit unmittelbar und anschaulich präsentiert zu bekommen. Außerliterarische Ursachen sind wahrscheinlich im Impressionismus des ausgehenden 19. Jahrhunderts zu suchen. Der Kunsttheoretiker E. H. Gombrich hat gezeigt, daß sowohl für die künstlerische als auch für die praktische Wahrnehmung der äußeren Welt mit ihrer unüberschaubaren Vielfalt von Formen ein Wechselspiel zwischen überlieferten Wahrnehmungsschemata und einer auf Grund von autoptischer Erfahrung ständig erneut notwendig werdenden Korrektur dieser Schemata anzunehmen ist. Mit dem Impressionismus verlieren die traditionellen Wahrnehmungsschemata mehr und mehr an Bedeutung, sie werden verdrängt durch individuelle, subjektive Wahrnehmungen.[16] Der Leser von

---

15 Wie jeder Stilwandel hat auch dieser zahlreiche Ursachen. Das Streben nach möglichst objektiver Darstellung und nach schärferer Perspektivierung im Roman unmittelbar vor und um die Jahrhundertwende ist nur ein Teilphänomen jenes komplexen literarhistorischen Prozesses, den Lothar Hönnighausen für das „fin de siècle" überzeugend mit seinem größeren geistes- und ideengeschichtlichen Hintergrund in Beziehung gesetzt hat. Vgl. „Maske und Perspektive. Weltanschauliche Voraussetzungen des perspektivischen Erzählens", GRM, N.F. 26 (1976), 287–307.

16 Vgl. E. H. Gombrich, Art and Illusion. A Study in the Psychology of Pictorial Representation, London ³1968, 24f., 55–78 et passim. Wolfgang Iser

Trollopes *Barchester Towers* begnügte sich wahrscheinlich noch mit dem Vorstellungsschema „Empfangsraum in einem herrschaftlichen Haus". Der nachimpressionistische Leser dagegen erwartet eine eingehendere Bestimmtheit des entsprechenden Raumbildes, eine Erwartung, die nicht nur durch die Kunst der Malerei, sondern nach der Jahrhundertwende auch durch die Photographie verstärkt wurde.

Perspektivismus und Aperspektivismus sind als historisch völlig gleichberechtigte literarische Stilrichtungen zu verstehen. Das festzuhalten ist besonders wichtig, weil die Entwicklung des Romans im Laufe der letzten hundert Jahre ganz entscheidend durch die bewußte Entdeckung der Perspektive als literarischer Darstellungsdimension bestimmt wurde und weil als Folge davon die perspektivische Erzählweise in den Augen eines Teiles der Literaturkritiker im Vergleich zur aperspektivischen höhere ästhetische Valenz erlangt hat. Das Gestaltungspotential des Romans ist auch tatsächlich durch den Perspektivismus in einer für die gesamte Geschichte des Romans einzigartigen Weise erweitert worden.[17] Die historische Entwicklung in dieser Richtung hat aber die großen Werke, die noch in der älteren, vorherrschend aperspektivisch erzählenden Tradition geschrieben wurden, keineswegs entwertet. Bei der Interpretation des einzelnen Romans ist jedoch darauf zu achten, ob er in einem mehr perspektivischen oder mehr aperspektivischen Stil verfaßt ist. Aus der Zuordnung zu einem der beiden Stile ergeben sich dann Aufschlüsse darüber, bis zu welchem Grad die Dimension der Perspektive der Darstellung mit in die Deutung einbezogen werden kann bzw. muß.

Bisher waren der Begriff Perspektive und seine Ableitungen immer nur in ihrer räumlichen Bedeutung bzw. in ihrem Bezug zur Darstellung eines erzählten Raumes verstanden worden. Für die Erzählliteratur ist aber die übertragene Bedeutung des Begriffes im Sinne von „Ansicht einer Sache, wie sie sich vom persönlichen, subjektiven Standpunkt einer Romanfigur oder eines Erzählers darbietet" mindestens ebenso wichtig. Perspektivierung in diesem Sinne bedeutet somit Subjektivierung. Mußten wir feststellen, daß die Erzählung hinsichtlich der räumlichen Perspektivierung gegenüber anderen Kunstgat-

---

hat Gombrichs These in modifizierter Form in seine literarische Rezeptionstheorie integriert. Vgl. *Der Akt des Lesens*, München 1976, 151 ff.

17 W. C. Booth nennt den Perspektivismus oder, wie er sagt, die neue „consistent treatment of point of view" zutreffend die vierte der grundlegenden „Einheiten", die im Roman zu den drei Einheiten von Ort, Zeit, Handlung noch hinzugekommen sei. Vgl. *Rhetoric*, 64.

tungen oder Medien wie Malerei, Fotografie und Film in einem gewissen Sinn im Nachteil war, so können wir hinsichtlich der Perspektivierung – verstanden als Subjektivierung der Darstellung – festhalten, daß die literarische Erzählung in diesem Punkt dem Medium Film wiederum überlegen ist. Die Möglichkeiten etwa des Romans zur subjektiven Perspektivierung sind nämlich vielfältiger und flexibler als jene der Kamera-Medien. Im Vergleich mit den Kamera-Medien zeigt sich auch, daß die Erzählung nicht nur bei der perspektivischen Subjektivierung (Schwierigkeiten bei der Wiedergabe einer andauernden Ich-Perspektive im Film!), sondern auch bei bewußt und gezielt eingesetzter aperspektivischer Darstellung im Vorteil ist. Bewußt eingesetzt wird nämlich die aperspektivische Darstellung geradezu ein Privileg des literarischen Erzählmediums, da die Linse der Kamera immer nur Perspektiviertes erfassen kann. Vor dem Hintergrund des bewußt angestrebten Aperspektivismus in einigen modernen Romanen (W. Burroughs, *The Naked Lunch,* John Barth, *Lost in the Funhouse*) wird verständlich, warum der Aperspektivismus des älteren Romans, der vorübergehend als altmodisch und primitiv gegolten hat, neuerdings wieder an literarischer Aktualität zu gewinnen scheint. Im übrigen haben beide Richtungen, der Perspektivismus und der Aperspektivismus, in der englischen (ebenso wie in der deutschen und französischen) Romankritik schon im ersten Drittel dieses Jahrhunderts ihre Apologeten gefunden: in der englischen Romankritik der Perspektivismus in Percy Lubbocks *The Craft of Fiction* (1921) und der Aperspektivismus in E. M. Forsters Antwort auf Lubbock in *Aspects of the Novel* (1927). E. M. Forsters vielzitierte Zurückweisung von Lubbocks Forderung nach Perspektivierung des Romans durch eine konsequent durchgeführte „point of view"-Technik gipfelt in einem engagierten Bekenntnis zum Aperspektivismus: „Now for the second device: the point of view from which the story may be told.

To some critics this is the fundamental device.

'The whole intricate question of method, in the craft of fiction', [says Mr. Percy Lubbock], 'I take to be governed by the question of the *point of view* – the question of the relation in which the narrator stands to the story.' And his book *The Craft of Fiction* examines various points of view with genius and insight [...]

Those who follow him will lay a sure foundation for the aesthetics of fiction – a foundation which I cannot for a moment promise [...] for me the whole intricate question of method resolves itself not into formulae but into the power of the writer to bounce the reader into accepting what he says – a power which Mr. Lubbock admits and admires, but locates at the edge of the problem instead of at the centre. I should put it plumb in the centre." (New York 1927, 118 f.)

Nun, da sich die perspektivischen Ansprüche eines H. James überall in der Romankritik durchgesetzt haben, ist es möglich geworden, der anderen Richtung, dem Aperspektivismus, als legitimer und gleichrangiger Alternative zum Perspektivismus eines Henry James und seiner Nachfolger die ihr gebührende Anerkennung zu zollen. Wir gewinnen damit auch einen besseren, d. h. adäquateren Zugang zu den großen Romanen des 19. Jahrhunderts, als wenn wir sie nur durch die James/Lubbock-Brille betrachten, durch die hindurch gesehen ihre perspektivischen Inkonsistenzen übertrieben groß erscheinen. Neben W. C. Booth sind in der englisch-amerikanischen Romankritik vor allem W. J. Harvey und Barbara Hardy[18] zu nennen, die sich bemüht haben, Autoren von aperspektivisch angelegten Romanen wie George Eliot, G. Meredith, Th. Hardy, D. H. Lawrence zusammen mit den großen Russen des 19. Jahrhunderts wiederum einer kongenialeren Betrachtung zuzuführen. So schreibt B. Hardy in ihrer Einleitung zu *The Appropriate Form:* „I have tried to show that there is after all some sense in calling novels like *Middlemarch* and *Anna Karenina* large and loose, but that this largeness and looseness has a special advantage, allowing the novelist to report truthfully and fully the quality of the individual moment, the loose end, the doubt and contradiction and mutability. James was wrong to call such novels ‚fluid puddings' [. . .]".[19]

Gegenwärtig besteht sogar, besonders in der englisch-amerikanischen Romankritik, Gefahr, daß der Pendelschlag zu weit über die Mitte hinaus ins andere Extrem geht. Nach der lange unbestrittenen Vorherrschaft der Postulate von H. James and P. Lubbock, der „dramatic novel" mit konsequenter Perspektivierung und Fokalisierung des Blickpunktes in einem „central consciousness", ist durch die neue Beschäftigung der Romankritik mit den größtenteils aperspektivisch erzählten Romanen der Viktorianer in den letzten Jahrzehnten eine Tendenzwende eingeleitet worden. Nicht überall in der englisch-amerikanischen Kritik führte diese Wende zu einem neuen, ausgeglicheneren Urteil, zu einer Anerkennung der künstlerischen Gleichberechti-

---

18 Vgl. W. J. Harvey, *The Art of George Eliot*, London 1961, und *Character and the Novel*, London 1970; Barbara Hardy, *The Novels of George Eliot*, London ²1963. Auch ein Gutteil der Dickens-Kritik nach Edmund Wilson und Humphry House wäre hier zu nennen.

19 B. Hardy, *The Appropriate Form: An Essay on the Novel*, London 1964, 8.

gung beider Verfahrensweisen. So finden sich neuerdings bei Scholes und Kellogg grundsätzliche Vorbehalte gegen den von H. James propagierten Perspektivismus: „Henry James can be seen as standing between the titans Joyce and Proust, and making the least of both their worlds [...] Like Proust he filters his story through a central consciousness, but unlike Proust he anchors that consciousness in time and space, sacrificing huge areas of life to his desire for neatness [...] James's influence tends to run counter to the whole flow of narrative [...]".[20] Eine solche Verurteilung der perspektivischen Erzählweise eines H. James ist erzähltheoretisch kaum haltbar. Die perspektivische Erzählweise ist eine von zwei grundsätzlich möglichen Stilrichtungen bei der Darstellung räumlicher Relationen in einer Erzählung, von der zu behaupten „[it] tends to run counter to the whole flow of narrative" nur dann verständlich erscheint, wenn damit gemeint ist, was weiter oben als gattungsspezifischer Widerstand beschrieben wurde, den zu überwinden eine besondere Anstrengung notwendig ist, eine Anstrengung, für die jedoch der Autor durch einen Gewinn an Sinnbezügen reichlich entschädigt wird.

Die perspektivische Erzählweise macht, so könnte man auch sagen, von einem anderen Teil des Gestaltungspotentials des Romans und der Erzählung Gebrauch als die aperspektivische. Die Verschiedenartigkeit beschränkt sich dabei keineswegs auf die Wahl des „point of view", der Persönlichkeit des Erzählers usw., sondern erstreckt sich auf fast alle anderen Bereiche der Erzählkunst. So hat z.B. Dietrich Weber dargelegt, daß sich die Bauform der analytischen Erzählung „erst im Rahmen eng perspektivischen Erzählens, sei es in personaler Form oder in der Ichform,"[21] entfalten kann.

5.4 Innenperspektive – Außenperspektive

Die Wahl einer dieser beiden Positionen ist in der Regel auch weltanschaulich oder ideologisch determiniert, was in den meisten Arbeiten zum Standpunktproblem, mit besonderem Nachdruck aber, wie weiter oben bereits erwähnt, von R. Weimann unterstrichen wird.[22] Am meisten Aufmerksamkeit hat Sartres Erklärung gefunden, daß die

---

20 R. Scholes und R. Kellogg, *The Nature of Narrative*, London 1971, 271f.
21 Dietrich Weber, *Theorie der analytischen Erzählung*, München 1975, 14.
22 Vgl. S. 38, Anmerkungen 49 und 50.

Anwesenheit eines persönlichen Erzählers und die damit gegebene perspektivische Horizontierung des Erzählwissens eine ideologische Stabilisierung der fiktionalen Wirklichkeit zur Folge habe (Vgl. *Typische Formen*, 22). Von einer anderen Warte aus betrachtet D. Lodge diesen Sachverhalt, um aber schließlich auch einen engen Zusammenhang zwischen Erzählperspektive und Weltanschauung zu postulieren. So meint D. Lodge mit Bezug auf die Diskussion dieser Frage bei François Mauriac, Jean-Paul Sartre und Graham Greene, „it is not difficult to establish a normative correlation between omniscient authorial narration and an explicitly Christian perspective on events; and, correspondingly, between limited narrators and a more secular, humanist perspective".[23] Die Zusammenhänge sind wahrscheinlich noch komplexer und schwieriger als D. Lodge meint. Die Klärung der erzähltechnischen Voraussetzungen für die Perspektivierung, die hier versucht wird, kann dabei vielleicht von einigem Nutzen sein.[24]

Die ideologische und weltanschauliche Komponente der Opposition Innenperspektive − Außenperspektive hängt also, wie schon Lodge andeutet, mit der Horizontierung des Erzählten, der Eingrenzung des Wissens- und Erfahrungshorizontes des Erzählers zusammen. Innenperspektive hat notwendigerweise eine Beschränkung des Wissenshorizontes („limited point of view") der Erzähler- oder Reflektorfigur zur Folge. Allwissenheit eines Erzählers („omniscience") setzt häufig die Außenperspektive eines auktorialen Erzählers von seinem olympischen Standpunkt voraus. Dieser verfügt daher auch über eine unbeschränkte Einsicht in die Gedanken und Gefühle der Charaktere. Erstaunlicherweise gibt es aber fast keine Romane, in denen diese olympische Allwissenheit durchgehend und für alle Charaktere, Zusammenhänge, Ursachen etc. in Anspruch genommen wird. So wechseln z. B. in den Romanen von Dickens und Thackeray, wie auch der meisten anderen Viktorianer, ständig Abschnitte, in denen sich der auktoriale Erzähler allwissend gibt, mit solchen, in denen er vorgibt, nur ein partielles Wissen von den erzählten Sachverhalten zu haben. Parallel zu diesem Wechsel der Horizontierung findet meistens ein Wechsel von Außen- zu Innenperspektive statt und umgekehrt. Die Rekurrenzmuster eines solchen Wechsels in einer längeren Erzählung oder einem Roman können wegen der bereits erwähnten ideologischen Im-

---

23 D. Lodge, *The Novelist at the Crossroads*, 120 f.
24 Vgl. dazu auch Winfried Wehles Erörterung dieses Aspekts am Nouveau Roman in: *Französischer Roman der Gegenwart. Erzählstruktur und Wirklichkeit im Nouveau Roman*, Berlin 1972, bes. 102 ff.

plikationen recht bedeutsam sein. Es fehlen aber bislang noch eingehendere Untersuchungen dieses Zusammenhanges. W. Füger hat kürzlich einen Beitrag zur theoretischen Erörterung des Grundsätzlichen dieser Frage vorgelegt, dessen Ergebnisse bei solchen Untersuchungen zu berücksichtigen wären.[25]
Ausgehend von der Beobachtung an Fieldings *Joseph Andrews*, daß die Allwissenheit des auktorialen Erzählers immer wieder eingeschränkt wird, stellt sich Füger die Frage, ob hier „ein funktional erklärbares Verteilungsprinzip von Wissen und Nichtwissen" erkennbar sei. Er deckt dann mehrere Schichten des „negierten Erzählerwissens" auf und setzt sie in Beziehung zu verschiedenen Rollen und Verhaltensweisen des Erzählers wie Verifikations- und Dokumentationsbemühen, Bescheidenheit und Zurückhaltung im Urteil über die Charaktere, persönliche Teilhabe an der conditio humana u. ä. Ein auktorialer Erzähler, der solche persönlichen Eigenschaften annimmt, nähert sich (im Sinne unseres Typenkreisschemas) einem Ich-Erzähler, für den auf Grund seines existentiellen Eingebundenseins in die Welt der Charaktere eingeschränkter Wissenshorizont und Teilhabe an der conditio humana rollenbestimmend sind. Die Neigung des Erzählers zur Verpersönlichung seiner Rolle – sie ist in der Verleiblichung des Ich-Erzählers am stärksten ausgeprägt – kann sehr nachhaltig die Einstellung des Lesers zum Erzähler beeinflussen. Totale Allwissenheit erscheint dem Leser monströs; stellenweise Negation der Allwissenheit vermenschlicht dagegen den auktorialen Erzähler.
Somit präsentiert sich auch die Opposition „Perspektive" als ein komplexes und facettenreiches Phänomen. Aus der Fülle der Probleme sollen im folgenden vor allem zwei wegen ihrer allgemeinen Bedeutung eingehender betrachtet werden: die perspektivischen Probleme bei der Darstellung von Innenwelt und die Frage der Demarkation zwischen den Kommentaren des Erzählers und den Ansichten einzelner Charaktere.

5.4.1 Die Darstellung von Innenwelt

Es ist ein gattungsspezifisches Merkmal der Erzählung, daß der Inhalt des Bewußtseins einer Romanfigur dem Leser unter der Illusion der

---

25 Vgl. Wilhelm Füger, „Das Nichtwissen des Erzählers in Fieldings *Joseph Andrews*. Baustein zu einer Theorie des negierten Wissens in der Fiktion", *Poetica* 10 (1978), 188–216.

Unmittelbarkeit dargeboten werden kann. Mit den Worten K. Hamburgers: *„Die epische Fiktion ist der einzige erkenntnistheoretische Ort, wo die Ich-Originität (oder Subjektivität) einer dritten Person als einer dritten dargestellt werden kann"* (*Logik,* 73).

Zu K. Hamburgers wichtigen grundsätzlichen Feststellung ist hinzuzufügen, daß natürlich auch in der Ich-Form einer Erzählung Innenwelt zur Darstellung gelangt, mindestens im gleichen Umfang wie in der Er-Form der „epischen Fiktion". Die Darstellung von Innenwelt, d. h. von Gedanken, Wahrnehmungen, Gefühlen und Bewußtseinszuständen der Charaktere, ist daher eine spezifische Domäne aller Erzählliteratur, im besonderen aber des Romans. Dabei ist auf die besondere Rolle, die das Gattungsmerkmal „Mittelbarkeit erzählender Darstellung" spielt, zu achten. Mehr als die Darstellung von Außenwelt scheint die Darstellung von Innenwelt die Illusion der Unmittelbarkeit, also die scheinbare Aufhebung der gattungsspezifischen Mittelbarkeit, zu fördern. Gerade der moderne Roman läßt eine stark ausgeprägte Tendenz erkennen, der dargestellten Innenwelt den Anschein der Unmittelbarkeit, des Unredigierten, Spontanen zu geben. Daraus wird verständlich, daß sich die Darstellung der Innenwelt im neueren Roman bevorzugt des Reflektor-Modus bedient. Innenweltdarstellung ist damit auch ein Problem des Erzählmodus, was auch im Kapitel über diese Erzählkonstituente einen Niederschlag finden wird. Innenweltdarstellung ist aber, wie in dem oben angeführten Zitat aus K. Hamburgers *Logik der Dichtung* angedeutet, auch ein Problem der perspektivischen Horizontierung, des Abgrenzens der Einsicht des erzählenden Vermittlers in das Bewußtsein der Charaktere. Sie hängt offensichtlich auch mit der Perspektive, der Standpunktwahl einer Erzählung zusammen. Die der Außenperspektive entsprechende Form der Innenweltdarstellung ist ein Allwissenheit voraussetzender Gedankenbericht eines auktorialen Erzählers. Ein peripherer Ich-Erzähler wird dagegen seine Kenntnis der Gedanken etwa der Hauptfigur vor dem Leser zu motivieren haben, z. B. damit, daß er sich auf die entsprechenden Mitteilungen und Äußerungen dieser Person beruft, oder aber aus Gesten, Gebärden, Gesichtsausdruck, Reaktionen des Charakters Rückschlüsse auf dessen Innenwelt tätigt. Bei Vorherrschen von Innenperspektive ist dagegen eine solche Motivierung nicht erforderlich: Innerer Monolog, Erlebte Rede und personale ES, also die Formen des Reflektor-Modus, postulieren Unmittelbarkeit, d. h. die Illusion des direkten Einblicks in die Gedanken der Charaktere. Die moderne Erzählliteratur hat der Bewußtseinsdarstellung mehr Aufmerksamkeit zugewendet als irgend einem anderen Aspekt der dargestellten Wirklichkeit und dabei ein sehr differenziertes Instrumentarium von Darstellungsformen entwickelt. Dieses Kapitel der Analyse der Erzählformen hat daher auch die Aufmerksamkeit von zahlreichen Erzählforschern erregt. Die bisher gründlichste Untersuchung dieses Themas, zu der auch die einschlägige Literatur darüber sowohl in englischer als auch in deutscher und französischer Sprache eingehend berücksichtigt wird, ist kürzlich von Dorrit Cohn vorgelegt worden.[26] Dieses Buch ist für unsere Theorie besonders wichtig, weil hier die Formen der Bewußtseinsdarstellung grundsätzlich nach Er- und Ich-Formen gegliedert werden.

Hier soll jetzt eine der wichtigsten Konsequenzen für die Interpretation beschrieben werden, die unmittelbar aus der Wahl von Innen- oder Außenperspektive bei der Innenweltdarstellung herzuleiten ist: die Verteilung von Innenweltdarstellung unter den einzelnen Charakteren einer Erzählung und die Folgen, die sich daraus für die Steuerung der Lesersympathien ergeben. Auch die Verweigerung des Privilegs der Innensicht an einzelne Charaktere ist eine (negative) Form der Sympathiesteuerung, die z. B. Hemingway in seinen Erzählungen öfters praktiziert. In Peter Handkes Roman *Die linkshändige Frau* (1976) werden ziemlich konsequent die innenweltlichen Vorgänge, die offensichtlich das erzählte Geschehen begleiten, ausgespart. Hier werden ganz bewußt im Text Unbestimmtheitsstellen gelassen, durch die der Leser fortlaufend zur Komplementierung des Erzählten aus seiner eigenen Vorstellungs- und Erfahrungswelt veranlaßt wird.[27]

Innenweltdarstellung ist ein äußerst wirksames Mittel zur Sympathiesteuerung, weil dabei die Beeinflussung des Lesers zugunsten einer Gestalt der Erzählung unterschwellig erfolgt. Je mehr ein Leser über die innersten Beweggründe für das Verhalten eines Charakters erfährt, desto größer wird seine Bereitschaft sein, für das jeweilige Verhalten dieses Charakters Verständnis, Nachsicht, Toleranz usw. zu

---

26 D. Cohn, *Transparent Minds. Narrative Modes for Presenting Consciousness in Fiction,* Princeton 1978.

27 Die Mittel zur Sympathiesteuerung im Roman und in der Erzählung sind wesentlich gattungsspezifisch, das zeigt sich im Vergleich mit den dafür im Drama verwendeten Formen. Vgl. dazu W. Habicht und I. Schabert, (Hrsg.), *Sympathielenkung in den Dramen Shakespeares,* München 1978, besonders W. Riehle, „*Coriolanus*: Die Gebärde als sympathielenkendes Element“, und die dort angeführte Literatur (132–141). Siehe auch die Beiträge von W. Clemen, M. Pfister, W. v. Koppenfels, J. Hasler, D. Mehl, P. Halter.

hegen.[28] Es ist sehr wahrscheinlich, daß diese Sympathiesteuerung auf den modernen Leser stärker wirkt, wenn sie durch Innensicht, d. h. durch die Illusion des unmittelbaren Einblicks in das Bewußtsein des betreffenden Charakters, ausgelöst wird als bei auktorialem Gedankenbericht, also durch eine Aussage des Erzählers darüber. Diese Frage kann allerdings nicht allein theoretisch entschieden werden, sondern müßte auch durch empirische psychologische Untersuchungen über die Reaktionsneigung des Lesers angesichts der beiden Formen von Innenweltdarstellung abgeklärt werden. Hier liegt ein wichtiges Desiderat künftiger Erzählforschung.

Treten in einem Roman mehrere Charaktere auf, die auf Grund der ungefähren Gleichgewichtung ihrer Rollen dem Leser zunächst in Äquidistanz erscheinen, wie etwa Gudrun und Ursula, Birkin und Gerald in *Women in Love*, dann kommt ein weiteres Problem dazu: durch die Verteilung der Innensicht-Darstellung auf die einzelnen Charaktere und ihre relative Häufigkeit bei einer bestimmten Figur kann sich eine deutliche Verlagerung der Lesersympathien zu der durch Innenweltdarstellung bevorzugten Figur ergeben. So wird Gudrun im Schlußteil von *Women in Love* durch Innenweltdarstellung gegenüber Ursula, Birkin und sogar gegenüber Gerald bevorzugt. Diese Art der unterschwelligen Sympathiewerbung des Erzählers für Gudrun ist umso wichtiger, als sie dem Sympathieverlust, den Gudrun durch ihr Verhalten zwischen Gerald und Loercke in Kauf nehmen muß, entgegengerichtet ist. Um der Sympathiesteuerung durch Innenweltdarstellung in der Interpretation eines längeren Romans entsprechend Rechnung tragen zu können, ist also auch darauf zu achten, von welchen Charakteren überhaupt Innenwelt dargestellt wird und, falls mehrere Charaktere daran partizipieren, ob eine Romanfigur dabei vom Autor bevorzugt wird. In Margaret Drabbles Dreiecksgeschichte *The Needle's Eye* wird bis kurz vor Schluß nur von zweien der drei Hauptpersonen eine Innensicht geboten, von der ihrem Gatten entfremdeten Frau und ihrem Freund und Rechtsberater. Erst kurz vor dem Schluß, der einen deutlichen Umschwung in der Sympathieverteilung zugunsten des bis dahin bei der Darstellung von Innenwelt benachteiligten Gatten bringt, erhält auch dieser einmal, wenn auch nur vorübergehend, vom Autor Gelegenheit, seine Sicht der Verhält-

---

28 Zur Geschichte der Darstellung von Innenwelt im Roman vgl. F. K. Stanzel, „Innenwelt. Ein Darstellungsproblem des englischen Romans", *GRM*, N. F. 12 (1962), 273–286, und „Gedanken zur Poetik des Romans", in: *Der englische Roman*, Düsseldorf 1969, Bd. 1, 9 f.

nisse, wie sie sich in seinen Gedanken niederschlägt, dem Leser unmittelbar kundzutun.[29] Es ist nicht anzunehmen, daß ein Autor bei der Abfassung eines Romans die Verteilung der Innenweltdarstellung immer bewußt vornimmt. Aus einem Gespräch mit Margaret Drabble war zu entnehmen, daß für den zitierten Fall eine der Autorin bewußte Steuerung nicht anzunehmen ist. Dieser Befund erhöht aber nur die Bedeutsamkeit dieses Aspekts, da er Rückschlüsse auf die Einstellung des Autors zu den einzelnen Charakteren im Abfassungsvorgang möglich macht, über die sich der Autor selbst oft nicht Rechenschaft gibt oder geben kann. Aus einer genauen Analyse der Häufigkeit und der Distribution von Innenweltdarstellung auf die einzelnen Charaktere eines Romans können also u. U. ähnliche Rückschlüsse auf die in tieferen Bewußtseinsschichten eines Autors angelegten Wertungen und Einstellungen gezogen werden wie aus der Analyse der Bildersprache eines Autors.[30]

Ein Werk, in dem sich eine solche Analyse geradezu aufdrängt, ist Jane Austens Roman über zwei ungleiche Schwestern, *Sense and Sensibility* (1811). Von den im Titel genannten polaren Erfahrungs- und Verhaltenstypen des ausgehenden 18. Jahrhunderts ist „sense" Elinor und „sensibility" ihrer Schwester Marianne zuzuordnen. In Anbetracht des Umstandes, daß Jane Austen in der Konfrontation der so charakterisierten Schwestern sehr wahrscheinlich einen persönlichen, ihr selbst gar nicht völlig bewußten Konflikt ausgetragen hat, ist höchst aufschlußreich, wie ungleich die Innenweltdarstellung in diesem Roman verteilt ist. Der Leser erhält ständig Einblick in die Gedanken und Gefühle von Elinor („sense"), dagegen wird ihm unmittelbare Einsicht in das Bewußtsein Mariannes („sensibility") weitgehend verwehrt. Eine solche Darstellungsstrategie ist umso bemerkenswerter, als gerade Mariannes Erlebnisweise die Abweichung von der (in den von Jane Austen geschilderten Gesellschaftskreisen) für eine Frau damals verbindlichen Verhaltensnorm repräsentiert. Jane Austens Darstellungsstrategie läuft darüber hinaus auch gegen den Strich der natürlichen Anlagen der beiden Schwestern, die Tony Tanner folgendermaßen charakterisiert: „Marianne [. . .] ‚abhors all concealment', and Elinor [. . .] is willing to contain private feelings in the interests of preserving some order among the necessary social coverings". Nicht

---

29 Vgl. Margaret Drabble, *The Needle's Eye*, Harmondsworth 1973, 374 f.
30 Vgl. dazu etwa die Analysen von Shakespeares Bildersprache von C. Spurgeon (*Shakespeare's Imagery,* 1935) und Wolfgang Clemen (*Shakespeares Bilder*, 1936).

zufällig lokalisiert Tony Tanner gerade hier das Zentralproblem des Romans: „How much of the individual's inner world should be allowed to break out in the interest of personal vitality and psychic health; and how much should the external world be allowed to coerce and control that inner reality in the interest of maintaining a social structure which does provide meaningful spaces and definitions for the lives of its members?"[31] Jane Austens Erzähler, der sich auffälligerweise gegen Schluß stärker persönlich einmengt als zu Beginn und in der Mitte,[32] bezieht nirgends direkt und explizit Stellung zu diesem Zentralproblem des Romans. Jane Austen hat dagegen ihre Position in dieser Frage durch die auffällige Bevorzugung Elinors gegenüber Marianne bei der Innenweltdarstellung sehr deutlich gemacht. Vielleicht ließe sich die These einer solchen Parteinahme auch textgeschichtlich untermauern, wenn uns die frühere Fassung des Romans in Briefform erhalten geblieben wäre. Es ist anzunehmen, daß in der Briefform der ersten Fassung die Innenweltdarstellung noch gleichmäßiger auf beide Schwestern verteilt war, vorausgesetzt, daß sowohl Elinor als auch Marianne als Korrespondenten fungierten.[33] In Jane Austens Modell für die Geschichte der ungleichen Schwestern, in Maria Edgeworths *Letters of Julia and Caroline* (1795) wird jedenfalls beiden Schwestern Gelegenheit geboten, sich über ihre Gedanken und Gefühle in Briefen auszusprechen. Die besondere Darstellungsstrategie bei der Innenweltdarstellung in *Sense and Sensibility* wurde also von Jane Austen, so scheint es, entgegen der traditionellen Form dieses Themas in der zeitgenössischen Literatur gewählt, was die Bedeutung dieser Entscheidung für die Interpretation des Romans noch erhöht.[34]

---

31 Tony Tanner, „Introduction", in: *Sense and Sensibility*, Harmondsworth 1974, 17.
32 Vgl. *Sense and Sensibility*, 351 ff.
33 Zur Überarbeitung der Erzählform des Romans vgl. F. B. Pinion, *A Jane Austen Companion*, London 1973, 84, und A. Walton Litz, *Jane Austen: A Study of Her Artistic Development*, London 1965, 72 ff.
34 Für die Erklärung dieses Sachverhalts ist auch von Interesse, daß J. Austen in ihren späteren Romanen der Innenweltdarstellung zunehmend mehr Raum gewährt hat. Vgl. dazu W. Müller, „Gefühlsdarstellung bei Jane Austen", *Sprachkunst* 8 (1977), 87–103.

5.4.2. Demarkationsprobleme zwischen Innenperspektive und Außenperspektive

Die Opposition Innenperspektive-Außenperspektive lenkt die Aufmerksamkeit auch auf ein hermeneutisches Problem der Romaninterpretation. Wo sich Innen- und Außenperspektive in der Erzählung überlagern, ist es für den Leser meist recht schwierig oder sogar unmöglich zu entscheiden, ob eine bestimmte Ansicht einer zentralen Romanfigur oder der Ansicht eines peripheren oder auktorialen Erzählers zuzuordnen ist. Wir haben es hier wiederum mit der Unterscheidung zwischen Wahrnehmendem und Erzählendem zu tun. Es ist auch zu berücksichtigen, daß sich die Erwartungen und die Ansprüche des Lesers im Hinblick auf die perspektivische Trennschärfe der Darstellung im Laufe des letzten Jahrhunderts ganz entscheidend verändert haben. Die historische Dimension darf also bei der Betrachtung dieser Frage nicht außer Acht gelassen werden. Es ist auch kein Zufall, daß das Demarkationsproblem gerade vor ungefähr hundert Jahren, also zu Beginn dieser Entwicklung, auf eine weit über den Bereich der Literatur hinaus Aufsehen erregende Weise zur Debatte gestellt wurde. Im Prozeß gegen Gustave Flaubert als dem Autor des Romans *Madame Bovary* wollte der Staatsanwalt u. a. eine Passage als „glorification de l'adultère" unter Anklage stellen, in der die Gedanken Emmas nach ihrem ersten außerehelichen Liebeserlebnis dargestellt werden.[35] Diese Gedanken werden in Innensicht dargeboten. Es war daher dem Verteidiger möglich, mit der Erklärung, daß es sich um Gedanken und Wunschvorstellungen Emmas und nicht des Autors handle, den gegen Flaubert gerichteten Vorwurf zu entkräften. Er bediente sich dabei also der Unterscheidung zwischen den Ansichten der Romanfigur und den Ansichten des Romanautors bzw. des auktorialen Erzählers, die in unserem System durch die Opposition Innen-/Außenperspektive begrifflich erfaßbar wird. Jauss formuliert den Sachverhalt folgendermaßen: „Die inkriminierten Sätze sind keine objektive Feststellung des Erzählers, der der Leser Glauben schenken kann, sondern eine subjektive Meinung der Person, die damit in ihren [. . .] Gefühlen charakterisiert werden soll". Das von Flaubert zu diesem Zwecke „virtuos und perspektivisch konsequent" ein-

---

35 Ich entnehme die Informationen über diesen Fall Hans Robert Jauss, *Literaturgeschichte als Provokation der Literaturwissenschaft,* Konstanz 1967, 67 ff., wo auch die entsprechenden Quellenangaben gemacht werden.

gesetzte Kunstmittel sei die erlebte Rede (67 f.). Das ist als inhaltliche Wiedergabe der Zielrichtung der Argumentation des Verteidigers richtig, als romantheoretische Erklärung jedoch unpräzise. Die Form der erlebten Rede ist, wo sie eingebettet in auktoriale Erzählweise erscheint, perspektivisch gesehen eine Mischform aus Innenperspektive und Außenperspektive. So wurde sie auch von Roy Pascal kürzlich wieder definiert. Sein Buch über die erlebte Rede trägt daher auch den Titel *The Dual Voice*.[36] Wenn also Emmas Gedanken an der inkriminierten Stelle nur in erlebter Rede stünden, wäre der Autor-Erzähler nicht ganz von jeder Mitverantwortlichkeit für die Gesinnung dieser Gedanken zu exonerieren, denn seine implizierte Anwesenheit böte ihm Gelegenheit zu einer Distanzierung von den Ansichten Emmas. Dennoch ist das bereits erwähnte Argument des Verteidigers zutreffend, denn die Form der Darstellung an der betreffenden Stelle ist jene der innenperspektivischen Innensicht. Daran sind erlebte Rede *und* Ansätze zum inneren Monolog bzw. zu fingierter direkter Rede[37] beteiligt. Gerade der – wenn auch nur kurze – innere Monolog verfestigt beim Leser den Eindruck der Innenperspektive gegenüber der in der erlebten Rede latenten Verquickung von Innen- und Außenperspektive. Emma betrachtet ihr Bild im Spiegel:

En s'apercevant dans la glace, elle s'étonna de son visage. Jamais elle n'avait eu les yeux si grands, si noirs, ni d'une telle profondeur. Quelque chose de subtil épandu sur sa personne la transfigurait.
Elle se répétait: J'ai un amant! un amant! se délectant à cette idée comme à celle d'une autre puberté qui lui serait survenue. *Elle allait donc enfin posséder ces plaisirs de l'amour, cette fièvre de bonheur dont elle avait désespéré. Elle entrait dans quelque chose de merveilleux, où tout serait passion, extase, délire...*[38]

Das Entscheidende ist, daß an dieser Stelle dem Leser durch das Zusammenwirken mehrerer Gestaltungsmittel – zu den genannten muß noch das Vorherrschen einer personalen ES im weitaus größten Teil des Romans hinzugefügt werden, durch die der „point of view" weitgehend in Emma fixiert wird – der Eindruck einer innenperspektivischen Innensicht vermittelt wird. Dies gilt keineswegs für alle Teile des Romans, der im übrigen mit einer Ich-ES beginnt, die aber bald end-

---

36 Roy Pascal, *The Dual Voice: Free indirect speech and its functioning in the nineteenth-century European novel*, Manchester 1977.
37 Der Terminus hat sich seit O. Funkes Arbeit „Zur ,erlebten Rede' bei Galsworthy", *Englische Studien* 64 (1929), 450 ff. eingebürgert.
38 Zitiert nach H. R. Jauss, *Literaturgeschichte als Provokation*, 68.

gültig zugunsten einer auktorial-personalen ES aufgegeben wird.
Dort, wo die ES auktorial ist, herrscht Außenperspektive vor. In die-
sen außenperspektivischen Passagen ist so manches zu finden, das der
Vertreter der Anklage im Prozeß gegen den Autor mit besserem
Grund als dessen Ansicht hätte zitieren können als jene oben angeführten Teile aus der innenperspektivischen Innensicht Emmas. So
nimmt z. B. der Leser im 5. Kapitel des 3. Teiles an einer der Fahrten
Emmas in die Stadt, wo ihr Geliebter auf sie wartet, mit den Augen,
Gedanken und Gefühlen Emmas teil. Die Darstellung wird durch Innenperspektive regiert. Die Schilderung der Stadt, wie sie sich von einer Anhöhe, über die sich die Kutsche ihr nähert, darbietet, erfolgt jedoch in Außenperspektive. Ganz unmißverständlich wird hier die
Stimme eines auktorialen Erzählers vernehmbar, die der Schilderung
der Stadt eine Poetizität verleiht, die Emma auch in dem innerlich erregten Zustand, in dem sie sich in diesen Augenblicken kurz vor dem
Wiedersehen mit Léon befindet, nicht zukommt. In dieser poetischen
oder imaginativen Überhöhung des Eindrucks von der Stadt, die den
Schauplatz von Emmas Liebesbegegnung mit Léon birgt, klingt etwas
an, das man vielleicht als auktoriale Zustimmung zum Verhalten Emmas interpretieren könnte:

Enfin, les maisons de briques se rapprochaient, la terre résonnait sous les roues,
l'*Hirondelle* glissait entre des jardins, où l'on apercevait, par une claire-voie,
des statues, un vignot, des ifs taillés et une escarpolette. Puis, d'un seul coup
d'œil, la ville apparaissait.
Descendant tout en amphithéâtre et noyée dans le brouillard, elle s'élargissait
au delà des ponts, confusément. La pleine campagne remontait ensuite d'un
mouvement monotone, jusqu'à toucher au loin la base indécise du ciel pâle.
Ainsi vu d'en haut, le paysage tout entier avait l'air immobile comme une pein-
ture; les navires à l'ancre se tassaient dans un coin; le fleuve arrondissait sa
courbe au pied des collines vertes, et les îles, de forme oblongue, semblaient sur
l'eau de grands poissons noirs arrêtés. Les cheminées des usines poussaient
d'immenses panaches bruns qui s'envolaient par le bout. On entendait le ron-
flement des fonderies avec le carillon clair des églises qui se dressaient dans la
brume. Les arbres des boulevards, sans feuilles, faisaient des broussailles vio-
lettes au milieu des maisons, et les toits, tout reluisants de pluie, miroitaient
inégalement, selon la hauteur des quartiers. Parfois un coup de vent emportait
les nuages vers la côte Sainte-Catherine, comme des flots aériens qui se bri-
saient en silence contre une falaise. (Paris 1966, 287)

Ein Autor, der Emmas ,,Fehltritt'' in einer Weise verurteilt, wie es der
Vertreter der Anklage im historischen Prozeß forderte, hätte hier dem
auktorialen Erzähler andere Vorstellungen und Assoziationen in den

Mund gelegt. In einem gewissen Sinne wird durch die Überleitung der Darstellung von Innenperspektive zu Außenperspektive ein – natürlich nur unterschwellig vernehmbarer – Kommentar des Autors zum Geschehen abgegeben, ein Kommentar, der, teilte man die moralische Entrüstung des Staatsanwaltes, romantheoretisch betrachtet mit besserem Grund als „glorification de l'adultère" hätte inkriminiert werden können als die Gedanken Emmas vor dem Spiegel. Im an die Zitatstelle anschließenden Absatz wird auch dann die auktoriale Beschreibung des Anblicks der Stadt direkt mit der leidenschaftlichen Erwartung Emmas in Bezug gesetzt. R. Pascal, der sich in seiner Studie über die ER auch mit dieser Stelle beschäftigt, kritisiert den Übergang von Innen- zu Außenperspektive, von personaler zu auktorialer Wahrnehmung zu Beginn der Schilderung der Fahrt als Versehen des Autors.[39] Eine solche Kritik setzt einen Perspektivismus voraus, der im Roman der Mitte des 19. Jahrhunderts generell überhaupt nicht, in *Madame Bovary*, einem der ersten Romane mit vorherrschend personaler ES, aber auch noch nicht in solcher Konsequenz erwartet werden kann.

Etwas mehr als hundert Jahre nach dem Fall *Madame Bovary* mußte sich ein englisches Gericht mit dem Fall „Regina versus Penguin Books Limited" befassen, das inkriminierte Werk war D. H. Lawrences *Lady Chatterley's Lover* in seiner authentischen, d. h. „unexpurgated", Fassung. Ein Vergleich der Argumentation von Anklage und Verteidigung in den beiden Prozessen wäre ein rezeptionsgeschichtlich wie auch romantheoretisch höchst interessantes Unternehmen. Hier kann nur auf das für unser Thema wichtige Demarkationsproblem eingegangen werden. D. H. Lawrences Roman ist ein viel stärker aperspektivisches Werk als *Madame Bovary*. Es wechseln nicht nur Innenperspektive und Außenperspektive fortgesetzt, es ist in diesem Werk auch sehr häufig nicht zu klären, ob oder worin sich die Ansichten des Erzählers, hinter dem der Autor deutlich erkennbar wird, von jenen der beiden Hauptfiguren, Lady Chatterley und Mellors, unterscheiden. Im Zuge der Gerichtsverhandlung konnten sich daher auch der Verteidiger und die stattliche Reihe der von ihm aufgerufenen Zeugen – fast alle von Prominenz auf dem Gebiet der Literaturwissenschaft oder Romankritik – nie wie der Verteidiger Flauberts darauf berufen, daß einige der von der Staatsanwaltschaft wegen Obszönität

---

39 R. Pascal, *The Dual Voice*, 107: „[…] Flaubert's aesthetic interest has overcome his artistic, he indulges his own response to the city landscape instead of constructing Emma's".

inkriminierten Stellen nur die Ansicht oder das Erlebnis einzelner Romanfiguren widerspiegelten, nicht aber notwendigerweise auch die Ansicht des Autors enthielten. Das kam der Anklagevertretung sehr zustatten.[40] Andererseits wurde aber vom Staatsanwalt das gewichtigste Argument, das in der Diskussion über den literarischen Rang des Romans als Einschränkung hätte vorgebracht werden können, die unzureichende Objektivierung der Hauptcharaktere als selbständige fiktionale Individuen, nicht genützt. Hier liegt die eigentliche (literarische) Schwäche dieses Romans: Nur ganz selten macht D. H. Lawrence in Gestalt seines Erzählers einen Ansatz, „to disentangle his own prejudices and predispositions from those of his characters".[41] D. H. Lawrences Erzählweise in *Lady Chatterley's Lover* ist primär darauf gerichtet, seine Leser zu einer möglichst weitgehenden Annahme der von ihm verkündeten Sexualphilosophie zu bewegen, ein für die damalige Zeit noch sehr riskantes und schwieriges Unterfangen. Die Schwierigkeiten, die sich dann der Publikation des authentischen Textes entgegenstellten, sind zu einem nicht unbedeutenden Teil darauf zurückzuführen, daß D. H. Lawrence für die Darstellung des ebenso aktuellen wie provokanten Themas eine unzeitgemäße Form, nämlich eine auktorial-aperspektivische Erzählweise, gewählt hat. Scharf personal perspektiviert, etwa durch eine konsequente Darstellung von Connie Chatterleys Standpunkt, hätte *Lady Chatterley's Lover* ein bedeutender moderner Roman werden können. Dann wäre nämlich die Form des Romans, verstanden als „relativierende Veräußerlichung des Inhalts", dem Autor zur künstlerischen Stütze gegen die missionarische Einseitigkeit seiner eigenen Sexualideologie geworden. In *Women in Love* hat es D. H. Lawrence viel besser verstanden, die in der Mittelbarkeit des Erzählens latenten Formkräfte mit ihrer relativierenden Wirkung in den Gestaltungsprozeß einzubringen.

Im Gegensatz zu D. H. Lawrence hat Flaubert mit einem neuen Kunstmittel, wir nennen es Perspektivierung mittels einer personalen ES, für eine neue Sehweise eines alten Themas eine adäquate Erzählform gefunden. So auch „vermochte der Roman", wie Jauss ausführt, „Fragen der Lebenspraxis zu radikalisieren oder neu aufzuwerfen, die während der Verhandlung den ersten Anlaß der Anklage, das vermeintlich Laszive, ganz in den Hintergrund treten ließen" (69). Wenn

40 Vgl. C. H. Rolph (Hrsg.), *The Trial of Lady Chatterley: Regina vs. Penguin Books Limited*, Harmondsworth 1961, 101 f. et passim.

41 N. Friedman, „Point of View in Fiction", 1167.

D. H. Lawrences Roman schließlich doch noch gerichtliche Duldung, wenn auch nicht Anerkennung, fand, dann hat dazu, anders als bei Flaubert, die Form der erzählenden Gestaltung des Themas nur ganz am Rande etwas beigetragen. Den Prozeß „Regina vs. Penguin Books Limited" hat nicht der Romanautor, sondern D. H. Lawrence, der Apostel und Prophet einer neuen Sexualauffassung, gewonnen.

Aus diesen, wenn auch nur sehr skizzenhaften Anmerkungen zu den beiden Prozessen ist vielleicht schon deutlich geworden, daß die Art der Perspektivierung eines Romans seine Aussagestruktur in wesentlichen Punkten determiniert. In einem Roman mit konsequenter Innenperspektive relativiert die Form der Erzählung die „Gültigkeit" der Aussage auf eine andere Weise und mit anderen Konsequenzen als in einem Roman mit Außenperspektive oder mit wechselnder Perspektivierung. Auch die sich dabei ergebenden Demarkationsprobleme sind verschieden. Dafür soll noch ein Beispiel geboten werden, das mit Absicht aus einem thematisch in jeder Hinsicht unverfänglichen Werk ausgewählt wird. In H. G. Wells' Erzählung „The Country of the Blind" betrachtet sich Nunez, der unfreiwillige Eindringling im Tal der Blinden, als Sehender den blinden Bewohnern des Tales weit überlegen. Gleich zu Beginn taucht in ihm der Gedanke auf, seine Überlegenheit als Sehender dazu zu nützen, um die blinden Bewohner des Tales unter seine Herrschaft zu bringen. Während er sich den ersten Blinden, die ihm begegnen, nähert, geht ihm folgender Gedanke durch den Kopf:

All the old stories of the lost valley and the Country of the Blind had come back to his mind, and through his thoughts ran this old proverb, as if it were a refrain –
'In the Country of the Blind the One-eyed Man is King!'
'In the Country of the Blind the One-eyed Man is King!'
And very civilly he gave them greeting.
(*The Short Stories of H. G. Wells*, London 1927, 198 f.)

Ist „very civilly" im letzten Satz des Zitats auktoriale Außensicht, dann beschreibt dieses Wort einen wahren Sachverhalt: Nunez' an die Bewohner des Tales gerichteter Gruß war tatsächlich sehr höflich. Ist aber „very civilly" noch Teil der Innenperspektive der vorangehenden Sätze, dann ist die betonte Höflichkeit Verstellung, eine List Nunez', um die Blinden über seine wahre Absicht zu täuschen. Ein ähnliches Demarkationsproblem begegnet uns auch an einer wichtigen Schlüsselstelle, nämlich am Ende der Erzählung. Nunez ist es gelungen, aus dem Tal der Blinden zu fliehen. Erschöpft ruht er nun auf einem Grat der das Tal umsäumenden Berge:

From where he rested the valley seemed as if it were in a pit and nearly a mile below. Already it was dim with haze and shadow, though the mountain summits around him were things of light and fire. The mountain summits around him were things of light and fire, and the little details of the rocks near at hand were drenched with subtle beauty – a vein of green mineral piercing the grey, the flash of crystal faces here and there, a minute, minutely beautiful orange lichen close beside his face. There were deep mysterious shadows in the gorge, blue deepening into purple, and purple into a luminous darkness, and overhead was the illimitable vastness of the sky. But he heeded these things no longer, but lay quite inactive there, smiling as if he were satisfied merely to have escaped from the valley of the Blind in which he had thought to be King.
The glow of the sunset passed, and the night came, and still he lay peacefully contented under the cold stars. (218 f.)

Nunez' Flucht ist den äußeren Umständen nach zwar geglückt, ob er aber überleben und ob für ihn die wiedergewonnene Freiheit eine angemessene Entschädigung für seinen Verzicht auf die Liebe zu dem blinden Mädchen sein kann, auf diese für das Verständnis der Geschichte zentralen Fragen gibt die Erzählung keine endgültige Antwort. Der Grund für den offenen Schluß ist in der Art und Weise der Perspektivierung des Erzählens zu suchen. Die zitierte Stelle bietet zunächst eine Innenperspektive vom Standpunkt des Geflüchteten. Diese Innenperspektive des Helden blendet mit „he heeded these things no longer" in auktoriale Außenperspektive über. Schließlich wird mit dem „as if" des Vergleiches diese auktoriale Außenperspektive noch unterstrichen, gleichzeitig aber auch dem Leser in einem entscheidenden Augenblick der Einblick in Nunez' Gedanken verwehrt. So muß denn auch offen bleiben, ob das Leuchten der „cold stars" noch erlebte Wahrnehmung des sich ausruhenden Nunez ist, eine Wahrnehmung im Sinne einer Epiphanie, wie sie am Schluß von James Joyces *Dubliners* häufig zu beobachten ist, oder ein auktorialer Kommentar zur Ironie des Schicksals von Nunez, dem zwar die persönliche Freiheit wiedergegeben, das Leben und damit der Genuß der wiedergewonnenen Freiheit aber genommen wird.
Demarkationsprobleme, die sich aus der Perspektivierung des Erzählten ergeben, können also in der Interpretation einer Erzählung oder eines Romans wichtige Fragen aufwerfen. Die Unterscheidung der beiden Stilrichtungen Perspektivismus und Aperspektivismus und der beiden Möglichkeiten der Fixierung des Standpunktes und der Zuordnung, nämlich zur auktorialen oder figuralen Ansicht, zur Außenperspektive oder Innenperspektive, stellen ein begriffliches Instrumentarium bereit, das bei der Lösung solcher Interpretationsprobleme zu berücksichtigen ist.

5.4.3. *Unterschwellige Perspektivierung bei Dickens*

In der Erzählliteratur des 19. Jahrhunderts werden Perspektivismus und Aperspektivismus im allgemeinen noch nicht bewußt unterschieden. Flauberts *Madame Bovary* war in diesem Punkt der allgemeinen Entwicklung weit vorausgeeilt. Dieser Vorsprung Flauberts wurde im englischen Roman erst mit den späteren Romanen von Henry James gegen Ende des Jahrhunderts aufgeholt. Natürlich war schon vor Flaubert und Henry James in der Ich-Erzählung (zusammen mit dem Brief- und Tagebuchroman) durch den ihr innewohnenden Zwang zur Innenperspektive das Problem der Perspektivierung zur Debatte gestellt worden. Die Schwierigkeiten aber, die z. B. Thackeray mit seiner in der Ich-Form erzählten Lebensgeschichte des zwar sehr charmanten, aber moralisch äußerst dubiosen Glücksritters, Abenteurers, Spielers und Erbschleichers Barry Lyndon hatte,[42] lassen erkennen, daß beim größeren viktorianischen Lesepublikum der Sinn für die perspektivierenden und damit relativierenden Gestaltungsmöglichkeiten dieser Erzählform noch recht schwach entwickelt war. Den meisten viktorianischen Lesern fiel es offensichtlich noch schwer, den Ich-Erzähler Barry Lyndon in seiner subjektiven Gebundenheit an die Innenperspektive der Ich-ES zu durchschauen. Dabei ist Thackeray mit Hinweisen auf die eingeschränkte Fähigkeit des Erzählers, seine Situation objektiv darzustellen, nicht gerade sparsam umgegangen. Die unfreundliche und unverständige Aufnahme dieses Ich-Romans bei einem Teil des zeitgenössischen Publikums veranlaßte schließlich Thackeray, der Ich-Erzählung Barrys einige Fußnoten mit auktorialen Kommentaren anzufügen, durch die unmißverständlich zum Ausdruck gebracht werden sollte, daß der Leser Barrys Erzählungen mit kritischer Distanz zu begegnen habe:[43]

---

42 W. M. Thackeray, *The Memoirs of Barry Lyndon, Esq., Written by Himself*, 1844.

43 Es ist bezeichnend, daß es das Lesepublikum der populären Fortsetzungsserie des Romans war, das durch seine Unmutsäußerungen Thackeray schließlich veranlaßte, der Ich-Erzählung Barrys diese auktorialen Fußnoten anzufügen. Für die erste Veröffentlichung in Buchform hat Thackeray einen Teil dieser Kommentare wieder gestrichen. Vgl. Gordon N. Ray, *Thackeray: The Uses of Adversity*, London 1955, 346 und 487 (Anmerkung) u. G. Tillotson, *Thackeray the Novelist*, 214, wo die Tilgung dieser Kommentare beklagt wird.

The service about which Mr. Barry here speaks has, and we suspect purposely, been described by him in very dubious terms [. . .]
From these curious confessions, it would appear that Mr. Lyndon maltreated his lady in every possible way [. . .]
(*The Memoirs of Barry Lyndon, Esq.* (1844), London 1881, 496 u. 613)

Eine Leserschaft, die einen Autor dazu zwang, so deutlich mit dem auktorialen Zeigefinger auf die moralischen Schwächen seines Helden zu deuten, ermutigte sicherlich nicht dazu, die anspruchsvolleren Mittel der Perspektivierung in einer Erzählung einzusetzen. Das viktorianische Lesepublikum war jedoch, das geht allein schon aus seiner außerordentlichen Breite hervor, sowohl bildungsmäßig als auch sozial sehr heterogen. Als Folge davon finden wir bei den viktorianischen Erzählern neben der Bedachtnahme auf die literarische Anspruchslosigkeit eines Teiles ihrer Leser doch auch schon Ansätze zu einer subtileren, mehr indirekt wirksamen Gestaltung der Mittelbarkeit des Erzählens. So stößt man bei Dickens, Thackeray, George Eliot und anderen immer wieder auf Stellen, in denen auch anspruchsvollere Formen der Perspektivierung eingesetzt werden. Solche Perspektivierungsansätze bleiben allerdings meist auf einzelne Szenen bzw. kürzere Abschnitte eines Romans beschränkt, dienen also eher einer ,,episodic intensification‘‘ als einer konsequenten Ausrichtung der Sehweise nach festen, für den ganzen Roman verbindlichen perspektivischen Fluchtpunkten. Bezeichnenderweise kommt z. B. Dickens einer konsequenten Standpunkttechnik immer dort am nächsten, wo er eine Szene im ,,Sichtbericht‘‘[44] darstellt: ein unpersönlicher Erzähler berichtet ein Geschehen so, als wäre er selbst als (unsichtbarer) Zeuge dabei anwesend. Aber die Unpersönlichkeit dieses Vermittlers macht die Perspektive gleichsam ,,merkmallos‘‘ und damit fast unwirksam im Sinne von Perspektivierung als Präsentation eines Geschehens von einem ganz bestimmten Standpunkt und durch ein in seiner Besonderheit definierbares Bewußtsein. Die Darstellungsform des Sichtberichts ist daher weder der Innenperspektive noch der Außenperspektive eindeutig zuzuordnen. Es handelt sich eher um eine Art der szenischen Darstellung, bei der ja die Mittelbarkeit des Erzählens aufgehoben zu sein scheint, so daß unsere drei Oppositionen nicht wirksam werden können.
Auch bei der Darstellung von Innenwelt im viktorianischen Roman

---

44 Vgl. Wolfgang Wickardt, *Die Formen der Perspektive in Charles Dickens‘ Romanen, ihr sprachlicher Ausdruck und ihre strukturelle Bedeutung,* Berlin 1933, 37 ff.

engt sich manchmal der Blickwinkel für einige Zeit, nie aber für einen größeren Abschnitt, auf eine Romanfigur ein. Bei Dickens sind es vor allem Charaktere, denen bestimmt ist, auf offener Bühne zu sterben, die das Privileg der ausführlicheren personalen Innenperspektive erlangen.[45] Eines der bekanntesten Beispiele ist die Darstellung von Paul Dombeys Krankheit und schließlichem Tod in *Dombey and Son* (Kapitel 14 und 16). Die streng innenperspektivische Eröffnungsszene von Dickens' letztem und unvollendetem Roman *The Mystery of Edwin Drood* stellt dagegen einen speziellen und sehr interessanten Fall dar, da aus dieser am Romanbeginn besonders auffälligen Perspektivierung eventuell zu entnehmen ist, daß Dickens kurz vor seinem Tode im Begriffe war, mit einem für ihn neuen perspektivischen Erzählstil zu experimentieren. Man hat vermutet, daß er dazu von den Detektivromanen Wilkie Collins' angeregt worden sei, in denen die Art des Inhalts eine schärfere Perspektivierung erforderlich machte.

Die bisherigen Betrachtungen zum Problem Perspektive in der viktorianischen Erzählliteratur gingen von jenen Formen der Perspektivierung aus, die uns durch den modernen perspektivischen Roman vertraut geworden sind. Es soll nun gezeigt werden, daß auch in Werken, die wir auf Grund der zu Beginn dieses Kapitels gegebenen Definition zur aperspektivischen Stilrichtung zählen müssen, Tendenzen zur Steuerung der Lesersympathien festgestellt werden können, die letztlich auf perspektivierende Mittel des Erzählens zurückzuführen sind. „A Christmas Carol" ist eine Geschichte, die zunächst ganz in dem für Dickens im allgemeinen charakteristischen aperspektivischen Stil erzählt zu sein scheint. Die Bekehrung des alten Geizkragens Ebenezer Scrooge zu einer echten Weihnachtsgesinnung im Dickensischen Sinne durch eine Serie von Visionen weihnachtlicher Glückseligkeit anderer Menschen ist eine Geschichte, die schon vom Thema her ein gewisses Maß an Perspektivierung erforderlich macht: der Leser soll in seiner Vorstellung vom Standpunkt und mit den Augen des alten und misanthropischen Scrooge an der fröhlichen Ausgelassenheit der Leute auf Fezziwigs Ball, an der festlichen Zufriedenheit der Cratchit Familie bei Weihnachtsgans und Pudding und an der Vergnügtheit der Familie seines Neffen beim geselligen Pfänderspiel teilnehmen. Diese Eindrücke sind es nämlich, die das Eis der Gefühlskälte, das seit vielen Jahren Scrooges Herz wie ein Panzer eingeschlossen hält, zum Schmelzen bringen. Indem Dickens aber den Standpunkt der Betrachtung nicht Scrooge, sondern einem auktorialen Erzähler

---

45 Vgl. Fred W. Boege, „Point of View in Dickens", *PMLA* 65 (1950), 101 ff.

überantwortet, der mit viel Gusto und mit einem den gezeigten Situationen angemessenen Pathos diese Szenen der Weihnachtsgeselligkeit schildert, verzichtet er auf die im Sinne des Themas wirksamere Innenperspektive. So wird der Leser meist erst gegen Ende jeder einzelnen Weihnachtsvision, sozusagen nachträglich, daran erinnert, daß das Erzählte eigentlich der Wahrnehmung von Scrooge zuzuordnen ist. In der Tat ging es Dickens mindestens ebenso sehr darum, die humanisierenden Freuden des Weihnachtsfestes als Ausdruck seiner »philosophie de Noël«[46] recht eindringlich zu beschreiben, wie die wunderbare Bekehrung des alten Scrooge darzustellen. Im Sinne der ersteren Wirkungsabsicht ist der außenperspektivische Standpunkt des Erzählers und der vorherrschende Aperspektivismus durchaus angebracht und verständlich. Anders nehmen sich diese Verhältnisse aus, wenn man die Wandlung der Gesinnung, die durch die Weihnachtsvision in Scrooge ausgelöst wird, als das eigentliche Thema der Erzählung ansieht. Allerdings ist dabei auch zu berücksichtigen, daß Scrooges innere Einkehr und Wandlung nur in rudimentärer Weise psychologisch motiviert erscheint. Im letzten Grunde ist sie ein Wunder wie in einem Märchen.

Dennoch verbirgt sich hinter dem Aperspektivismus der Oberflächenhandlung des „Christmas Carol" ein, wenn auch nur unterschwellig wirksamer, Ansatz zur Perspektivierung, der für uns aber deshalb interessant ist, weil er zeigt, daß auch der Aspekt der Perspektive in tiefere Schichten der Konzeption einer Erzählung hinabreicht, als in unserer bisherigen Erörterung angenommen wurde. Parallel zur Bekehrung von Scrooge vollzieht sich nämlich ein vom Leser zunächst wohl nur unbewußt registrierter Vorgang der schrittweisen Wiedereingliederung der Unperson Ebenezer Scrooge in die Gemeinschaft der weihnachtlich, das heißt der spontan und selbstlos fühlenden Menschen. Dieser Vorgang findet einen Ausdruck in einer unmerklichen Verschiebung des Standpunktes, von dem aus die Weihnachtsfreuden erfahren werden, nämlich weg vom auktorialen Erzähler und hin zu Scrooge.

In der ersten Weihnachtsvision führt der „Ghost of Christmas Past" u. a. auch eine Weihnachtsbescherung für eine große Zahl von Kindern vor, in der vor allem ein etwas älteres Mädchen die Aufmerksamkeit des Erzählers erregt. Die Bewunderung für dieses Mädchen, in

---

46 Louis Cazamian, *The Social Novel in England 1830–1850*, London und Boston 1973, 117 ff.

der ganz deutlich ein erotischer Unterton hörbar wird, behält der auktoriale Erzähler noch ganz für sich, was nicht zuletzt an einer ungewöhnlichen Häufung der ersten Person Singular des Personalpronomens deutlich wird. Der Erzähler mischt sich in seiner Phantasie unter die Kinder, die im Spiel wie „young brigands" über das bewunderte ältere Mädchen herfallen und es „ausplündern":

What would I not have given to be one of them! Though I never could have been so rude, no, no! I wouldn't for the wealth of all the world have crushed that braided hair, and torn it down; and for the precious little shoe, I wouldn't have plucked it off, God bless my soul! to save my life. As to measuring her waist in sport, as they did, bold young brood, I couldn't have done it; I should have expected my arm to have grown round it for a punishment, and never come straight again. And yet I should have dearly liked, I own, to have touched her lips; to have questioned her, that she might have opened them; to have looked upon the lashes of her downcast eyes, and never raised a blush; to have let loose waves of hair, an inch of which would be a keepsake beyond price: in short, I should have liked, I do confess, to have had the lightest licence of a child, and yet been man enough to know its value. (*The Christmas Books*, Bd. 1, Harmondsworth 1975, 81 f.)

Scrooge, dessen Bekehrung hier noch kaum begonnen hat, bleibt von diesen Gedanken und Gefühlen ausgeschlossen. Wenn dagegen im letzten Kapitel – Scrooge ist inzwischen ein neuer Mensch geworden – eine Tochter seines Neffen ihm bei seinem Weihnachtsbesuch die Tür öffnet, erfährt der Leser unmittelbar, nämlich in einer Art erlebter Rede, welche Gedanken der Anblick des Mädchens in Scrooge auslöst:

„Is your master at home, my dear?" said Scrooge to the girl. Nice girl! Very. (131)

Eine solche Regung wäre Scrooge in der oben zitierten Szene weder möglich gewesen, noch hätte der Erzähler gebilligt, daß sie dem Leser übermittelt wird. Jetzt aber, da Scrooge wieder Mensch geworden ist, erhält der Leser Gelegenheit, auch die mehr beiläufigen, dafür aber umso „menschlicheren" Gedanken und Gefühle von Scrooge nachzuvollziehen. Das wird besonders deutlich, wenn der „neue" Scrooge beim Anblick des von ihm für die kinderreiche Familie seines Angestellten Bob Cratchit bestellten Truthahns, eines veritablen Prachtexemplars seiner Gattung, zu folgender, ganz unscroogescher Betrachtung angeregt wird:

„– Here's the Turkey. Hallo! Whoop! How are you! Merry Christmas!"
It *was* a Turkey! He never could have stood upon his legs, that bird. He would have snapped 'em short off in a minute, like sticks of sealing-wax. (129)

Auch die beiderseitige Freude über seinen Dinner-Besuch bei der Familie seines Neffen wird jetzt ganz vom Standpunkt Scrooges dargestellt:

„Why bless my soul!" cried Fred, „who's that?"
„It's I. Your uncle Scrooge. I have come to dinner. Will you let me in, Fred?"
Let him in! It is a mercy he didn't shake his arm off. He was at home in five minutes. Nothing could be heartier. His niece looked just the same. So did Topper when *he* came. So did the plump sister, when *she* came. So did every one when *they* came. Wonderful party, wonderful games, wonderful unanimity, wonder-ful happiness! (131f.)

Es zeigt sich also, daß Perspektivierung nicht nur eine Angelegenheit überlegter Planung in der Wahl des Standpunktes der Darstellung ist. Die Perspektivierung einer Erzählung kann auch in tieferen Schichten einer Erzählung erfolgen. In Dickens' „Christmas Carol" entspringt sie unmittelbar der geänderten Haltung des Autors und seines Erzählers zur Hauptfigur der Erzählung. Die allmähliche Verlagerung des Wahrnehmungszentrums in die Person von Scrooge ist eine direkte Folge der moralischen und emotionalen Regenerierung dieser Person im Verlaufe der Erzählung. Eine solche Form der Perspektivierung wirkt im Vergleich zu Erzählungen mit einer konsequent durchgeführten „point of view"-Technik eher subliminal als bewußt auf den Leser. Wahrscheinlich ist aber eine solche subliminale Perspektivierung gerade deshalb besonders wirkungsvoll, weil sie dem Leser nicht bewußt wird.

6. Die Opposition „Modus":
Erzählerfigur – Reflektorfigur*

> The teller of a story is primarily, none the
> less, the listener to it, the reader of it, too.
>
> A beautiful infatuation this, always, I think,
> the intensity of the creative effort to get into
> the skin of the creature.
> (H. James, Vorwort zu *The Princess Casa-*
> *massima* und Vorwort zu *The American*)

Die Opposition „Modus" ist einer der drei tragenden Pfeiler im triadisch angelegten System der ES und steht daher in enger Beziehung zu
den beiden anderen Oppositionen. So zeigte sich bereits bei der Analyse der Opposition „Person", daß die semiotische Bedeutsamkeit des
Wechsels zwischen Er- und Ich-Bezug davon abhängig ist, ob dieser
Wechsel im Bereich einer Erzählerfigur oder einer Reflektorfigur erfolgt: Im Zusammenhang einer Bewußtseinsdarstellung mit Hilfe einer Reflektorfigur ist dieser Bezugswechsel praktisch merkmallos und
wird somit von der Mehrzahl der Leser wahrscheinlich gar nicht registriert. Auch die Analyse der Opposition „Perspektive" brachte einen
Zusammenhang mit der Opposition „Modus" zum Vorschein. Es besteht offensichtlich eine enge Korrespondenz zwischen Innenperspektive und dem durch eine Reflektorfigur dominierten Darstellungsmodus auf der einen Seite und zwischen Außenperspektive und dem
durch eine Erzählerfigur dominierten Darstellungsmodus auf der anderen Seite. Diese Beziehungen werden durch das Schema des Typenkreises in ihrer Systematik erhellt.

Mit der Opposition „Modus" werden die zwei folgenden Erscheinungsweisen des Gattungspezifikums Mittelbarkeit theoretisch erfaßt: die thematisierte Mittelbarkeit des Erzählens und die verleug-
nete oder verdrängte Mittelbarkeit, die beim Leser die Illusion der
Unmittelbarkeit erzeugt. Beim Erzählen schwingt das Pendel ständig
zwischen diesen beiden Polen hin und her. Es gibt nur wenige, in der
Regel sind es kürzere Werke der Erzählliteratur, deren Struktur nicht
von diesem Wechsel geprägt ist; es findet sich aber eine große Zahl von

Werken, in denen die Erzählweise trotz des Wechsels zu einem der beiden Pole hin orientiert ist. In diesen Werken ist die Opposition „Modus" ein distinktives Merkmal der Erzählsituation.

Die Unterscheidung von zwei Erzählweisen, einer mittelbaren oder eigentlichen und einer scheinbar unmittelbaren oder szenisch-imitativen, ist eines der ältesten Ergebnisse erzähltheoretischer Überlegungen. Sie bildet den begrifflichen Kern in Platons Gegenüberstellung von „diegesis" und „mimesis",[1] die von der antiken und nachantiken Rhetorik übernommen und weiterentwickelt wurde.[2] Die Unterscheidung der beiden Erzählweisen erhielt durch die Objektivitätsdiskussion in der Romantheorie des ausgehenden 19. Jahrhunderts, die u. a. Otto Ludwig veranlaßt hat, den Gegensatz begrifflich zu fixieren, neue Aktualität. Seine Unterscheidung zwischen „eigentlicher" und „szenischer" Erzählung (bezeichnenderweise läßt er auch eine Mischform gelten)[3] bildet die Grundlage für die in den *Typischen Erzählsituationen* vorgeschlagenen Termini: „berichtende Erzählung" und „szenische Darstellung", die, wie es scheint, von der Erzähltheorie weithin akzeptiert worden sind (22 f.).

In der englischsprachigen Erzähltheorie haben sich dafür die Termini „telling" und „showing" bzw. „simple narration" und „scenic presentation" oder „scene", die sich bei Percy Lubbock und später bei N. Friedman finden, eingebürgert.[4] Neuerdings hat diese Opposition auch eine kommunikationstheoretisch fundierte Bestätigung in J. Andereggs Unterscheidung eines „Berichtmodells" und eines „Erzählmodells" erhalten.[5] Terminologisch aufschlußreicher sind Andereggs Bezeichnungen für die den beiden Modellen zuzuordnenden Textarten: „fiktiver Ich-Du-Text" und „fiktiver Er-Text", die nicht als Synonyma für die geläufigen Begriffe Ich- und Er-Erzählung anzusehen

---

1 Vgl. Platon, *Der Staat*, übers. v. Karl Vretska, Stuttgart 1958, Bd. 3, bes. 164–169. Vgl. auch Kapitel 3.2.

2 Vgl. N. Friedman, „Point of View in Fiction", 1162 f., Anm. 3.

3 Vgl. Otto Ludwig, „Formen der Erzählung", 202 ff.

4 Vgl. P. Lubbock, *The Craft of Fiction*, 62 ff. et passim; N. Friedman, „Point of View in Fiction", 1161–65 et passim.

5 Die Bezeichnung „Erzählmodell" für eine Art des Erzählvorganges, in dem nicht berichtende Erzählung, sondern szenische Darstellung bzw. eine personale ES vorherrschen, kann leicht zu Mißverständnissen führen. Es ist daher zu beachten, daß Anderegg selbst seine Verwendung von „Berichten" und „Erzählen" von der Bedeutung dieser Begriffe bei Lämmert und bei mir ausdrücklich abgrenzt. Vgl. *Fiktion und Kommunikation*, 170, Anm. 2.

sind, wie Anderegg selbst klarstellt (54), sondern im wesentlichen jenen Gegensatz der Erzählweisen bezeichnen, der in unserer Theorie
von der Opposition „Modus" erfaßt wird.

Da diese oppositionellen Begriffspaare jeweils in ein besonderes System integriert sind, variieren auch ihre Bedeutungen, doch umfassen
sie alle jenen Bedeutungskern, der hier mit der Opposition von thema-
tisierter Mittelbarkeit und verleugneter Mittelbarkeit (oder Illusion
der Unmittelbarkeit) der erzählenden Darstellung gemeint ist.

Es ist keineswegs auszuschließen, daß die in dieser Opposition mit erfaßten Grundformen des Erzählens mit der Opposition von Grundhal-
tungen der Wirklichkeits- und Kunsterfahrung, wie sie etwa von Wilhelm Worringer mit „Abstraktion" und „Einfühlung" oder von E. H.
Gombrich mit „Konzeptualismus" und „Impressionismus" definiert
worden sind, in einem gewissen Zusammenhang stehen.[6] Den Be-
griffsinhalten auf der einen Seite der beiden Oppositionen ist ein „modus obliquus" von Wahrnehmung und Aussage gemeinsam, zu dem
die Aspekte raffender Bericht, zusammenschauende Abstraktionen
und Verbegrifflichung gehören; die Begriffsinhalte auf der anderen
Seite haben einen „modus rectus" gemein, zu dem die Aspekte szenische Gestaltung des Vorganges „in actu", Konkretisation der Vorstellung, Unmittelbarkeit des Eindrucks gehören. Diesen Korrespondenzen kann jedoch hier nicht weiter nachgegangen werden. Sie wurden
angedeutet, um zu zeigen, daß die nun zu besprechende Opposition
einen essentiellen Sachverhalt nicht nur der Erzähltheorie, sondern
der Wirklichkeits- und Kunsterfahrung ganz allgemein repräsentiert.
Für unseren Zusammenhang sind die beiden unterschiedenen Grundformen zunächst wieder als verschiedene Auffassungen der Mittelbarkeit alles Erzählens zu verstehen: Verpersönlichung und Entpersönlichung des Erzählvorganges, letzteres mit der Absicht, beim Leser den
Eindruck der Unmittelbarkeit der erzählenden Darbietung eines Geschehens und damit die Illusion zu erwecken, das Erzählte sei gleichsam „in actu" wahrzunehmen. Das scheinbare Paradoxon des letzten
Falles, die (Illusion der) Unmittelbarkeit des Mittelbaren taucht auch
bei Anderegg auf, wenn es dort von den „Er-Texten" heißt, daß in ihnen „die Kommunikation ihre eigene Vorbedingung stiftet, indem sie
verleugnet, eine solche zu sein" (45). Es ist vielleicht besonders aufschlußreich, daß sich gerade der durch „Mimesis" bzw. „szenische
Darstellung" besetzte Pol der Opposition der beiden Grundformen

---

6 Vgl. Wilhelm Worringer, *Abstraktion und Einfühlung*, Berlin 1908, und
   E. H. Gombrich, *Art and Illusion*, 76, 99 ff. et passim.

des Erzählens einer einfachen Definition zu widersetzen scheint, während der durch „Diegesis" bzw. „berichtende Erzählung" besetzte Pol kaum Schwierigkeiten bereitet. Die Hauptursachen für den Spannungszustand zwischen Begriffsapparat und Sachverhalt im Falle von „szenischer Darstellung" sind die Mehrschichtigkeit des literarischen Sachverhalts „szenische Darstellung" als Folge der hier angestrebten Annäherung des Erzählvorganges an den dramatischen Vorgang. Im Bereich der „szenischen Darstellung" einer Erzählung ist, wie in einem früheren Kapitel (siehe 3.2.1.) bereits dargelegt wurde, zwischen narrativen und nicht-narrativen Textteilen zu unterscheiden. Dialoge der Charaktere ohne Inquitformeln und ohne auktoriale, die Sprechsituation charakterisierende Regieanweisungen sind nicht-narrative Textteile, eigentlich also ein dramatisches „corpus alienum" in einer Erzählung, sie sind daher, genaugenommen, aus dem Begriff „szenische Darstellung" auszugliedern. „Szenische Darstellung" als Erzählform schließt somit immer eine narrative Fassung des Dialogs durch Inquitformeln, auktoriale Regieanweisungen und einen – wenn auch aufs äußerste verkürzten – Handlungsbericht mit ein. Solche auf unpersönliche Formelhaftigkeit reduzierte Erzähläußerungen heben in der Regel nicht die Illusion des Lesers auf, das erzählte Geschehen unmittelbar, also gleichsam „in actu", mitzuerleben. Die Illusion der Unmittelbarkeit, die hier durch das Nichthervortreten des Erzählers entsteht, war der Anlaß zur Übertragung des Begriffs „szenische Darstellung" auch auf jene nichtdialogischen Teile vor allem moderner Romane, in welchen das Geschehen als Spiegelung im Bewußtsein einer Romanfigur dargestellt wird. Es ist daher im Auge zu behalten, daß „szenische Darstellung" an sich zwei verschiedene Erscheinungen, die die Illusion der Unmittelbarkeit auszulösen vermögen, umfaßt: die weitgehend dialogisierte Szene mit knappen, unpersönlich gehaltenen Hinweisen auf die Sprechsituation und die sie begleitende Handlung wie auch die Spiegelung des fiktionalen Geschehens im Bewußtsein einer Romangestalt. „Szenische Darstellung" im ersteren Sinne kann sowohl in der Ich-ES als auch in der auktorialen ES auftreten, wenn der Erzähler zurücktritt und der Ablauf des Geschehens in den Vordergrund rückt. „Szenische Darstellung" als Spiegelung des Geschehens im Bewußtsein einer Romanfigur ist die Domäne der personalen ES und des inneren Monologs.[7]

---

7 In den *Typischen Erzählsituationen* wurde für die erste Art der szenischen Darstellung auch der Begriff „neutrale ES" verwendet. Dieser Begriff wird wegen seiner Mißverständlichkeit nicht mehr weitergeführt. Vgl. *Typische Erzählsituationen*, 23 und 28 f.

Da die verwirrende und z. T. widersprüchliche terminologische Vielfalt auf diesem Gebiet vor allem auf die Schwierigkeit der Abgrenzung der Phänomene „berichtende Erzählung" („telling") und „szenische Darstellung" („showing") voneinander zurückzuführen ist, wird vorgeschlagen, die Opposition „Modus" zunächst nicht nach der Art des Vorganges der erzählenden Vermittlung, sondern nach der Art der Träger der Vermittlung, die im allgemeinen leichter und eindeutiger zu identifizieren sind, zu beschreiben. Die Opposition „Modus" wird somit verstanden als der Gegensatz zwischen der Vermittlung durch eine Erzählerfigur und der Vermittlung durch eine Reflektorfigur, oder, wie es später der Kürze wegen auch heißen soll, zwischen Erzähler und Reflektor.

Eine *Erzählerfigur* erzählt, berichtet, zeichnet auf, teilt mit, übermittelt, korrespondiert, referiert aus Akten, zitiert Gewährsmänner, bezieht sich auf ihr eigenes Erzählen, redet den Leser an, kommentiert das Erzählte usw. Diese Erzählerfigur herrschte fast uneingeschränkt im älteren Roman: Cid Hamete Benengeli, Simplicius, Robinson Crusoe, Clarissa Harlowe, Tristram Shandy, Werther, der Erzähler des *Tom Jones*, des *Agathon*, des *Wilhelm Meister*, von *Vanity Fair*, David Copperfield, Heinrich Lee, und viele andere bis herauf zu Marcel, Marlow*, Serenus Zeitblom, Felix Krull und zum „Buch-Ich" von *Mein Name sei Gantenbein* sind Erzählerfiguren. Eine *Reflektorfigur* reflektiert, d. h. spiegelt Vorgänge der Außenwelt in ihrem Bewußtsein wider, nimmt wahr, empfindet, registriert, aber immer stillschweigend, denn sie „erzählt" nie, das heißt, sie verbalisiert ihre Wahrnehmungen, Gedanken und Gefühle nicht, da sie sich in keiner Kommunikationssituation befindet. Der Leser erhält, wie es scheint, unmittelbar, das heißt durch direkte Einschau in das Bewußtsein der Reflektorfigur, Kenntnis von den Vorgängen und Reaktionen, die im Bewußtsein der Reflektorfigur einen Niederschlag finden. Die Reflektorfigur ist im neueren Roman ein ernster Rivale der altbewährten Erzählerfigur geworden. Reflektorfiguren weisen heute eine ebenso große Vielfalt auf wie die Erzählerfiguren der großen Tradition: schon die beiden Emmas (aus Jane Austens *Emma* und Flauberts *Madame Bovary*) haben, von der für diese Funktionsrolle charakteristischen „Offenheit" ihrer Innenwelt abgesehen, wenig miteinander gemeinsam, Lambert Strether (*The Ambassadors*), Stephen Dedalus (*A Portrait of the Artist*), Leutnant Gustl, Vergil (*Der Tod des Vergil*), Josef K. und K. (*Der Prozeß, Das Schloß*), Leopold und Molly Bloom (*Ulysses*), Mrs. Ramsay (*To the Lighthouse*), Malone (*Malone Dies*), sind einige Reflektorfiguren, an denen die Mannigfaltigkeit dieser Funktionsrolle bereits ersichtlich wird.

Wie auch aus obiger Liste deutlich wird, umfaßt die Funktion der Erzählerfigur auktoriale Erzähler fast aller Schattierungen und jene Ich-Erzähler, an denen das erzählende Ich deutlich auszumachen ist. Ich-Erzähler, die nur als erlebendes Ich realisiert sind, die sich also auf die Reflexion ihres Erlebnisses beschränken, die Kommunikation dieser Erlebnisse aber nicht thematisieren, sind dagegen Reflektorfiguren. Zu diesen gehören auch alle personalen Medien, die das Hauptkontingent der Reflektorfiguren stellen. Während also der Begriff „Reflektorfigur" ebenso wie der Begriff „Erzählerfigur" Erscheinungen der Ich- wie auch der Er-Form umfaßt, ist der Begriff „personale ES" auf die Er-Form beschränkt. Auf dem Schema des Typenkreises wird das auf die Weise sichtbar, daß sowohl in der dem Erzählerfigur-Pol als auch in der dem Reflektorfigur-Pol zugeordneten Kreishälfte Ich- und auch Er-Formen anzutreffen sind. Die personale ES erstreckt sich dagegen nur auf jenen Sektor des Typenkreises in der Nähe des Reflektorpoles, der im Bereich der Er-Form liegt.

Zwischen den klar dem einen oder dem anderen Pol zuzuordnenden Bereichen des Typenkreises liegt sowohl auf der Er- wie auch auf der Ich-Seite eine Zone des Überganges, in der diejenigen Erzählwerke ihren Ort haben, an denen nicht eindeutig auszumachen ist, ob in ihnen eine Erzählerfigur oder eine Reflektorfigur den Vermittlungsvorgang bestimmt. Meistens handelt es sich um Erzählungen, die zum größeren Teil aus Dialogen mit äußerst knappem Handlungsbericht und gelegentlicher kurzer Bewußtseinsdarstellung bestehen. Hemingways Erzählungen, wie z. B. „The Killers" (Er-Form) und „Fifty Grand" (Ich-Form), kommen diesem Textmodell sehr nahe. In ihnen herrscht ein labiles Äquilibrium zwischen dem Erzähler- und dem Reflektor-Moment. Ein einziger Satz, der eindeutig von einer Erzählerfigur gesprochen wird, etwa ein auktorialer Kommentar oder umgekehrt, eine längere Passage, die eine Wahrnehmung ausschließlich einem der Charaktere als Reflektorfigur zuweist oder den Ich-Erzähler wie in einem inneren Monolog sinnieren läßt, würde dieses Gleichgewicht zum Umkippen bringen und den entsprechenden Erzählteil entweder auf eine Erzählerfigur oder auf eine Reflektorfigur hin orientieren. Es ist charakteristisch für Hemingways Erzählungen von der genannten Art, daß die kurzen und im ganzen nicht sehr zahlreichen Erzählpassagen, durch die die ausführlichen Dialoge unterbrochen werden, weder sehr prägnante auktoriale noch sehr prägnante personale Merkmale aufweisen. Auch hier stellt sich nicht selten das Problem der Demarkation, etwa in dem Sinne: ist eine bestimmte Schilderung auch Teil der Wahrnehmung einer Reflektorfigur, also eines Romancharakters, oder ist sie Teil des auktorialen Berichtes einer Erzählerfigur? Die Lektüre der Werke Hemingways fordert in dieser Hinsicht dem Leser größte Aufmerksamkeit ab. Hier liegt sicherlich auch ein Grund für die Diversität der Ansichten über die Bedeutung mancher Erzählungen Hemingways.

6.1. Erzählerfiguren, Reflektorfiguren und Übergänge zwischen ihnen

> If you think [...] that anything like a romance is preparing for you, dear reader, you never were more mistaken. Do you expect passion, and stimulus, and melodrama? Calm your expectations; reduce them to a lowly standard. Something real, cool and solid lies before you; something unromantic as Monday morning [...]
> (Charlotte Brontë, Anfang von *Shirley*)

> Mrs Dalloway said she would buy the flowers herself.
> For Lucy had her work cut out for her. The doors would be taken off their hinges; Rumpelmayer's men were coming. And then, thought Clarissa Dalloway, what a morning — fresh as if issued to children on a beach.
> What a lark! What a plunge!
> (Virginia Woolf, Anfang von *Mrs Dalloway*)

Aus der Vorgeschichte dieser Opposition sind bereits einige charakteristische Merkmale der Erzählerfiguren einerseits und der Reflektorfiguren andererseits erkennbar geworden. Die Verteilung dieser Merkmale auf die beiden Funktionsträger ergibt sich in erster Linie aus ihrer Zuordnung zu den Grundformen des Erzählens, und zwar „berichtende Erzählung" zur Erzählerfigur und „szenische Darstellung" zur Reflektorfigur. Vermittlungs- und Rezeptionsvorgang verlaufen verschieden, je nachdem, ob sie von einer Erzählerfigur oder einer Reflektorfigur gesteuert werden. Eine Erzählerfigur fungiert immer als „Sender", sie erzählt so, als übermittelte sie eine Nachricht

oder Mitteilung an einen „Empfänger", den Leser. Anders verläuft
der Kommunikationsprozeß mit einer Reflektorfigur; da diese nicht
„erzählt", kann sie auch nicht als „Sender" fungieren. Der Kommunikationsprozeß in diesem Modellfall ist dadurch gekennzeichnet, daß
die Mittelbarkeit des Erzählens verdeckt wird durch die Illusion des
Lesers, er habe unmittelbar Einblick in das Geschehen, indem er die
Geschehnisse mit den Augen und mit dem Bewußtsein der Reflektorfigur wahrzunehmen glaubt. Daraus ergeben sich nun wiederum Konsequenzen für die Interpretation eines Erzähltextes, da das Erzählte je
nach Vermittlung durch eine Erzählerfigur oder eine Reflektorfigur
verschiedene Grade der Glaubwürdigkeit oder Gültigkeit annimmt.
Eine Ursache dafür wird schon von Friedman in seiner „point of
view"-Theorie angesprochen: die Selektion des unter dem Modus
„telling" Vermittelten unter dem Aspekt der Universalität, Vollständigkeit, Explizität der Aussage, und jener des unter dem Modus
„showing" Dargestellten unter dem Aspekt von Partikularität, Aus-
schnitthaftigkeit, d. h. Unvollständigkeit und Implizität der Aussage
(1169). Diese Verhältnisse können noch konkreter gefaßt werden.
Der epistemologische Unterschied zwischen einer Geschichte, die
durch eine Erzählerfigur mitgeteilt oder durch eine Reflektorfigur
präsentiert wird, liegt in der Hauptsache darin, daß sich die Erzählerfigur immer bewußt ist, daß sie erzählt, während der Reflektorfigur ein
solches Bewußtsein völlig fehlt. Erzählerfiguren wie Moll Flanders,
Tristram Shandy, David Copperfield, Ishmael, Heinrich Lee, Felix
Krull, Stiller, Siggi Jepsen und die auktorialen Erzähler von *Tom
Jones, Siebenkäs, Père Goriot, Vanity Fair* und *Die Buddenbrooks* thematisieren nicht nur im Erzählen den Erzählvorgang, sie reagieren
auch ständig auf ihn, indem sie sich fortgesetzt darauf besinnen, daß sie
vor einem Publikum, ihren Lesern, agieren. Sie sehen sich daher veranlaßt, eine diesem Publikum wie auch ihrer Geschichte adäquate Erzählstrategie[8] bzw. Erzählrhetorik zu finden. Jede Art der erzählstra-
tegischen bzw. rhetorischen Aufbereitung der Geschichte verändert
sie, verlagert Sinnakzente, beeinflußt die Auswahl der Details, die
Anordnung der Teile, macht ein Netz von Verweisen, einerseits zurück auf bereits Erzähltes, andererseits voraus auf noch zu Erzählendes, erforderlich. Diese „Manipulationen" des Erzählten bleiben in

---

8 Zum Begriff „Erzählstrategie" vergleiche Klaus Kanzog, *Erzählstrategie*,
   Heidelberg 1976, 104 ff. Eine kurze Auseinandersetzung mit den typischen
   ES findet sich 80 f.

der Darstellung mittels einer Reflektorfigur aus. Reflektorfiguren wie Emma Bovary, Lambert Strether, Stephen Dedalus, Josef K., sind sich in keinem Augenblick ihres Erlebens bewußt, daß ihre Erfahrungen, Wahrnehmungen, Gefühle Gegenstand eines Kommunikationsvorganges sind. Die Qualität ihrer Erfahrung wird also durch diesen Vorgang nicht beeinflußt und die Gültigkeit oder Glaubwürdigkeit des so Dargestellten nicht beeinträchtigt. Das heißt allerdings nicht, daß hier keine erzählstrategische oder rhetorische Durchformung der Geschichte durch den Autor erfolgt. Diese Durchformung gehört jedoch nicht zum Übermittlungsvorgang (der Oberflächenstruktur), sondern ist Teil des Produktionsvorganges (der genetischen Tiefenstruktur). Für die Analyse des Übermittlungsvorganges, der den eigentlichen Gegenstand dieser Untersuchung bildet, kann man daher von der Illusion der Unmittelbarkeit der durch eine Reflektorfigur getragenen Darstellung sprechen.

Wie überall in der Literatur gibt es auch im Hinblick auf diese Opposition nicht nur eindeutige, sozusagen typische, sondern auch zahlreiche mehrdeutige, untypische Fälle, die sich nicht ohne weiteres dem einen oder anderen Pol zuordnen lassen. Auf der Er-Seite des Typenkreises zeigen sich solche Mischformen im Übergang von der auktorialen zur personalen ES. Die ES solcher Werke wird markiert durch das Nebeneinander einer auktorialen Erzählerfigur und einer personalen Reflektorfigur. Dieses Nebeneinander stellt sich im Erzählprofil meistens als Nacheinander dar: auf einen mehr auktorial erzählten Abschnitt folgt ein Abschnitt, der mehr personal dargestellt ist. Kapitel 22 von J. Austens *Emma* ist ein sehr typischer Beleg dafür. In Muriel Sparks *The Prime of Miss Jean Brodie* finden sich knapp hintereinander die prononciert berichtende Erzählung eines auktorialen Erzählers und personale Darstellung der Gedanken und Wahrnehmungen der Reflektorfigur Sandy Stranger.[9] Einen Sonderfall stellt die Angleichung einer Erzählerfigur an das Rollenverhalten einer Reflektorfigur dar, über die im Kapitel „Die Personalisierung der Erzählerfigur" gesondert zu handeln sein wird. Szenische Darstellung, die aus Dialogpassagen mit knappem unpersönlichem Bericht in der Art von Regieanweisungen zur Szene besteht, verhält sich, wie schon gesagt wurde, in der Regel neutral zu den beiden Polen dieser Opposition, d. h. es herrscht hier eine Art labiles Äquilibrium, das bei Auftauchen von eindeutigen

9 Muriel Spark, *The Prime of Miss Jean Brodie*, Harmondsworth 1974, 27–31.

Kennzeichen der einen oder der anderen Erzählweise zum Erzählerfigur- oder Reflektorfigur-Pol hin umkippen kann.
Auf der Ich-Seite des Typenkreises stellen sich die Übergänge bzw. Vermengungen von Erzählerfigur und Reflektorfigur etwas problematischer dar. Hier tritt ja beim Übergang kein Wechsel von einer Person (der Erzählerfigur) zu einer anderen (der Reflektorfigur), sondern ein Rollenwechsel des Erzähler-Ich von der Rolle des Erzählers zur Rolle des Reflektors auf. Das vollzieht sich oft in sehr subtilen, manchmal nur schwer definierbaren graduellen Abstufungen und Übergängen. Je mehr das erzählende Ich einer Ich-Figur zurücktritt und den Blick unmittelbar auf das erlebende Ich freigibt, desto näher rückt diese Ich-Figur der Funktion einer Reflektorfigur. Diese Verhältnisse werden am besten einschaubar, wenn ein Autor im Zuge der Revision eines Textes die ES derart verändert, daß das erzählende Ich zurückgedrängt und das erlebende Ich in den Vordergrund gerückt wird. Joyce hat die erste Erzählung der *Dubliners*, „The Sisters", auf solche Weise überarbeitet:

That evening my aunt visited the house of mourning and took me with her. It was an oppressive summer evening of faded gold. (Frühe Fassung)

In the evening my aunt took me with her to visit the house of mourning. It was after sunset; but the window-panes of the houses that looked to the west reflected the tawny gold of a great bank of clouds. (Endgültige Fassung).

Durch die Revision des Textes wird das Erzähler-Ich näher an die Position einer Reflektorfigur herangerückt, was sich am deutlichsten in der Aufhebung der Erzähldistanz durch die Umwandlung der Zeitangabe „That evening" in „In the evening" ausdrückt.[10]
Eine Ich-Figur, die sich, wie Molly Bloom, ausschließlich durch einen inneren Monolog kundgibt, ist keine Erzählerfigur mehr, sondern eine Reflektorfigur. Für den inneren Monolog gelten daher die Interpretationsbedingungen, die für den Darstellungsmodus Reflektor maßgeblich sind.[11] Nicht immer sind jedoch die Verhältnisse so eindeutig zu

---

10 Vgl. F. K. Stanzel, „Die Personalisierung des Erzählaktes im *Ulysses*", in: *James Joyces „Ulysses". Neuere deutsche Aufsätze,* Frankfurt/M. 1977, 286, 289. Die frühere Fassung von „The Sisters" ist abgedruckt in James Joyce, *The Dubliners. Text, Criticism, and Notes*, hg. R. Scholes und A. W. Litz, New York 1969, 243–252.

11 B. Romberg meint, daß im inneren Monolog die Ich-ES aufgehoben sei (*Studies*, 100). Das gilt nur insofern, als an die Stelle einer Ich-Erzählerfigur eine Ich-Reflektorfigur tritt.

klären. So lassen etwa die Ich-Figuren in Becketts Romanen *Molloy*, *Malone Dies*, *The Unnamable* ein eigentümliches, ihre zwiespältige Persönlichkeitsstruktur kennzeichnendes Oszillieren zwischen der Rollenhaltung einer Erzählerfigur und jener einer Reflektorfigur erkennen. Wenn allerdings Becketts Ich-Figur des Unnamable gelegentlich dem Gedanken Ausdruck gibt „[. . .] shall I ever be able to go silent [. . .] what if I went silent?"[12], dann identifiziert er sich selbst, zumindest für diese Stelle, eindeutig als Erzählerfigur, denn nur ein Erzähler kann sich von solch einem Schicksal bedroht fühlen. Für eine Reflektorfigur ist Schweigen kein Problem, im Gegenteil, das Schweigen einer Reflektorfigur kann sogar als eine existentielle Steigerung seines Erlebens verstanden werden; häufig kommunizieren Reflektorfiguren gerade dann am meisten, wenn sie schweigend entweder ihren Wahrnehmungen von der Außenwelt oder der Reflexion dieser Vorgänge in ihrem Bewußtsein hingegeben sind.

6.1.1. Die Glaubwürdigkeit der Erzählerfiguren

> Never trust the artist, trust the tale.
> (D. H. Lawrence, „The Spirit of Place", in: *Studies in Classic American Literature*)

Aus den Unterschieden zwischen Erzählerfiguren und Reflektorfiguren ergeben sich Folgerungen für die Beurteilung ihrer relativen Verläßlichkeit als Mittler des fiktionalen Geschehens an den Leser. Wir stoßen also wiederum auf das Interpretationsproblem, das uns auch schon bei der Beschreibung der Opposition „Person" begegnet ist: wie weit kann ein Erzähler als vertrauenswürdiger und verläßlicher Berichterstatter gelten. Im Kapitel über den Unterschied zwischen Ich- und Er-Erzählern wurde festgestellt, daß bei Ich-Erzählern auf Grund ihrer existentiellen Motivation zum Erzählen eher eine gewisse Parteilichkeit in der Wiedergabe ihrer Geschichte anzunehmen ist als bei auktorialen Erzählern. Etwas verallgemeinernd und vereinfachend könnte man sagen, daß alle Ich-Erzähler per definitionem parteiliche und somit mehr oder weniger unverläßliche Erzähler sind. Der auktoriale Erzähler, sofern er sich als persönlicher Erzähler kundgibt, ist zwar auch nicht über alle Zweifel an seiner Wahrhaftigkeit erhaben, er

---

12 Samuel Beckett, *Molloy. Malone Dies. The Unnamable*, London 1959, 305, 309, 397 et passim.

kann aber dennoch in der Regel solange Glaubwürdigkeit beanspruchen, als dem Leser nicht ausdrücklich signalisiert wird, daß auch diesem Erzähler gegenüber skeptische Zurückhaltung am Platz ist. In einem solchen Fall hängt die Frage der Glaubwürdigkeit somit eng mit
den charakteristischen Eigenschaften des Erzählers – es gibt ebenso
viele aufrichtige und unaufrichtige oder zumindest voreingenommene
und parteiische Erzähler wie es menschliche Charaktere dieser Art
gibt – und darüber hinaus mit der besonderen Motivation des Erzählaktes zusammen. Durch die Gegenüberstellung von Erzählerfiguren
und Reflektorfiguren werden wir auf eine weitere Dimension dieses
für die Interpretation so wichtigen Problems aufmerksam gemacht.
Erzählerfiguren sind als Erzähler dazu verhalten, ihre Geschichte so
darzubieten, daß sie beim Zuhörer oder Leser Anklang findet, oder
zumindest sein Interesse erweckt. Das erfordert, wie bereits dargelegt
wurde, eine bestimmte Strategie des Erzählens: die Momente der
Spannung sind mit Vorbedacht zu verteilen, Sympathie und Kritik des
Lesers gegenüber den einzelnen Charakteren sind zu steuern, was
durch die deutenden und wertenden Kommentare des Erzählers
ebenso geschehen kann wie durch eine mehr unterschwellig wirksame
Rhetorik oder dadurch, daß einigen Charakteren das Privileg zugeteilt
wird, ihre innersten Gedanken dem Leser mitzuteilen, während andere immer von diesem Privileg ausgeschlossen bleiben. Kurzum, eine
Erzählerfigur kann nicht umhin, im Zuge der Aufbereitung ihrer Geschichte und der erzählerischen Darbietung den Inhalt dieser Geschichte wissentlich oder unwissentlich zu verändern. Veränderungen
und Eingriffe dieser Art müssen in die Interpretation mit eingebracht
werden, denn sie sind wichtige Formelemente, die es dem Autor ermöglichen, den Inhalt einer Geschichte so zu relativieren, wie es für
die Erzählung als der Gattung der Mittelbarkeit besonders charakteristisch ist.
Der Begriff der Verläßlichkeit des Erzählers („reliability") ist durch
W. C. Booths Rhetoric of Fiction ein fester Bestandteil der Erzähltheorie und Interpretationslehre geworden. Booth unterscheidet bekanntlich zwischen „reliable" und „unreliable narrators" und definiert sie wie folgt: „For lack of better terms, I have called a narrator reliable when he speaks for or acts in accordance with the norms of the
work (which is to say, the implied author's norms), unreliable when he
does not" (158 f.) Es soll hier nicht auf das sehr schwierige Problem
eingegangen werden, ob man solche „Normen" in einem Erzählwerk
überhaupt feststellen kann, ein Problem, dessen Diskussion einen
Großteil der Rhetoric in Anspruch nimmt. Was uns in diesem Zusam-

menhang besonders interessiert ist, daß Booth das Kriterium der „reliability" unterschiedslos bei Erzählerfiguren wie auch bei Reflektorfiguren anwendet. Das hat seinen Grund darin, daß Booth im allgemeinen keine Unterscheidung zwischen Erzähler und Reflektor trifft, sondern beide unter dem Begriff „narrator" subsumiert.[13] Eine solche Bedeutungserweiterung des Begriffs „narrator" ist auch bei einigen anderen englischen und amerikanischen Erzähltheoretikern und Romankritikern gegeben, sie ist im übrigen bereits in den „Prefaces" von Henry James zu finden. Allerdings folgt Booth dem Beispiel von H. James auch darin, daß er gelegentlich zwischen „narrators" und „reflectors" oder auch „third-person reflectors" oder „disguised narrators" (152f.) im Sinne unserer Opposition von Erzählerfigur – Reflektorfigur unterscheidet, später jedoch diese Unterscheidung, die für ihn mehr eine Frage der stilistischen Nuancierung als des Erzählmodus zu sein scheint, wieder fallen läßt. So heißt es im Anschluß an eine Beschreibung von Stephens Funktion als Reflektorfigur in *A Portrait of the Artist as a Young Man:* „We should remind ourselves that any sustained inside view, of whatever depth, temporarily turns the character whose mind is shown into a narrator; inside views are thus subject to variations [. . .] in the degree of unreliability. Generally speaking, the deeper our plunge, the more unreliability we will accept without loss of sympathy" (164). Im Einklang mit dieser These werden hernach auch die Reflektorfiguren – Jane Austens Emma, Strether, Paul Morel, Pinkie (*Brighton Rock*) und auch Gregor Samsa (aus Kafkas „Die Verwandlung") – als „narrators" bezeichnet und ihre „reliability" diskutiert. Durch diese Nivellierung des Unterschieds zwischen Erzähler- und Reflektorfiguren und die unterschiedslose Anwendung des Kriteriums der „reliability" an beide Kategorien verdeckt Booth die strukturelle Wichtigkeit dieser Unterscheidung und reduziert die Brauchbarkeit des an sich sehr wichtigen Begriffs der „reliability". Es wird daher vorgeschlagen, das Kriterium der Verläßlichkeit nur auf Erzählerfiguren, also auf Charaktere, die eine verbal formulierte Aussage machen und damit einen Adressaten ansprechen oder ansprechen wollen (Andereggs Ich-Du-Texte), anzuwenden. Nur in diesem Falle kann die Frage der Verläßlichkeit, Glaubwürdigkeit und Wahrhaftig-

---

13 So zählt Booth als „narrators" auf: „Cid Hamete Benengeli, Tristram Shandy, the ‚I' of *Middlemarch*, and Strether". *Rhetoric*, 149 f. Diese Klassifizierung Strethers wird kritisiert von G. Genette in „Discours du récit", in: *Figures III;* 205 bzw. *Narrative Discourse*, 188.

keit sinnvoll Gegenstand der Interpretation werden. Bei Reflektorfiguren ist das Kriterium der Verläßlichkeit irrelevant. Hier ist dagegen ein Unterschied zu machen zwischen klaren und trüben Reflektoren, je nachdem ob die entsprechenden Reflektorfiguren mit einer scharfen oder nur schwachen Wahrnehmungsgabe ausgestattet sind bzw. zwischen zur Cerebralisierung ihrer Erlebnisse neigenden Reflektorfiguren, wie wir sie vor allem in den Romanen und Erzählungen von Henry James finden, und geistig wenig regen, oft auch nur dumpf dahinvegetierenden Reflektorfiguren, wie sie im modernen Roman öfters anzutreffen sind und als deren Prototypen die Bundren Familie in Faulkners *As I Lay Dying* und noch extremer der schwachsinnige Benjy in *The Sound and the Fury* gelten können.

6.2. Die Opposition „Modus" und „Unbestimmtheitsstellen" (R. Ingarden)

Die Erzähltheorie hat Roman Ingarden einige sehr wichtige Anregungen und Begriffe zu verdanken. Von diesen ist besonders der Begriff der „Unbestimmtheitsstellen"[14], der in neuerer Zeit auch von der Rezeptionsforschung wieder aufgegriffen wurde,[15] für unseren Zusammenhang wichtig, weil Erzählerfiguren Unbestimmtheitsstellen anderer Art und Häufigkeit generieren als Reflektorfiguren. Dieser Sachverhalt, der von mir in einer anderen Arbeit mit Bezug vor allem auf die Ich-ES und die auktoriale ES einerseits und die personale ES andererseits beschrieben wurde,[16] kann jetzt mit Hilfe der Opposition Erzähler-Reflektor noch etwas genauer gefaßt werden. Überlegungen darüber, ob die Mannigfaltigkeit der Unbestimmtheitsstellen von der Gestaltung eines literarischen Werkes abhängig sei, finden sich schon bei Ingarden, werden aber von ihm nicht weiter verfolgt. Es ist aber sicherlich kein Zufall, wenn Ingarden in seiner Anregung zur weiteren

---

14 Zur Theorie der Unbestimmtheitsstellen vgl. besonders *Das literarische Kunstwerk*, 261 ff., und *Vom Erkennen des literarischen Kunstwerks,* 12, 49 ff., 250 ff., 300 f., 409 ff.

15 Vgl. Rainer Warning (Hrsg.), *Rezeptionsästhetik. Theorie und Praxis,* München 1975, wo auch die auf Unbestimmtheitsstellen bezügliche Stelle aus Ingardens *Vom Erkennen des literarischen Kunstwerks* abgedruckt ist: „Konkretisation und Rekonstruktion", 42–70.

16 Vgl. „Die Komplementärgeschichte", in: *Erzählforschung 2*, 240–259.

Untersuchung dieses Zusammenhangs zweimal zwei Romanautoren nennt, von denen jeweils der eine eine deutliche Vorliebe für Erzählerfiguren, der andere für Reflektorfiguren zeigt: Galsworthy und Joyce, Thomas Mann und Faulkner![17] Eine Erzählerfigur bietet eine dem Leser einschaubare Motivation für den Selektionsvorgang in der Erzählung: der Erzähler verbürgt sich durch die Präsenz seiner Person im Erzählakt für die „Vollständigkeit" der angebotenen Information im Hinblick auf das Verständnis der Geschichte. Bei einer Reflektorfigur sind Erzählvorgang und Motivation zur Selegierung des Dargestellten nicht thematisiert, damit wird dem Leser auch jede explizite Information über die Kriterien der Selektion des Dargestellten vorenthalten. Die Selektion des Dargestellten ergibt sich hier primär aus der Perspektive der Darstellung. Durch die meist scharf fokusierte Perspektive einer Reflektorfigur wird ein Sektor aus der fiktionalen Wirklichkeit herausgelöst und in der Darstellung so ausgeleuchtet, daß alle für die Reflektorfigur wichtigen Einzelheiten erkennbar werden. Außerhalb dieses Sektors aber herrscht Dunkelheit, Ungewißheit, erstreckt sich eine große Unbestimmtheitsstelle, die nur da und dort durch Rückschlüsse des Lesers aus dem ausgeleuchteten Sektor punktuell aufgehellt werden kann. Es fehlt bei diesem Darstellungsmodus die Instanz, die den Leser darüber aufklären könnte, ob außerhalb des durch die Wahrnehmung der Reflektorfigur ausgeleuchteten Sektors der fiktionalen Wirklichkeit etwas existiert, was von Belang für das dargestellte Geschehen sein könnte. Der Leser ist in dieser Frage auf Gedeih und Verderb der Reflektorfigur und ihrem existentiell begrenzten Wissens- und Erfahrungshorizont ausgeliefert. Unbestimmtheit ist hier nicht wie bei einer Erzählerfigur eine Frage der Kommunikation, sondern wird als Bedingung des Seins und des Wirklichkeitserlebnisses eines fiktionalen Charakters erfahren.

Wie bereits hervorgehoben wurde, tendiert die berichtende Erzählung einer Erzählerfigur („telling") zur begrifflichen Zusammenschau des konkreten Vorganges im raffenden Bericht und im erklärenden oder wertenden Kommentar. Im Gegensatz dazu dominiert in der Darstellung mittels einer Reflektorfigur das nicht-reduzierte Partikuläre und nicht-abstrahierte Konkrete, so wie es von der Reflektorfigur erlebt oder wahrgenommen wird. Die Folge davon ist, daß durch diese beiden Erzählweisen für den Leser ganz verschiedene gegenständliche

---

17 Vgl. R. Ingarden, *Vom Erkennen des literarischen Kunstwerks,* 303, und R. Warning, *Rezeptionsästhetik*, 60.

Ansichten „„parat gehalten'" werden.[18] Wie diese Unterschiede auf die Konkretisation der Unbestimmtheitsstellen und die Aktualisierung der im Text „parat gehaltenen" gegenständlichen Ansichten durch den Leser einwirken bzw. sie überhaupt determinieren, ist noch weitgehend unbekannt. Ein mögliches Verfahren zur Untersuchung dieses Sachverhaltes wurde von mir in dem bereits erwähnten Artikel „Die Komplementärgeschichte" (252f.) vorgeschlagen. Einige der dort angestellten Überlegungen sollen hier kurz zusammengefaßt und mit der Opposition „Modus" in Beziehung gesetzt werden.

Durch eine Erzählerfigur wird eine Erzählung immer stärker auf den Kommunikationsprozeß Erzähler-Leser hin orientiert als durch eine Reflektorfigur. Im Hinblick auf die Selektion des Erzählten bedeutet das, daß der Erzähler meistens explizit erklärt, warum er diesen oder jenen Teil der Geschichte überspringt oder die Beschreibung einer Person, eines Schauplatzes oder eines Ereignisses ausläßt oder aber aufs äußerste verknappt. Wo dies nicht explizit erklärt wird, ist meist in der Art des Vortrages des Erzählers für den Leser erkennbar impliziert, warum der Erzähler etwas verkürzt oder ausläßt. Aus der fortlaufenden Bestätigung dieses stillschweigenden Übereinkommens zwischen Erzählerfigur und Leser stellt sich beim Leser das Gefühl der Gewißheit ein, daß die Erzählerfigur ihn über nichts ununterrichtet lassen wird, was für die Geschichte von Wichtigkeit ist. Die Bereitschaft des Lesers und seine Eigeninitiative zur Komplettierung des Erzählten aus seiner eigenen Vorstellung wird durch eine solche Erzählhaltung eher gedämpft oder reduziert als angeregt werden. Das gilt natürlich zunächst nur für den Typ der Erzählerfigur, deren Verläßlichkeit außer Zweifel steht. Es handelt sich um eine Erzählkonvention, die eine ganz bestimmte Erwartungshaltung beim Leser zur Folge hat, daher verstoßen manche moderne Autoren ganz gezielt dagegen, wie z. B. der auktoriale Erzähler von *The Prime of Miss Jean Brodie*, der in Vorgriffen oft ganz willkürliche Einzelheiten aus dem späteren Leben seiner Charaktere berichtet, die langen und für das Erlebnis der Charaktere sicher sehr wichtigen Zeiträume dazwischen aber völlig überspringt.

Ein Reflektor steht in keinerlei persönlichem Verhältnis zum Leser, er ist daher auch nicht gehalten, in irgendeiner Weise, falls das überhaupt möglich wäre, sich oder dem Leser Rechenschaft darüber zu geben,

---

18 Vgl. R. Warning, *Rezeptionsästhetik*, 50, und R. Ingarden, *Vom Erkennen*, 300f.

was von seinem Bewußtsein registriert und was nicht wahrgenommen wird. Wohl kann die Fixierung und Abgrenzung der Perspektive als eine Erklärung für die Auswahl eines bestimmten Sektors der dargestellten Wirklichkeit verstanden werden, doch ist damit dem Leser keinerlei Gewähr gegeben, daß außerhalb der erfaßten Sektoren der dargestellten Welt nicht etwas existiert oder geschieht, was von Bedeutung für das Erzählte wäre. Die Unbestimmtheitsstellen am Rande eines von einer Reflektorfigur ausgeleuchteten Sektors der fiktionalen Wirklichkeit erhalten daher manchmal einen bedrohlichen oder zumindest ominösen Charakter: „Der Raum außerhalb des durch den Lichtkegel des Bewußtseins einer Romanfigur ausgeleuchteten Sektors ist ein Leerraum, in dem sich Vermutungen, Befürchtungen, Ängste [. . .] einnisten können. Nicht von ungefähr hat Daseinsangst und Existenznot des Menschen in der modernen Welt vor allem in der personalen Form des Romans am überzeugendsten Ausdruck erlangt, wie an den Romanen Kafkas besonders deutlich wird".[19]

Kafkas Transponierung der Ich-Form der Manuskriptfassung des ersten Kapitels des Romans *Das Schloß* in die Er-Form kann als die Umwandlung seines Helden K. von einer Erzählerfigur in eine Reflektorfigur verstanden werden. Als Reflektor ist K. dem Anspruch des Lesers auf Aufklärung der zahllosen unerklärlichen und mysteriösen Umstände, die den Helden hier wie in den anderen Romanen Kafkas umgeben, entzogen. Dorrit Cohns mit Bezug auf diese Transponierung formulierte Feststellung „the logic of self-narration demands self-justification – if not self-explication"[20] gilt also ganz allgemein für jede Erzählerfigur im Gegensatz zu einer Reflektorfigur. Sie gilt auch für die Erzählerfiguren im Bereich der auktorialen ES, solange der auktoriale Erzähler nicht die Rolle des allwissenden und allmächtigen Olympiers annimmt. Dorrit Cohns Erklärung der Gründe, die Kafka zur Umschrift des „Urschlosses" von der ersten in die dritte Person veranlaßt haben, verliert in nichts an Gültigkeit, wenn man den Bezugsrahmen ihrer Interpretation von der Opposition Ich-Bezug/Er-Bezug auf die Opposition Erzählerfigur/Reflektorfigur ausweitet. Vielleicht kann man überhaupt Kafkas Überarbeitung der „Urschloß"-Fassung als Transponierung auf der Erzähler/Reflektor-Achse des Typenkreises am besten erklären: Die Transponierung der Urfas-

---

19 „Die Komplementärgeschichte", 250.
20 Dorrit Cohn, „K. enters *The Castle:* On the Change of Person in Kafka's Manuscript", *Euphorion* 62 (1968), 36.

sung (Ich-Form) in eine personale ES und die sich daraus ergebende Verwandlung der Hauptfigur K. von einer Erzählerfigur in eine Reflektorfigur hatte u. a. eine Umstrukturierung der Unbestimmtheitsstellen zur Folge, die die allgemeine Tendenz dieses Romans zur Darstellung der Namenlosigkeit des Schicksalhaften noch unterstreicht. Auf den Zusammenhang zwischen der personalen ES und dem Selektionsprinzip dieses Romans hat übrigens bereits Lothar Fietz aufmerksam gemacht. Im Gegensatz zu einer konventionell erzählten Geschichte (Erzählerfigur!) sei bei Kafka ein „natürliches Selektionsprinzip" wirksam, „das nicht erst erzähltechnisch begründet zu werden braucht mit der Wesentlichkeit, Interessantheit der Teile für das Ganze der Erzählung. Die Bewußtseinsgrenzen K. s und die menschlich-perspektivische Beschränkung der Hauptgestalt reduzieren den Stoff, ohne daß eine explizit-auktoriale Begründung dafür notwendig oder möglich wäre."[21]

6.3. Erzählerfigur und Reflektorfigur am Erzählanfang

> [. . .] the pronoun is one of the most terrifying masks man has invented.
> (John Fowles, *The French Lieutenant's Woman*)

Der Vermittlungsmodus einer Geschichte muß am Erzählanfang am stärksten in Erscheinung treten, denn schon mit dem ersten Wort der Erzählung beginnt der Vorgang, durch den die Vorstellung des Lesers auf den jeweiligen Modus des Erzählens eingestellt wird.

Am wenigsten auffällig vollzieht sich der Erzählauftakt in einer auktorialen ES mittels einer Erzählerfigur, denn dieser Anfang verläuft in Analogie zum Anfang eines nichtfiktionalen Berichts. Die Erzählerfigur tritt meist schon mit den ersten Sätzen der Erzählung in Erscheinung und teilt dem Leser die für das Verständnis der Geschichte erforderlichen Vorinformationen mit, führt ihn also mit Bedacht in das Vorfeld der Geschichte ein. Im älteren Roman ist die Kapitelüberschrift in den Einführungsprozeß miteinbezogen:

---

21 Lothar Fietz, „Möglichkeiten und Grenzen einer Deutung von Kafkas Schloß-Roman", *DVjs* 37 (1963), 73.

Chapter I

An Account of Mr. Gamaliel Pickle. The Disposition of his Sister described. He
yields to her Sollicitations, and retires to the Country

In a certain county of England, bounded on one side by the sea, and at the distance of one hundred miles from the metropolis, lived Gamaliel Pickle Esq; the
father of that hero whose adventures we propose to record. He was the son of a
merchant in London [. . .] (T. Smollett, *The Adventures of Peregrine Pickle*
(1751), London 1964)

Ein solcher Erzählauftakt zielt auf die Leserillusion, daß die sich hier
als Vermittler einführende Erzählerfigur Gewähr für eine Erzählweise
der Geschichte bietet, bei der zur gegebenen Zeit alles für das beste
Verständnis der Geschehnisse und der Charaktere für den Leser bereitgestellt, erforderlichenfalls auch mit einem entsprechenden deutenden oder auch wertenden Kommentar durch die Erzählerfigur versehen werden wird.

Emma Woodhouse, handsome, clever, and rich, with a comfortable home and
happy disposition, seemed to unite some of the best blessings of existence; and
had lived nearly twenty-one years in the world with very little to distress or vex
her. (J. Austen, *Emma*, Harmondsworth 1977, 37)

Eine solche summarische Einführung eines Charakters am Erzählanfang schließt nicht aus, daß später an diesem Portrait noch einige Retu-
schen angebracht werden. Jane Austens Erzähler deutet diese Möglichkeit im Falle Emmas auch schon an, wenn er der runden, ja allzu
runden Summe von Emmas Vorzügen sogleich ein „seemed" wie ein
Fragezeichen hinzufügt. Mit diesem „seemed" macht der einführende
Erzähler, indem er für einen Augenblick auf seine Allwissenheit verzichtet, bereits eine Geste in Richtung auf eine Personalisierung seiner
Rolle.
Ähnlich wie in einer auktorialen ES vollzieht sich der Erzählauftakt in
einer Ich-ES. Das Ich, das hier als Erzählerfigur fungiert, führt sich
ebenso wie ein auktorialer Erzähler zunächst als Gewährsmann für
eine Geschichte ein, in der die für den Leser wichtigen Informationen,
wie Name und Herkunft des Helden, etwa nach dem Prinzip „first
things first", bei frühester Gelegenheit mitgeteilt werden. Ein Unterschied zwischen der Erzählerfigur einer auktorialen und einer Ich-ES
besteht allerdings, wie in einem früheren Kapitel bereits dargelegt
wurde, in der existentiellen Bindung des Ich-Erzählers und seiner Erzählmotivation an die Geschichte und in dem Fehlen einer solchen
Bindung beim auktorialen Erzähler. Der bekannte Anfang von Dick-

ens' *Great Expectations* illustriert dies sehr eindringlich. Nachdem sich Pip mit einer ersten Information über seinen Namen und seine Herkunft als Erzählerfigur eingeführt hat, beginnt er sofort, seine Existenz als Held (erlebendes Ich) mit seiner Rolle als Erzähler (erzählendes Ich) zu verflechten. Was seine Phantasie aus der Inschrift auf dem Grabstein seiner Eltern und der Form der Gräber seiner Geschwister mangels anderer Informationen über diese herausliest, ist nichts weniger als ein imaginativer Aufriß der existentiellen Situation, aus der sich sein Dasein herleitet. Die Stelle ist zu recht berühmt geworden:

As I never saw my father or my mother, and never saw any likeness of either of them (for their days were long before the days of photographs), my first fancies regarding what they were like, were unreasonably derived from their tombstones. The shape of the letters on my father's, gave me an odd idea that he was a square, stout, dark man, with curly black hair. From the character and turn of the inscription, '*Also Georgiana Wife of the Above*', I drew a childish conclusion that my mother was freckled and sickly. To five little stone lozenges, each about a foot and a half long, which were arranged in a neat row beside their grave, and were sacred to the memory of five little brothers of mine – who gave up trying to get a living, exceedingly early in that universal struggle – I am indebted for a belief I religiously entertained that they had all been born on their backs with their hands in their trousers-pockets, and had never taken them out in this state of existence. (*Great Expectations*, Harmondsworth 1975, 35)

In der traditionellen, quasi-autobiographischen Ich-Erzählung steht die Selbstvorstellung des Ich-Erzählers und die Schilderung seiner Existenzbasis am Anfang. Hier gibt es kein Identitätsproblem. Im modernen Ich-Roman setzt oft gerade in diesem Fall die Innovation an: die Identität der Ich-Figur wird problematisiert. Der provokante Auftakt von Max Frischs *Stiller* „Ich bin nicht Stiller" kann heute schon als Modell eines solchen Einsatzes bezeichnet werden.[22]
Weniger auffällig, für unseren Zusammenhang aber besonders interessant, ist das Auftreten der ersten Person Singular des Personalpronomens ohne gleichzeitige Selbstvorstellung und ohne Problematisierung seiner Identität, wie in folgenden Beispielen:

I had taken Mrs Prest into my confidence; in truth without her I should have made but little advance, for the fruitful idea in the whole business dropped from her friendly lips.[23]

---

22 Vgl. *Typische Formen*, 36.
23 Henry James, „The Aspern Papers", in: *The Complete Tales of Henry James*, hg. Leon Edel, London 1963, Bd. 6 (1884–1888), 275.

I walked right through the anteroom without stopping.[24]

Obgleich dieses Ich bei seinem ersten Erscheinen für den Leser noch völlig unbestimmt ist, steht das Subjekt, auf das es sich bezieht, außer Zweifel: es ist die Erzählerfigur, denn nur diese kann, von direkt zitierter Rede abgesehen, in der ersten Person Singular am Beginn einer Erzählung erscheinen. Die Bedeutung dieser Feststellung zeigt sich, sobald wir einen solchen Erzählauftakt in die dritte Person transponieren: „He walked right through the anteroom without stopping". Im Gegensatz zu dem „I" des Originaltextes, das nur auf den Erzähler zu beziehen ist, bleibt das ,he' des transponierten Textes in seinem Bezug völlig offen. Um dies genauer prüfen zu können, müssen wir zunächst Erzählanfänge mit einer Reflektorfigur eingehender betrachten.

Ein Erzählauftakt mittels Reflektorfigur ereignet sich in der Regel ohne alle jene Präliminarien, die sonst den Leser in die Geschichte einführen. Diese Eröffnung erhält ihren besonderen Akzent aber dadurch, daß die Reflektorfigur bei ihrer ersten Erwähnung fast immer in der weiter nicht definierten Gestalt des Personalpronomens „Er" oder „Sie" erscheint. Das Personalpronomen gehört an sich zu den „sequence signals",[25] die anzeigen, daß ihnen eine Information vorausgegangen ist, durch die sie in ihrer eigentlichen Bedeutung bestimmt werden. Personalpronomina am Erzählanfang, die auf die Reflektorfigur einer Erzählung zu beziehen sind, bleiben jedoch, von den seltenen Fällen abgesehen, in denen sie sich auf eine im Titel genannte Figur beziehen, unbestimmt und bezugslos. Joseph M. Backus, der solche „referentless pronoun[s]" „nonsequential sequence-signals" nennt,[26] hat diese Art des Erzählauftaktes in einer großen Zahl von amerikanischen Short Stories von Washington Irving bis J. D. Salinger untersucht. Er kommt zu dem Ergebnis, daß eine auffällige Häufung dieses Auftaktes vor allem bei H. James, Jack London, Sherwood Anderson, E. Hemingway, W. Faulkner, sowie bei vielen weniger bekannten Autoren seit 1925 zu beobachten ist. Backus versucht, dieses Phänomen in erster Linie historisch zu deuten, nämlich als Einfluß vor allem der beiden Vorbilder H. James und Anderson. Backus unter-

---

24 William Faulkner, „Honor", in: *Collected Stories*, New York, Random House, 1943, 551.

25 C. C. Fries, *The Structure of English*, New York 1952, 242.

26 Vgl. J. M. Backus, „,He came into her line of vision walking backward'. Nonsequential Sequence-Signals in Short Story Openings", *Language Learning* 15 (1965), 67 f.

nimmt aber keinen Versuch, das von ihm beobachtete Phänomen mit erzähltheoretischen Kategorien in Beziehung zu setzen. Um das zu ermöglichen, muß das von ihm vorgelegte Material noch einmal sortiert werden. Zunächst sind alle jene Fälle auszuscheiden, in denen das „referentless pronoun" in einem in direkter Rede eines Charakters stehenden Eröffnungssatz erscheint, wie z. B. in N. Hawthornes Erzählung „Egotism": ‚,,Here she comes!' shouted the boys along the street".[27] Der Erzählbeginn mittels Dialog hat zwar das Unvermittelte des Einsatzes mit dem in Rede stehenden Erzählauftakt gemeinsam, ist aber, genau genommen, nicht narrativ, sondern szenisch-dramatisch gestaltet. Ebenso auszusortieren sind alle jene Fälle, in denen das Personalpronomen in der ersten Person (und das dazugehörige der zweiten Person) Singular erscheint. Wie oben angeführt ist ein in einem Erzählanfang erscheinendes Ich kein „referentless pronoun" im eigentlichen Sinne, weil dieses Ich auf Grund der Mittelbarkeit des Erzählens immer auf den Vermittler – also auf die Erzählerfigur – zu beziehen ist. (Eine Sonderstellung nimmt das Ich am Beginn eines inneren oder stillen Monologs ein, dieses Ich fungiert auch nicht als Erzählerfigur, sondern als Reflektorfigur.)

Wenn man die genannten Fälle ausklammert, so zeigt sich, daß fast alle Erzählanfänge mit einem Satz, in dem ein Personalpronomen „Er" oder „Sie" als „nonsequential sequence-signal" erscheint, eine Erzählung einleiten, in der eine personale ES vorherrscht; die mit diesem Personalpronomen gemeinte Person ist fast immer eine Reflektorfigur. Damit ist auch die auffällige Häufigkeit dieser Erscheinung, die Backus u. a. bei Henry James, Anderson, Hemingway feststellt, alles Autoren, die eine ganz ausgeprägte Vorliebe für die personale ES erkennen lassen, erklärt. Dieser Schluß wird durch Beobachtungen an englischen Autoren wie James Joyce, Katherine Mansfield, W. S. Maugham und anderen noch bekräftigt, wie aus den folgenden Beispielen zu ersehen ist:

Eight years before he had seen his friend off at the North Wall and wished him good speed.[28]
She was sitting on the verandah waiting for her husband to come in for luncheon.[29]

27 Nathaniel Hawthorne, „Egotism", in: *The Complete Novels and Selected Tales*, New York 1937, 1106.
28 J. Joyce, „A Little Cloud", in: *Dubliners*, Harmondsworth 1974, 68.
29 W. S. Maugham, „The Force of Circumstance", in: *The Complete Short Stories of W. Somerset Maugham*, London et al. 1963, Bd. 1, 481.

Of course he knew – no man better – that he hadn't a ghost of a chance, he hadn't an earthly.[30]

In diesen drei Erzählungen herrscht zu Beginn eine ganz deutlich ausgeprägte personale ES vor. Hinter den bezugslosen Personalpronomina steht in allen drei Fällen die Reflektorfigur, von deren Standpunkt und durch deren Bewußtsein das Erzählte an den Leser vermittelt wird. An Stelle der Erzählpräliminarien, die sonst den Leser an Schauplatz, Zeit des Geschehens und Charaktere heranführen, wird hier der Leser, wie es scheint, unmittelbar (die Reihung der Zitate spiegelt ihre zunehmende Unmittelbarkeit wider) mit dem Geschehen konfrontiert, indem er veranlaßt wird, sich in die mit dem bezugslosen Personalpronomen gemeinte Reflektorfigur zu versetzen. Daß ein solcher Einstieg, der vom Leser eine Versetzung in eine Figur fordert, von der er zunächst, von der Geschlechtszugehörigkeit abgesehen, nichts weiß, dem modernen Leser keinerlei Schwierigkeiten bereitet, ist eigentlich erstaunlich. Erstaunlich ist auch, daß die Erzähltheorie von diesem Phänomen bisher kaum Kenntnis genommen hat, liegt doch hier eine spezifische Eigenart der fiktionalen Erzählung vor, die in einem nicht-fiktionalen Berichttext nicht denkbar ist, zumindest nicht ohne Zuhilfenahme irgendeiner außersprachlichen Zeigegeste, durch die ein solches bezugsloses Pronomen den in einem nicht-fiktionalen Text erforderlichen Bezug erhalten würde.

Der erzähltheoretische Zugang zu dieser Erscheinung wird uns durch die Unterscheidung zwischen Erzählerfigur und Reflektorfigur und den damit gekennzeichneten Unterschied in der Vermittlungsweise des Erzählten möglich. In einem Erzählanfang mit einer Erzählerfigur wird der Leser durch die einleitenden Präliminarien in die Geschichte eingeführt. Der Erzähler erscheint auch als Garant dafür, daß alle für das Verständnis erforderlichen Informationen rechtzeitig beigebracht und dem Leser angeboten werden. In einem Erzählanfang mit einer Reflektorfigur wird der Leser veranlaßt, sich (unter Verzicht auf alle einführenden Präliminarien) in die Reflektorfigur in ihrem Jetzt und Hier zu versetzen und mit ihr das erzählte Geschehen „in actu" mitzuerleben. Absenz eines Erzählers, Ausbleiben aller Erzählpräliminarien, Präsentation der Reflektorfigur durch ein „referentless pronoun" bilden die erzählerischen Bedingungen, unter denen diese Versetzung am raschesten und vollständigsten erwirkt wird. In der neueren Er-

---

30 K. Mansfield, „Mr and Mrs Dove", in: *The Garden Party and Other Stories,* Harmondsworth 1976, 120.

zählliteratur hat sich diese Form des Erzählauftaktes offensichtlich sehr gut eingebürgert.

Ein Erzählauftakt mit einem Personalpronomen als „nonsequential sequence-signal" bewirkt also eine Personalisierung der ES vom ersten Satz, vielleicht sogar vom ersten Wort einer Erzählung an. Dabei wird die personalisierende Funktion des „referentless pronoun" im Englischen häufig durch die Verwendung der umschriebenen anstatt der einfachen Tempusform des Verbums gestützt: „She was sitting on the verandah [. . .]". Durch das epische Präteritum in der umschriebenen Form („expanded tense") wird der Akzent auf Zustand bzw. Verlauf und Dauer der Handlung gelegt und damit der Modus der innenperspektivischen Wahrnehmung des Geschehens nachdrücklich unterstrichen. Wenn die umschriebene Zeitform am Beginn einer Erzählung zusammen mit einem nominalen Subjekt auftritt, kommt ihr, wie aus dem folgenden Beispiel aus O. Henrys „The Marionettes" deutlich wird, zunächst nur die Bedeutung des Durativen zu:

The policeman was standing at the corner of Twenty-fourth Street and a prodigiously dark alley near where the elevated railway crosses the street. (*Complete Works*, Bd. 2, Garden City 1953, 973)

Es bleibt offen, ob der Polizist zur Reflektorfigur werden, oder ob der auktoriale Erzähler weiterhin die Erzählweise bestimmen wird. Zunächst ist jedenfalls die Darstellung außenperspektivisch, die Stilisierung der Beschreibung enthält auktoriale Züge („prodigiously"), ebenso ist die Überschau in der Ortsangabe auktorial. Dennoch wird in der Verwendung der umschriebenen Zeitform ein personalisierendes Element spürbar. Die Beobachtung des Geschehens „in actu" ist nämlich charakteristisch für eine Reflektorfigur.

Eine andere sprachliche Erscheinung, die den Personalisierungseffekt von Erzählauftakten mit einem „referentless pronoun" verstärkt, ist der sogenannte „familiarizing article"[31]. W. J. M. Bronzwaer, von dem wir diesen Begriff übernehmen, kommentiert den Eingangssatz von Iris Murdochs *The Italian Girl*, „I pressed the door gently", folgendermaßen: „In the first analysis, the I here refers to the implied author or the narrator. It is a purely instrumental pronoun, which can for that reason function as the initiator of the narrative. With the definite article in ‚the door', however, the I's involvement in the story is suddenly brought about: he is now talking about a door that is familiar to him.

---

31 G. Storms, *The Origin and the Functions of the Definite Article in English*, Amsterdam 1961, 13, und W. J. M. Bronzwaer, *Tense in the Novel*, 90.

His response to the door – and later on in the opening paragraph to the house – is not that of a narrator; it is that of a character, a human being who has known this door from childhood and cannot help responding to it emotionally" (90). In die Begriffe unserer Terminologie übersetzt heißt das, daß dieser erste Satz bereits das Orientierungszentrum des Lesers ganz in das erlebende Ich verlagert, wodurch das eröffnende ‚I' der Rolle einer Reflektorfigur nähergerückt wird. Betrachten wir nun eine Erzählung mit Er-Bezug. Der Anfang von Henry James' „The Liar" enthält neben einem bezugslosen „he", hinter dem die Reflektorfigur dieser durchgehend in personaler ES dargestellten Erzählung steht, gleich mehrere „familiarizing articles":

The train was half an hour late and the drive from *the* station longer than he had supposed, so that when he reached *the* house its inmates had dispersed to dress for dinner and he was conducted straight to his room. (*Complete Tales*, Bd. 6, 383. Hervorhebung von mir)

Die mit dem sogenannten „familiarizing article" eingeführten Schauplätze und Objekte sind der Reflektorfigur nicht vertraut. Es ist der erste Besuch, den der Maler Oliver Lyon in diesem herrschaftlichen Landhaus macht. Dennoch bewirkt die Verwendung des bestimmten Artikels eine Familiarisierung, und zwar in der Art, daß der Leser sich mit ihnen gleichzeitig mit der Wahrnehmung dieser Objekte durch die Reflektorfigur vertraut macht, sie als gegeben akzeptiert, wodurch eine Einführung durch einen Erzähler überflüssig wird. Die Folge davon ist eine nahezu totale Versetzung des Lesers an Lyons Stelle im Geschehen.

Reinhold Winkler, der diesen Artikelgebrauch bei Hemingway genauer untersucht hat, führt unter Bezug auf die beiden Hauptcharaktere in „Hills Like White Elephants", die bei ihrer ersten Erwähnung bereits als „The American and the girl" erscheinen, aus: „Was rechtfertigt die Verwendung des bestimmten Artikels? Auf welche Vorinformation verweist er? [...] Wir haben keine andere Wahl, als eine Art virtuellen Kontext zu postulieren, d. h. anzunehmen, daß der bestimmte Artikel auf einen Teil der Geschichte, der im Text nicht dargestellt wird – die Vorgeschichte wenn man so will, – Bezug nimmt".[32] Diese Vorgeschichte ist sozusagen im Bewußtsein einer Figur (meist einer Reflektorfigur) gespeichert, wird aber, anders als beim Erzähl-

---

32 Reinhold Winkler, „Über Deixis und Wirklichkeitsbezug in fiktionalen und nicht-fiktionalen Texten", in: *Erzählforschung 1*, 166 f.

beginn mittels Erzählerfigur, nicht für den Leser „abgerufen". Mit der Versetzung in die Reflektorfigur suspendiert der Leser sein Informationsbedürfnis überall dort, wo für ihn noch Unbestimmtes unter dem Aspekt des Bestimmten erscheint, im Interesse einer möglichst vollkommenen Empathie mit der Reflektorfigur oder einer möglichst vollkommenen Versetzung an den Schauplatz des Geschehens.

Im Gegensatz zu H. James ist bei Hemingway die Reflektorfigur nicht immer klar auszumachen. So erscheint an Stelle eines individualisierenden „he" oder „she" bei Hemingway nicht selten ein kollektives „they" oder „every one" oder ein unpersönliches „one" in der Position des „referentless pronoun" am Erzählbeginn:

They brought them in around midnight and then, all night long, every one along the corridor heard the Russian.[33]

Auch bei K. Mansfield ist ein solcher Erzähleinsatz nicht selten:

The week after was one of the busiest weeks of their lives. Even when they went to bed it was only their bodies that lay down and rested; their minds went on, thinking things out, talking things over, wondering, deciding, trying to remember where . . .

And after all the weather was ideal. They could not have had a more perfect day for a garden party if they had ordered it.[34]

Für diese Fälle ist unsere Versetzungstheorie zu modifizieren, da die Versetzung in ein kollektives „they" nicht recht denkbar ist, denn wer ist überhaupt mit „they" gemeint? S. Chatman erklärt den Anfang der „Garden Party" folgendermaßen: „Indistinguishably the thought of one or all the family, or what one of them said to the others, or a report of the consensus of their attitudes, or the narrator's judgement – but which differs in no way from theirs".[35] Gerade weil es unmöglich ist, in solchen Erzählanfängen eine Reflektorfigur eindeutig zu identifizieren, muß eine Erzählerfigur angenommen werden, eine Erzählerfigur, die zusammenfaßt und berichtet, die sich aber in mancher Hinsicht so verhält, als wäre sie eine Reflektorfigur. So wird z. B. in „The Daughters of the Late Colonel" durch den Titel das Bezugsobjekt für

---

33 E. Hemingway, „The Gambler, the Nun, and the Radio", in: *The Short Stories of Ernest Hemingway*, New York 1953, 468.

34 K. Mansfield, „The Daughters of the Late Colonel" u. „The Garden Party", in: *The Garden Party and Other Stories*, 88 und 65.

35 S. Chatman, „The Structure of Narrative Transmission", 255.

das nachfolgende „they" bzw. „their" erzählend erklärt, der Zeitbe-
zug „The week after" bleibt aber unbestimmt, was mit dem Erzählverhalten einer konventionellen Erzählerfigur eigentlich nicht zu verein-
baren ist. Wir beobachten hier einen Ansatz zu einer – noch genauer
zu behandelnden – Personalisierung der Erzählerfigur.

Für solche Erzählanfänge mit einem bezugslosen Personalpronomen
im Plural gilt, was J.M. Backus als Charakteristikum aller Erzählauftakte mit „nonsequential sequence-signals" ansehen möchte: Es sei
ihre Funktion „to pique the reader's curiosity [. . .], to plunge the reader *in medias res* in order to give him a sense of immediacy or involvement [. . .], to give a story verisimilitude [. . .] to give an impression of
anonymity or ambiguity" (69). Hier erfolgt tatsächlich keine Versetzung des Lesers in eine Figur der Erzählung, wohl aber eine Versetzung an den Schauplatz des Geschehens. In diesem Punkte unterscheiden sich diese Erzählanfänge grundlegend von jenen, welche
vorher besprochen wurden.

Abschließend sei noch darauf hingewiesen, daß allem Anschein nach
zwischen einem Erzählanfang mit Reflektorfigur bzw. personalisierter
Erzählerfigur und einer offenen Schlußbildung ein struktureller Zusammenhang besteht. Die meisten der in diesem Abschnitt erwähnten
Erzählungen weisen nämlich neben dem „offenen" Erzählauftakt
auch einen offenen Schluß auf, d.h. die erzählte Handlung führt am
Ende zu einem Zustand, in dem die Dinge auf eigentümliche Weise in
Schwebe bleiben. Sehr häufig wird dieser Zustand als Wahrnehmung
der Reflektorfigur der Erzählung dargestellt. Diese Art des Erzähl-
schlusses ist daher auch vor allem bei jenen Autoren anzutreffen, in
deren Erzählungen eine personale ES vorherrscht bzw. eine Reflektorfigur als Vermittler fungiert, also bei H. James, J. Joyce, K. Mansfield, E. Hemingway und jenen zahlreichen modernen Autoren, deren
Erzählweise sich an den Genannten orientiert.

6.3.1. Die Opposition „Modus" und die textlinguistische Unterschei-
dung zwischen „emischen" und „etischen" Textanfängen

Der unvermittelte pronominale Erzähleinsatz hat auch bereits die
Textlinguistik beschäftigt, und zwar als Problem der Thema/Rhe-
ma-Gliederung, d.h. der Satzgliedfolge. Gerade am Erzählanfang
kann nämlich die Spannung, die durch das erste Satzglied oder durch
die Satzeinleitung (Thema) erzeugt und dann durch die eigentliche
Mitteilung (Rhema) im darauffolgenden Satzglied gelöst wird, sicht-

bar gemacht werden.[36] Der Aspekt der Thema/Rhema-Gliederung ist von der literarischen Erzählforschung bisher kaum berücksichtigt worden. Hier liegt noch eine sehr lohnende Aufgabe für künftige Forschung.

Dagegen ist ein anderes von der Textlinguistik bereitgestelltes Begriffspaar, nämlich die zuerst von K. L. Pike[37] zu den Begriffen „phonetic" und „phonemic" gebildeten Gegensatzbegriffe „etic" und „emic", von Roland Harweg[38] bereits auf pronominale Erzähleinsätze, wie wir sie im vorangegangenen Abschnitt analysierten, angewendet worden. „Etische Anfänge" sind nach Harweg solche, „die lediglich ‚äußerlich', sprachextern und nicht sprachlich-strukturell bestimmt, emische Anfänge dagegen solche, die sprachintern und sprachlich-strukturell bestimmt sind" (152). Als Beispiel für einen etischen Textanfang zitiert Harweg den Beginn von Thomas Manns Novelle „Das Gesetz": „Seine Geburt war unordentlich". Die „referentielle Unbestimmtheit" eines solchen Textanfanges erzeuge ein gewisses „Unbehagen", das durch eine vorauszusetzende Interpretation, wie etwa „Es lebte einmal ein Mann . . ." aufgehoben werden könnte. Vom erzähltheoretischen Standpunkt aus betrachtet kann Harweg nicht beigepflichtet werden, daß ein solcher Erzähleinsatz ein „Unbehagen" beim Leser auslöse, noch weniger kann man von einer grammatischen „Anstößigkeit" eines solchen Auftaktes sprechen (163). Von einem „Unbehagen" könnte vielleicht im historischen Sinne die Rede sein: die Lesergeneration um die Jahrhundertwende, die noch an den älteren Erzählstil mit Erzählerfigur und Erzählpräliminarien gewöhnt war, mag bei der ersten Begegnung mit Erzählungen etwa von H. James ein solches „Unbehagen" empfunden haben. Der moderne Leser registriert einen Erzählauftakt mit einem bezugslosen Pronomen sicher nicht mehr als ungewöhnlich, sondern eben als eine von (mindestens) zwei grundsätzlichen Möglichkeiten, den Anfang einer Erzählung zu gestalten. Wohl aber ist richtig, daß ein Leser auf einen mittels einer Reflektorfigur gestalteten Erzählanfang in seiner Vorstellung anders reagiert als auf einen von einer Erzählerfigur dirigierten Erzählanfang, bei dem sogleich alle erforderlichen Informationen für den Leser bereitgestellt werden, wie etwa im auktorial gestalteten

---

36 Vgl. Karl Boost, *Neue Untersuchungen zum Wesen und zur Struktur des deutschen Satzes*, Berlin 1955.

37 Kenneth L. Pike, *Language in Relation to a Unified Theory of the Structure of Human Behavior,* Glendale 1954.

38 R. Harweg, *Pronomina und Textkonstitution*, München 1968, 161 f.

Anfang von Kleists Novelle „Michael Kohlhaas", der nach Harweg
auch als Beispiel eines emischen Textanfanges anzusehen ist:

> An den Ufern der Havel lebte um die Mitte des sechzehnten Jahrhunderts ein
> Roßhändler namens Michael Kohlhaas, Sohn eines Schulmeisters, einer der
> rechtschaffensten zugleich und entsetzlichsten Menschen seiner Zeit. (*Sämtli-
> che Werke*, Leipzig 1883, Bd. 1, 137)

Hinter den textlinguistischen Gegensatzbegriffen von emischen und
etischen Textanfängen wird also ein wichtiger Teilaspekt unserer Opposition Erzählerfigur-Reflektorfigur sichtbar. Diese Übereinstimmung kann als vorläufiger Beweis dafür betrachtet werden, daß der erzähltheoretischen Unterscheidung der beiden Erzählweisen (Erzählerfigur und Reflektorfigur) auch eine linguistisch faßbare Distinktion
zugrundeliegt.

Harweg kommt auch zu einer für uns interessanten Differenzierung
zwischen nichtfiktionalen und fiktionalen Texten, oder, wie es bei ihm
heißt, zwischen „illiterärer, genauer: außerliterarischer Textpraxis"
und „literärer bzw. genauer: literarisch-fiktiver Textpraxis". Etische
Textanfänge, wie der bereits zitierte Anfang von Thomas Manns „Das
Gesetz": „Seine Geburt war unordentlich ..." oder „Er stand vom
Schreibtisch auf ..." („Schwere Stunde"), seien „nichtgeduldet in illi-
tärer, genauer: außerliterarischer Textpraxis" (319). Mit anderen
Worten, solche Erzählauftakte sind nur in fiktionalen Textanfängen
möglich. Daraus ergibt sich für uns ein weiterer Beweis dafür, daß sich
die Erzählweisen, die auf unserem Typenkreis in der Nähe des Erzäh-
lerfigur-Pols angesiedelt sind, auch sprachlich-strukturell von jenen,
die sich in der Nähe des Reflektor-Pols finden, unterscheiden. Von einer Erzählerfigur dirigierte Erzähleinsätze unterscheiden sich nicht
von ähnlichen Textanfängen in nichtfiktionalen Berichten; von einer
Reflektorfigur dominierte Erzähleinsätze sind dagegen überhaupt nur
in fiktionalen Texten möglich.

Hier muß sogleich einem Einwand begegnet werden, der mit der Eigenart der Erzählweise in den von Harweg ausschließlich herangezo-
genen Beispielen aus den Erzählungen von Thomas Mann zusammenhängt. Thomas Manns Erzählstil ist im allgemeinen nicht personal,
sondern auf sehr prägnante Weise auktorial. Setzt man die weiter oben
im Zitat isolierten Anfangssätze wieder in ihren Erzählkontext zurück,
so wird gleich deutlich, daß am Anfang der entsprechenden Erzählung
gar nicht eine Reflektorfigur, sondern eine Erzählerfigur dominiert.
Um das zu belegen, muß der Anfang von „Schwere Stunde" etwas ausführlicher zitiert werden:

Er stand vom Schreibtisch auf, von seiner kleinen, gebrechlichen Schreibkommode, stand auf wie ein Verzweifelter und ging mit hängendem Kopf in den entgegengesetzten Winkel des Zimmers zum Ofen, der lang und schlank war wie eine Säule. Er legte die Hände an die Kacheln, aber sie waren fast ganz erkaltet, denn Mitternacht war lange vorbei, und so lehnte er, ohne die kleine Wohltat empfangen zu haben, die er suchte, den Rücken daran, zog hustend die Schöße seines Schlafrockes zusammen, aus dessen Brustaufschlägen das verwaschene Spitzenjabot heraushing, und schnob mühsam durch die Nase, um sich ein wenig Luft zu verschaffen; denn er hatte den Schnupfen wie gewöhnlich.

Das war ein besonderer und unheimlicher Schnupfen, der ihn fast nie völlig verließ. Seine Augenlider waren entflammt und die Ränder seiner Nasenlöcher ganz wund davon, und in Kopf und Gliedern lag dieser Schnupfen ihm wie eine schwere, schmerzliche Trunkenheit. Oder war an all der Schlaffheit und Schwere das leidige Zimmergewahrsam schuld, das der Arzt nun schon wieder seit Wochen über ihn verhängt hielt? Gott wußte, ob er wohl daran tat. Der ewige Katarrh und die Krämpfe in Brust und Unterleib mochten es nötig machen, und schlechtes Wetter war über Jena, seit Wochen, seit Wochen, das war richtig, ein miserables und hassenswertes Wetter, das man in allen Nerven spürte, wüst, finster und kalt, und der Dezemberwind heulte im Ofenrohr, verwahrlost und gottverlassen, daß es klang nach nächtiger Heide im Sturm und Irrsal und heillosem Gram der Seele. Aber gut war sie nicht, diese enge Gefangenschaft, nicht gut für die Gedanken und den Rhythmus des Blutes, aus dem die Gedanken kamen. – (*Der Tod in Venedig und andere Erzählungen*, Frankfurt/M. 1954, 181).

Der auktorialen Erzählsituation des ersten Absatzes ordnen sich sogar die paar Andeutungen von Wahrnehmungen und Gefühlen der Romangestalt, die hier gemacht werden, unter. Es herrscht auktoriale Außenperspektive vor. Erst im zweiten Absatz verwandelt sich diese Außenperspektive in personale Innenperspektive, wobei charakteristischerweise an der Übergangsstelle ER auftritt: „Oder war an all der Schlaffheit und Schwere das leidige Zimmergewahrsam schuld ...? Gott wußte, ob er wohl daran tat". Im folgenden wird dann die ES zwar personal, doch bleiben gelegentliche auktoriale Einreden und Szenenanweisungen bis zum Schluß hörbar. „Schwere Stunde" ist also – vom ersten Absatz abgesehen – eine Erzählung mit zwar vorherrschender aber nicht ausschließlicher personaler ES. Auch ist die fiktionalisierte Gestalt Schillers als Reflektorfigur für die Darstellung dominanter als die nur gelegentlich sich zu Wort meldende auktoriale Erzählerfigur. Der Erzähleinsatz erfolgt in Übereinstimmung mit dieser in der Erzählung dominanten personalen ES mittels eines etischen Einleitungssatzes, dessen referentielle Unbestimmtheit aber sogleich durch die Stimme des Erzählers abgeschwächt wird. Es genügt nämlich allein die angedeutete Präsenz einer Erzählerfigur, um den Leser in seiner Erwartung zu bestätigen, daß die Unbestimmtheit des Erzähleinganges sogleich aufgelöst, d. h. bestimmt werden wird. Thomas Mann bedient sich also des etischen Textanfanges seiner Erzählung mehr, um damit einen für die auktoriale Erzählung üblichen Erzählanfang zu verfremden. Er hält die vom Leser erwartete Information darüber, auf wen dieses als erstes Wort der Erzählung erscheinende „Er" zu beziehen sei, zunächst zurück, was im Hinblick auf die allmählich sich anbietende Auflösung (Schiller!) besonders wirkungsvoll ist. In diesem Sinne sind jedoch die Thomas-Mann-Beispiele, die Harweg zitiert, nicht ganz charakteristisch für etische Textanfänge. Typischer ist etwa der weiter oben bereits kurz zitierte Anfang von S. Maughams Erzählung „The Force of Circumstance":

She was sitting on the verandah waiting for her husband to come in for luncheon. The Malay boy had drawn the blinds when the morning lost its freshness, but she had partly raised one of them so that she could look at the river. Under the breathless sun of midday it had the white pallor of death. A native was paddling along in a dug-out so small that it hardly showed above the surface of the water. The colours of the day were ashy and wan. They were but the various tones of the heat. (*Complete Short Stories*, Bd. 1, 481)

Hier bleibt der Erzähler zunächst ganz im Hintergrund, so daß die durch das Personalpronomen „She" eingeführte Person wirklich zur Reflektorfigur werden und eine echte Innenperspektive eingerichtet werden kann. Der Leser nimmt bereits die einleitende Landschaftsschilderung mit den Augen und vom Blickpunkt dieser Reflektorfigur wahr, das heißt, er beginnt sich schon in die Reflektorfigur einzufühlen – so paradox das auch klingen mag –, ehe er überhaupt weiß, wer diese Person ist. Er befindet sich somit hier in einer etwas anderen Situation als bei der Lektüre des Erzählanfanges im zitierten Thomas-Mann-Text. Bei Maugham zeigt sich zunächst keine Erzählerfigur, die dem Leser als Garant dafür erscheinen könnte, daß die referentielle Unbestimmtheit des Eingangssatzes bald aufgelöst werden wird. Im Gegenteil, der Leser spürt, daß er diese Auflösung selbst zu leisten haben wird, und zwar durch Konzentration auf die Implikationen des Erzähltextes und durch Empathie mit der Reflektorfigur.

Nur in einer personalen ES haben wir es mit einem Kommunikationsverlauf zu tun, der in nichtfiktionalen Texten in der Regel unmöglich ist. Im Erzähleingang zu „Schwere Stunde" wird dieser Kommunikationsverlauf gleichsam nur vorübergehend vorgetäuscht, um gleich darauf in eine auch in einem nichtfiktionalen Text denkbare Kommunikationsform übergeleitet zu werden. Der Erzählanfang von Maughams Erzählung ist nach dem „Erzähl-Modell" Andereggs gestaltet, der Anfang von Thomas Manns Erzählung erweckt nur mit dem kurzen ersten Satz den Anschein, nach dem „Erzähl-Modell" konstituiert zu sein, entpuppt sich dann aber sogleich als zum „Bericht-Modell" gehörig, oder in unserer Terminologie: der Kommunikationsablauf im Erzählauftakt zu „The Force of Circumstance" wird von einer Reflektorfigur, der Anfang von „Schwere Stunde" – trotz der referentiellen Unbestimmtheit des ersten Wortes – von einer Erzählerfigur dominiert. Bei Thomas Mann wird also die ältere Konvention des Erzählanfanges vorübergehend durch die neuere Konvention überlagert, was eine gewisse Verfremdung zur Folge hat, deren Wirkung auf den Leser allerdings nicht als „Unbehagen" beschrieben werden kann. In erster Linie bewirkt sie eine leichte Steigerung der Aufmerksamkeit für den Einstieg „in medias res". Ein anderer damit zusammenhängender Aspekt der Erzählkunst Thomas Manns wird im nächsten Abschnitt behandelt werden.

6.4. Die Personalisierung der Erzählerfigur bei Katherine Mansfield, James Joyce und Thomas Mann

Erzählerfigur und Reflektorfigur stehen nur in der gedanklichen Konstruktion des Typenkreises als klar abgegrenzte Pole einander gegenüber. In den Erzähltexten finden wir, wie schon in 6.1 gezeigt wurde, zwischen ihnen häufig Verbindungen und Vermischungen. Hier soll ein besonderer, auch typologisch interessanter Fall der Angleichung einer Erzählerfigur an eine Reflektorfigur noch genauer betrachtet werden: die Personalisierung der Erzählerfigur. Von den ausgewählten Beispielen ist eines extrem, eine Textstelle aus J. Joyces *Ulysses*, die beiden anderen sind weniger auffällig, dafür aber umso typischer: Es handelt sich um Beispiele aus den Erzählungen von K. Mansfield, speziell „The Garden Party", und aus Thomas Manns Erzählung „Tristan". Über die Personalisierung der Erzählerfigur im *Ulysses* wurde von mir bereits eine ausführliche Abhandlung vorgelegt, deren Ergebnisse hier auszugsweise referiert werden.[39] Die Analyse des Beispiels aus der Erzählung „Tristan" nimmt Bezug auf eine textlinguisti-

---

39 Vgl. „Die Personalisierung des Erzählaktes im *Ulysses*", 284–308.

sche Beschreibung der Erzählsituation in „Tristan" von R. Harweg.[40]
Hier bietet sich nämlich die ebenso seltene wie günstige Gelegenheit,
eine Beschreibung der Erzählsituation aus textlinguistischer Sicht mit
ihrer Beschreibung aus literaturwissenschaftlicher Sicht zu konfron-
tieren.

Um den Vorgang der Personalisierung einer Erzählerfigur, d. h. ihre
Angleichung an eine Reflektorfigur, verständlich zu machen, ist es
notwendig, den für eine Erzählerfigur charakteristischen Erzählgestus
zusammenzufassen und mit dem für eine Reflektorfigur charakteristischen Darstellungsgestus zu kontrastieren. Im Interesse der Kürze und
der Übersichtlichkeit soll dies in der Form von zwei parallelen Merk-
malkatalogen erfolgen:

Erzählerfigur	Reflektorfigur
Erzählpräliminarien: Einführung und Exposition explizit, leserorientiert	Abrupter oder kupierter Erzähleinsatz, Präsupposition (Exposition vom Leser zu erschließen)
Emischer Textanfang (Harweg)	Etischer Textanfang (Harweg)
Das Erzählte ist vom Erzähler „bewältigt", daher überschaubar, geordnet, sinnvoll	Das Dargestellte wird vom Reflektor im Augenblick des Erlebnisses registriert, es ist daher für ihn meist unüberschaubar, sein Sinn oft problematisch
Tendenz zur Verkürzung im Bericht, zur begrifflichen Abstraktion und Generalisierung	Tendenz zur konkreten Partikularität, zu Impressionismus und Empathie
Auktoriale ES und Ich-ES mit Dominanz des erzählenden Ich	Personale ES und Ich-ES mit Dominanz des erlebenden Ich, innerer Monolog
Kommunikationsverlauf nach Bericht-Modell (Anderegg)	Kommunikationsverlauf nach Erzähl-Modell (Anderegg)
Selektionsraster einschaubar, durch Persönlichkeit des Erzählers motiviert	Selektionsraster nicht einschaubar, Unbestimmtheitsstellen existentiell signifikant

---

40 R. Harweg, „Präsuppositionen und Rekonstruktion. Zur Erzählsituation in
   Thomas Manns *Tristan* aus textlinguistischer Sicht", in: *Textgrammatik*,
   Tübingen 1975, 166–185.

Erzähldistanz markiert; episches Präteritum mit Vergangenheitsbedeutung	Darstellung des Geschehens „in actu", episches Präteritum verliert Vergangenheitsbedeutung, im Englischen Verstärkung des ‚in actu'-Eindrucks durch umschriebene Zeitform
Deixis: damals – dort Orientierungszentrum bei Erzählerfigur, kann sich vorübergehend in die dargestellte Szene verlagern	Deixis: jetzt – hier Orientierungszentrum bei Reflektorfigur, Verstärkung der jetzt/hier-Deixis durch „familiarizing article", „referentless pronoun" etc.
Außenperspektive und Innenperspektive, Tendenz zum Aperspektivismus	Innenperspektive, Tendenz zum Perspektivismus
Opposition zwischen Er-Bezug und Ich-Bezug merkmalhaft.	Wechsel zwischen Er-Bezug und Ich-Bezug bei Bewußtseinsdarstellung merkmallos.

Im Zuge der Personalisierung werden einzelne Attribute der Reflektorfigur auf eine Erzählerfigur übertragen: Sie beginnt, genau genommen, bereits dort, wo z.B. ein auktorialer Erzähler erklärt, daß er über einen bestimmten Sachverhalt nicht oder nicht genau Bescheid wisse.[41] Die Personalisierung der Erzählerfigur wird aber erst merkmalhaft, wenn weitere und auffälligere Attribute einer Reflektorfigur an einer Erzählerfigur zu beobachten sind: präliminarloser Erzähleinsatz, Übernahme der Wahrnehmungsweise und Wertungen von Charakteren, Angleichung der Erzählersprache an die Figurensprache, Assoziationsstruktur u.ä.

6.4.1. Katherine Mansfield, „The Garden Party"

Wie sich das im einzelnen vollziehen kann, soll an Hand einer Textstelle aus K. Mansfields Erzählung „The Garden Party" demonstriert werden. Die Nachricht von dem Todesfall, der sich in einer Arbeiterfamilie ereignet hat, die in nächster Nähe des Herrenhauses der Sheri-

---

41 Überhaupt ist die Negation des Verbums „wissen" ein wichtiges erzähltheoretisches Unterscheidungskriterium: „Er weiß nicht, daß..." kann

dans wohnt, bedeutet für Laura, daß das geplante Gartenfest nicht stattfinden könne. Lauras Schwester Jose bezeichnet diese Bedenken als „extravagant", eine Ansicht, der sich später auch die Mutter und die anderen Geschwister anschließen. Mitten in das Gespräch zwischen Laura und Jose ist ein längerer expositioneller Kommentar eingeschoben, der keinem der Charaktere persönlich zugeordnet wird und der daher der Erzählerfigur zugeschrieben werden muß:

"But we can't possibly have a garden party with a man dead just outside the front gate."
That really was extravagant, for the little cottages were in a lane to themselves at the very bottom of a steep rise that led up to the house. A broad road ran between. True, they were far too near. They were the greatest possible eyesore, and they had no right to be in that neighbourhood at all. They were little mean dwellings painted a chocolate brown. In the garden patches there was nothing but cabbage stalks, sick hens and tomato cans. The very smoke coming out of their chimneys was poverty-stricken. Little rags and shreds of smoke, so unlike the great silvery plumes that uncurled from the Sheridans' chimneys. Washerwomen lived in the lane and sweeps and a cobbler, and a man whose house-front was studded all over with minute bird-cages. Children swarmed. When the Sheridans were little they were forbidden to set foot there because of the revolting language and of what they might catch. But since they were grown up, Laura and Laurie on their prowls sometimes walked through. It was disgusting and sordid. They came out with a shudder. But still one must go everywhere; one must see everything. So through they went.
"And just think of what the band would sound like to that poor woman," said Laura. (*The Garden Party and Other Stories*, 76 f.)

Insofern hier dem Leser Informationen über die Arbeitersiedlung am Fuße der Anhöhe, auf der Park und Herrenhaus der Sheridans liegen, übermittelt werden, ist dieser Einschub als Teil einer leserorientierten Exposition durch einen auktorialen Erzähler zu betrachten. Das Summarische dieser Schilderung, die Hinweise auf die Zeit, als die Sheridan-Kinder noch klein waren, und der zusammenfassende Bericht über ihre späteren Eindrücke von ihren Streifzügen durch dieses ärmliche Viertel, unterstreicht den Berichtcharakter der Stelle, zu dem auch Außenperspektive und damals/dort-Deixis gehören. Das alles ist Teil des charakteristischen Erzählgestus einer Erzählerfigur. Mit

---

über einen Charakter in einer Erzählung nur von einer (auktorialen) Erzählerfigur ausgesagt werden; dagegen kann „er weiß nicht, ob/wie. . ." auch als von einer Reflektorfigur vermittelte Aussage erscheinen. Vgl. dazu auch Karlheinz Stierle, *Text als Handlung*, 127 ff.

dem Erzählgestus einer Erzählerfigur ist jedoch die subjektive Art und
Weise der Stellungnahme zu Lauras Einwänden zum geschilderten
Milieu nicht ohne weiteres vereinbar. „That really was extravagant"
ist nicht nur verbal ein Echo der Ansicht Joses, sondern impliziert auch
eine Denkweise, die für die Sheridans (Laura ausgenommen) und
nicht für den Erzähler charakteristisch ist. Ähnlich sind auch „True,
they were far too near [...] the greatest possible eyesore [...] little
mean dwellings [...] nothing but cabbage stalks, sick hens [...]. It was
disgusting and sordid", usw. zu verstehen. Hier spricht nicht etwa ein
Erzähler, der seine eigenen gesellschaftlichen Vorurteile und seine so-
ziale Verständnislosigkeit unwissentlich enthüllt, sondern hier denkt
und fühlt jemand stellvertretend für die Sheridans. Es handelt sich also
gewissermaßen um eine Figur, die keinen Namen hat, weil sie nicht
zum fiktionalen Personal der Erzählung gehört. Vom Standpunkt dieser anonymen Reflektorfigur sind diese Überlegungen ein Geschehen
„in actu", in dem frühere Erfahrungen und Beobachtungen einzelner
Mitglieder der Sheridan-Familie jetzt einen aktuellen Niederschlag
finden. Es herrscht jetzt/hier-Deixis vor und Innenperspektive, etwa
in dem Sinne, daß die Stelle wie ein Teil eines inneren Monologs (eben
dieser Reflektorfigur) zum Problem, das Laura und Jose gerade beschäftigt, gelesen werden kann. Dabei enthüllt sich diese Reflektorfigur in einer subjektiven Befangenheit, die sie mit den Sheridans in dieser Angelegenheit verbindet. Ein auktorialer Erzähler – ein Ich-Erzähler ist aus formalen Gründen auszuschließen – müßte kraft der ihm
verfügbaren Außenperspektive diese Befangenheit durchbrechen.
Dagegen gehört es zum Wesen einer Reflektorfigur, ihre Subjektivität
voll auszutragen. Da diese Reflektorfigur keine existentielle Basis in
der fiktionalen Welt der Charaktere hat, muß sie als Verwandlung der
Erzählerfigur, als mimikryhafte Anpassung an die Charaktere der Geschichte aufgefaßt werden, eine Verwandlung, die wir als Personalisierung bezeichnen. In „The Garden Party" wird die personalisierte Erzählerfigur – Ähnliches ist übrigens auch in anderen Erzählungen von
K. Mansfield zu beobachten – zur kollektiven Stimme des Bewußtseins der Sheridans (Laura, die Hauptfigur der Erzählung, immer ausgenommen), genauer, die Stimme, in der ihr Mangel an sozialer und
humaner Solidarität vernehmbar wird. Durch diesen personalisierten
Erzähler erfolgt also eine Kommentierung des Verhaltens der Sheridans auf indirekte Weise, ähnlich wie in einem dramatischen Monolog.
Dabei scheint dieser Mangel an sozialer Einfühlung noch durch die
Tatsache verstärkt zu werden, daß die Einstellung der Sheridans zu
den armen Leuten, die vor den Pforten ihres Herrensitzes hausen,

scheinbar von einer Instanz übernommen wird, die außerhalb der fiktionalen Welt der Charaktere steht, die also denselben ontologischen Status hat wie ein auktorialer Erzähler. Gleichzeitig wird aber auch die Ironie unüberhörbar, die aus der Diskrepanz der Ansichten des (zu erschließenden, weil nur implizierten) Erzählers und den von der personalisierten Erzählerfigur verkündeten, mit den Sheridans übereinstimmenden Ansichten entspringt. Auf diese Weise provoziert der Autor im Leser vielleicht sogar eine heftigere Zurückweisung dieser Ansichten, als wenn er sie nur durch einzelne Charaktere, etwa durch Mrs. Sheridan, vertreten ließe.

Die Personalisierung der Erzählerfigur ist ein sehr charakteristisches Merkmal der Erzählweise von K. Mansfield, das von der Kritik bisher fast überhaupt nicht beachtet worden ist. Unter den im Band *The Garden Party and Other Stories* gesammelten Erzählungen finden sich auffällige Beispiele in „At the Bay", „The Garden Party", „The Daughters of the Late Colonel" u. a. (28, 36, 76f., 92f.). Eine Personalisierung der Erzählerfigur ist aber auch bei verschiedenen anderen modernen Erzählern, so z. B. bei Virginia Woolf,[42] Muriel Spark[43] u. a. nachzuweisen. Eine umfassende Untersuchung dieses interessanten Erzählphänomens im modernen Roman steht noch aus.

6.4.2. *James Joyce,* Ulysses

Wie in dem bereits erwähnten Aufsatz „Die Personalisierung des Erzählaktes im *Ulysses"* ausführlich dargelegt wurde, ist die Personalisierung der Erzählerfigur im *Ulysses* in einem gewissen Sinne die Fortsetzung einer bei Joyce besonders deutlichen Tendenz von auktorialer zu personaler ES. Beim Vorgang der Personalisierung der Erzählerfigur übernimmt, in Übereinstimmung mit dieser Tendenz, ein auktorialer Erzähler vorübergehend gewisse charakteristische Eigenschaften einer Reflektorfigur, im besonderen wenn er aufhört, zu „erzählen" und dafür beginnt, wie ein personales Medium die dargestellte Wirklichkeit als Inhalt seines Bewußtseins widerzuspiegeln. Die leser-

---

42 S. Chatman macht auf eine Stelle am Anfang des Romans *Mrs Dalloway* aufmerksam, an der ein „communal or sympathetic mode" zum Ausdruck gebracht werde. Es handelt sich um eine Personalisierung der Erzählerfigur in unserem Sinne. Vgl. „The Structure of Narrative Transmission", 254.
43 Vgl. M. Spark, *The Prime of Miss Jean Brodie,* 61, 68, 79 u.ö.

orientierte Erzählhaltung verwandelt sich dann in eine subjektzentrierte Reflexionshaltung. Daraus ergeben sich Konsequenzen für den Aufbau der Erzählung, für die Selektion der dargestellten Teile der Wirklichkeit, die zeiträumliche Orientierungslage, und vor allem für die Steuerung des Leserverhaltens.

Im *Ulysses* übernimmt dabei die Segmentierung,[44] d. h. die Zerteilung des Erzähltextes in Abschnitte, deren Anfang und Ende kupiert erscheinen – es fehlen alle Präliminarien und Überleitungen –, eine wichtige Funktion. Th. Fischer-Seidel unterscheidet im *Ulysses* zwischen Segmenten mit „personaler" und „außerpersonaler Darstellung". Ihr Interesse gilt vor allem dem Wechsel in der Abfolge von Segmenten dieser zwei Arten, der auch immer einen Wechsel zwischen Innenperspektive (vor allem Stephens und Leopold Blooms) und Außenperspektive, d. h. Perspektive, die nicht diesen beiden Charakteren zuzuordnen ist, zur Folge hat und daher ein sehr wichtiges Bauprinzip des *Ulysses* ist. Fischer-Seidel registriert auch, daß es „gleitende Übergänge zwischen den beiden Segmenten" gibt und kommt damit schon sehr nahe an unseren Befund heran,[45] daß im *Ulysses* die Funktion und die Wirkungsweise einer Reflektorfigur (ihr sind ein Teil der „personalen Segmente" Fischer-Seidels zuzuordnen) manchmal jene einer Erzählerfigur (zu ihr gehören die meisten „außerpersonalen Segmente") überlagert. Auch hier erfolgt also eine Personalisierung der Erzählerfigur.

Das Präludium zum „Sirenen"-Kapitel des *Ulysses*,[46] ein aus den wichtigsten Handlungs-, Dialog- und Klangmotiven des Kapitels fugal komponiertes Vorspiel, kann als Produkt einer personalisierten Erzählerfigur angesehen werden. Die Entstehung dieses Präludiums ist etwa so vorzustellen: der Autor-Erzähler läßt, nachdem er das Kapitel erzählt oder zumindest konzipiert hat, seinem Bewußtsein nun freies Spiel mit dem Vorstellungsinhalt dieses Kapitels. In, wie es scheint, freier Assoziation werden markante Wortmotive und Satzfragmente herausgegriffen und durch eine vielleicht aus tieferen Schichten des Bewußtseins kommende Steuerung zu neuen Motiv-, Klang- und viel-

---

44 Vgl. *Typische Erzählsituationen,* 126 f.
45 Vgl. Th. Fischer-Seidel, „Charakter als Mimesis und Rhetorik. Bewußtseinsdarstellung in Joyces *Ulysses",* in: *James Joyces „Ulysses",* bes. 316 et passim; und Th. Fischer, *Bewußtseinsdarstellung im Werk von James Joyce. Von „Dubliners" zu „Ulysses",* Frankfurt/M. 1973, 121 ff.
46 J. Joyce, *Ulysses,* Harmondsworth 1969, 254–56.

leicht sogar Sinneinheiten gefügt.[47] Eine solche Motivmontage ist nicht als das Werk einer im Interesse des Lesers den Stoff ordnenden Erzählerfigur, sondern als das Produkt des freien Spiels der Phantasie einer personalisierten Erzählerfigur mit Elementen der dargestellten Wirklichkeit aufzufassen.

Eine Personalisierung der Erzählerfigur ist in der ersten Hälfte des *Ulysses* an mehreren Stellen, wenn auch nirgends so ausführlich und auffällig wie im Präludium zum „Sirenen"-Kapitel, nachweisbar.[48] Wir beschränken uns im weiteren auf eine Analyse des ersten Großsegmentes des „Irrfelsen"-Kapitels (218–223). Die „Irrfelsen"- oder „Wandering Rocks"-Episode bringt eine Montage aus Momentaufnahmen aus Dublins Straßen um ungefähr 3 Uhr nachmittags am 16. Juni 1904 („Bloomsday"), in der die Hauptcharaktere und fast alle Nebenfiguren mit ihren jeweiligen Standorten auf der Karte der Stadt in der Vorstellung des Lesers aufgezeichnet werden. Joyce bedient sich hier der Technik der Segmentierung und Montage von Ausschnitten synchroner Vorgänge auf verschiedenen Schauplätzen. Man kann auch die Technik der Montage von Handlungssegmenten als Ausdruck der Personalisierung des Erzählaktes betrachten, denn dabei tritt der Erzähler seine narrative Kompetenz für erklärende und ordnende Erzählpräliminarien, für die Auswahl und lesergerechte Darbietung des Geschehens an eine Instanz ab, die sich augenscheinlich weithin vom Zufall der jeweils sich anbietenden Wahrnehmungen und von der Willkür der freien Assoziation, beides Charakteristika einer Reflektorfigur, lenken läßt.

Das erste Großsegment der „Wandering Rocks"-Episode zeigt den Jesuitenpater Father Conmee auf dem Weg nach Artane, wo er im Waisenhaus für den Sohn des jüngst verstorbenen Paddy Dignam vorsprechen will. Dieses Segment wird von einem auktorialen Berichtsatz mit einer knappen Exposition der Szene eröffnet. Bereits der zweite Satz zeigt eine personale ES, nämlich die direkte Darstellung der Gedanken von Father Conmee über seinen Auftrag mit den sich daran anschließenden freien Assoziationen. Father Conmee begegnet dann einem Seemann mit einem Bein, der bettelnd durch die Straßen humpelt und dem auch einige andere Charaktere in diesem Kapitel noch

---

47 In den *Typischen Erzählsituationen* habe ich versucht nachzuweisen, wie sich eine solche neue Sinneinheit bildet, etwa indem z. B. einige der Wort- und Klangmotive des „Sirenen"-Kapitels im Präludium die Motivfolge einer Alba, eines Tageliedes, bilden. Vgl. *Typische Erzählsituationen*, 131 f.

48 Vgl. „Die Personalisierung des Erzählaktes", 291–300.

begegnen werden. (Dieser bettelnde Invalide ist einer der Koordinatoren, deren Funktion es ist, die Synchronizität des Geschehens in den neunzehn Großsegmenten des Kapitels sichtbar zu machen.) Erst im dritten Absatz wird dann wieder die Stimme des auktorialen Erzählers vernehmbar, der nun die Gedanken, die der Anblick des bettelnden Invaliden in Father Conmee auslöst, in einem auktorialen Gedankenbericht mitteilt und dann fortfährt:

He [Father Conmee] walked by the treeshade of sunnywinking leaves and towards him came the wife of Mr David Sheehy M. P.
– Very well, indeed, father. And you father?
Father Conmee was wonderfully well indeed. He would go to Buxton probably for the waters. And her boys, were they getting on well at Belvedere? Was that so? Father Conmee was very glad indeed to hear that. And Mr Sheehy himself? Still in London. The house was still sitting, to be sure it was. Beautiful weather it was, delightful indeed. Yes, it was very probable that Father Bernard Vaughan would come again to preach. O, yes: a very great success. A wonderful man really.
Father Conmee was very glad to see the wife of Mr David Sheehy M. P. looking so well and he begged to be remembered to Mr David Sheehy M. P. Yes, he would certainly call.
– Good afternoon, Mrs Sheehy. (*Ulysses*, 218 f.)

An der Darstellung dieser Begegnung sind mehrere Dinge auffällig. Die Selektion der Ausschnitte aus der Konversation zwischen Father Conmee und Mrs Sheehy entspricht nicht den Konventionen der Rededarstellung durch eine Erzählerfigur. So wird die Begrüßungsfloskel Father Conmees übergangen, Mrs Sheehys Antwort auf die – nicht dargestellten – Begrüßungsworte werden aber in direkter Rede zitiert. Die weitere Konversation zwischen den beiden erscheint dann in ER, an der auffällig ist, daß das Bewußtsein, von dem diese Konversation, genauer ihr nicht ganz vollständiges Echo, registriert wird, anscheinend nicht, wie eigentlich zu erwarten, Father Conmee zugehört, sondern einer dritten Person. Das ist daraus zu erschließen, daß auf Father Conmee nicht mit dem Personalpronomen „he", was einer innenperspektivischen Darstellung vom Standpunkt Father Conmees gemäß wäre, sondern wiederholt mit Titel und Namen Bezug genommen wird: „Father Conmee was very glad [. . .]". Diese dritte Person kann nur der auktoriale Erzähler sein, dessen Erzählverhalten sich allerdings dem einer Reflektorfigur anzugleichen beginnt. Die Personalisierung ist hier vor allem daran zu erkennen, daß die Konversation zwischen Father Conmee und Mrs Sheehy bruchstückhaft wiedergegeben wird, so als wäre sie von dem Bewußtsein eines der Beteiligten oder einer dritten Person nur unvollständig registriert worden, und daran, daß die Auslassungen nicht vom Erzähler erklärt werden. Die Erzählerfigur suspendiert also ihre Erzählkompetenz und reagiert wie eine personales Medium. Der Vorgang ist auch an der folgenden Stelle aus demselben Segment des „Irrfelsen“-Kapitels nachzuweisen:

Father Conmee stopped three little schoolboys at the corner of Mountjoy square. Yes: they were from Belvedere. The little house: Aha. And were they good boys at school? O. That was very good now. And what was his name? Jack Sohan. And his name? Ger. Gallaher. And the other little man? His name was Brunny Lynam. O, that was a very nice name to have.
Father Conmee gave a letter from his breast to master Brunny Lynam and pointed to the red pillarbox at the corner of Fitzgibbon street.
– But mind you don't post yourself into the box, little man, he said.
The boys sixeyed Father Conmee and laughed. (*Ulysses*, 219)

Auch hier erscheinen Bericht eines Erzählers, direkt zitierte Rede, Redewiedergabe in Form der ER und Auslassung einzelner Dialogteile ohne Erklärung des Erzählers. Besonders auffällig ist jedoch der Satz „The boys sixeyed Father Conmee and laughed“. Das ungewöhnliche Kompositum „sixeyed“, in dem die Wahrnehmung, daß sechs Bubenaugen Father Conmee groß ansehen, verbal zusammengefaßt wird, setzt wiederum die Präsenz eines Bewußtseins voraus, das die Vorgänge ähnlich wie bei personaler Darstellung registriert. Da der Träger dieses Bewußtseins nicht Father Conmee sein kann – seine Nennung in diesem Satz erfolgt, wie auch im vorangehenden Zitat, außenperspektivisch –, ist die Stelle einem personalisierten Erzähler zuzuordnen. Auf gleiche Weise ist die mehrfache, durch leicht abgewandelte Wiederholung noch verstärkte Stereotypisierung der Beschreibung von Father Conmee zu erklären, die sich an die Zitatstelle anschließt: „Father Conmee smiled and nodded and smiled and walked along [. . .]“. Schließlich ist auch der – oben nicht mehr zitierte – erzählerisch völlig unvorbereitete Einschub eines Kurzsegments mit Standortangaben und Beschreibung von Mr Dennis J. Maginni, der sich in diesem Augenblick an einer ganz anderen Stelle der Stadt befindet, als Montage, die durch eine Assoziation im Bewußtsein der personalisierten Erzählerfigur bewirkt wird, zu verstehen.

Unmittelbar anschließend daran wird eine weitere Begegnung Father Conmees auf seinem Weg nach Artane dargestellt:

Was that not Mrs M'Guinness?
Mrs M'Guinness, stately, silverhaired, bowed to Father Conmee from the farther footpath along which she smiled. And Father Conmee smiled and saluted. How did she do?

A fine carriage she had. Like Mary, queen of Scots, something. And to think that she was a pawnbroker. Well, now! Such a . . . what should he say? . . . such a queenly mien.
Father Conmee walked down Great Charles street [. . .] (*Ulysses*, 220)

Father Conmees erstes Gewahrwerden von Mrs M'Guinness wird in ER und eindeutig vom Standpunkt Father Conmees dargestellt: „Was that not Mrs M'Guinness?" Auch der übernächste Absatz, beginnend mit „A fine carriage she had", kann als personale Darstellung der Wahrnehmung und Gedanken Father Conmees verstanden werden. Anders verhält es sich mit dem dazwischen liegenden Absatz, in dem zunächst die zweimalige Nennung Father Conmees mit Titel und Namen auffällt, personale Darstellung ließe hier nur das entsprechende Personalpronomen erwarten. Daß es sich bei diesem Absatz um eine Kundgabe der personalisierten Erzählerfigur handelt, wird schließlich an der sonderbaren Transponierung der Begrüßungsfloskel „How do you do" offenbar. „How did she do?" kann nicht ER sein,[49] oder wenn ER, dann nicht vom Standpunkt Father Conmees, sondern von dem eines personalisierten Erzählers. Die Begrüßungsfloskel „How do you do" kann, da es sich um eine feste idiomatische Wendung handelt, nicht den Umformungen, die bei der Übertragung von direkter Rede in ER bzw. indirekte Rede notwendig sind, unterworfen werden, nämlich Tempusverschiebung und Transponierung des Personalpronomens. Wird eine solche idiomatische Phrase dennoch transponiert, so verändert sich ihre Bedeutung. In diesem Fall wird durch die sprachliche Umformung „How do you do?" zu „How did she do?" eine erotische Anspielung hörbar, die wahrscheinlich nicht dem Bewußtsein Father Conmees, wohl aber dem des personalisierten Erzählers zuzuschreiben ist. Die erotische Doppeldeutigkeit und das verfremdende Wortspiel sind weitere Beweise dafür, daß an dieser Stelle die personale Innenperspektive einer Romanfigur vorübergehend von der Perspektive eines personalen Metabewußtseins, nämlich des personalisierten Erzählers, überlagert wird. Wir haben es mit einer sehr subtilen Personalisierung des Erzählvorganges zu tun, bei der sich das Bewußtsein des auktorialen Mediums über das Bewußtsein des personalen Mediums (Father Conmee) stülpt. Die Wirkung ist zugleich eine Art Mimikry und Verfremdung. Das auktoriale Medium paßt sich in seinem Erzählverhalten fast völlig an das personale Medium an, über-

---

49 Als ER wird sie von G. Steinberg bezeichnet in *Erlebte Rede*, 166, 236, 272.

nimmt auch weitgehend seine Wahrnehmungen, seine Gedanken und Gefühle, um sie aber dann plötzlich durch eine ungewöhnliche Verbalisierung oder eine unerwartete Assoziation zu verfremden. Beispiele dafür aus den angeführten Zitaten sind die viermalige Wiederholung des Füllwortes „indeed" in der Begegnung mit Mrs Sheehy bei gleichzeitiger Auslassung ganzer Dialogteile, die lexikalische Innovation „sixeyed" und die formale und inhaltliche Deformation der Floskel „How do you do?". Solche und ähnliche Erscheinungen nehmen im ersten Teil des *Ulysses* an Häufigkeit zu, bis sie im „Sirenen"-Kapitel ihre größte Frequenz erreichen, schließlich sogar einen selbständigen Text hervorbringen, nämlich das Präludium zu diesem Kapitel.

Auf Erscheinungen, wie die hier eingehender analysierte Personalisierung der Erzählerfigur, stützt sich die Theorie, daß der Roman *Ulysses* als eine Art Konzeptionsmonolog des Autors oder eines auktorialen Mediums bei der Beschäftigung mit dem Vorstellungskomplex 16. Juni 1904 in Dublin zu verstehen sei.[50] Der Begriff Konzeptionsmonolog ist natürlich mehr eine metaphorische denn eine exakte Beschreibung des Außerordentlichen im Erzählakt des *Ulysses*, bietet aber eine Hypothese, unter der sich die sehr verschiedenen Erscheinungen im Zusammenhang mit der Personalisierung der Erzählerfigur im *Ulysses* zu einer auch begrifflich faßbaren Einheit zusammenschauen lassen.

6.4.3. *Thomas Mann,* Der Zauberberg

Es mag zunächst etwas überraschen, daß der an *Ulysses* gewonnene Begriff „Konzeptionsmonolog" auch auf das Werk Thomas Manns angewendet werden kann. Diesen interessanten Versuch hat Francis Bulhof in seiner Untersuchung des Romans *Der Zauberberg* unternommen.[51] Bulhof erklärt das Übergreifen von Vorstellungen, Motiven, charakteristischen Formulierungen oder stereotypen Gesprächs-

---

50 Diese Hypothese wurde, einer Anregung C. G. Jungs folgend, zuerst in den *Typischen Erzählsituationen* vertreten und kürzlich in dem Aufsatz „Die Personalisierung des Erzählaktes im *Ulysses*" wieder aufgegriffen. Auf diese beiden Stellen wird für eine weitere Diskussion dieses Phänomens verwiesen. Vgl. *Typische Erzählsituationen*, 142f., und „Die Personalisierung des Erzählaktes im *Ulysses*", 292–294 und 298 f.

51 Francis Bulhof, *Transpersonalismus und Synchronizität. Wiederholung als Strukturelement in Thomas Manns „Zauberberg"*, Groningen 1966.

wendungen von einer Romanfigur auf eine andere oder vom Erzähler auf eine Romanfigur und umgekehrt – ohne daß etwa zwischen den betreffenden Personen eine entsprechende Kommunikation stattgefunden hat – als „Transpersonalismus". Transpersonalismus bezeichnet demnach die Teilhabe eines Individualbewußtseins an einem umfassenderen, überindividuellen Bewußtsein bzw. die Aufhebung der Grenzen, die ein Individualbewußtsein von einem anderen absondern. Für unseren Zusammenhang interessiert besonders das Fließen von Vorstellungen und Motiven aus dem „narratorialen", d. i. auktorialen Bewußtsein in das personale Bewußtsein einer Romanfigur und umgekehrt. Hier zeigt sich nämlich eine Parallele zum Vorgang der Personalisierung der Erzählerfigur. Auch dabei ist festzustellen, daß ein auktoriales und ein personales Medium einen bestimmten Bereich ihres Bewußtseinsinhaltes miteinander zu teilen scheinen. Im folgenden diskutiert Bulhof ein entsprechendes Beispiel aus dem *Zauberberg*: „Von Fräulein Engelhardt hört Hans Castorp zum erstenmal einige Einzelheiten über Clawdia Chauchat; unter anderem, daß ihr Mann Beamter sei in ‚Daghestan, wissen Sie, das liegt ganz östlich über den Kaukasus hinaus'. Der Erzähler übernimmt diese Formel in seinen Kommentar, ohne sich ihrer geographischen Zuverlässigkeit zu vergewissern: Er berichtet, Clawdia sei abgereist ‚nach Daghestan, ganz östlich über den Kaukasus hinaus'" (168). In der ironischen und damit sinnverändernden Wiederaufnahme der Worte Fräulein Engelhardts durch den auktorialen Erzähler kann man eine Parallele zur verfremdeten Wiederaufnahme der Grußformel „How do you do?" als „How did she do?" durch das auktoriale Medium im *Ulysses* sehen. In beiden Fällen werden Äußerungen von Romancharakteren von der jeweiligen Erzählerinstanz aufgegriffen und in leicht veränderter Gestalt und mit ironischer Hinterwanderung des ursprünglichen Sinnes reproduziert. Im Rahmen des auktorialen ES des Romans *Der Zauberberg* vollzieht sich das in einer für den Leser einschaubaren Weise; in der vorherrschend personalen ES des ersten Teiles des *Ulysses* ist dieser Vorgang mit dem Konzeptions- und Abfassungsvorgang so vollständig verschmolzen, daß er nur noch erschlossen werden kann.

Die Unterschiede zwischen den strukturellen Verhältnissen, in welchen diese transpersonalen Elemente in den beiden Romanen eingebettet werden, lassen es vielleicht nicht ratsam erscheinen, mit Bulhof den *Zauberberg* als Ausdruck eines auktorialen Bewußtseinsstromes oder eines Konzeptionsmonologs aufzufassen, eine Hypothese, die übrigens auch Bulhof mit einem „vielleicht" versieht (188). Dennoch ist ein Vergleich der beiden, im Grunde so verschiedenen Werke unter diesem speziellen Aspekt nicht ganz sinnlos. Es wird nämlich dabei sichtbar, daß in beiden Werken ein Phänomen auftaucht, für das sich zwei entgegengesetzte Erklärungen anbieten. Transpersonalismus im *Zauberberg* und Personalisierung der Erzählerfigur im *Ulysses* können einmal erklärt werden als Ausdruck für eine Auflösung der Bewußtseinsgrenzen zwischen den Individualcharakteren und für ihr Eintauchen in ein transpersonales, überindividuelles oder kollektives Bewußtsein. Sie können zum anderen aber auch als Resultat oder besser als Spuren einer unvollständigen Individualisierung der Charaktere im Abfassungsprozeß verstanden werden, etwa in dem Sinne, daß es hier nicht zu einer vollständigen Trennung der Vorstellungswelt des Autors/Erzählers und der Vorstellungswelt der Romancharaktere gekommen sei. Die Unterscheidung von Perspektivismus und Aperspektivismus als gleichberechtigte Stile läßt uns heute zögern, eine solche unvollständige Objektivierung einer Romangestalt als künstlerisches Manko zu bezeichnen. Wohl aber wird man sich bemühen müssen, sie aus dem Text herauszupräparieren, um sie der Interpretation zugänglich zu machen. Am wichtigsten sind die hier besprochenen Erscheinungen jedoch für das Verständnis des inneren Konzeptions- und Abfassungsvorganges und der Katalysatorfunktion, die dabei einer Erzähler- oder Reflektorfigur in der Vorstellung des Autors zukommt. Es ist nämlich anzunehmen, daß ein Autor, der sich anschickt, eine Erzählung mit einer Erzählerfigur zu verfassen, bei der Konzeption dieser Erzählung anders zu Werke geht als ein Autor, der plant, die Vermittlung seiner Geschichte einer Reflektorfigur zu überantworten. Diese Vermutung an einem größeren Textmaterial, vor allem an Hand von ersten Entwürfen in Notizbüchern und Revisionen von Erzähltexten genauer zu überprüfen, wäre eine sehr lohnende Aufgabe für weitere Untersuchungen.

6.4.4. Die Erzählsituation in Thomas Manns „Tristan" aus textlinguistischer und erzähltheoretischer Sicht

R. Harwegs textlinguistische Beschreibung der Erzählsituationen in Thomas Manns Erzählung „Tristan" nimmt von folgender Feststellung ihren Ausgang: „Die kommunikative Situation, in die ein fiktionaler Text eingebettet ist, ist komplizierter als die, in die ein nichtfiktionaler Text eingebettet ist".[52] Im Verlaufe der Analyse gerät jedoch,

---

52 R. Harweg, „Präsuppositionen und Rekonstruktion", 166.

so scheint es, diese wichtige Erkenntnis etwas in den Hintergrund und die Erzählsituation in „Tristan" wird hauptsächlich an Erzählmodellen, die aus nichtfiktionalen Kommunikationssituationen abgeleitet werden, gemessen. Es überrascht daher nicht, wenn das Ergebnis dieser Analyse auf eine Reihe von „Korrekturen am Mannschen Text" (183) hinausläuft. Der Fall ist von grundsätzlichem Interesse für die immer wichtiger werdende „kommunikative Situation" zwischen Linguistik und Literaturwissenschaft und soll daher auch etwas ausführlicher behandelt werden, nicht so sehr um den textlinguistischen Befund zu korrigieren, sondern um aufzuzeigen, wie die beiden Disziplinen einander ergänzen können.

Eine wesentliche Voraussetzung für eine solche Symbiose ist die Kenntnisnahme der Lösungsversuche, die von der anderen Reichshälfte für ein Problem vorgelegt wurden. Harweg verengt vom Ansatz her seine Basis, wenn er die Modifikationen, die in der Diskussion an K. Hamburgers These vom epischen Präteritum angebracht wurden, mit der Ausnahme jener von Weinrich ignoriert.[53] Daß die Vergangenheitstempora ganz allgemein das, wie Harweg glaubt, „unabweisbar signalisierte Nachzeitigkeitsverhältnis des Senders und der Rezipienten einer fiktionalen Erzählung" (168) bezeichnen, ist, so allgemein formuliert, ebenso unhaltbar wie die generelle Fixierung der Gegenwartstempora auf „ein Gleichzeitigkeitsverhältnis zwischen Sender und Sachverhalt", was allein durch den Hinweis auf im Präsens stehende Erzählungen wie Ch. Dickens', *Bleak House*, J. Carys *Mister Johnson* oder Franz Werfels *Das Lied von Bernadette* zu widerlegen ist, in denen das Erzählpräsens keineswegs, wie im inneren Monolog, immer ein Geschehen beschreibt, das „in actu" dargestellt wird.[54] Vom literaturwissenschaftlichen Standpunkt erscheinen daher diese beiden Annahmen Harwegs, welche die temporale Basis für die zwei

---

53 Siehe Harwegs Anm. 3 auf Seite 168. Zur Modifikation der These K. Hamburgers vgl. meinen Aufsatz „Episches Präteritum, erlebte Rede, historisches Präsens", *DVjs* 33 (1959), 1–12; wieder abgedruckt in: V. Klotz (Hrsg.), *Zur Poetik des Romans*, 319–338; und die Ausführungen zu K. Hamburgers *Logik der Dichtung* hier in Kap. 1.2., sowie in den *Typischen Erzählsituationen*, 22 ff.

54 C.P. Casparis analysiert sehr eingehend den Gebrauch des Präsens als Erzähltempus von mehr als einem Dutzend englischer Romane, in denen das „Gleichzeitigkeitsverhältnis zwischen Sender und Sachverhalt" fast immer nur ein untergeordneter Aspekt dieses ungewöhnlichen Tempusgebrauchs ist. *Tense Without Time*, Bern 1975.

Erzählmodelle bilden, die Harweg in seiner Interpretation anwendet, etwas problematisch. Bei Harwegs Modell der schriftlichen Erzählung befindet sich der Erzähler „im Verhältnis der Nachzeitigkeit zu den Sachverhalten und im Verhältnis der Vorzeitigkeit zu seinen Rezipienten". Für dieses Erzählmodell gilt außerdem, daß sich Erzähler, Rezipienten und Sachverhalte an jeweils verschiedenen Orten befinden. Beim Modell der mündlichen Erzählung befindet sich der Erzähler „im Verhältnis der Nachzeitigkeit zu den Sachverhalten und im Verhältnis der Gleichzeitigkeit zu seinen Rezipienten". Für den mündlichen Erzähler gilt außerdem, daß er sich „an demselben Ort wie die Rezipienten, aber an einem anderen Ort als die Sachverhalte" (169) befindet. Darüber hinaus wird noch ein drittes Modell (zusammen mit einem vierten) definiert, aber dann verworfen, obwohl es in der modernen Erzählliteratur fast ebenso häufig realisiert wird wie das erste und zweite Modell. Es handelt sich um einen Fall, der in unserem System dadurch gekennzeichnet ist, daß die Mittelbarkeit des Erzählens nicht durch eine Erzählerfigur, sondern durch eine Reflektorfigur getragen wird. Ersetzt man in der Definition von Harwegs drittem bzw. viertem Modell den Begriff Erzähler durch Reflektor, so wird daraus eine Definition der personalen ES, in der tatsächlich die Reflektorfigur, Harweg nennt sie Erzähler, „im Verhältnis der Gleichzeitigkeit zu den Sachverhalten und im Verhältnis der Vorzeitigkeit zu seinen Rezipienten" steht und sich „an demselben Ort wie die Sachverhalte, aber an einem anderen Ort als die Rezipienten befindet", wie Harwegs Definition des dritten Modells lautet. Berücksichtigt man auch die Illusion der Unmittelbarkeit und der „in actu"-Partizipation des Lesers in seiner Vorstellung, dann deckt sich Harwegs viertes Modell weitgehend mit der personalen ES: für beide gilt Gleichzeitigkeit von Sachverhalten, Erzähler (= Reflektorfigur) und Leser sowie Anwesenheit aller drei – der Vorstellung nach – an ein und demselben Ort (169, Punkt 3 u.4). Eigenartigerweise verwendet Harweg gerade dieses Modell nicht für seine Analyse der ES in „Tristan", sondern versucht die Besonderheit dieser Erzählung als Abweichung von seinen beiden ersten Modellen, der schriftlichen und mündlichen Erzählsituation eines persönlichen Erzählers zu definieren.

Am Beginn der Erzählung „Tristan", auf den sich Harwegs Analyse im wesentlichen stützt, herrscht eine ES vor, die durch eine Tendenz zur Personalisierung der Erzählerfigur gekennzeichnet ist. Der auktoriale Erzähler gibt sich einmal so, als wäre er ein personales Medium, ein imaginärer Kurgast im Sanatorium „Einfried", dann aber spricht er wieder in der Rolle des auktorialen Erzählers. Er verbindet also die

Blickpunkte und die damit gegebenen Wissenshorizonte einer zeitlich
und örtlich fixierten Reflektorfigur mit jenen einer zeitlich und örtlich freien Erzählerfigur. In „Tristan" leitet dieser Zustand einer
zwischen auktorial und personal schwankenden ES schließlich zu einer
vorherrschend auktorialen Erzählweise über. Der moderne Leser, der
mit den charakteristischen Konventionen beider ES vertraut ist, kann
sich auch ohne Harwegs etwas umständliche Erklärungsmodelle, wie
„Fremdenführersituation" für die ES des Erzählanfangs und „Besu-
cher-Rezipient" bzw. „Pfleger-Erzähler" für die anderen Teile der
Erzählung (178f.), zurechtfinden.

Die beiden Erzählsituationen, mit denen hier Thomas Mann wie auch
in vielen seiner anderen Erzählungen virtuos operiert, so etwa auch in
„Der Tod in Venedig" und „Schwere Stunde", lassen sich am augen-
fälligsten an der ersten und der zweiten Einführung der Hauptgestalt
des „Tristan", des Schriftstellers Detlev Spinell, illustrieren. Die erste
erfolgt durch eine personalisierte Erzählerfigur:

> Was für Existenzen hat „Einfried" nicht schon beherbergt! Sogar ein Schrift-
> steller ist da, ein exzentrischer Mensch, der den Namen irgendeines Minerals
> oder Edelsteins führt und hier dem Herrgott die Tage stiehlt [. . .] (*Der Tod in
> Venedig und andere Erzählungen*, 65)

Der erste Satz markiert an Stelle eines verbum cogitandi das Folgende
als Innensicht einer Figur der Erzählung, er nähert sich daher auch der
für die Gedankendarstellung von Figuren charakteristischen erlebten
Rede. Der sich anschließende Satz unterstreicht dann noch die Innenperspektive und den daraus folgenden „limited point of view" durch
die Unkenntnis des Namens des Schriftstellers, die sich der personalisierte Erzähler, der hier einem personalen Medium bzw. einer Reflektorfigur sehr nahe kommt, eingestehen muß. Im gleichen Sinne wirkt
die anschließende, sehr subjektiv-persönlich formulierte Äußerung
über den Schriftsteller. Ganz anders dagegen die zweite Einführung,
sie erfolgt durch einen sich betont auktorial gebenden Erzähler:

> *Spinell* hieß der Schriftsteller, der seit mehreren Wochen in „Einfried" lebte,
> Detlev Spinell war sein Name, und sein Äußeres war wunderlich.
> Man vergegenwärtige sich einen Brünetten am Anfang der Dreißiger und von
> stattlicher Statur [. . .] (69)

Daran schließt eine sehr ausführliche Beschreibung Spinells an, in der
sich allerdings der auktoriale Erzähler darauf beschränkt, nur das zu
berichten, was auch von den Kurgästen von „Einfried" an Spinell beobachtet werden konnte. Dieser Verzicht auf Allwissenheit und Beschränkung des Blickpunktes des auktorialen Erzählers ist die Voraus-

setzung für das eigenartige Schweben der ES zwischen personal und auktorial in dieser Erzählung.

Eine Stelle, an der diese schwebende Erzählsituation besonders deutlich wird, spielt auch in Harwegs Argumentation eine Rolle (182f.), da sie sich nicht ohne weiteres seinem Erklärungsmodell unterordnen läßt. Es handelt sich um die „Liebestod"-Szene: Herrn Klöterjahns Gattin spielt den Klavierauszug vom zweiten Akt der Oper *Tristan und Isolde*. Das musikalische Liebestod-Motiv wird in der Erzählung in metaphorischer Überhöhung literarisch nachgestaltet, wobei wiederum offen bleibt, ob an dieser Stelle nur die Gedanken und Gefühle des personalen Mediums, nämlich Spinells, oder einer personalisierten Erzählerfigur, die sich ebenso wie Spinell ganz dem Eindruck der Musik überläßt, wiedergegeben werden. Diese Szene wird durch den Eintritt einer Patientin und ihrer Pflegerin in das Konversationszimmer, wo Herrn Klöterjahns Gattin und Herr Spinell beim Klavier sitzen, plötzlich unterbrochen:

Plötzlich geschah etwas Erschreckendes. Die Spielende brach ab und führte ihre Hand über die Augen, um ins Dunkel zu spähen, und Herr Spinell wandte sich rasch auf seinem Sitze herum. Die Tür dort hinten, die zum Korridor führte, hatte sich geöffnet, und herein kam eine finstere Gestalt [...] (86)

Dieser unerwartete Auftritt der an Altersdebilität leidenden Pastorin Höhlenrauch zerstört den Zauber der „Liebestod"-Atmosphäre, die Spinell und Frau Klöterjahn umfangen hat, endgültig. Da sich nun auch die Rückkehr der anderen Patienten, die an diesem Tage eine Schlittenpartie unternommen hatten, ankündigt, erhebt sich Spinell, um auf sein Zimmer zu gehen:

Er stand auf und ging durch das Zimmer. An der Tür dort hinten machte er halt, wandte sich um und trat einen Augenblick unruhig von einem Fuß auf den anderen. Und dann begab es sich, daß er, fünfzehn oder zwanzig Schritte von ihr entfernt, auf seine Knie sank, lautlos auf beide Knie. (86)

Harweg hat hier Schwierigkeiten mit dem Deiktikon „dort hinten" (182f.). Es ist im ersten Zitat ganz eindeutig vom Blickpunkt Spinells aufzufassen. Der Satz, der mit „An der Tür dort hinten..." beginnt, ist eindeutig ER, genauer erlebte Wahrnehmung Spinells. Wenn dasselbe Deiktikon im zweiten Zitat in unveränderter Form wieder auftaucht, obwohl die Figur, von deren Orientierungszentrum aus früher die Tür „dort hinten" gesehen worden war, sich inzwischen zur Tür hin bewegt hat, dann muß das die Aufmerksamkeit des Lesers erregen. Textgrammatisch ist diese zweite Verwendung des Deiktikons tatsächlich nicht stimmig. Literarisch betrachtet hat aber die Unstimmigkeit eine ganz bestimmte Funktion, sie soll nämlich eine Art Verfremdung der Raumorientierung des Lesers auslösen, durch die seine Aufmerksamkeit gerade auf die Phrase ,,Tür dort hinten" gelenkt wird. Der Autor deutet wahrscheinlich damit auf eine thematische Korrespondenz zwischen dem für das Paar am Klavier bestürzenden Auftreten der Pastorin und dem nicht weniger bestürzenden Kniefall, mit dem Spinell seinen Abschied nimmt. Diesen Abschied berichtet ein auktorialer Erzähler, wie aus dem beinahe biblisch-epischen Tonfall von ,,Und dann begab es sich, daß. . ." hörbar wird. Vom Standpunkt dieses auktorialen Erzählers wäre als Ortsangabe für Spinells Kniefall an sich nur ,,an der Tür" zu erwarten. Die Hinzufügung ,,dort hinten" ist ein auktoriales Zitat aus der personalen Wahrnehmungsperspektive der ersten Textstelle, die man auch als Folge einer vorübergehenden Personalisierung der Erzählerfigur betrachten kann. Dabei ist auch zu berücksichtigen, daß diese Perspektive des personalisierten Erzählers mit jener von Herrn Klöterjahns Gattin gleichgerichtet ist. Man kann nicht sagen, daß sie mit ihr identisch ist, weil von Herrn Klöterjahns Gattin meist nur Außensicht, hier nie Innensicht geboten wird. Das ist ein sehr wichtiger Aspekt der Perspektivierung dieser Erzählung, vielleicht überhaupt der für die Interpretation wichtigste. Dieser Aspekt wird aber von Harwegs Analyse nicht erfaßt. Damit ist nicht gesagt, daß die Überlegungen Harwegs zur Erzählsituation von ,,Tristan" für die Literaturwissenschaft uninteressant oder nutzlos sind. Die vorliegende Interpretation verdankt ihnen schließlich auch die Problemstellung. In erster Linie ging es darum zu zeigen, daß der textlinguistische Befund, der – auch von Harweg nur etwas zögernd ausgesprochen – ,,erzählsituationelle[n] Ungereimtheiten" (184f.) in Thomas Manns Erzählung entdeckt, keineswegs das letzte Wort über die Eigenart dieser Textstelle zu sein braucht. Selbst wenn die Textlinguistik ausdrücklich darauf verzichtet, ,,irgendetwas für die Steigerung der künstlerisch-ästhetischen Wirkung des betreffenden Textes zu leisten", so bleibt doch die Frage, ob ihre Bemühungen ohne Kooperation mit der Literaturwissenschaft tatsächlich, wie Harweg hofft, zu einer ,,Vertiefung unserer Einsichten in die Struktur von Texten" und einer besseren Einsicht in die ,,allgemeinen Gesetze des Erzählens" (185) führen können. Das hier diskutierte Beispiel legt eher den Schluß nahe, daß zumindest für die Analyse von fiktionalen Texten eine enge Zusammenarbeit der beiden Disziplinen am meisten Aussicht auf Erfolg eines solchen Unternehmens verheißt.

7. Der Typenkreis: Schema und Funktion

> So wunderlich sind diese Elemente zu verschlingen,
> die Dichtarten bis ins Unendliche mannigfaltig,
> und deshalb auch so schwer eine Ordnung zu finden,
> wornach man sie neben oder nacheinander aufstel-
> len könnte. Man wird sich aber einigermaßen da-
> durch helfen, daß man die drei Hauptelemente in
> einem Kreis gegen einander über stellt und sich
> Musterstücke sucht, wo jedes Element einzeln ob-
> waltet. Alsdann sammle man Beispiele, die sich
> nach der einen oder nach der anderen Seite hin-
> neigen, bis endlich die Vereinigung von allen dreien
> erscheint und somit der ganze Kreis in sich geschlos-
> sen ist.
> (Goethe über „Naturformen der Dichtung", in:
> *Noten und Abhandlungen zu besserem Verständnis
> des west-östlichen Divans*)

Der Typenkreis (siehe Diagramm am Ende des Buches) ist ein ge-
dankliches Schema, konstruiert zum besseren Verständnis der in der
vorangehenden Studie beschriebenen erzähltheoretischen Erscheinungen. Im einzelnen kann er vor allem folgende Sachverhalte veran-
schaulichen:
1. Die drei Grundoppositionen, die die konstitutive Basis der typischen ES bilden: „Person", „Perspektive", „Modus" und ihre Zuordnung zueinander im System der Erzählformen. Die Darstellung der
drei Oppositionen als Pole der drei Hauptachsen des Typenkreises
läßt erkennen, welches Element eine ES dominant bestimmt und welche Elemente (repräsentiert durch die unmittelbar benachbarten Polstellen) in ihr subdominant enthalten sind.
2. Das Kontinuum der Formen, das durch Abwandlung der drei typischen ES in eine unendliche Zahl von Zwischen- und Übergangsformen entsteht. Die Mobilität oder Dynamik dieses Kontinuums ist eine
zweifache: das System selbst kennt keine kategorialen Grenzen, sondern nur offene Übergänge; die ES des einzelnen Werkes ist nicht ein
statischer Zustand, sondern ein dynamischer Vorgang der ständigen
Modulation oder des Oszillierens innerhalb eines bestimmten Bogen-
abschnittes des Typenkreises.

3. Den Zusammenhang zwischen dem System der Erzählformen und der Literaturgeschichte der erzählenden Gattungen. Während die Bereiche des Typenkreises in der Nähe der auktorialen und der Ich-ES schon sehr früh in der Geschichte des Romans, der Novelle und der Kurzgeschichte „besiedelt" wurden, blieb der Bereich zu beiden Seiten der Typenstelle der personalen ES praktisch bis herauf zur Jahrhundertwende offen, ist aber seither umso dichter mit Werken besetzt worden. In allerneuester Zeit ist auch eine deutliche Tendenz zur Auffüllung der zwischen den drei Typenstellen liegenden Zonen des Übergangs zu beobachten. Eine Reihe von Romanen und Erzählungen, in denen mit neuen Formen der Übermittlung experimentiert wird, finden in diesen Übergangszonen den ihnen gemäßen Ort im System. Der Typenkreis als Schema aller möglichen Variationen der Erzählweise kann daher auch als Programm der denkbaren Möglichkeiten erzählenden Gestaltens verstanden werden, das durch die historische Entwicklung von Roman, Novelle und Kurzgeschichte allmählich realisiert wird.

Diese allgemeine Beschreibung der Funktion des Typenkreises ist mit einem Caveat abzuschließen. Der Typenkreis ist ein Schema, das sich in einem Diagramm vollständig und widerspruchslos darstellen läßt. Im Vergleich zum Schema des Systems ist das einzelne Werk fast immer „widerspenstig", das heißt, es läßt sich immer nur mit Mühe in das System einordnen. Die Dynamik des Systems, seine Offenheit als Kontinuum der Erzählformen, ist *eine* Dimension, die diesem Umstand Rechnung trägt, die „Widerspenstigkeit" des einzelnen Werkes ist jedoch mehrdimensional. Die Bestimmung des Ortes, der dem einzelnen Werk im Kreisschema des Systems zuzuweisen ist, hat daher immer den Charakter des Tentativen, der zur Korrektur oder Revision im Laufe der Interpretation auffordert. Die folgende Beschreibung des Typenkreises, bei der der Kreis von der Typenstelle der auktorialen ES aus nach beiden Richtungen abgeschritten werden soll, wird auch zeigen, wie sich die Erscheinungen, die im Zuge der systematischen Darstellung säuberlich getrennt vorgeführt wurden, im einzelnen Werk oft überlagern oder überschneiden. Dieses Kapitel ist daher sowohl eine Zusammenschau der in der vorangegangenen Studie meist einzeln betrachteten Aspekte der Erzählkunst als auch ein Katalog der Fragen und Probleme, die in der Konfrontation der systematischen Theorie mit der Partikularität und Mannigfaltigkeit des einzelnen Erzählwerkes sichtbar werden.

7.1. Von der auktorialen zur personalen Erzählsituation: das auktorial-personale Kontinuum

Schreitet man den Typenkreis, ausgehend von der auktorialen ES, in Richtung auf die personale ES ab, so lassen sich im Kontinuum der dabei Revue passierenden Formen einige allgemeine Tendenzen der Abwandlung erkennen, die etwa folgendermaßen zusammengefaßt werden können:

1. Allmähliches Zurücktreten der Person des auktorialen Erzählers bis zu seinem (scheinbaren) Unsichtbarwerden im Erzählvorgang
2. Allmähliches Erscheinen einer Reflektorfigur (bzw. Personalisierung der auktorialen Erzählerfigur) und als Folge davon eine Umpolung des Orientierungssystems des Lesers und der zeit-räumlichen Deixis in der dargestellten Wirklichkeit
3. Verdrängung des Gedankenberichts durch erlebte Rede (ER) als charakteristische Übergangsform der Rede- und Gedankendarstellung zwischen auktorialer und personaler ES.

Diese drei Generaltendenzen zeigen sich im allgemeinen in der Reihenfolge, daß die zuerstgenannte als Voraussetzung für die letzten beiden erscheint, doch sind Überschneidungen und „Phasenverschiebungen" zwischen allen drei Gruppen nicht selten: ausführliche personale Passagen erscheinen mitten in einer Erzählung mit deutlich ausgeprägter auktorialer ES, und auktorialer Bericht wird in einer sonst personal gestalteten Erzählung hörbar. Schließlich verbinden sich auch auktoriale und personale Perspektive in der ER.

7.1.1. Das Zurücktreten des auktorialen Erzählers

Die Folgen des Auszugs des persönlichen Erzählers aus dem Roman und der Kurzgeschichte seit dem Ende des 19. Jahrhunderts haben, wie in Teil 1.2. dargestellt wurde, die Erzähltheorie mehr als irgendein anderes Phänomen beschäftigt. Hier finden auch alle Versuche, die Erzählformen zu ideologisieren, ihren Ansatzpunkt, wie vor allem W. C. Booth in seiner *Rhetoric of Fiction* gezeigt hat.[1] Im Hinblick auf das Formenkontinuum des Typenkreises sind zwei Erscheinungen als unmittelbare Folge des allmählichen Zurücktretens des persönlichen

---

1 Vgl. vor allem die Kapitel II bis V, in denen sich Booth mit den Forderungen nach Realismus, Objektivität, „Pure Art" und „The Role of Belief" in der Romantheorie auseinandersetzt. *Rhetoric*, 23–144.

(auktorialen) Erzählers zu registrieren: einerseits eine Reduktion der narrativen und eine Zunahme der dialogischen Teile des Erzähltextes, andererseits eine Ablöse der auktorial berichtenden Erzählung von Vorgängen der Außenwelt durch personale Darstellung von Vorgängen der Innenwelt bzw. die Spiegelung von Vorgängen der Außenwelt im Bewußtsein eines personalen Mediums, das als Reflektorfigur die Vermittlungsfunktion der auktorialen Erzählerfigur übernimmt. Diese beiden Erscheinungen werden im Schema des Typenkreises nebeneinander bzw. nacheinander aufgezeigt, treten aber im einzelnen Werk oft ineinandergeschachtelt oder sich gegenseitig überlagernd auf. Im folgenden werden einige Aspekte dieser beiden Erscheinungen noch etwas genauer betrachtet.

7.1.2. Auktoriale Dialogregie

Die Dialogregie durch verba dicendi und andere Inquitformeln ist eine Aufgabe des Erzählers, die fast nur funktionellen Charakter hat und die daher vom Leser in der Regel gar nicht als Äußerung einer Erzählerfigur registriert wird. Zu den verba dicendi sind auch die verba cogitandi zu stellen, durch die ein Erzähler die Gedanken und Beobachtungen der Charaktere ankündigt. Wie im nächsten Abschnitt auszuführen sein wird, bildet die ER eine mögliche Form der Rede- und der Gedankendarstellung, bei der eine auktoriale Ankündigung überflüssig wird. Während die Ausbreitung von ER bei der Rede- und Gedankenwiedergabe die Tendenz zur personalen ES hin verstärkt, wirkt die gehäufte Verwendung von indirekter Rede und von Gedankenbericht als Verstärkung der Tendenz zur auktorialen Erzählsituation.[2] So wie der Gedankenbericht kann auch die indirekte Rede als „erzählte Rede" recht verschiedene Grade der (auktorialen) Zusammenfassung und Raffung aufweisen, wobei sich Handlungs- und Redebericht oft miteinander verbinden, wie aus den bei Thackeray und anderen Viktorianern sehr häufigen Floskeln „he often said" oder „he would say" hervorgeht, wodurch eine bestimmte Aussage als habituell ausgewiesen wird.[3] Der Hinweis auf den iterativen Charakter einer Handlung

---

2 Vgl. zum Begriff „Gedankenbericht" *Typische Erzählsituationen*, 146 f. W. Günther bezeichnet die indirekte Rede als „erzählte Rede". Vgl. *Probleme der Rededarstellung*, Marburg/Lahn, 1928, 3, 55 u. 81.

3 Vgl. John A. Lester, Jr., „Thackeray's Narrative Technique", *PMLA* 69 (1954), 404 f.

oder einer Rede ist natürlich ein auktoriales Element, so wie jede Art der erzählenden Zusammenfassung, Raffung, Verkürzung von Handlung und Rede als eine Manifestation einer Erzählerfigur aufzufassen ist.

Ein wichtiges Moment im Zusammenhang mit dem Zurücktreten des Erzählers ist die Zunahme des Dialogs. In einem früheren Kapitel (3.2.1.) wurde bereits darauf hingewiesen, daß das quantitative Verhältnis zwischen narrativen Teilen und Dialogen, d. h. nicht-narrativen Teilen im Roman, von Werk zu Werk sehr stark schwankt. Es gibt auch eine stattliche Zahl von Erzählungen und Romanen, in denen der Dialog den weitaus größeren Teil in Anspruch nimmt. Solche Werke haben ihren Platz auf dem Typenkreis ungefähr in der Mitte zwischen der auktorialen und der personalen ES, weil in ihnen die Präsenz des auktorialen Erzählers auf knappe, unpersönliche Regieanweisungen beschränkt ist, andererseits aber auch kein personales Medium in ihnen aufscheint: die Darstellung ist strikt außenperspektivisch. Charakteristische Werke dieser Art sind die vorwiegend aus Dialogen bestehenden Romane von Henry Green, *Nothing*, und von Ivy Compton-Burnett, z. B. *Mother and Son*. Auch einige der Erzählungen von E. Hemingway finden ihren typologischen Platz hier, so vor allem die dramatisch-szenische Erzählung ,,The Killers". Da in solchen Werken die Person des Erzählers praktisch nicht mehr greifbar wird und nur noch als Erzählfunktion, das heißt, als abstraktes Prinzip in Erscheinung tritt, ist in ihnen auch die Nicht-Identität zwischen den Bereichen der Charaktere und des Erzählers (bzw. der Erzählfunktion) am radikalsten verwirklicht. In dem Maße wie ein Erzähler persönliche Züge annimmt, nähert er sich, wenn auch nur auf einige Entfernung, dem Bereiche der Charaktere, denn Persönlichkeit ist ein Merkmal des Humanum, das Erzähler und Charaktere gemeinsam haben. Dies ist ein Grund, warum die Typenstelle der auktorialen ES, die immer die Anwesenheit eines persönlichen Erzählers mit einschließt, in entsprechender Distanz von dem Nicht-Identitätspol des Typenkreises anzusetzen ist.

Das Zurücktreten des Erzählers und das Überhandnehmen des Dialogs hat in den meisten Fällen auch eine Beschränkung und Selektion der Objekte der Außenwelt, die in die Darstellung mit einbezogen werden, zur Folge. Hemingway hat diese ,,Technik des Weglassens" am konsequentesten praktiziert, wobei er sich von dem Gedanken leiten ließ ,,that you could omit anything if you knew that you omitted, and the omitted part would strengthen the story and make people feel something more than they understood".[4] Das Weglassen, genauer das Weggelassene, erhält durch die besondere ES in den Erzählungen Hemingways, in der die Absenz des Erzählers den Leser ständig veranlaßt, die Dinge auf ihre eigentliche Bedeutsamkeit hin abzutasten, eine verstärkte semiotische Relevanz.

7.1.3. Vom Nomen zum Pro-Nomen

Das Zurücktreten des auktorialen Erzählers wird auch deutlich erkennbar in der Reduktion und dem schließlichen Ausbleiben der spezifisch auktorialen Äußerungen, des Bezugs des auktorialen Erzählers auf sich im Erzählakt, seiner Kommentare zum Erzählten und Vor- und Rückverweise u. ä. Am längsten halten sich die rein funktionellen Manifestationen des auktorialen Erzählers, die Dialogregie und die Benennung der Charaktere. Gerade an der Art und Weise, wie diese beiden Erzählfunktionen ausgeführt werden, zeigen sich die Schwierigkeiten für die Interpretation, die Grenze zwischen auktorialer Präsenz und Absenz aufzuspüren. Die Reduktion des auktorialen Elementes beim Hinweis auf eine Gestalt der Erzählung trifft zuerst das auktoriale Anteilnahme ausdrückende Beiwort („poor Strether"), dann die auktoriale Periphrase („our hero"), an ihre Stelle treten die Namen der Charaktere („Strether", „Stephen"). Doch auch die Namen werden schließlich durch die entsprechenden Personalpronomina ersetzt, soweit nicht die Eindeutigkeit des Bezugs eine Nennung des Namens erforderlich macht. Die fortgesetzte Substitution des Personalpronomens für den Namen ist ein entscheidender Schritt vom auktorialen hin zum personalen Bereich. Die Verwendung des Personalpronomens kommt nämlich der Versetzung des Lesers in das Bewußtsein der so bezeichneten Gestalt bzw. der Empathie mit ihrer Situation stärker entgegen als die Nennung des Namens, wie bei der Besprechung der Erzähleinsätze mittels eines Personalpronomens bereits festgestellt wurde (s. o. 6.4.). Der Nachweis dafür ist aus einem Vergleich von J. Joyces *Stephen Hero* mit *A Portrait of the Artist as a Young*

---

4 E. Hemingway, *A Moveable Feast*, Harmondsworth 1966, 58. Vgl. dazu auch die Ausführung bei Reinhold Winkler, *Lyrische Elemente in den Kurzgeschichten Ernest Hemingways*, Diss. Erlangen 1967, 72 ff., und „Über Deixis und Wirklichkeitsbezug in fiktionalen und nichtfiktionalen Texten", in: *Erzählforschung 1*, 167.

Man zu erbringen. *Stephen Hero* kann als eine frühe, vom Autor
verworfene Fassung von einem Teil des *Portrait* betrachtet werden.[5]
Die Überarbeitung läßt eine ganz deutliche Tendenz zur Eliminierung
der in *Stephen Hero* noch recht zahlreichen auktorialen Elemente und
zur konsequenten Verstärkung der personalen ES erkennen. Das wird
u. a. auch an der Technik der Benennung der Hauptfigur Stephen
sichtbar. In *Stephen Hero* finden sich noch sehr häufig auktoriale Pe-
riphrasen mit und ohne Beiwörter wie „this fantastic idealist", „the
fiery-hearted revolutionary", „the youth"[6] neben der einfachen Na-
mensnennung. Ungefähr ein Drittel der Bezüge auf den Helden gehören zu dieser Gruppe, der Rest der Bezüge wird durch das Personalpronomen geleistet. Im *Portrait* sind die deutlich auktorialen Benennungen des Helden praktisch vollständig eliminiert. Gleichzeitig reduziert sich aber auch die Zahl der Bezüge mit Nennung des Namens, dafür nimmt die Häufigkeit des auf die Hauptperson bezüglichen Personalpronomens auffällig zu. So erscheint z. B. an einer Stelle
(216–225) auf zehn Seiten Text neunzigmal das Personalpronomen
und kein einziges Mal der Name Stephen. Diese Verhältnisse spiegeln
sich auch bereits im Erzählanfang, in dem die für den Roman charakteristische personale ES vom ersten Satz an rigoros durchgeführt wird.
Die erste Nennung des Namens des Helden, der als Reflektorfigur des
Romans fungiert, erfolgt erst nach einer Seite, und dann wie beiläufig
in der Rede einer anderen Romanfigur (8).
Auch bei H. James hat die Verstärkung der Tendenz zur personalen
ES in den späteren Werken bzw. in der späteren Revision der früheren
Werke einen Niederschlag in der Zunahme des Pronominalbezuges
gefunden. S. Chatman führt die Ergebnisse eines Vergleiches des
Früh- und des Spätstils von H. James durch Leo Hendrick an, in dem
im Spätstil eine Zunahme der Zahl der Personalpronomina um ein
Drittel festgestellt wird.[7]

5 Vgl. Theodore Spencer, „Introduction to the First Edition", in: *Stephen
   Hero*, hg. J. Slocum u. H. Cahoon, London (1944), 1969, 13–16.
6 J. Joyce, *Stephen Hero*, London 1969, 39, 84, 40 et passim.
7 Vgl. Leo Hendrick, *Henry James: The Late and Early Styles,* Univ. of Michigan dissertation 1953, 32 ff., zitiert bei S. Chatman, *The Later Style of Henry
   James*, Oxford 1972, 57. Chatman stellt ebenda fest, daß H. James auch bei
   der Revision des früheren Romans *The American* den Namen der Hauptfigur häufig durch ein Personalpronomen ersetzt.

7.1.4. Erlebte Rede als Übergang von auktorialer zu personaler Erzählsituation

Erlebte Rede ist ein grammatisches und ein literarisches Phänomen. Es ist daher kein Zufall, daß bei ihrer Erforschung sprach- und literaturwissenschaftliche Bemühungen zusammentreffen. Dabei wird auch sichtbar, wie die beiden Disziplinen ein und dieselbe Erscheinung jeweils aus ihrem spezifischen Fachhorizont heraus zu erklären versuchen. Für den Grammatiker ist ER primär ein Phänomen, das mit direkter Rede und indirekter Rede in Konkurrenz steht. Die Unterschiede zwischen diesen drei Formen werden im wesentlichen mit Hilfe der Satzgrammatik beschrieben: Wechsel des Personalpronomens, Tempusversetzung, syntaktische Abhängigkeit bzw. Unabhängigkeit des Satzes oder Satzteiles mit indirekter Rede oder ER. Die literaturwissenschaftliche Erklärung der ER hat sich im Laufe der letzten Jahrzehnte immer mehr auf die satzübergreifenden Erscheinungen bei ER konzentriert. So stimmen heute die meisten literaturwissenschaftlichen Erklärungen dieses von Anbeginn der Diskussion über ER um die Jahrhundertwende an äußerst kontroversen Problemkreises insofern überein, als das Wesen der ER in der doppelten Sicht eines dargestellten Sachverhaltes durch einen Erzähler und durch eine Romanfigur angenommen wird.[8] Die Doppelperspektive der ER ist wiederum als eine besondere Ausdrucksform der Mittelbarkeit des Erzählens zu verstehen. In ER treffen die weiter oben beschriebenen gegensätzlichen Tendenzen in der erzählerischen Realisierung der Mittelbarkeit – der Erzähler als greifbare Verkörperung der Mittelbarkeit des Erzählens und die Illusion der Unmittelbarkeit durch Spiegelung der dargestellten Wirklichkeit im Bewußtsein eines personalen Mediums oder einer Reflektorfigur – aufeinander. Durch den erzählerischen Kontext wird allerdings die personale Seite dieser Doppelperspektive meistens stärker gestützt als die auktoriale. Aus diesem Grund erscheint die ER auf dem Typenkreis zwischen dem Erzählerpol und dem Reflektorpol näher bei der Typenstelle der personalen als der auktorialen ES. Die von ihr beanspruchte Zone ist bezeichnenderweise auf der Seite der auktorialen und personalen ES erheblich breiter als auf der Seite der Ich-ES und personalen ES.

---

8 So etwa bei A. Neubert, *Die Stilformen der „Erlebten Rede" im neueren englischen Roman*, Halle/Saale 1957, 13 ff.; G. Steinberg, *Erlebte Rede*, 85 f.; P. Hernadi, *Beyond Genre*, Ithaca u. London 1972, 193; R. Pascal, *The Dual Voice*, 25.

Es liegt im Wesen des literaturwissenschaftlichen Verfahrens, daß das Phänomen ER nicht isoliert im Satz, sondern im Zusammenhang mit anderen, verwandten Erscheinungen der Erzählweise und innerhalb eines längeren Textes gesehen wird. Dies gilt im besonderen Maße, wenn, wie in unserem Falle, ER als ein Teilaspekt der Erzählsituation aufgefaßt wird. Es soll daher im folgenden unter bewußter Umgehung der Definitionsproblematik, die in den meisten Studien zur ER ohnedies sehr eingehend behandelt wird,[9] die Einordnung der ER in das auktorial-personale Formenkontinuum aufgezeigt werden. Über die ER innerhalb einer Ich-ES wird bei der Beschreibung des Typenkreissektors zwischen Ich-ES und personaler ES gehandelt werden. Die Betrachtung der ER im größeren Erzählkontext scheint auch vom Standpunkt des Lesers gerechtfertigt, da der Leser ER fast nie allein, sondern immer zusammen mit mehreren anderen verwandten Erzählelementen wahrnimmt. Unter dem Aspekt des Formenkontinuums, wie es sich im Typenkreis darstellt, löst sich das Definitions- und Abgrenzungsproblem der ER auch insofern von selbst, als sichtbar wird, daß ER nicht als einheitliche und geschlossene Kategorie, sondern ihrerseits auch als ein Kontinuum von Formen und den ihnen zugehörigen Modifikationen aufzufassen ist. Diese Modifikationen lassen sich am besten in ihrem auktorial-personalen Gefälle systematisch darbieten.

7.1.5. Die „Ansteckung" der Erzählersprache durch die Figurensprache

Ein erstes Stadium der Modifikation einer auktorialen Erzählweise in Richtung zunächst auf ER und dann auf personale ES wird greifbar, wenn der Bericht des auktorialen Erzählers von figuraler Rede „angesteckt" wird.[10] Das folgende Beispiel aus den *Buddenbrooks* kann als klassischer Beleg dafür gelten, da es schon in früheren Arbeiten über ER zitiert wurde:

---

9 Eine eingehende Übersicht über die Definitionsproblematik gibt Günter Steinberg, *Erlebte Rede*, 55–118.
10 Zum Begriff „Ansteckung" vgl. L. Spitzer, „Sprachmischung als Stilmittel und als Ausdruck der Klangphantasie", *GRM* 11 (1923), 193–216; und R. Pascal, *The Dual Voice*, 55; Graham Hough spricht von „coloured narrative". „Narrative and Dialogue in Jane Austen", *Critical Quarterly* 12 (1970), 204.

Frau Stuht aus der Glockengießerstraße hatte wieder einmal Gelegenheit, in den ersten Kreisen zu verkehren, indem sie Mamsell Jungmann und die Schneiderin am Hochzeitstage bei Tony's Toilette unterstützte. *Sie hatte, strafe sie Gott, niemals eine schönere Braut gesehen*, lag, so dick sie war, auf den Knien und befestigte mit bewundernd erhobenen Augen die kleinen Myrtenzweiglein auf der weißen moiré antique . . . Dies geschah im Frühstückszimmer.[11]

Eine solche „Ansteckung" der Erzählersprache durch die Figurensprache, eine Art des indirekten Zitats, ist bei den viktorianischen Romanautoren, die sich bekanntlich mit Vorliebe eines sehr ausgeprägt auktorialen Stils bedienen, wie z. B. Dickens, George Eliot und Meredith, häufig zu beobachten. Sie bewirkt meistens eine leichte Ironisierung der „zitierten" Figuren. Mit größter Treffsicherheit setzt aber bereits Jane Austen, die der ER in der englischen Romangeschichte zum eigentlichen Durchbruch verholfen hat,[12] dieses Erzählelement ein. Als Beispiel sei hier jene Stelle aus *Mansfield Park* angeführt, an der Roy Pascal die Wörter und Phrasen identifiziert hat, in denen ein Echo der Figurenrede hörbar wird. Da bei Jane Austen die Rede von Erzähler und Charakteren meist nicht deutlich differenziert wird, ist es für den Nichtengländer schwierig, alle aus der Figurenrede zitierten Ausdrücke zu erkennen. Im folgenden Zitat wird daher der Text zusammen mit Pascals Hervorhebung wiedergegeben.

The Crawfords [. . .] were very willing to stay. Mary was satisfied with the parsonage as a present home, and Henry equally ready to lengthen his visit. He had come, intending to spend only a few days with them, but *Mansfield promised well*, and there was nothing to call him elsewhere. It *delighted* Mrs Grant to keep them both with her, and Dr. Grant was *exceedingly well contented* to have it so; *a talking pretty young woman* like Miss Crawford, is always pleasant society to an indolent, stay-at-home man; and Mr. Crawford's being his guest was an excuse for drinking claret every day.
The Miss Bertrams' admiration of Mr. Crawford was more *rapturous* than any thing which Miss Crawford's habits made her likely to feel. She acknowledged, however, that the Mr. Bertrams were *very fine young men*, that two such young men were not often seen together even in London, and that their manners, particularly those of the eldest, were very good. HE had been much in London, and

---

11 Zitat und Hervorhebung nach G. Steinberg, *Erlebte Rede*, 1. Vgl. auch
   Werner Hoffmeister, *Studien zur erlebten Rede bei Thomas Mann und Ro*
   bert Musil, London et al. 1965.
12 Vgl. Willi Bühler, *Die „Erlebte Rede" im englischen Roman. Ihre Vorstufen*
   und ihre Ausbildung im Werke Jane Austens, Zürich und Leipzig 1937,
   81 ff.

had more *liveliness and gallantry* than Edmund, and *must, therefore, be preferred*; and, indeed, his being the eldest was another strong claim. She had *felt an early presentiment* that she SHOULD *like the eldest best*. She knew *it was her way*.[13]

Es ist ein auktorialer Erzähler, der hier dem Leser berichtet, wie die Crawfords als Besucher in Mansfield aufgenommen werden, aber der Erzähler läßt in seinen Bericht zahlreiche Floskeln, die für die Rede der einzelnen Charaktere kennzeichnend zu sein scheinen, einfließen: „Most of these ‚quotations' are both characteristic and ironical, the set attributed to Mary Crawford, for instance, displaying her sophistication, near-cynicism, and sharp self-knowledge". Pascal glaubt, in dieser Vermengung von Erzähler- und Figurensprache, die, wie er vermutet, im tatsächlichen familiären Sprachgebrauch der Autorin vorgeprägt war, den Ursprung der Verwendung der erlebten Rede bei Jane Austen (56f.) erkennen zu können.

7.1.6. Die Differenzierung von Erzähler- und Figurensprache

Mit der stärkeren Differenzierung von Erzähler- und Figurensprache im modernen Roman ist dieses Erzählelement gleichsam perspektivisch verstärkt worden: die Zitate aus der Figurensprache werden dadurch deutlicher vom auktorialen Bericht abgehoben und erlangen mehr Prominenz, d. h. das personale Element nimmt auf Kosten des auktorialen zu. So beginnt J. Joyce seine Erzählung „The Dead" zunächst mit einer auktorialen Exposition: Die beiden ältlichen Morkan Schwestern erwarten die Gäste für ihren alljährlichen Neujahrsball. Ihre Nervosität und ihre Besorgnis über einen der erwarteten Gäste äußert sich in ihrer Rede, ohne daß diese vom Erzähler direkt oder indirekt zitiert wird, wohl aber schlägt sich ein sprachlicher Reflex dieser Sorge in einigen für die alten Damen kennzeichnenden Wendungen nieder, die in den Erzählbericht inkorporiert werden:

Of course they had good reason to be fussy on such a night. And then it was long after ten o'clock and yet there was no sign of Gabriel and his wife. Besides they were *dreadfully afraid* that Freddy Malins might turn up screwed. They would *not wish for worlds* that any of Mary Jane's pupils should see him *under the influence*; and when he was like that it was sometimes very hard to manage him. Freddy Malins always came late but they wondered *what could be keeping Ga-*

---

13 Zitiert nach R. Pascal, *Dual Voice*, 56.

briel: and that was what brought them every two minutes to the banisters to ask Lily had Gabriel or Freddy come. (*Dubliners*, Harmondsworth 1974, 173. Meine Hervorhebung)

Je häufiger solche „Zitate" der Figurenrede auftreten und je prägnanter sie als figurale Rede gekennzeichnet sind, desto stärker tritt das personale Element in einer Erzählung hervor. Kehren sich die quantitativen Verhältnisse zwischen auktorialen und figuralen Redeelementen schließlich um, zuerst noch in kürzeren, dann in immer längeren Texteinheiten, so wird die personale ES vorherrschend, vorausgesetzt, daß auch die anderen Erzählelemente (Bezug auf Figuren mit Namen oder Pronomina etc.) öfter in personaler als in auktorialer Form erscheinen.

7.1.7. Die Kolloquialisierung der Erzählersprache

Neben der Tendenz zur Differenzierung zwischen Erzählersprache und Figurensprache ist im modernen Roman aber auch eine gerade entgegengesetzte Tendenz, nämlich zur Kolloquialisierung der Erzählersprache, zu beobachten; durch sie werden die Unterschiede zwischen Erzählerrede und Figurenrede eingeebnet. In den Untersuchungen zur ER wird häufig betont, daß das Vorkommen von ER durch ein der Umgangssprache angenähertes Stilniveau begünstigt werde[14] bzw. daß durch den Gebrauch der ER „die geschriebene wieder der gesprochenen, syntaktisch einfacheren Sprache"[15] angenähert werde. Eine solche Kolloquialisierung im Zusammenhang mit ER hat innerhalb des auktorial-personalen Kontinuums eine wichtige Zeichenfunktion: das kolloquiale sprachliche Register deutet mehr auf ein personales, das literarisch hochsprachliche Register mehr auf ein auktoriales Medium. Wenn nun ein Autor, wie z. B. Hemingway, bewußt auf das Potential eines solchen Stilgefälles verzichtet, dann ergibt sich daraus u. U. eine ganz spezifische Wirkung, nämlich eine Annäherung des auktorialen Wahrnehmungs-, Denk- und Empfindungsgestus an jenen der Charaktere. Die innere Erzähldistanz schrumpft. Besonders auffällig ist diese Kolloquialisierung der Erzählersprache in Alfred Döblins Roman *Berlin Alexanderplatz*, wo auktorialer Bericht und personale ER, wie schon Steinberg gezeigt hat, stilistisch oft gar nicht mehr unterscheidbar sind:

---

14 Vgl. A. Neubert, *Erlebte Rede*, 14.
15 G. Steinberg, *Erlebte Rede*, 61.

Sie hat jetzt ihr Geheimnis mit dem [Franz], und jetzt mehr als früher, das
kleine Biest, und fürchtet sich auch gar nicht, was ihr geliebter Franz da anstellt
bei den Pumsleuten: sie wird auch was unternehmen. Sie wird sich mal allein da
umsehen, wer da eigentlich ist, aufm Ball oder Kegelfest. Zu die nimmt sie
Franz ja nicht mit, Herbert nimmt seine Eva mit, aber Franz sagt: det ist nicht
für dich, mit sone Toppsäue will ich dir nicht zusammenhaben. (*Berlin Alexanderplatz*, dtv, München 1977, 303)

Der Anfang des Zitats enthält einen auktorialen Bericht, der sich stilistisch nicht wesentlich von der nach dem Doppelpunkt einsetzenden
ER unterscheidet. Die stilistische Nivellierung der auktorialen Erzählerrede gleichsam nach unten und die Angleichung an die personale
Rede und Gedankenführung kann beim Leser den Eindruck hervorru-
fen, daß hier bereits durchgehend eine personale Erzählsituation vorherrscht. Die auktorialen Erzählpartien werden nicht mehr als Rede
und Gedanken eines distanzierten Erzählers aufgefaßt, sondern eines
die Vorgänge auf der Ebene der Charaktere miterlebenden Zeitgenossen. Es handelt sich um eine weitere Form der Personalisierung der
Erzählerfigur, wie sie oben (6.4.) beschrieben worden ist. Döblins
Berlin Alexanderplatz bietet im übrigen ein sehr reichhaltiges Spek-
trum der verschiedenen Grade der Personalisierung der Erzählerfigur
dar.

Genau der entgegengesetzte Effekt ist zu beobachten, wenn in ER gestaltete Rede und Gedanken von Charakteren zum Niveau des literarischen Stils des auktorialen Erzählers emporgehoben werden, wie
dies im älteren Roman sehr häufig, in besonders auffälliger Weise z. B.
in Goethes *Wahlverwandtschaften*, geschieht. Durch die Hochstilisie-
rung der in ER dargebotenen Rede bzw. Gedanken der Figuren erfährt das auktoriale Element eine Verstärkung, so wie durch die Kolloquialisierung, wie sie in Döblins Roman zu beobachten ist, das personale Element verstärkt wird. Auf diese Beobachtung wird bei der
Besprechung der Ich-ES und ihrer Abwandlung hin zur personalen ES
zurückzukommen sein, da dabei eine ähnliche Einwirkung des Stilni-
veaus auf die Erzählsituation festgestellt werden kann: ein kolloquia-
ler Erzählstil, wie z. B. in Salingers *The Catcher in the Rye*, engt die Erzählperspektive stark auf den Blickpunkt des erlebenden Ich ein.

7.1.8. Auktorial-personale Demarkationsprobleme

Ein weiterer Schritt auf dem Weg zur personalen Erzählsituation wird
getan, wenn nicht nur einzelne Wendungen aus dem figuralen Bereich,

sondern Argumentationen, Erklärungen, Motivationen vom Standpunkt einer Romanfigur in den Erzähltext eingefügt werden. Leo Spitzer und nach ihm G. Steinberg haben auf Kausalsätze aufmerksam gemacht, die einem auktorialen Bericht eine personale Begründung anfügen. L. Spitzer spricht von „pseudo-objektiver Motivierung",[16] zutreffender scheint jedoch G. Steinbergs Bezeichnungsvorschlag: „Die Kausalsätze in dieser Funktion mittelbarer Redewiedergabe gehören zu dem Komplex [. . .], den man in Anlehnung an Stanzels Terminologie ‚pseudo-auktoriale' oder besser ‚personale' (manchmal ‚neutrale') Motivierung nennen könnte: es sind Argumentationen, die man als mittelbare Darstellung von Äußerungen oder Gedanken der handelnden Personen aufzufassen hat. Die Motivierung kann mit parataktischem ‚denn/car/for' dem Bericht folgen, sie ist dann selbständig und ganz normale E. R.:

Mit ihnen [den Kindern des Volkes] zusammen buk er [der kleine Henri] zwischen heißen Steinen sein Brot und aß es, nachdem er es mit Knoblauch eingerieben hatte. *Denn vom Knoblauch wurde man groß und blieb immer gesund.*"[17]

Obgleich mit keinem Wort ausdrücklich gesagt wird, daß die im letzten Satz des Zitats gegebene Begründung nicht die des Erzählers ist, wird der Leser sie dennoch als die Ansicht des Knaben verstehen, d. h. er ordnet sie in den Erfahrungs- und Kenntnishorizont der Romanfigur und nicht des Erzählers ein. Sobald sich eine solche Personalisierung auf mehrere Sätze oder gar auf einen ganzen Absatz ausdehnt, stellt sich eine personale ES ein und verdrängt die auktoriale ES. Man könnte den letzten Satz des Zitats auch als Aussage von allgemeiner Gültigkeit, als gnomischen Satz verstehen, dessen Anspruch auf allgemeine Gültigkeit dadurch, daß er in ein personales Bewußtsein eingebettet wird, in seinem allgemeinen Gültigkeitsanspruch in Frage gestellt wird. Hier zeigt sich jenes schwer zu definierende, für die Sinnstruktur einer Erzählung aber sehr wichtige Spannungsverhältnis zwischen auktorialer und personaler Perspektive. Wie im Kapitel über „Perspektive" dargelegt wurde, muß die Frage der Zuordnung einer Aussage zum auktorialen oder personalen Medium häufig offen bleiben. In aperspektivischen Erzählungen scheint die Demarkation die-

---

16 Zitat nach G. Steinberg, *Erlebte Rede*, 101, Anm. 51.
17 G. Steinberg, *Erlebte Rede,* 101. Von dort wurde auch das Zitat aus H. Mann, *Die Jugend des Königs Henri Quatre*, mit Hervorhebung übernommen.

ser Grenze häufig überhaupt nicht vollziehbar. Generell kann man
aber sagen, daß die Zahl der aperspektivisch erzählten Werke mit der
Annäherung der vorherrschenden ES an die personale merklich ab-
nimmt. Erzählungen mit personaler ES sind zwar in der Regel relativ
scharf perspektiviert, doch ist eine absolut eindeutige Abgrenzung des
personalen von dem auktorialen Meinungsbereich auch in ihnen nicht
immer möglich bzw. es kann in ihnen eine gewisse Mehrdeutigkeit in
diesem Punkt sogar strukturell angelegt sein. Ein sicheres Kriterium
für die Trennung von auktorialer und personaler Ansicht bietet die
Negation des Verbums „wissen". Eine auf die als personales Medium
fungierende Romangestalt bezogene Aussage mit „weiß/wußte nicht,
daß" enthält immer eine auktoriale Feststellung, dagegen sind Aussagen mit „weiß/wußte nicht, ob/warum/was" meistens als personale
Feststellung zu betrachten.[18]

In einer strikt personalen ES wird dann die Negation des Verbums
„wissen" weitgehend ersetzt durch die direkte Formulierung der Frage, die sich aus dem Nichtwissen der Romanfigur ergibt. So finden sich
in *A Portrait of the Artist as a Young Man* nur ganz vereinzelt Beispiele
für eine der beiden Verwendungen des Verbums „wissen" mit Negation („It pained him that he did not know well what politics meant"),
dagegen trifft man häufig auf Fragen in ER wie etwa die folgenden:
„Was it right to kiss his mother or wrong to kiss his mother? What did
that mean, to kiss?"; „What day of the week was it?"; „Had Cranley
not heard him?". Ebenso häufig erscheint die Formel „He wondered
whether/if/which . . . (17, 15, 177, 232, 195). An die Stelle der (auktorialen) Aussage über das Nichtwissen des Helden tritt also in personaler ES die Darstellung des Gedankenganges, der entweder ein Nichtwissen zu Tage fördert oder durch ein Nichtwissen ausgelöst wird. Die
referierende Mitteilung der Information „Nicht-Wissen" wird durch
die Darstellung eines gedanklichen Zustandes des „Nicht-Wissens"
im personalen Medium ersetzt.

---

18 Vgl. dazu K. Stierle, *Text als Handlung*, 127 f. Stierle macht u. a. auf Kleists
   Novelle „Die Marquise von O. . ." aufmerksam, in der die Negation
   „wußte nicht, ob/was" dominiert; „[Kleist] erzählt so, daß der Leser sich
   das Nichtwissen der Heldin zueigen macht", was der Orientierungslage des
   Lesers in einer personalen ES entspricht. Vgl. auch Anmerkung 41 zu Kap.
   6.4.

7.1.9. Von erlebter Rede zur personalen Erzählsituation

Nimmt ER in einer Erzählung an Umfang so zu, daß durch sie die eindeutig auktorialen Äußerungen mehr oder weniger ganz verdrängt
werden, dann stellt sich in dieser Erzählung eine personale ES ein. Die
personale ES kann auch als eine auf einen längeren Erzähltext ausgedehnte ER verstanden werden. Es empfiehlt sich aber, für eine solche
ausgedehnte ER den Begriff personale ES zu verwenden, weil damit
zum Ausdruck gebracht wird, daß durch die Ausdehnung der ER auf
einen längeren Erzähltext eine neue Orientierungslage für den Leser
entsteht. Da hier die Präsenz des auktorialen Erzählers in der Vorstellung des Lesers nicht mehr aufgerufen wird, versetzt sich der Leser
ganz in das Jetzt und Hier der Figur, die an der jeweiligen Stelle als
personales Medium oder Reflektorfigur fungiert. Damit hört, genau
genommen, auch ER auf, Ausdruck einer „dual voice" zu sein, da die
auktoriale Stimme in ihr so gut wie nicht mehr hörbar ist. Dies ist ein
weiterer Grund dafür, mit Bezug auf Erzählungen dieser Art nicht
mehr von ER, sondern von personaler ES zu sprechen. Diesem termi-
nologischen Gebrauch wird auch bereits in einer Reihe von Arbeiten
über Kafkas *Der Prozeß, Das Schloß,* J. Joyces *A Portrait of the Artist
as a Young Man* und die entsprechenden Romane von Virginia Woolf,
H. Broch, N. Sarraute u. a. der Vorzug gegeben.

7.1.10. Das auktorial-personale Kontinuum und die personalisierte Erzählerfigur

Der Übergang von der auktorialen zur personalen ES kann auch unter
dem Aspekt der allmählichen Verwandlung eines auktorialen Erzählers in ein gleichsam namenloses personales Medium betrachtet werden. Dieser Vorgang wurde oben (6.4.) als Personalisierung der Erzählerfigur bereits beschrieben. Hier geht es darum, diesen von der
Erzählforschung noch wenig beachteten Vorgang nach seinem Stellenwert im Formenkontinuum des Typenkreises zu bestimmen.
In der Personalisierung setzt sich die Tendenz zur Verdrängung des
auktorialen Erzählers aus der Erzählung fort, doch mit einem wichtigen Unterschied: Personalisierung zielt nicht auf das Verschwinden,
sondern auf die Anpassung der Erzählerfigur an die Charaktere, vor
allem an jene, die als personale Medien erscheinen. Mit anderen Worten, der auktoriale Erzähler unterzieht sich durch seine Personalisierung einem Mimikry, er tarnt sich gewissermaßen vor dem Leser, in-

dem er nicht nur seinen Standpunkt in der fiktionalen Welt bezieht, sondern auch den Wahrnehmungsmodus und zum Teil sogar auch Stimme und Ausdrucksweise von fiktionalen Charakteren annimmt. Auch dabei bietet sich eine breite Skala von Möglichkeiten an, die von der Übernahme eines einzelnen Eindrucks oder einer Formulierung bis zur ausführlichen Betrachtung einer Szene oder Situation im Geiste der Charaktere reicht.[19] Tritt letzteres ein, so ist zu unterscheiden, ob der personalisierte Erzähler als echtes Sprachrohr der Charaktere, etwa als die Stimme ihrer kollektiven Erfahrung und Weltanschauung, fungiert, oder ob seine Äußerungen ironisch zu verstehen sind, indem sie Ansichten der Charaktere vermitteln, von denen sich der auktoriale Erzähler eigentlich distanziert. Diese für die Interpretation sehr wichtige Unterscheidung wird – wie überall, wo Ironie im Spiel ist – nicht immer leicht oder eindeutig zu treffen sein. Um diesen Sachverhalt zu verdeutlichen, sei auf ein weiteres Beispiel aus den Erzählungen von K. Mansfield hingewiesen. Das weiter oben (6.4.) bereits besprochene Beispiel aus „The Garden Party" wurde als ironisch-distanzierte Äußerung des implizierten auktorialen Erzählers zum Sozialbewußtsein der Sheridans erkannt. Im siebenten Segment der Erzählung „At the Bay" gibt dagegen der personalisierte Erzähler in seiner poetischen Beschreibung eines Strandstückes eine Wahrnehmung wieder, die auch die Charaktere machen könnten, besäßen sie die Wahrnehmungsfähigkeit und die Ausdrucksgabe des personalisierten Erzählers.[20] Hier ist also der Standpunkt des personalisierten Erzählers mehr personal, im anderen Fall stärker auktorial.

Die Personalisierung des Erzählers impliziert auch eine Verlagerung in der raum-zeitlichen Deixis. Das in 4.5. diskutierte Beispiel einer raum-zeitlichen Versetzung „Dort/Hier stapfte er den lieben langen Tag auf dem Forum herum" könnte auch mit Hilfe des Personalisierungsbegriffes erklärt werden: „Hier stapfte er . . ." gibt der Raumorientierung eines personalisierten, „Dort stapfte er . . ." jener eines uneingeschränkt auktorialen Erzählers Ausdruck. Im Zuge der Personalisierung wird die für die auktoriale ES charakteristische Ferndeixis (damals-dort) durch die für die personale ES charakteristische Nahdeixis (jetzt-hier) vorübergehend verdrängt. Allerdings ist nicht jedes auktoriale, auf die Handlungsgegenwart bezogene „jetzt" oder „heute" bereits ein Indiz für die Personalisierung. So modifiziert das „auch

19 Vgl. die Beispiele aus *Ulysses* mit jenem aus „The Garden Party" in 6.4.
20 Katherine Mansfield, *The Garden Party and Other Stories*, 36.

heute wieder" am Anfang von Fontanes *Effi Briest* kaum die Aukto-
rialität des sich am Anfang dieses Romans kundgebenden Erzählers:

> Auch die Front des Herrenhauses – eine mit Aloekübeln und ein paar Garten-
> stühlen besetzte Rampe – gewährte bei bewölktem Himmel einen angenehmen
> und zugleich allerlei Zerstreuung bietenden Aufenthalt; an Tagen aber, wo die
> Sonne niederbrannte, wurde die Gartenseite ganz entschieden bevorzugt, be-
> sonders von Frau und Tochter des Hauses, die denn auch heute wieder auf dem
> im vollen Schatten liegenden Fliesengange saßen [. . .] (*Sämtliche Werke*, Mün-
> chen 1959, Bd. 7, 171)

Häufigkeit und Konsequenz in der auktorialen Verwendung von
Deiktika, die eigentlich der zeit-räumlichen Orientierung einer Romangestalt gemäß sind, können dagegen eine gewisse Personalisierung der Erzählerfigur nach sich ziehen. So ist am Anfang von Georg
Büchners Erzählung „Lenz" trotz des auktorialen Erzählers eine
deutliche Tendenz zur Personalisierung der Raum-Deixis zu erkennen:

> Den 20. Januar ging Lenz durch's Gebirg. Die Gipfel und hohen Bergflächen
> im Schnee, die Täler *hinunter* graues Gestein, grüne Flächen, Felsen und Tan-
> nen. Es war naßkalt; das Wasser rieselte die Felsen *hinunter* und sprang über
> den Weg. Die Äste der Tannen hingen schwer herab in die feuchte Luft. Am
> Himmel zogen graue Wolken, aber alles so dicht – und dann dampfte der Nebel
> *herauf* [. . .] (*Werke und Briefe*, Wiesbaden 1958, 85. Meine Hervorhebung)

Wie J. Anderegg in seiner Interpretation dieser Stelle schon gezeigt
hat, zielen in diesem Text nicht nur die Deiktika, sondern auch Wortwahl und Metaphorik auf das Erlebnis der Hauptgestalt: „Was immer
sich vollzieht ist auf Lenz bezogen und affiziert ihn".[21] Anderegg
macht auch darauf aufmerksam, daß der Verzicht des auktorialen Erzählers, seinen Standpunkt festzulegen, eine der Voraussetzungen für
die Übernahme der Raumorientierung der Hauptgestalt ist (29). Eine
volle Personalisierung würde dagegen eine Fixierung des Erzähl-
standpunktes in oder nahe dem Jetzt und Hier der Romangestalt voraussetzen.

---

21 J. Anderegg, *Leseübungen*, Göttingen 1970, 24. Vgl. auch die Interpretation desselben Textes bei R. Pascal, *Dual Voice*, 62 ff.

7.2. Von der auktorialen zur Ich-Erzählsituation

> *Every* story is first-person whether the
> speaker identifies himself or not.
> (J. Moffett u. K. R. McElheny, *Points of
> View*)

Schreiten wir das Schema des Typenkreises, ausgehend von der Stelle der auktorialen ES, in Richtung hin zur Ich-ES ab, so haben wir gleich zu Beginn die Trennlinie zu überqueren, die die Er-Erzählung von der Ich-Erzählung in der allgemein geläufigen Bedeutung dieser beiden Begriffe trennt. Erzähltheoretisch ist jedoch auch die Feststellung einer weiteren Veränderung des Erzähler-Ich an dieser Trennlinie wichtig. Das Erzähler-Ich hat diesseits und jenseits dieser Grenze eine andere ontologische Basis. Der Unterschied wird durch die Opposition Identität und Nicht-Identität der Seinsbereiche von Erzähler und Charakteren markiert. Diese Veränderung der ontologischen Basis des Erzähler-Ich hat weittragende Folgen. Im Vergleich zum körperlosen (aber nicht unpersönlichen) auktorialen Ich nimmt die Person des Ich-Erzählers in dem Maße an „Leiblichkeit" zu, wird zu einem „Ich mit Leib" im Sinne unserer Definition in Kapitel 4.6., als sich der Ort einer solchen Ich-Erzählung auf dem Typenkreis dem Idealtypus Ich-Erzählsituation nähert. Die Zunahme des Ich-Erzählers an „Leiblichkeit" bringt eine Einschränkung seines Wissens- und Wahrnehmungshorizontes und eine Bindung des Erzählvorganges an die Existenz des Ich-Erzählers als fiktionalem Charakter mit sich.

Zum Zweck der besseren Übersichtlichkeit sollen an diesem Vorgang der „Verleiblichung" des Erzählers mehrere Stadien unterschieden werden. Dem auktorialen Erzähler am nächsten steht noch der Ich-Erzähler als Herausgeber eines Manuskripts (Richard Sympson in *Gulliver's Travels*), als Vorleser einer Geschichte (Douglas in „The Turn of the Screw") und als Rahmenerzähler („Chaucer" in *The Canterbury Tales*, der Schulmeister im „Schimmelreiter"). Jede dieser Ich-Rollen, im besonderen die des Rahmenerzählers, kann eine Ausgestaltung hin zur stärker markierten persönlichen und körperlichen Präsenz in der fiktionalen Welt erfahren*; dabei nähert sie sich dem nächsten Stadium in der „Verleiblichung" des Ich-Erzählers, dem Stadium des peripheren Ich-Erzählers. Er unterscheidet sich vom quasi-autobiographischen Ich-Erzähler des sich daran anschließenden Stadiums vor allem durch seine Position zum erzählten Geschehen: er befindet sich an der Peripherie des erzählten Geschehens, seine Rolle ist die des Beobachters, Zeugen, Biographen, Chronisten, nicht aber die des Helden, der im Zentrum des Geschehens steht. Auch diese Rolle läßt die verschiedensten Formen der Beteiligung am Geschehen, des Verwobenseins der Schicksale des Erzählers und des Helden zu (Overton in *The Way of All Flesh* und Marlow in *Lord Jim*). Als letztes Stadium erscheint die quasi-autobiographische Ich-Erzählung, in der der Erzähler und der Held der Geschichte identisch sind.

Hier findet sich die Mehrzahl der Ich-Erzählungen. Es ist daher notwendig, die Rolle des Ich-Erzählers als Hauptfigur noch weiter zu differenzieren. Als Unterscheidungskriterium bietet sich das Verhältnis des erzählenden zum erlebenden Ich an. Auf unserem Weg entlang des Typenkreises begegnen wir zuerst einem Ich-Erzähler, dessen erzählendes Ich sich sehr ausführlich als Erzähler kundgibt (Tristram Shandy, Siggi Jepsen in Siegfried Lenz' Roman *Deutschstunde*), dann dem klassischen Ich-Erzähler, bei dem das Verhältnis zwischen erzählendem und erlebendem Ich zwar nicht quantitativ aber doch der Bedeutung nach ausgewogen ist (David Copperfield, Felix Krull), und schließlich jener Ich-Erzählung, in der das erlebende Ich das erzählende Ich fast ganz aus dem Blickfeld des Lesers verdrängt (*Huckleberry Finn*). Brief- und Tagebuchromane sind je nach Betonung des Abfassungsvorganges und nach Länge der Erzähldistanz in der Zone zwischen den beiden zuletzt genannten Stadien der Ich-Erzählung anzusetzen.

7.2.1. Der auktoriale Erzähler in Pumpernickel

Wie alle anderen in unserer Erzähltheorie markierten Grenzen ist auch die zwischen der auktorialen und der Ich-ES eine offene Grenze. Es zeigt sich sogar, daß eine Tendenz zur „Verleiblichung" des Erzähler-Ich bereits im Raum der auktorialen ES beginnt. So nennt zum Beispiel der auktoriale Erzähler der *Brüder Karamasoff* gleich zu Beginn einen der Charaktere dieses Romans den „allerunverständigsten Narren in *unserem* ganzen Kreise" und unterscheidet sich somit zumindest an dieser Stelle nicht vom Ich-Erzähler etwa der *Dämonen*, der seine Geschichte wie die meisten Ich-Erzähler wie folgt beginnt: „Indem ich zur Schilderung der so merkwürdigen Ereignisse schreite, die sich vor kurzem in unserer bisher noch durch nichts berühmt gewordenen Stadt zugetragen haben [. . .]."[22] Eine solche vorüberge-

---

22 F. M. Dostoevskij, *Die Brüder Karamasoff*, Gütersloh 1957, 13; Ders., *Die Dämonen*, München 1977, 9.

hende, meist auch nicht weiter ausgeführte Lokalisierung des Standortes des auktorialen Erzählers in der Welt der Charaktere ist eine im 19. Jahrhundert weit verbreitete Erzählkonvention; sie findet sich bei Dickens, George Eliot, Trollope, Jean Paul, Wilhelm Raabe, aber auch bei Flaubert, der den am Anfang des Romans noch recht prominenten, später mehr zurücktretenden Erzähler der *Madame Bovary* als Schulgefährten einer der Romanfiguren einführt.[23] In den meisten Fällen dient diese Erzählkonvention der Verifikation des Erzählten, ist also Teil der „rhetoric of dissimulation", die darauf zielt, die Grenze zwischen der Welt der Charaktere und der des Erzählers zu verwischen. Der Anfang von Gogols Erzählung „Der Mantel" bringt ein besonders interessantes Beispiel dafür, denn hier wird die Grenzüberschreitung ausdrücklich wieder rückgängig und damit dem Leser erst recht bewußt gemacht. Es wird gewissermaßen der Erzählauftakt zweimal vorgenommen, zuerst von einem die Grenze zur Ich-Erzählung überschreitenden Erzähler-Ich und dann von einem auktorialen Erzähler, der sich wieder auf seinen eigentlichen Bereich hinter der Grenze zurückgezogen hat:

Im Department für . . ., aber nein, ich will lieber nicht verraten, um welches Department es sich handelt. Niemand ist leichter gekränkt als die Departments aller Art, die Militär- und Zivilbehörden, kurz, alle amtlichen Institutionen. Heutzutage meint ja sogar jeder Privatmann, wenn er beleidigt wird, so sei in seiner Person die ganze Gesellschaft getroffen. Ich habe gehört, daß unlängst ein Ordnungsrichter – ich erinnere mich nicht, welcher Stadt – eine Beschwerde einreichte, in der er klipp und klar darlegte, daß die staatlichen Einrichtungen mißachtet werden und daß er seinen geheiligten Namen gegen die Mißachtung völlig vergebens ins Feld führe. Und als Beweis fügte er seiner Beschwerde einen unheimlich dicken, romanartigen Wälzer bei, in dem auf jeder zehnten Seite ein Ordnungsrichter vorkam, manchmal sogar in betrunkenem Zustand. Aus diesen Gründen, um alle Unannehmlichkeiten zu umgehen, ist es besser, das Department, um das es sich hier handelt, nur als *ein Department* zu bezeichnen. Also, in *einem Department* diente *ein* Beamter. (*Der Mantel und andere Erzählungen*, Frankfurt/M. 1977, 254)

Damit macht Gogol auch eine sprachliche Distinktion bewußt, die diese Grenze markiert: die Verwendung des konkretisierenden bestimmten und des verallgemeinernden unbestimmten Artikels mit Bezug auf Schauplatz und Charaktere. Diese Erscheinung bildet eine Parallele zur weiter oben (6.3.) diskutierten Verwendung des „familiarizing article" am Beginn einer Erzählung mit Reflektorfigur. Die Ver-

---

23 Gustave Flaubert, *Madame Bovary*, Paris 1966, Kap. 1, 37 ff.

meidung des „familiarizing article" gilt hier als Zeichen der auktorialen Außenperspektive und unterstreicht die Trennung der Seinsbereiche von Erzähler- und Figurenwelt.

Neben der Verifikation des Erzählten ist jedoch noch ein weiterer Grund für die Häufigkeit solcher Grenzübertritte des auktorialen Erzählers im Roman des 19. Jahrhunderts festzuhalten. Man könnte vielleicht von einer Sehnsucht des auktorialen Erzählers nach Abrundung, Vervollständigung seiner Persönlichkeit im Rahmen einer auch physisch bestimmten Existenz sprechen. Sie wird vor allem dort sichtbar, wo diese Erzählkonvention ausgestaltet, das Motiv des Grenzübertritts zu einer Episode erweitert wird, wie z. B. gegen Ende von Thackerays *Vanity Fair,* wo der bis dahin auktoriale Erzähler plötzlich mitten unter den Charakteren des Romans als einer der Kurgäste von Pumpernickel, der Hauptstadt eines deutschen Miniaturfürstentums, auftritt, so als wäre er ein Ich-Erzähler. Im 62. Kapitel („Am Rhein") dieses Romans wird der Leser von der Mitteilung überrascht, daß der Erzähler in seiner Jugend, als er sich mit Seinesgleichen in der Kur- und Residenzstadt Pumpernickel vergnügte („we young fellows in the stalls"[24]), einige der Hauptfiguren des Romans persönlich sah. Der Erzähler verweilt dabei zwar in der Haltung des Beobachters, die Ausführlichkeit jedoch, mit welcher diese Episode dargestellt wird, zwingt den Leser dazu, die Anwesenheit des Erzählers in der Welt der Charaktere voll zu registrieren. Thackeray setzt sich mit diesem Übertritt seines Erzählers in die Welt Amelias, Beckys, Jos Sedleys und Dobbins dem Vorwurf der Widersprüchlichkeit in der Konzeption seines Erzählers aus, da er diesen ja in der Vorrede zum Roman („Before the Curtain") als „Manager of the Performance" vorgestellt und die damit gegebenen Privilegien der Allwissenheit und des Dispositionsrechtes über die Charaktere als auktorialer Erzähler auch voll in Anspruch genommen hatte. Wenn der Autor nun seinen Erzähler als jüngeren Zeitgenossen und Mitkurgast in Pumpernickel auftreten läßt, dann müßte er ihm diese Privilegien als olympischer Erzähler entziehen. Thackeray macht auch tatsächlich eine Geste in diese Richtung: In Kap. 76 läßt der Erzähler ganz beiläufig durchblicken, daß der britische Geschäftsträger am Hofe von Pumpernickel, Tapeworm, sein unmittelbarer Gewährsmann für seine eingehende Kenntnis der Geschichte Beckys sei (722). Die Perspektive der Darstellung wird aber davon in keiner Weise beeinflußt, das heißt, eine dieser Quellenan-

---

24 W. M. Thackeray, *Vanity Fair*, Harmondsworth 1968, 722.

gabe entsprechende Eingrenzung des Kenntnishorizontes der Erzählerfigur findet nicht statt. Der Grund für diese Verschiebung der auktorialen Erzählsituation hin zur Ich-Erzählsituation muß also anderswo gesucht werden.

Der eigentliche Anlaß dazu scheint, wie bereits angedeutet, in dem
auch anderswo nachweisbaren Bedürfnis des auktorialen Erzählers zu
liegen, seiner Persönlichkeit auch physische Existenz zu verleihen, sich
aus einer abstrakten Funktionsrolle in eine Gestalt von Fleisch und
Blut, eine Person mit einer individuellen Geschichte zu verwandeln.
Der junge Mann in Pumpernickel, der viele Jahre später einmal die
Geschichte Beckys und Amelias erzählen wird, hat noch nicht die
Reife und Abgeklärtheit, aber auch noch nicht den leichten Zynismus
des erwachsenen Erzählers. In diesem Zusammenhang ist auch festzuhalten, daß Thackeray (Dickens verfährt übrigens oft ganz ähnlich)
seinen auktorialen Erzähler im Zeitpunkt des Erzählaktes älter macht
als er, der Autor Thackeray, bei der tatsächlichen Abfassung des Romans war. Diese Beobachtung liefert ein weiteres Argument gegen die
von einem Großteil der Romankritik noch immer unterstellte Identität von Autor und auktorialem Erzähler. Die „in persona"-Anwesen-
heit des Erzählers als junger Mann auf der Szene in einer der letzten
Episoden des Romans ist auch die Erlebnisbasis für die zahlreichen
auktorialen Kommentare, die den Leser darauf aufmerksam machen,
wie sehr sich die Zeit seit damals verändert habe,[25] und er, der Erzähler, mit ihr. Auch er war einmal einer, der auf dem Jahrmarkt der Ei-
telkeit des Lebens sein Vergnügen suchte und in diesem Sinne trägt die
Pumpernickel-Episode zur Abrundung der Persönlichkeit des Erzählers als Mensch wie Du und ich bei, einer Abrundung, die ihm in dem
einem auktorialen Erzähler zugewiesenen Bereich nicht, oder nur auf
recht umständliche Weise, hätte zuteil werden können. Es liegt also
hier ein Ansatz zu einer Entwicklungs- und Bildungsgeschichte des
auktorialen Erzählers vor, die für die Interpretation besonders aufschlußreich ist. Denn die Andeutung einer solchen Entwicklungsge-
schichte macht bewußt, was sonst völlig unbeachtet bliebe, nämlich
daß ein auktorialer Erzähler als Person in der Regel nicht am Ablauf
der Zeit teilhat, sondern von einem fixierten Punkt der Zeit aus mit einer fixierten Persönlichkeit, d. h. oft auch ohne persönliche Erinnerungen an eine eigene Vergangenheit, die Geschichte seiner Figuren

---

25 Vgl. Heinz Reinhold, *Der englische Roman des 19. Jahrhunderts,* Düsseldorf 1976, 94.

erzählt. In der Ich-Erzählsituation, so wie sie in den quasi-autobiographischen Ich-Romanen *David Copperfield, Der grüne Heinrich* u.a. gestaltet ist, wird gerade die Verknüpfung des Erzählaktes und der persönlichen Erfahrung des Erzählers zum Hauptanliegen des Romans.

7.2.2. Der periphere Ich-Erzähler

> Das Dämonische durch ein exemplarisch un-
> dämonisches Mittel gehen zu lassen [. . .]
> (Th. Mann, *Die Entstehung des Doktor Fau-*
> *stus*)

In der Pumpernickel-Episode von *Vanity Fair* begegnet uns das Erzähler-Ich in einer Rolle, die in vielen Romanen und Erzählungen durchgehend gestaltet ist: der Erzähler als Augenzeuge auf dem Schauplatz des Geschehens, als Beobachter, als Zeitgenosse der Hauptfigur, als deren Biograph usw. In allen diesen Fällen steht der Erzähler selbst nicht im Zentrum, sondern an der Peripherie des Geschehens, wir nennen ihn daher den peripheren Ich-Erzähler und grenzen ihn damit vom autobiographischen Ich-Erzähler ab, der zugleich Hauptgestalt, im Zentrum des Geschehens stehend, und Erzähler ist. Die wichtigste Funktion des peripheren Ich-Erzählers ist die Mediatisierung des Erzählten, d.h. das Gattungsspezifikum Mittelbarkeit („mediacy") wird hier durch die Erzählsituation besonders nachdrücklich thematisiert: nicht wie die Hauptfigur und ihre Welt an sich sind, sondern wie sie von einem aus einiger Entfernung schauenden, fühlenden, bewertenden Erzähler wahrgenommen werden, ist der eigentliche Sinngehalt einer solchen Erzählung, in der sich besonders eindringlich „die uns seit Kant geläufige erkenntnistheoretische Auffassung [widerspiegelt], daß wir die Welt nicht ergreifen, wie sie an sich ist, sondern wie sie durch das Medium eines betrachtenden Geistes hindurchgegangen".[26] Periphere Ich-Erzähler unterscheiden sich daher nicht nur nach der zeitlichen und räumlichen Distanz ihrer Position vom eigentlichen Geschehen, sondern auch nach der Eigenart ihrer Persönlichkeit als Wahrnehmende, die wiederum, zum Teil wenigstens, von dem persönlichen Verhältnis des Erzählers zur Hauptperson abhängig ist. Am häufigsten finden wir den peripheren Ich-Erzäh-

---

26 K. Friedemann, *Die Rolle des Erzählers in der Epik*, 26.

ler als väterlichen Freund, engen Vertrauten oder Bewunderer der Hauptfigur. Zu dieser Gruppe gehören z. B. Overton in *The Way of All Flesh,* Marlow in *Lord Jim* und Zeitblom in *Doktor Faustus.* Das thematische Ziel einer solcherart gestalteten Erzählung ist die um Verständnis des Außerordentlichen bemühte freundschaftlich-kongeniale Einfühlung des Erzählers in seinen Helden. Davon zu unterscheiden sind jene peripheren Ich-Erzähler, die in ihrer repräsentativen Typik als Kontrastfolie, als Gegensatz zum Helden zu verstehen sind. Sie sind in der Regel nicht durch ein persönlich-freundschaftliches Verhältnis mit den Hauptfiguren verbunden, sondern sind ihnen untergeordnet als Dienstboten (Nelly Dean in *Wuthering Heights*) oder als assistierende Begleiter (Dr. Watson in *Sherlock Holmes*). Neben diesen soziologisch typisierten peripheren Ich-Erzählern sind die vornehmlich weltanschaulichen oder psychologisch typifizierten peripheren Ich-Erzähler zu erwähnen. Man findet sie z. B. in manchen Erzählungen von Conrad Ferdinand Meyer. Sie wurden von K. Friedemann wie folgt charakterisiert: „C. F. Meyer rechtfertigt in einem Brief an Paul Heyse sein Unterfangen, Dante die Geschichte von der Hochzeit des Mönchs erzählen zu lassen, damit, daß er in ihm den Repräsentanten des Mittelalters sieht. ‚Mein Dante am Herde . . . ist eine typische Figur und bedeutet einfach Mittelalter.‘ Ebenso führt der Dichter die Geschichte von Thomas Becket, dem Heiligen, der sich an seinem König für die Verführung der Tochter rächt, ‚nicht in unmittelbarer Darstellung vor, wo sie durch ihre Rätselhaftigkeit leicht verwirren könnte, sondern legt sie in den Mund eines schlichten und treuherzigen Schweizers, der sich von seinem unbeirrbaren Sittlichkeitsgefühl nicht ablenken läßt.‘" (39) Selbstverständlich vermengen sich die hier unterschiedenen Funktionen oft im einzelnen Werk. So ist Zeitblom, der periphere Ich-Erzähler in *Doktor Faustus,* zugleich dem großen Meister in freundschaftlicher Bewunderung ergeben, und andererseits, wie den im Motto zu diesem Kapitel zitierten Worten Thomas Manns zu entnehmen ist, ein mit der Hauptfigur in fast jeder Hinsicht kontrastierter Erfahrungstypus.[27] Die Typik der Rollen, die von Hauptfiguren und Erzähler verkörpert werden, ist jedoch keinesfalls in dieser Verteilung (Held = komplex, dämonisch; Erzähler = relativ simpel,

---

27 Die Verhältnisse der ES im *Doktor Faustus* sind natürlich noch viel differenzierter. Für eine eingehende Analyse der Ich-ES in diesem Roman sei auf Margit Henning, *Die Ich-Form und ihre Funktion in Thomas Manns „Doktor Faustus" und in der deutschen Literatur der Gegenwart,* 34–153, verwiesen.

nüchtern) fixiert. Scholes und Kellogg sehen in dieser Erzählform in erster Linie eine gerade umgekehrte Verteilung der Typenrollen: „The old tragic problem of presenting a character with enough crudeness for *hybris* and *hamartia* but enough sensitivity for ultimate discovery and self-understanding has always been a great one for the narrative artist [. . .] the division of protagonists into the simple, stark actor and the complex, sensitive sharer in the action solves for the novelist a great problem: Marlow can do the understanding for Kurtz or Jim; Carraway can do it for Gatsby; Jack Burden for Willie Stark in *All the King's Men;* and Quentin Compson and Shreve McCannon for Sutpen in Faulkner's *Absalom, Absalom!*"[28]

In allen Erzählungen mit peripherem Ich-Erzähler ist jedoch die Spannung zwischen der Persönlichkeit des Erzählers und jener der Hauptfigur(en) ein bestimmendes Moment des Sinngefüges, das in der Interpretation zu erschließen ist. Dabei kann W. C. Booths Begriff der Verläßlichkeit im weitesten Sinne („reliability") recht gute Dienste leisten, wie z. B. Jacqueline Viswanathan in ihrer Untersuchung der ES in *Wuthering Heights, Under Western Eyes* und *Doktor Faustus* gezeigt hat.[29] Das Problem der „Unverläßlichkeit" des Ich-Erzählers, genauer seiner beschränkten Einsicht in die wahren Zusammenhänge, zeigt sich dort am deutlichsten, wo er von dem Privileg Gebrauch macht, das praktisch alle Ich-Erzähler in Anspruch nehmen, nämlich Dialoge der Charaktere in großer Ausführlichkeit wiederzugeben. Dabei wird die Medialität dieser besonderen ES fast völlig verdrängt, es entsteht der Eindruck von unmittelbarer szenischer Darstellung, der Leser verliert den Erzähler aus seinem Blickfeld. Dieses Phänomen ist natürlich auch in einer autobiographischen Ich-Erzählung

---

28 R. Scholes u. R. Kellogg, *The Nature of Narrative*, 261 f. L. Hönnighausen sieht die Rolle des peripheren Ich-Erzählers im Zusammenhang mit der ausgeprägten Lust der Autoren der Jahrhundertwende, ihre Persönlichkeit zu verbergen, sich zu maskieren: „Neben den theatralischen Masken Wildes und Nietzsches gibt es bei Pater und H. James, T. S. Eliot und Thomas Mann eine Attitüde ostentativer Unauffälligkeit und bürgerlicher Durchschnittlichkeit, eine Tarnkappe und eine Anti-Maske, die in Manns Zeitblom und seinem Vorbild, Stevensons Mackellar, ironische Inkarnation erfährt". „Maske und Perspektive. Weltanschauliche Voraussetzungen des perspektivischen Erzählens", *GRM*, N. F. 26 (1976), 294.

29 Jacqueline Viswanathan, „Point of View and Unreliability in Ch. Brontë's *Wuthering Heights*, Conrad's *Under Western Eyes* and Mann's *Doktor Faustus*", *Orbis Litterarum* 29 (1974), 42–60.

oder bei auktorialer ES zu beobachten. Innerhalb einer Erzählung mit peripherem Ich-Erzähler erlangt aber diese Erscheinung besondere Bedeutung, da die vom Erzähler berichteten Teile oft in einem Gegensatz zu den unmittelbar, d. h. szenisch dargestellten Teilen stehen. Mit den Worten von J. Viswanathan: ,,While the narrators' subjective bias is very apparent in the narrative parts, in the scenes, they [die peripheren Ich-Erzähler] function as perfect tape-recorders" (43). Hinzu kommt, daß periphere Ich-Erzähler oft so sehr von ihrer Funktion als Erzähler in Anspruch genommen werden, daß sie ,,aus ihrer Rolle fallen" und vorübergehend nicht mehr ,,in character", sondern wie ein auktorialer Erzähler, der weder an ein bestimmtes persönliches Idiom noch an einen bestimmten Standpunkt gebunden ist, sprechen.[30]

Wir können die beiden hier referierten Tendenzen, die Verselbständigung der ausführlichen Dialogstellen und szenisch dargestellten Teile und die Veränderung des Erzählstils als Auktorialisierung des peripheren Ich-Erzählers bezeichnen, eine Erscheinung, die im übrigen gelegentlich auch beim autobiographischen Ich-Erzähler zu beobachten ist. Diese Auktorialisierung des Ich-Erzählers ist im gewissen Sinne ein Gegenstück zur Personalisierung des auktorialen Erzählers. Das beiden Phänomenen Gemeinsame scheint ein Ausgleichsstreben zwischen figuraler und auktorialer Kompetenz zu sein, d. h. die Partikularität von Charakteren und Erzählern als Romanfiguren strebt zur Universalität des auktorialen Erzählers mit Außenperspektive und Allwissenheit, und umgekehrt sucht sich die Universalität des auktorialen Erzählers in der Partikularität der Romanfiguren zu konkretisieren.

Die Feststellung, daß es eine Auktorialisierung des Ich-Erzählers gibt, legt die Frage nahe, ob auch eine Personalisierung der Ich-ES möglich ist. Die eigentliche Personalisierung des Ich-Erzählers vollzieht sich, indem der Ich-Erzähler mehr und mehr als Erzählerfigur zurücktritt und sich zur Reflektorfigur wandelt; das geschieht, wenn der Fokus der Darstellung ausschließlich in das erlebende Ich verlegt wird. Dieser Vorgang wird bei der weiteren Beschreibung des Typenkreises noch zu erörtern sein. Von einer Art Personalisierung des peripheren Ich-Erzählers, die allerdings einen mehr thematischen als strukturellen Charakter hat, könnte am ehesten bei Joseph Conrad gesprochen werden, und zwar in jenen Erzählungen, in denen zwischen dem peripheren Ich-Erzähler und dem Helden eine ganz eigenartige Beziehung

---

30 J. Viswanathan verweist auf entsprechende Stellen in den von ihr untersuchten Romanen. Vgl. 48 ff.

besteht oder sich anbahnt, für die die Conrad-Kritik den Begriff „unforeseen partnership" geprägt hat. Der Erzähler entdeckt im Verlaufe
seiner Bemühungen, das Leben seines Helden zu ergründen und zu
verstehen, eine innere Verwandtschaft zwischen sich und seinem Helden, die ihn immer mehr in seinen Bann zieht und die ihn bewegt, die
Erfahrungen seines Helden intensiv nachzuempfinden, sich in dessen
Lage so total zu versetzen, daß es zu einer psychologischen oder moralischen Stellvertretung kommt. Es handelt sich um eine Variation
des „alter ego"-Motivs, das sich im übrigen bei Conrad auch in anderen Erzählungen in der Ich-Form, z.B. in „The Secret Sharer", findet.
In Ich-Erzählungen erlangt das Motiv neben seiner thematischen
aber auch noch eine gewisse strukturelle Bedeutung: „Unforeseen
partnership" strukturiert eine an sich zur Mediatisierung tendierende
periphere Ich-ES auf personale Empathie um. Der Ich-Erzähler sieht
sich beinahe zwanghaft zu einer Einfühlung in die Situation seines
Helden veranlaßt, die bis zur stellvertretenden Annahme des Schicksals des Helden durch den Ich-Erzähler führen kann, wie an Marlow in
The Heart of Darkness und noch weitergehend in *Lord Jim* zu beobachten ist. Mit einer solchen Einstellung des peripheren Ich-Erzählers
zu seinem Helden nähert sich dieser aber auch dem charakteristischen
Verhältnis zwischen Erzähler und Helden, d. h. zwischen erzählendem
und erlebendem Ich im quasi-autobiographischen Ich-Roman. Hier ist
allerdings die „partnership" existentiell vorgegeben, was eine Problematisierung des Verhältnisses zwischen erzählendem und erlebendem Ich, etwa in der Weigerung des erzählenden Ich, das ihm zugehö-
rige erlebende Ich „anzunehmen", nicht ausschließt, wie z. B. im *Stiller*
von M. Frisch. Die typische Form der peripheren Ich-Erzählung mit
vorherrschender Empathie („unforeseen partnership") zwischen
Ich-Erzähler und Hauptfigur ist daher, genau genommen, auf dem
Typenkreis näher der Typenstelle der quasi-autobiographischen
Ich-Erzählung anzusetzen als die periphere Ich-Erzählung mit vorwiegend mediatisierender Funktion.

7.2.3. Von der quasi-autobiographischen Ich-Erzählung zum inneren Monolog

> A tranquillising spirit presses now
> On my corporeal frame, so wide appears
> The vacancy between me and those days
> Which yet have such self-presence in my mind,
> That, musing on them, often do I seem
> Two consciousnesses, conscious of myself
> And of some other Being.
> (W. Wordsworth, *The Prelude*)

Dieser Abschnitt des Formenkontinuums ist gekennzeichnet durch das allmähliche Zurücktreten des erzählenden Ich und durch die zunehmende Fokusierung der Darstellung im erlebenden Ich. Zunächst ist der Erzähler, der auch die Hauptfigur des Geschehens repräsentiert, für den Leser noch deutlich als Erzähler im Erzählakt erkennbar. Zugleich ist er räumlich und zeitlich in die Handlung integriert, befindet sich also körperlich am Schauplatz des Geschehens und nimmt an seinem Ablauf teil. An die Stelle der Opposition von Erzähler und Held tritt hier die Opposition von erzählendem Ich zu erlebendem Ich. Damit wird die existentielle Bindung des Erzählaktes an das Erlebnis, die in einem früheren Kapitel (4.6.) für das „Ich mit Leib" als charakteristisch beschrieben wurde, voll wirksam. Diese ES ermöglicht besonders viele Variationen und Modulationen, die sich wiederum auf einem Kontinuum darstellen lassen, das auf dem Typenkreis als Strecke vor und nach der Stelle, wo der Idealtypus Ich-ES lokalisiert ist, erscheint. Das primäre Ordnungsprinzip dieses Kontinuums ist die relative Verteilung der Gewichte zwischen erzählendem und erlebendem Ich und das Spannungsfeld, das sich entsprechend dieser Verteilung zwischen den beiden Phasen oder Aspekten des Ich aufbaut. In *Moby-Dick, Tristram Shandy* und in Siegfried Lenz' *Deutschstunde* nimmt das erzählende Ich mit der Darstellung des Erzählaktes mitunter die Aufmerksamkeit des Lesers mehr in Anspruch als das erlebende Ich. Im „klassischen" Ich-Roman mit autobiographischer Ich-Form sind die Verhältnisse ausgewogen, das erlebende Ich nimmt den größeren Teil der Erzählung in Anspruch, doch stellt sich auf Grund der Allgegenwart und der Gewichtigkeit der Kommentare des erzählenden Ich ein Äquilibrium zwischen erlebendem und erzählendem Ich ein, wie z. B. in *Moll Flanders, David Copperfield, Der grüne Heinrich* und *Felix Krull*. Diese Form des Ich-Romans kann auch deshalb als die „klassische" bezeichnet werden, weil in ihr das Spannungsfeld zwischen den beiden Ich schließlich immer zu einem Ausgleich gebracht wird, einem Ausgleich, der von einigen Kritikern des bürgerlichen Romans des 19. Jahrhunderts, wie z. B. Jean-Paul Sartre, als wirklichkeits- und problemfremd bezeichnet wurde.[31] In der Tat ist die Zahl der problematisierenden, zu keiner Stabilisierung der Verhältnisse zwischen Held und Welt gelangenden Erzählungen in dieser Form etwas geringer, wie es scheint, als in Erzählungen, die in den zu beiden Seiten angrenzenden Abschnitten des Typenkreises zu lokalisieren sind.

Schreitet man auf dem Typenkreis von der Ich-Erzählsituation in Richtung auf die personale ES, so zeigen sich Veränderungen in den Formen der Ich-Erzählung, die eine gewisse Ähnlichkeit mit den Veränderungen der Formen der Er-Erzählung zwischen auktorialer und personaler ES zu erkennen geben. Auch hier ist der Vorgang mehrschichtig, das heißt, die Übergänge lassen sich nicht streng linear ordnen, sondern es gibt Überschneidungen zwischen den einzelnen Phänomenen. Dennoch sollen der Übersichtlichkeit halber diese Erscheinungen in jener Ordnung aufgeführt und diskutiert werden, die dem System, das im Typenkreis schematisch zur Darstellung gelangt, am nächsten kommt:

1. Das erzählende Ich tritt mehr und mehr zurück; das Gleichgewicht zwischen erzählendem und erlebendem Ich, kennzeichnend für die quasi-autobiographische Ich-Erzählung, wird zugunsten einer Dominanz des erlebenden Ich aufgegeben. Damit verliert die Leiblichkeit des Erzähler-Ich an Bedeutung für die Motivation des Erzählvorganges, nicht aber als physische Basis der Bewußtseinszustände des erlebenden Ich. Der Erzählakt selbst wird nicht mehr thematisiert, folglich bleiben Anreden an den Leser oder Zuhörer mehr und mehr aus.

2. Der Fokus der Darstellung konzentriert sich immer deutlicher im erlebenden Ich. Der Akzent liegt auf dem Geschehen „in actu", auf dem Erlebnis im momentanen Jetzt und Hier, durch welches auch der Wissens- und Wahrnehmungshorizont des erlebenden Ich abgegrenzt wird. Parallel dazu verschiebt sich der Schwerpunkt der Motivation der Handlung von Einsicht, Wille, Überlegung zu unbewußtem oder nur halbbewußtem Reagieren, im Extremfall zum bloßen neurophysiologischen Reflex.

3. Mit dem Zurücktreten des erzählenden Ich verringert sich auch fast immer die Erzähldistanz, die im quasi-autobiographischen Ich-Ro-

---

31 Vgl. *Typische Formen*, 22.

man die Voraussetzung für die ausgeglichene und einsichtige Haltung des erzählenden Ich zu seinen früheren Erlebnissen bildet. Holden Caulfield erzählt nur einige Monate nach den „sinnlosen" Erfahrungen der Tage in New York; sein erlebendes Ich verdrängt in der großen Konfession das erzählende Ich fast vollständig. Becketts Ich-Figuren vegetieren ihrer existentiellen Auflösung entgegen, einer Auflösung, die nicht zuletzt an der Distanzlosigkeit zwischen erzählendem und erlebendem Ich sichtbar wird.

An einer Stelle dieses Abschnittes des Typenkreises sind Brief- und Tagebuchromane anzusetzen. Für die systematische Einordnung des Briefromans ist nicht die Zahl der am Briefwechsel beteiligten Korrespondenten maßgeblich, sondern in erster Linie die zeit-räumliche und innere, d. h. psychologische Distanz, die der Briefschreiber von seinem Erlebnis gewinnt. In diesem Sinne ist, genau genommen, die ES für jeden Brief gesondert zu bestimmen. So reicht z. B. die Distanzskala in Richardsons *Pamela* von der Dauer einer Woche, über die sie einen zusammenfassenden Bericht gibt, bis zur „instantaneous description" jener kritischen Augenblicke, in denen die Annäherung ihres Versuchers und Peinigers von ihrer Feder von Sekunde zu Sekunde registriert wird.[32]

In Entsprechung zu den dialogisierten Erzählungen auf der Seite des auktorial-personalen Kontinuums ist auch auf der Ich-Seite des Typenkreises die dialogisierte Erzählung ungefähr in der Mitte zwischen Ich-ES und personaler ES anzunehmen. Das Vorherrschen des Dialogs ist dabei nur ein sekundäres Einordnungskriterium. Primär ist für diese Lokalisierung – ebenso wie für die dialogisierte Erzählung auf der gegenüberliegenden Seite des Typenkreises – die Tatsache maßgeblich, daß hier der Erzähler schon fast völlig zurückgetreten ist, eine Reflektorfigur aber noch nicht erkennbar wird. Da also in beiden Fällen das Einordnungskriterium das Fehlen von distinktiven Merkmalen (von der Dialogisierung abgesehen) ist, wird verständlich, warum sich eine Ich-Erzählung dieser Art (z. B. Hemingways „Fifty Grand") fast gar nicht von einer Er-Erzählung vergleichbarer Art (z. B. „The Killers") unterscheidet. Beide sind neben Dialogisierung und dem Vorherrschen von szenischer Darstellung vor allem durch die Absenz von

---

32 Vgl. S. Richardson, *Pamela*, Everyman's Library 1955, Bd. 1, 125 und 158 f. et passim. Der Begriff „instantaneous description" erscheint in Richardsons „Preface" zu *Clarissa Harlowe*. Zur Gestaltung der Erzähldistanz im Briefroman siehe Natascha Würzbach, *The Novel in Letters*, London 1969, XV ff.

sowohl Erzählerfigur als auch Reflektorfigur gekennzeichnet. Mono-
logische Formen stellen schließlich den Übergang zwischen der
Ich-ES und der personalen ES her. Im inneren Monolog tritt dem Leser ein Ich gegenüber, das bereits die charakteristischen Merkmale einer Reflektorfigur aufweist: es erzählt nicht, wendet sich an keinen
Zuhörer oder Leser, sondern spiegelt in seinem Bewußtsein seine eigene momentane Situation, einschließlich von Rückerinnerungen, die
durch diese Situation aufgerufen werden. Die in einem inneren Monolog dargestellte äußere Welt erscheint also nur als Reflex im Bewußtsein der Ich-Figur. Da im Raum der Bewußtseinsdarstellung und bei
Absenz einer Erzählerfigur die Unterscheidung zwischen Ich- und
Er-Bezug merkmallos wird, wie in einem früheren Kapitel bereits dargelegt wurde,[33] erfolgt der Übergang vom Sektor der Ich-ES zu jenem
der personalen ES auf dem Typenkreis unauffällig. Auch diese Grenze
ist eine offene Grenze. Das Wesen des Typenkreises als Schema eines
Formenkontinuums ohne kategoriale Teilung bestätigt sich auch hier
noch einmal.
In den nachfolgenden Abschnitten werden einige Probleme, die sich in
dem eben beschriebenen Ich-Sektor des Typenkreises ergeben, noch
etwas eingehender analysiert.

7.2.4. Das Ich:Ich-Schema der quasi-autobiographischen
Erzählsituation

> I hope that I am a wiser and more charitable
> man now than I was then – I am certainly a
> happier man – and that the light of wisdom
> falling upon a fool can reveal, together with
> folly, the austere outline of truth.
> (Iris Murdoch, *The Black Prince,* Vorrede
> des Ich-Erzählers Bradley Pearson)

Das charakteristische Merkmal der quasi-autobiographischen Ich-ES
ist die innere Spannung zwischen dem Ich als Helden und dem Ich als
Erzähler. Für diese beiden Phasen im Leben des Erzähler-Ich wurden
in den *Typischen Erzählsituationen* die Begriffe „erlebendes Ich" und

---

33 Vgl. oben 4.8.2. und auch K. Tillotsons Ansicht, daß sich die Sterbeszene
   von Paul Dombey in *Dombey and Son*, dargestellt in auktorial-personaler
   Er-Form, der Ich-Form nähere. *The Novel of the 1840s*, 192.

„erzählendes Ich" vorgeschlagen.[34] Die Erzähldistanz, die zeitlich, räumlich und psychologisch die beiden Phasen des Erzähler-Ich trennt, ist im allgemeinen ein Maß für die Intensität des Erfahrungs- und Bildungsprozesses, dem das erzählende Ich unterworfen war, ehe es begann, seine Geschichte zu erzählen. Die Erzähldistanz (zwischen erzählendem und erlebendem Ich) ist daher auch einer der wichtigsten Ansatzpunkte für die Interpretation des quasi-autobiographischen Ich-Romans. Die Vielfalt ihrer Gestaltungen reicht von Identifikation bis zu völliger Entfremdung zwischen erzählendem und erlebendem Ich. Der ältere quasi-autobiographische Ich-Roman endet häufig mit einer totalen Wandlung der moralischen Persönlichkeit der Ich-Figur, dort dominiert daher die Entfremdung, die Abkehr vom früheren Ich, wie etwa in Grimmelshausens *Der abenteuerliche Simplicissimus*,[35] und Defoes *Moll Flanders*. Dabei wird aber der Kontinuität der psychologischen Entwicklung der Persönlichkeit des Ich-Erzählers oft noch wenig Aufmerksamkeit zugewendet. So erwecken z. B. zahlreiche Kommentare der moralisch gewandelten Moll Flanders zur Geschichte ihres früheren Lebens als Diebin, Dirne und Bigamistin den Eindruck, als hätte Defoe hier das erlebende Ich der Moll Flanders zusammen mit den Reflexionen eines fremden auktorialen Ich in das Joch einer einzigen Person gespannt.[36] Die Geschichte des quasi-autobiographischen Ich-Romans ist die Geschichte der immer überzeugenderen psychologischen Integration von erlebendem und erzählendem Ich.

In der quasi-autobiographischen Ich-Erzählung wird auch der Erzählvorgang selbst ein wesentlicher Teil der Geschichte, doch auf eine andere Art als in einer auktorialen Erzählung. Zwar ist den beiden ES

---

34 Vgl. *Typische Erzählsituationen*, 61 f. Die Prägung dieser beiden Begriffe erfolgte noch ohne Kenntnis von L. Spitzers Aufsatz „Zum Stil Marcel Prousts", wo Spitzer eine ähnliche Unterscheidung macht, wenn er vom „*geheimnisvolle[n] Doppelspiel der beiden Ich*, des überlegen erzählenden und des benommenen, dumpf erlebenden" bei Proust spricht. *Stilstudien II*, München 1928, 478. Vgl. auch B. Romberg, *First-Person Novel*, 95 f.

35 Vgl. Clemens Heselhaus, „Grimmelshausen, *Der abenteuerliche Simplicissimus*", in: *Der deutsche Roman*, Düsseldorf 1963, Bd. 1, 28 ff.

36 Die Interpretationsschwierigkeiten, die sich daraus ergeben, hat man nicht sehr erfolgreich mit Hilfe des Ironiebegriffs zu überbrücken gesucht: die auktorial gefärbten Kommentare Molls seien ironisch aufzufassen. Hier liegt in der Tat ein Interpretationsproblem dieses Romans vor, auf das schon Ian Watt hingewiesen hat. Vgl. *The Rise of the Novel*, London 1957, 115–118.

gemeinsam, daß die Ausführlichkeit, in der der Erzählvorgang mit dargestellt wird, sehr stark variieren kann – auch für die Ich-ES läßt sich eine Skala erstellen, die von großer Ausführlichkeit (in der Nähe der Anschlußstelle zur peripheren Ich-ES) bis zur fast völligen Ausklammerung des Erzählvorganges (im Übergang zum inneren Monolog) reicht –, wesentlicher aber ist, was sie trennt. In der Ich-ES ist der Erzählakt eine Form der Fortsetzung der Erlebnisse des Ich, daraus entspringt eine existentielle Motivation zum Erzählen, die der auktorialen ES fremd ist. Der quasi-autobiographische Ich-Erzähler bleibt trotz seiner mannigfachen Wandlungen durch zahlreiche existentielle Fäden an sein früheres Ich gebunden. Blickt er wie Moll Flanders oder Felix Krull aus der Ferne des abgeklärten Alters auf die Irrungen und Wirrungen seines einstigen Lebens zurück, so wird dem Erzähler meist ein Ordnungsmuster in dem so überschauten Leben erkennbar; hat er wie Holden Caulfield oder Oskar Mazerath diesen Abstand von seinem Ich der Erlebnisphase noch nicht oder nur teilweise gewonnen, dann werden Konfusion, Chaos und Orientierungslosigkeit der Erfahrung auch Teil des Erzählvorganges. Je kürzer die Erzähldistanz, je näher das erzählende Ich dem erlebenden Ich steht, desto enger ist der Wissens- und Wahrnehmungshorizont des erlebenden Ich und desto geringer ist die Wirkung der Erinnerung als Katalysator, der die Erlebnissubstanz zu klären imstande ist.[37] Zwischen der Begrenzung des Wissenshorizontes und der Wirkung der Erinnerung in der Ich-Erzählung besteht also ein enger Zusammenhang.

---

37 Auch relativ geringfügige Veränderungen im Ich: Ich-Schema können für die Interpretation wichtig sein, so etwa die Unterschiede zwischen *David Copperfield* und *Great Expectations*. Vgl. Kurt Tetzeli von Rosador, „Charles Dickens: *Great Expectations*. Das Ende eines Ich-Romans", *Die Neueren Sprachen*, N. F. 18 (1969), 399–408, wo recht aufschlußreich das Problem der zwei Schlüsse dieses Romans mit der Gestaltung des Ich: Ich-Schemas in Beziehung gebracht wird. R. B. Partlow, Jr., „The Moving I: A Study of the Point of View in *Great Expectations*", *College English* 23 (1961), 122–131, kommt ohne Bezug auf meine Theorie der Ich-Erzählung zu ähnlichen Ergebnissen. Interessant ist, daß Partlow die Wirkung der Distanzierung des erzählenden vom erlebenden Ich mit einem Übergang vom Ich- zum Er-Bezug gleichsetzt: „there is often such a great difference between the two I's that the latter, the 'I-as-I-was' becomes virtually 'he'". (124).

7.2.5. „Point of View" und Erinnerung in der Ich-Erzählung

> A minimum of memory is indispensible, if
> one is to live really.
> (S. Becketts Malone in *Malone Dies*)

Durch das Ich:Ich-Schema wird die Begrenzung des Wissens- und Erfahrungshorizontes des Ich-Erzählers immer wieder thematisiert. Für
den Romanautor ergeben sich daraus, im Gegensatz zu einer weit verbreiteten Ansicht, mehr Vorteile als Nachteile. Die Vorteile liegen vor
allem in der konkreten Gestaltung, die hier die Mittelbarkeit des Erzählens erfährt. Die Nachteile, oder was herkömmlicherweise als
Nachteil angesehen wird, sind fast immer Folgen eines ungeschickten
Einsatzes der Ich-ES oder aber einer zu buchstäblichen Beachtung des
„point of view" des Ich-Erzählers. Es haben sich auch eine Reihe von
Konventionen eingebürgert, wie z. B. die Lauschszene und die Selbstbetrachtung des Ich-Erzählers im Spiegel,[38] mit denen solche Schwierigkeiten umgangen werden. Was jedoch auf der Bühne ein an-
spruchsvolles Mittel der Perspektivierung und Ironisierung sein kann,
man denke nur an Shakespeares Steigerung des Motivs der Lauschszene und seiner Wirkung in *Love's Labour's Lost*, bleibt im Roman
fast immer eine Verlegenheitslösung. Dennoch hat sich die Lausch-
oder Schlüssellochszene im Ich-Roman immer einer gewissen Be-
liebtheit erfreut. Sie findet sich z. B. schon in einem der ersten Ich-
Romane, in Thomas Nashes *The Unfortunate Traveller,* in einer sehr
sensationellen Form: der Ich-Erzähler wird durch eine Mauerspalte
hindurch Zeuge, wie ein Bandit eine tugendhafte Matrone, auf den
Leichnam ihres ermordeten Gatten gebettet, vergewaltigt.[39] Auch
Dickens hat sich, wie die meisten anderen viktorianischen Autoren,
dieser Konvention bedient, so z. B. im 50. Kapitel des *David Copperfield* (784 ff.), wo allerdings die langen Treppen und die halbangelehn-
ten Türen eines Hauses, das als Absteigquartier für Martha und als
schließlicher Zufluchtsort von Emily dient, sehr günstige Voraussetzungen für eine solche Szene bieten, von denen Dickens dann auch den

---

38 Die Selbstbetrachtung im Spiegel findet sich gelegentlich – aus denselben
    Gründen wie in der Ich-Erzählung – auch in Erzählungen mit personaler
    ES. Die Funktion des Spiegels kann dort auch durch eine Nebenfigur über-
    nommen werden, die vorübergehend zum Reflektor des Bildes der Haupt-
    figur wird. Vgl. *The Ambassadors*, New York 1948, 6.
39 Vgl. dazu meinen Beitrag, „Thomas Nashe: *The Unfortunate Traveller*", in:
    Der englische Roman, Düsseldorf 1969, Bd. 1, 71 f.

denkbar besten Gebrauch macht. Aber auch die große Erzählkunst eines Dickens kann nicht ganz verbergen, daß eine solche Lauschszene im Roman eine Verlegenheitslösung bleibt. Solche Verlegenheitslösungen kommen letzten Endes aus einem zu engen Verständnis der perspektivischen Notwendigkeiten und Möglichkeiten der Ich-ES, das auch manchen romantheoretischen Erörterungen der Ich-Form zugrundeliegt. Es ist K. Hamburger zuzustimmen, wenn sie der Ansicht von G. Misch entgegentritt, daß „die Lebendigkeit des produzierenden Vorstellens" in der „Ich-Darstellung leichter und lustvoller" zu erzielen sei als dort, wo sich die Phantasie in eine dritte Person zu versetzen hat (249). Aber selbst wenn man dem Ich-Erzähler die Gabe des „perfect memory" zubilligt, so daß ihm u. a. die wörtliche Wiedergabe von langen Dialogen aus längst vergangenen Tagen möglich wird, so ist damit noch immer nicht alles abgedeckt, was z. B. in den großen Ich-Romanen des 18. und 19. Jahrhunderts von Ich-Erzählern dargestellt wird.

Die Rolle des Ich-Erzählers, so wie sie von einem großen Teil der Kritiker und auch Theoretiker des Ich-Romans aufgefaßt wurde, bedarf ebensosehr der Entschematisierung wie die Rolle des auktorialen Erzählers. Das Schematische stammt aus den verschiedenen realistischen und naturalistischen Programmen, in denen der Erzähler vorwiegend als mit der Wiedergabe von Sachverhalten, die ihm durch eigene Erfahrung, autoptische Beobachtungen oder gewissenhaft recherchierte Nachforschungen zur Kenntnis gekommen sind, beschäftigt aufgefaßt wird. Der literarische Ich-Erzähler hat sich aber nie sehr viel um diese Programme und Vorschreibungen gekümmert und gab sich oft mit der Funktion des gewissenhaften Berichterstatters des selbst Erfahrenen nicht zufrieden, sondern nahm auch die Privilegien in Anspruch, die eigentlich nur dem Autor als Schöpfer des Erzählten zustehen. So gehen viele Ich-Erzähler weit über eine Nachschrift des Selbsterfahrenen hinaus, indem sie das Erzählte aus ihrer Einbildungskraft wiedererstehen lassen. Dabei wird die Grenze zwischen Evokation aus der Erinnerung und einfühlender Nachschöpfung aus der Phantasie oft aufgehoben. Reproduktive Erinnerung und produktive Imagination erweisen sich dann als zwei verschiedene Ansichten eines und desselben Vorganges.[40] Die Funktion der Erinnerung in der Ich-Erzählung

40 Vgl. dazu Lothar Cernys Untersuchungen der Ich-Romane von Dickens, *Erinnerung bei Dickens*, Amsterdam 1975, bes. 59 ff., 144 ff., 204 ff. Cerny versucht auch auf Grund des besonderen Erinnerungsverlaufs bei den einzelnen Ich-Erzählern charakteristische Erinnerungshaltungen zu unterscheiden, die dann weitgehend mit Erzählhaltungen gleichzusetzen sind.

reicht also weit über die in landläufiger Auffassung der Erinnerung zu-
geschriebene Fähigkeit zur Vergegenwärtigung des Vergangenen hinaus. Das Erinnern selbst ist bereits ein Vorgang des Erzählens, durch
den das Erzählte ästhetisch gestaltet wird, vor allem durch Auswahl
und Strukturierung des Erinnerten.[41] Wir müssen also annehmen, daß
das erzählende Ich durch viel mehr als nur eine äußerliche „in persona"-Identität mit seinem erlebenden Ich und dessen Erfahrungswelt
verbunden ist. Hier wird ein weiterer, in tiefere Schichten des literarischen Werkes hinabreichender Unterschied zwischen Ich-Erzählung
und auktorialer Erzählung offenbar. Für einen auktorialen Erzähler
wird im Erzählvorgang die kreative Potenz der Erinnerung nie im gleichen Maße wirksam werden wie in einem Ich-Erzähler, der seine Geschichte in einem Akt der Erinnerung evoziert. Der Ich-Erzähler David Copperfield verstößt daher nur in einem sehr oberflächlichen Sinn
gegen die Begrenzung seines Wissens- und Wahrnehmungshorizontes,
wenn er z.B. vom Zustand seiner Mutter unmittelbar vor seiner Geburt eine so eingehende Schilderung gibt, als hätte er ihn selbst beobachtet:

My mother was sitting by the fire, but poorly in health, and very low in spirits,
looking at it through her tears, and desponding heavily about herself and the fa-
therless little stranger, who was already welcomed by some grosses of prophetic
pins in a drawer upstairs, to a world not at all excited on the subject of his arriv-
al; my mother, I say, was sitting by the fire, that bright, windy March afternoon,
very timid and sad, and very doubtful of ever coming alive out of the trial that
was before her, when, lifting her eyes as she dried them, to the window oppo-
site, she saw a strange lady coming up the garden.
My mother had a sure foreboding at the second glance, that it was Miss Betsey.
The setting sun was glowing on the strange lady, over the garden-fence, and she
came walking up to the door with a fell rigidity of figure and composure of coun-
tenance that could have belonged to nobody else.
(*David Copperfield,* 51 f.)

Es ist nicht notwendig, den Ich-Erzähler hier zum auktorialen Erzähler zu deklarieren.[42] Die Szene ist ein durch und durch authentisches
Produkt der imaginativen Einfühlung des Ich-Erzählers, dem es nicht
schwerfällt, aus seiner allgemeinen Erinnerung an das Wesen seiner
Mutter dieses besondere Bild von ihr in seiner Vorstellung zu evozie-
ren. Eine Verifikation durch ein „as I have been informed and be-

---

41 Vgl. L. Cerny, *Erinnerung bei Dickens*, 95 ff., und allgemein zu dieser
    Thematik F. A. Yates, *The Art of Memory*, London 1969.
42 So etwa L. Cerny, *Erinnerung bei Dickens*, 107.

lieve", wie es z. B. gleich im zweiten Satz des Romans erscheint, ist daher hier gar nicht erforderlich.

Wo sich die Gestaltung des Ich:Ich-Schemas dem Idealtypus der Ich-ES nähert, stellt sich ein Äquilibrium zwischen den Kommentaren des erzählenden Ich und den Manifestationen des erlebenden Ich ein. Die Vorstellung des Lesers orientiert sich annähernd gleichmäßig hin zu beiden Positionen des Ich. Natürlich kann vorübergehend eine Position das Übergewicht erlangen, auf längere Strecken der Lektüre hin stellt sich jedoch meistens wieder ein Ausgleich ein. Die erste Hälfte des *David Copperfield* entspricht weitgehend diesem Modell, in der zweiten Hälfte büßt das erlebende Ich etwas an Bedeutung ein, da die Erzählung sehr ausführlich auf Charaktere eingeht, die nicht mit David im Zentrum des Geschehens stehen: Mr. Peggotty, Betsey Trotwood, Wickfield, Uriah Heep, Mr. Micawber. Die beiden folgenden Zitate, die das Hervortreten zuerst des erzählenden und dann des erlebenden Ich belegen sollen, sind daher dem ersten Teil des Romans entnommen. Die erste Stelle schildert Davids Abschied von Dr. Strong und seiner Schule in Canterbury am Anfang des 19. Kapitels:

I am doubtful whether I was at heart glad or sorry, when my school-days drew to an end, and the time came for my leaving Doctor Strong's. I had been very happy there, I had a great attachment for the Doctor, and I was eminent and distinguished in that little world. For these reasons I was sorry to go; but for other reasons, unsubstantial enough, I was glad. Misty ideas of being a young man at my own disposal, of the importance attaching to a young man at his own disposal, of the wonderful things to be seen and done by that magnificent animal, and the wonderful effects he could not fail to make upon society, lured me away. So powerful were these visionary considerations in my boyish mind, that I seem, according to my present way of thinking, to have left school without natural regret. The separation has not made the impression on me that other separations have. I try in vain to recall how I felt about it, and what its circumstances were; but it is not momentous in my recollection. I suppose the opening prospect confused me. I know that my juvenile experiences went for little or nothing then; and that life was more like a great fairy story, which I was just about to begin to read, than anything else. *(David Copperfield*, 330)

Dieser Teil der Erzählung besteht nur aus Bericht und Reflexionen des *erzählenden* Ich. Mehrere Elemente unterstreichen den Charakter der Retrospektion, die die erzählte Begebenheit auch in der Vorstellung des Lesers in die Vergangenheit rücken: die Gegenwart des erzählenden Ich bildet den Nullpunkt für die zeitliche Orientierung, der nicht zuletzt auch durch das wiederholte Auftreten des Präsens bzw. des „Present Perfect" bei den auf den Erzählakt bezogenen Verben deutlich markiert ist („I am doubtful", „I seem", „has not made", „I try",

„I suppose", „I know"); weiters die Erzähldistanz, die im „then" und
dem damit implizierten „now" angedeutet ist, schließlich die zusammenfassende Charakterisierung der Situation, so wie sie sich damals
dem Helden darstellte; und nicht zuletzt der Hinweis auf den gezielten
Erinnerungsakt, mit seinem charakteristischen Verlauf, „I try in vain
to recall how I felt about it . . . I suppose . . . I know . . .". Hier zeigt
sich, wie die Erinnerung die Barriere der zeitlichen Ferne des aufgerufenen Ereignisses überwindet, indem sie in die Unbestimmtheitsstelle
einer Erinnerungslücke eine wenigstens allgemein bestimmte Erklärung einsetzt. Es kann gar keinen Zweifel darüber geben, daß der Leser bei der Lektüre dieses Kapitelanfanges vor allem das erzählende
Ich in seiner Vorstellung konkretisiert, während das erlebende Ich für
ihn nur recht vage im Hintergrund sichtbar wird.

Zur Illustration einer Stelle, in der das erlebende Ich im Vordergrund
steht, eignet sich am besten eine Szene mit einem Dialog, an dem David selbst Anteil hat. Solche Stellen sind sehr zahlreich in diesem Roman. Es kann aber auch ein Stück Bericht vom Standpunkt des erlebenden Ich gegeben werden. So wird gegen Schluß von Kapitel 17 ein
Stück Handlung ganz aus der Sicht des erlebenden Ich berichtet: der
für David völlig überraschende Auszug Mr. und Mrs. Micawbers aus
Canterbury. Am Tage nach einer großzügigen Dinnereinladung bei
den Micawbers erhält David einen Brief von Mr. Micawber, der ihm
mitteilt, daß Mr. Micawber durch finanzielle Umstände gezwungen
sei, die Stadt schleunigst zu verlassen, um in London das Unvermeidbare, die Einziehung in das Schuldgefängnis, zu erwarten:

I was so shocked by the contents of this heart-rending letter, that I ran off directly towards the little hotel with the intention of taking it on my way to Doctor
Strong's, and trying to soothe Mr Micawber with a word of comfort. But,
half-way there, I met the London coach with Mr and Mrs Micawber up behind; Mr Micawber, the very picture of tranquil enjoyment, smiling at Mrs Micawber's conversation, eating walnuts out of a paper bag, with a bottle sticking
out of his breast pocket. As they did not see me, I thought it best, all things considered, not to see them. So, with a great weight taken off my mind, I turned into
a by-street that was the nearest way to school, and felt, upon the whole, relieved
that they were gone; though I still liked them very much, nevertheless. (*David
Copperfield,* 322.)

Obgleich es sich um berichtende Erzählweise handelt, wird hier der
Leser nicht das erzählende Ich, sondern das erlebende Ich in seiner
Vorstellung konkretisieren. Diese Orientierung nach dem Jetzt und
Hier des erzählenden Geschehens wird dadurch erleichtert, daß auf
den Erzählvorgang selbst nirgends ausdrücklich hingewiesen wird.

Noch ausdrücklicher aber sieht sich der Leser durch die Beschränkung des „point of view" auf die Sicht des naiven, gutgläubigen jungen David in die Szene versetzt. Das unerklärlich zufriedene Aussehen Mr. Micawbers bei seiner angeblich dringenden Abreise verursacht zwar ein leichtes Staunen in David, doch unterläßt es das erzählende Ich, sich hier mit einem aufklärenden Kommentar einzuschalten. Für eine solche Aufklärung ist der Stand der Geschichte noch nicht reif. Auch ein Ich-Erzähler ist in der Regel, ebenso wie ein auktorialer Erzähler, sehr bemüht, seine Geschichte so zu erzählen, daß sie für den Leser stets spannend bleibt.

7.2.6. Die Ich-Erzählsituation und erlebte Rede

Die Diskussion des Begriffs erlebte Rede bezog sich sehr lange fast ausschließlich auf Belegbeispiele aus sogenannten Er-Erzählungen, weil dort eines der distinktiven Merkmale der ER, die Überlagerung der Rede, der Wahrnehmung oder des Gedankens einer Romangestalt durch die Vermittlungsfunktion eines Erzählers am sinnfälligsten sichtbar gemacht werden konnte. Daraus entstand dann der Eindruck, daß dieses Phänomen überhaupt nur in Er-Texten festzustellen sei.[43] K. Hamburger stellt sogar die These auf, daß ER im Ich-Roman „weder in bezug auf dritte Personen noch auf den Ich-Erzähler selbst" vorkommen könne (250). Diese These ist angesichts der nicht unbeträchtlichen Zahl von gegenteiligen Textbeispielen nicht haltbar bzw. kann wiederum nur auf der Ebene der „Tiefenstruktur" der Erzählung Gültigkeit beanspruchen. Am nachdrücklichsten und überzeugendsten hat Dorrit Cohn die Existenz der ER auch in Ich-Erzählungen nachgewiesen,[44] wie etwa folgendes von Cohn übernommene Zitat aus H. Hesses *Der Steppenwolf* zeigt:

Ach ja, ich kannte diese Erlebnisse, diese Wandlungen, die das Schicksal seinen Sorgenkindern, seinen heikelsten Kindern bestimmt hat, allzu gut kannte ich sie […] Sollte ich all dies nun wirklich noch einmal durchleben? All diese Qual, all diese irre Not, all diese Einblicke in die Niedrigkeit und Wertlosigkeit des eigenen Ich, all diese furchtbare Angst vor dem Erliegen, all diese Todesfurcht?

---

43 Vgl. etwa Werner Hoffmeister, *Studien zur erlebten Rede bei Thomas Mann und Robert Musil*, London et al. 1965, 22 ff., und A. Neubert, *Stilformen*, 6 f. et passim.

44 Dorrit Cohn, „Erlebte Rede im Ich-Roman", *GRM*, N.F. 19 (1969), 303–313. Vgl. dazu auch W. J. M. Bronzwaer, *Tense in the Novel*, 53 ff.

War es nicht klüger und einfacher, die Wiederholung so vieler Leiden zu verhüten, sich aus dem Staub zu machen? Gewiß, es war einfacher und klüger [...] Nein, bei allen Teufeln, es gab keine Macht in der Welt, die von mir verlangen konnte, nochmals eine Selbstbegegnung mit ihren Todesschauern und nochmals eine Neugestaltung, eine neue Inkarnation durchzumachen [...] Genug und Schluß damit! (H. Hesse, *Gesammelte Dichtungen*, Frankfurt/M. 1952, Bd. 4, 255 f.)

Dorrit Cohn kann auch an Hand eines Vergleichs von Textstellen aus Kafkas *Das Schloß,* in denen sich entsprechend der in diesem Roman vorherrschenden personalen ES viel erlebte Rede findet, mit den entsprechenden Stellen aus der in der Ich-Form stehenden Manuskriptfassung der ersten Kapitel des Romans zeigen, daß in der Ich-Fassung an den gleichen Stellen erlebte Rede zu finden ist wie in der endgültigen personalen Er-Fassung. Weiters stellt Cohn fest, daß sich „die erlebte Rede im Ich-Roman nur dort [findet], wo der Schwerpunkt ganz auf dem erlebenden Ich liegt, wo demnach das erzählende Ich unbetont, ja ungestaltet ist [...]. Diese Empathie mit dem vergangenen Ich-Stadium scheint uns eine der Vorbedingungen für die erlebte Rede im Ich-Roman zu sein" (308f.). Damit ist auch bereits eine der Ursachen aufgedeckt, warum erlebte Rede als Form der Gedankendarstellung – die erlebte Rede als Redewiedergabe ist zunächst auszuklammern – im Ich-Roman verhältnismäßig selten erscheint. Wie bereits gezeigt wurde, schiebt sich gerade in den häufigsten Formen der Ich-Erzählung, nämlich in der Quasi-autobiographischen, das erzählende Ich oft so stark in den Vordergrund, daß die für das Erscheinen von erlebter Rede vorauszusetzende Empathie mit dem erlebenden Ich nicht mehr recht gelingt: Das erzählende Ich mit seinem Jetzt und Hier im Erzählakt bestimmt die Orientierung des Lesers.
G. Steinberg hat darauf aufmerksam gemacht, daß auch grammatische Unterschiede zwischen der ER einer Ich-ES einerseits und einer auktorialen oder personalen ES andererseits bestehen. Im besonderen zeigt er, daß die Transposition des Personenbezuges von Ich zu Er, an dem ER neben der Transposition der Tempora erkennbar ist, bei ER, mit der ein erzählendes Ich die Gedanken des erlebenden Ich wiedergibt, natürlich nicht erfolgt. Bleibt dann auch noch die Transposition der Verbformen aus, etwa bei Übernahme eines Irrealis oder eines Infinitivs mit ergänzenden Angaben, dann kann die in einer Ich-ES erscheinende ER von DR ununterscheidbar werden. „Die E. R. mit der 1. Person überschneidet sich [in einer Ich-Erzählung ...] häufiger mit D. R. als E. R. einer Er-Erzählung." Gleichzeitig aber versucht Steinberg, die geringe Beachtung, die der ER in der Ich-Form bisher ge-

schenkt wurde, mit der geringeren Häufigkeit der Ich-Erzählung im Vergleich zur Er-Erzählung im allgemeinen zu erklären: „Die Dominanz der E. R. in der 3. Person [. . .] erklärt sich nicht aus einer Eigenart der E. R., sondern eben aus der quantitativen Überlegenheit der [. . .] Er-Erzählung".[45] Das Faktum der quantitativen Verteilung von Ich- und Er-Erzählung im Roman ist aber nur sekundär von Bedeutung. Primär steht die geringe Häufigkeit der erlebten Rede in Ich-Erzählungen in einem direkten Zusammenhang mit den strukturellen Erzählbedingungen, die durch die Ich-ES geschaffen werden! Faßt man, wie schon im Kapitel 7.1.2. dargelegt, die Doppelperspektive von Erzähler und Romanfigur als das wesentlichste Merkmal der erlebten Rede auf, dann bietet sich für die geringere Häufigkeit der erlebten Rede in Ich-Erzählungen die Erklärung an, daß Doppelperspektiven dieser Art in Ich-Erzählungen seltener sind als in Er-Erzählungen, weil diese Doppelperspektive in einer Ich-Erzählung keine wirkliche Doppelung der Perspektive ergibt, denn das erzählende Ich ist und bleibt schließlich mit dem erlebenden Ich doch „in persona" identisch.

Bisher wurde die ER nur als Mittel zur Wiedergabe von Gedanken, Wahrnehmungen etc. betrachtet. ER erscheint jedoch in der Ich-Erzählung – ebenso wie in der Er-Erzählung – auch zur Wiedergabe von Rede. Jetzt wird eine Differenzierung zwischen ER als Gedanken- und Redewiedergabe notwendig. Zunächst ist festzuhalten, daß ER als Gedankenwiedergabe innerhalb einer Ich-ES immer nur mit Bezug auf die Person des Ich-Erzählers möglich ist, dagegen kann ER als Redewiedergabe innerhalb einer Ich-ES auch für die Rede anderer Charaktere erscheinen, da ja für die Darstellung von Rede eine Beschränkung des Wissenshorizontes des Ich-Erzählers nicht gegeben ist. Besonders wichtig scheint aber zu sein, daß innerhalb einer Ich-ES Gedanken- und Redewiedergabe mittels ER ganz verschiedene Wirkungen auszulösen vermögen.

Als eines Tages David Copperfield seinem „doll wife" Dora schonend klarzumachen versucht, daß er nun völlig mittellos sei, kann Dora diese Nachricht einfach nicht glauben:

But I looked so serious, that Dora left off shaking her curls, and laid her trembling little hand upon my shoulder, and first looked scared and anxious, then began to cry. That was dreadful. I fell upon my knees before the sofa, caressing her, and imploring her not to rend my heart; but, for some time, poor little Dora

---

45 G. Steinberg, *Erlebte Rede*, 299 ff., 271 und 293.

did nothing but exclaim Oh dear! Oh dear! And oh, she was so frightened! And where was Julia Mills! And oh, take her to Julia Mills, and go away, please! until I was almost beside myself. (*David Copperfield,* 603)

Die Worte, die Dora in ihrem Weinkrampf hervorstößt und mit denen sie ihren Verlobten auffordert, sie in Ruhe zu lassen und ihre Freundin herbeizuholen, stehen in ER. Die eigentliche Mischung aus direktem Ausruf und berichteter bzw. erlebter Rede hier und in einem ganz ähnlichen Zusammenhang noch einmal zwei Seiten weiter (605) gibt Doras Worten in den Ohren des Lesers einen ganz besonderen Klang. ER läßt die Hysterie der Reaktion der unreifen und verwöhnten Dora deutlicher hörbar werden als direkte Rede, weil durch sie hindurch auch die Stimme des erzählenden Ich, David, zu hören ist, der über die Distanz der Jahre hinweg diese Szene vielleicht mit einer gewissen Verwunderung, sicher aber nicht mehr mit der Betroffenheit seines früheren Ich, das die Szene erlebte, in seiner Erinnerung wieder wachruft. Die Darstellung von Doras hysterischen Ausrufen durch ER wirkt deutlich distanzierend und ironisierend. Anders hat Fritz Karpf diese Stelle interpretiert. Karpf meint, daß ER hier stärker als direkte Rede wirke: „[...] nicht nur dringt das Jammern des verwöhnten child-wife Dora rührender an das Ohr des Lesers, es scheint mir, daß mit dieser Form der Redewiedergabe auch ein Vorwurf des Erzählers gegen sich selbst, ein später Vorwurf über seine damalige Unvernunft, beabsichtigt ist".[46] Die Tatsache, daß ER hier in einer Ich-ES erscheint, wird von Karpf nicht berücksichtigt.

Daß mit Hilfe von ER der charakteristische Tonfall und Klang der Rede einer Romanfigur nicht nur schärfer als in indirekter, sondern auch deutlicher als in direkter Rede erfaßt werden kann, soll nun an Hand eines längeren Zitats aus Richardsons Briefroman *Clarissa Harlowe* demonstriert werden. In ihrem zweiten Brief an ihre Freundin Miss Howe weiß Clarissa (Clary) von dem Besuch eines Mr. Lovelace bei ihrer Schwester Arabella zu berichten. Arabella hat sie gleich am nächsten Tag von dem Gespräch zwischen ihr und Mr. Lovelace, der allgemein als Werber um Arabellas Hand angesehen wird, unterrichtet. Die folgende Stelle aus Clarissas Brief an Miss Howe beginnt bereits mit einem ER-Zitat (zwischen Anführungszeichen!) der von Arabella an Clarissa gerichteten Worte. Das Zitat ist an der Transposi-

---

46 Fritz Karpf, „Die erlebte Rede im Englischen", *Anglia* 45 (1933), 242f. Dieser Aufsatz ist im übrigen eine der ersten Arbeiten eines Anglisten über ER, die als kritische Materialsammlung auch heute noch sehr nützlich ist.

tion von „O my beloved Clary!" in „O her beloved Clary!" als ER erkennbar, wie auch im folgenden dann für Arabellas „I" immer „she"
und für das auf Clarissa bezogene „you" stets „I" oder „me" gesetzt
wird: „let her tell me" steht also als Wiedergabe für die direkte Rede,
„let me (Arabella) tell you (Clarissa)":

"So handsome a man! – O her beloved Clary!" (for then she was ready to love
me dearly, from the overflowings of her good humour on his account!). "He was
but *too* handsome a man for *her*! – Were she but as amiable as *somebody,* there
would be a probability of *holding* his affections! – For he was wild, she heard;
very wild, very gay; loved intrigue. But he was young; *a man of sense:* would see
his error, could she but have patience with his faults, if his faults were not cured
by marriage."
Thus she ran on; and then wanted me "to see the charming man," as she called
him. Again concerned, "that she was not handsome enough for him"; with, "a
sad thing, that the man should have the advantage of the woman in that particular!" – But then, stepping to the glass she complimented herself, "That she was
very *well:* that there were many women deemed passable who were inferior to
herself: that she was always thought comely; and comeliness, let her tell me,
having not so much to lose as Beauty had, would hold, when that would eva-
porate or fly off. Nay, for that matter" (and again she turned to the glass), "her
features were not irregular; her eyes not at all amiss." And I remember they
were more than usually brilliant at that time. – "Nothing, in short, to be found
fault with, though nothing very engaging, she doubted – was there, Clary?"
(*Clarissa Harlowe*, Everyman's Library, 5)

Die Wirkung der ER, die hier sowohl zur direkten als auch zur indirekten Rede hin ausufert, wird – das ist besonders aufschlußreich – in ihrem spezifischen Effekt durch die Kursivsetzung einzelner Wörter und
Phrasen im Original, die die emphatische Betonung (durch die Spre-
cherin Arabella und nicht die Korrespondentin Clarissa) sichtbar bzw.
hörbar zu machen suchen, noch verstärkt. Indem Clarissa den enthu-
siasmierten Tonfall von Arabella so genau transkribiert, kommentiert
sie ihn auch zugleich. Es wird deutlich, daß Clarissa die Schwärmerei
ihrer Schwester Arabella nicht teilt. Den gleichen Eindruck hinterläßt
auch die Verkürzung der Rede Arabellas auf das stereotyp Schwärme-
rische, ausgelöst durch die Verwendung der ER. Diese Stelle aus *Clarissa Harlowe* bildet somit ein interessantes Parallelstück zu der im
Abschnitt 7.1.5. zitierten Stelle aus *Mansfield Park*. In beiden Beispielen wird Rede der Romancharaktere durch ER wiedergegeben, wobei
die Rede*weise* besonders charakterisiert wird, bei Jane Austen vornehmlich durch die Wortwahl, bei Richardson durch Wortwahl und
Tonfall. In beiden Fällen markiert die Wahl der ER darüber hinaus
eine gewisse Distanziertheit des Vermittlers der Rede von den eigent-

lichen Sprechern. Die aus *Clarissa Harlowe* zitierte Stelle ist darüber
hinaus für unseren Zusammenhang sehr aufschlußreich, weil Clarissa
gleich im Anschluß daran selbst erklärt, daß es ihr bei dem vorangehenden Bericht vor allem auf die Wiedergabe von „air and manner in
which things are spoken" ankam:

Excuse me, my dear, I never was thus particular before [. . .] you will always
have me give you minute descriptions, nor suffer me to pass by the air and manner in which things are spoken that are to be taken notice of; rightly observing
that air and manner often express more than the accompanying words. (*Clarissa
Harlowe,* 5)

Betrachten wir diese Stelle zusammen mit der in 7.1.5. zitierten Passage aus *Mansfield Park,* so scheint die Schlußfolgerung nicht unbe-
rechtigt, daß ER als Form der Redewiedergabe eine sehr subtile Möglichkeit der Charakterisierung und indirekten Kommentierung des
Tonfalls dieser Rede bietet. Weiters ist zu schließen, daß hinsichtlich
der Funktion der ER als Redewiedergabe keine Unterschiede zwischen der Er- und der Ich-Form der Erzählung zu bestehen scheinen,
während hinsichtlich der Funktion der ER als Gedankenwiedergabe
die Dinge etwas anders liegen. In einer auktorialen oder auktorial-
personalen ES entsteht die für ER charakteristische Doppelperspektive zwischen dem Erzähler und der denkenden, fühlenden oder etwas
wahrnehmenden Romanfigur. Sie verteilt sich also auf zwei Personen
mit verschiedenen Standpunkten, Ansichten, Urteilen usw. Anders in
einer Ich-ES; hier ist ER als Gedankendarstellung nur für Gedanken,
Gefühle, Wahrnehmungen der Person des Ich-Erzählers möglich. Die
Doppelperspektive ergibt sich hier, wie schon Dorrit Cohn klargestellt
hat, zwischen dem erzählenden Ich und dem erlebenden Ich: „So wie
die erlebte Rede im Er-Roman nur dort erscheint, wo der Erzähler
völlig hinter seiner Romanfigur verschwindet und der Erzählakt selbst
unbetont ist, so findet sich die erlebte Rede im Ich-Roman nur dort,
wo der Schwerpunkt *ganz* auf dem erlebenden Ich liegt, wo demnach
das erzählende Ich unbetont, *ja ungestaltet* ist" (308). Diese Ansicht ist
vielleicht dahingehend zu modifizieren, daß man die durch meine
Sperrungen angedeuteten Verstärkungen wegläßt und damit Cohns
Ausschließungskriterium etwas abschwächt. Für die Ich-Erzählung
bewirkt ER als Gedankendarstellung tatsächlich eine Einengung des
Fokus der Darstellung auf das erlebende Ich in seinem Jetzt und Hier,
während gleichzeitig das erzählende Ich zurückgedrängt, seine Präsenz aber nicht völlig verleugnet wird, es wäre nämlich sonst nicht von
ER, sondern von einem stillen Monolog zu sprechen.

Durch die Form der ER als Form der Gedankendarstellung in einer Ich-ES wird also der Subjektivität der Erfahrung des erlebenden Ich ein Ausdrucksspielraum geschaffen, in dem es sich, wenn auch oft nur vorübergehend, unbeeinträchtigt durch die andere „Instanz" seiner Person, das erzählende Ich, entfalten kann. In einer Ich-ES fördert daher ER viel häufiger die Empathie des Lesers mit dem erlebenden Ich als sie eine Distanzierung oder Ironisierung des erzählenden Ich und damit des Lesers vom erzählenden Ich auslöst. Dagegen bewirkt ER in auktorialer (nicht personaler!) ES sehr oft eine Distanzierung des Lesers von der dargestellten Romanfigur, weil diese Distanz in der Doppelperspektive von Erzähler und Romanfigur bereits angelegt ist. ER ist daher auch als Mittel zur Sympathiesteuerung des Lesers anzusehen, doch ist ihre Wirkung in diesem Sinne, wie gezeigt wurde, nicht zuletzt auch davon abhängig, in welcher ES sie erscheint.

7.3. Von der Ich-Erzählsituation zur personalen Erzählsituation

> Contract full intimacy with the stranger within thee.
> (E. Young an S. Richardson, *Conjectures on Original Composition*)

Wenn sich der Darstellungsfokus mehr und mehr auf das erlebende Ich konzentriert, werden Innenperspektive und Eingrenzung der dargestellten Wirklichkeit auf die Innenwelt dominante Merkmale der Ich-Erzählung. Wir nähern uns auf dem Typenkreis dem Innenperspektivepol der Perspektivenachse. Die Erzählformen, die sich dabei zeigen, sind ebenso vielfältig wie anspruchsvoll und oft auch schwierig. Dieser Sektor des Typenkreises wurde daher auch – vom Briefroman abgesehen – erst in der modernen Erzählliteratur etwas dichter besiedelt.

Das Zurücktreten des erzählenden Ich und die gleichzeitige Konzentration des Darstellungsfokus im erlebenden Ich ist natürlich auch – allerdings immer nur vorübergehend – im quasi-autobiographischen Ich-Roman zu beobachten. Die Verlagerung des Darstellungsfokus vom erzählenden Ich zum erlebenden Ich und wieder zurück zum erzählenden Ich ist sogar ein Strukturmerkmal dieser Ich-Form, die man auch als Sequenz von Stellen mit dem Darstellungsfokus abwechselnd im erzählenden und im erlebenden Ich umschreiben könnte.

In Ich-Romanen wie *Huckleberry Finn, The Catcher in the Rye, Under the Net*, sind erzählendes und erlebendes Ich praktisch nicht mehr voneinander zu unterscheiden, da hier der Fokus der Darstellung ganz auf das Ich in seinem Jetzt und Hier des Erlebnisses eingestellt ist.

Der Tagebuchroman *(La Nausée)* nimmt einen Aspekt des inneren Monologs vorweg: das Tagebuch-Ich wendet sich an kein Du, sondern monologisiert, spricht also zu sich selbst. Im Roman in der zweiten Person *(La Modification)* ist das Du eigentlich nur eine Selbstdramatisierung des Ich, auch hier herrscht also die Form des Monologs vor.[47]

Im dramatischen Monolog schließlich spricht das monologisierende Ich zwar zu einem Du, doch bleibt dieses Du eine Unbestimmtheitsstelle, die der Leser nur annähernd und auf indirekte Weise konkretisieren kann. Der Gesprächspartner und Zuhörer des Sprechers im dramatischen Monolog kommt nämlich selbst nie zu Wort, doch werden seine Reaktionen auf das Gesagte oder seine Einwürfe manchmal indirekt in der Rede des Sprechers registriert. Genau betrachtet ist der dramatische Monolog nicht-narrativ, weil er nur aus direkt zitierter Rede besteht. In diesem Punkt nähert er sich den Ich-Erzählungen mit stark kolloquial gefärbtem Erzählakt, wie z. B. *Huckleberry Finn* und *The Catcher in the Rye,* die wir allerdings ohne Einschränkung zur narrativen Gattung zählen. Der gattungstheoretische Unterschied liegt darin, daß das in *The Catcher in the Rye* und in ähnlichen kolloquialen Ich-Erzählungen implizierte Du ein impliziter Leser, das im dramatischen Monolog implizierte Du dagegen eine implizite Romanfigur ist. Beiden Formen, der kolloquialen Ich-Erzählung und dem dramatischen Monolog, ist aber die Spontaneität der Äußerung des Erzähler-Ich gemeinsam. Diese Spontaneität verbindet sie auch mit dem inneren Monolog. Der dramatische Monolog als selbständige Erzählung erscheint im übrigen fast nur als Kurzform der Erzählung, wie etwa in K. Mansfields „A Lady's Maid", Sinclair Lewis' „Travel is So Broadening" oder Dorothy Parkers „Lady With a Lamp".

Gehen wir einen Schritt weiter auf dem Typenkreis, so stoßen wir auf den eigentlichen inneren Monolog („direct interior monologue").[48]

---

47 Das ist eine Vereinfachung, die aber für unseren Zusammenhang die Du-Erzählung zureichend charakterisiert. Daß in M. Butors Roman die vous-Form komplexe Funktionen übernimmt, hat recht überzeugend Françoise v. Rossum-Guyon in *Critique du roman* im wesentlichen an Hand dieses Romans nachgewiesen.

48 Der Begriff „indirect interior monologue", wie er in der englisch-amerikanischen Romantheorie in Anlehnung an Larbaud und Dujardin verwendet

Das Monolog-Ich schreibt seine Erfahrungen und Gedanken nicht nieder, es strebt auch keine mündliche Kommunikation mit einem Gesprächspartner an, sondern enthüllt unwissentlich seinen Bewußtseinsinhalt vor dem Leser. Das Ich eines Tagebuchromans (Roquentin in *La Nausée*) ist noch eine Erzählerfigur, das Ich eines inneren Monologs (Gustl in „Leutnant Gustl") ist bereits eine Reflektorfigur. Zwischen diesen beiden Erzählformen verläuft auf der Ich-Seite des Typenkreises die Grenze zwischen dem Erzählerbereich und dem Reflektorbereich des Typenkreises. Auch diese Grenze ist eine offene Grenze. So ist z.B. das Ich in S. Becketts *Malone Dies* eine Reflektorfigur, solange sich der innere Monolog auf den gegenwärtigen Bewußtseinszustand Malones, der im Bett liegend auf seinen Tod wartet, bezieht. Dieses Ich verwandelt sich aber immer wieder noch einmal in eine Erzählerfigur, gleichsam um sich mit dem Erzählen der Geschichte von Saposcat, Macmann u.a. die Zeit bis zum völligen Verlöschen der Lebensfunktionen zu vertreiben. Diese Geschichten werden außerdem noch im Präteritum erzählt, während die inneren Monologe dieses Romans im Präsens stehen. Aber auch diese Teilung gilt nicht absolut: Erinnerungen aus dem eigenen Leben drängen sich in Malones inneren Monolog, sie werden folgerichtig im Präteritum berichtet.

Es zeigt sich also, daß auch der innere Monolog keine in sich geschlossene Form ist*. Wie schon aus der Ausdehnung des Abschnittes, der ihm auf dem Typenkreis zugeordnet wird, zu erschließen ist, sind viele Modifikationen dieser Form möglich. Abgesehen von der „Tiefe" der Bewußtseinsdarstellung im einzelnen inneren Monolog, die ein inhaltliches Kriterium darstellt und daher in unserem System keine Berücksichtigung finden kann, lassen sich mehrere Stufen der Ablösung vom Vermittlungsmodell Ich-Erzählung erkennen. Die zwei wichtigsten Stufen sind markiert durch den Übergang des Tempus vom Präteritum zum Präsens und die Verdrängung des einheitlichen Ich-Bezugs durch einen Wechsel zwischen Ich- und Er-Bezug bzw. zwischen Ich, Er und dem unpersönlichen Pronomen „man", und schließlich durch das völlige Ausbleiben des eindeutigen Bezugs auf die Kategorie „Person". Die Ablöse des Ich-Bezugs bereitet darum den Übergang vom Bereich der Ich-ES zum Bereich der personalen ES, in der der Er-Bezug dominiert, vor.

In längeren Erzählwerken, in denen der innere Monolog vorherrscht,

---

wird, bezeichnet im Sinne unserer Terminologie im wesentlichen eine Innenweltdarstellung mit Hilfe der personalen ES.

erscheinen meistens jeweils mehr als eine dieser Ausfaltungen der Form des inneren Monologs. Die Lokalisierung der entsprechenden Werke auf dem Typenkreis kann daher, genau genommen, immer nur für einen Teil des Werkes vorgenommen werden. In Faulkners *The Sound and the Fury* bestehen die ersten drei von den insgesamt vier Großsegmenten aus inneren Monologen dreier verschiedener Charaktere. Alle drei Monologe stehen im Präteritum. In ihnen wird auch noch relativ viel Außenwelt, äußeres Geschehen im Haushalt der Compson Familie, zur Darstellung gebracht bzw. ein Großteil der Vorgeschichte in der Erinnerung der Charaktere aufgerufen. Alle drei Faktoren zusammen erzeugen beim Leser den Eindruck, als seien die Ich-Figuren mit einem stillen „Erzählakt" beschäftigt, der allerdings an keinen Zuhörer oder Leser gerichtet ist. In Faulkners *As I Lay Dying* ist in einigen Segmenten das Präteritum durch das Präsens ersetzt. Die Verwendung des Präsens für die Darstellung des momentanen Bewußtseinszustandes verstärkt den Reflektor-Charakter des jeweiligen Monolog-Ich, andererseits ermöglicht es eine deutliche Abgrenzung des momentanen Bewußtseinsinhaltes von den Rückerinnerungen, für die weiterhin das Präteritum verwendet wird. Diese präteritalen Rückerinnerungen tragen wiederum ein erzählendes Moment in den inneren Monolog hinein, so auch in den im übrigen sehr konsequent durchgeführten inneren Monolog von Molly Bloom im letzten Kapitel des *Ulysses*.

Im *Ulysses* sind, vor allem im ersten Teil (z. B. „Proteus" und „Lästrygonen"), längere Passagen mit Bewußtseinsdarstellung zu finden, in denen der Bezug auf den Träger des Bewußtseins zwischen Ich und Er wechselt. Dieser Wechsel deutet darauf hin, daß in diesem Bereich des Typenkreises, in der Übergangszone zwischen Ich-ES und personaler ES, die Opposition „Person" merkmallos geworden ist. Das wird auch an der Häufigkeit des hinsichtlich der Opposition „Person" nondistinktiven Pronomens „one" in der Bedeutung von „man" und an dem Vorherrschen von infiniten Formen des Verbums wie Infinitiv oder Partizipium oder von anakoluthartigen Satzfragmenten ohne Verbum, die keine Rückschlüsse auf die Kategorie „Person" ermöglichen, deutlich.

Dorrit Cohns Vorschlag, den Ort dieser Merkmallosigkeit der Ich-/Er-Distinktion nicht an der Ich-/Er-Bezugsgrenze, bzw. der Übergangszone von der Ich-ES (des inneren Monologs) zur personalen ES, sondern am Reflektor-Pol anzusetzen,[49] wäre zu realisieren, wenn

---

49 Vgl. „The Encirclement of Narrative", *Poetics Today* 2 (1981), 174.

man die triadische Anlage der Typologie durch eine dualistische ersetzt, wie dies Cohn vorschlägt. Es ist aber gerade die triadische Anlage, die deutlich werden läßt, daß es keine kategorialen und unüberschreitbaren Grenzen in diesem System gibt. Auch die Ich/Er-Grenze, die von vielen Erzähltheoretikern als eine kategoriale Grenze angesehen wird – ein narrativer Text müsse entweder in der grammatischen Form der ersten oder der dritten Person stehen, es gäbe kein Mittelding dazwischen, keinen Übergang von einem zum anderen[50] –, ist keine unüberschreitbare Trennlinie, wie weiter oben bereits anhand des Formenkontinuums in der Umgebung des Erzählerpols zwischen der auktorialen Er-Form und der Ich-Form der Ich-ES demonstriert werden konnte. Ähnlich fließend sind auch die Übergänge zwischen Er- und Ich-Bezug in der Umgebung des Reflektorpols, zwischen personaler ES und Ich-ES. Dabei soll nicht übersehen werden, daß sich diese Grenzüberschreitungen vor allem in Erzählungen mit innovatorischem Charakter ereignen (wie z. B. in Joyces *Ulysses*). So bleibt z. B. im ersten Absatz des „Lästrygonen"-Kapitels die Frage Ich- oder Er-Bezug offen, da kein expliziter pronominaler oder nominaler Hinweis auf den Bewußtseinsträger – es handelt sich um Leopold Bloom – erfolgt und auch nur infinite Verbalformen erscheinen, wodurch Person (erste oder dritte) und Tempus (Präsens oder Präteritum) unbestimmt bleiben:

Pineapple rock, lemon platt, butter scotch. A sugarsticky girl shovelling scoopfuls of creams for a christian brother. Some school treat. Bad for their tummies. Lozenge and comfit manufacturer to His Majesty the King. God. Save. Our. Sitting on his throne, sucking red jujubes white.
(J. Joyce, *Ulysses*, 150).

Ein solcher Text, in dem sowohl ein Er- als auch ein Ich-Bezug latent enthalten ist („Bad for their tummies [he thought/I believe]"), wäre, eine entsprechende Ausdehnung dieser Darstellungsweise vorausgesetzt, genau an der Übergangsstelle zwischen personaler ES und Ich-ES (innerer Monolog) anzusiedeln.
Entscheidend ist, daß hier der Modus „showing", markiert durch die Anwesenheit Blooms als Reflektorfigur auf der Szene, vorherrscht, d. h. daß alle dargestellten äußeren und inneren Vorgänge als Bewußtseinsinhalt von Leopold Bloom aufzufassen sind. In der Erfüllung die-

---

50 Vgl. z. B. A. Staffhorst, *Die Subjekt-Objekt-Struktur*, 20 f.

ser Erzählfunktion treffen sich innerer Monolog und personale ES und verbinden sich nahtlos, so also, daß es für den Leser gar nicht mehr relevant ist zu fragen, ob in der Ich- oder in der Er-Form erzählt wird. Hier schließt somit die Beschreibung der einen Hälfte des Typenkreises (der Bereich der Ich-ES) an die Beschreibung der anderen Hälfte (auktoriale und personale ES) an.[51]

7.3.1. Sterben in der Ich-Form

> Ich fliege ... ich träume ... ich schlafe ...
> ich träu ... träu – ich flie ...
> (A. Schnitzler, Ende von „Fräulein Else")

Die Schwierigkeiten, die sich bei der Darstellung des Todes eines Erzähler-Ich ergeben, haben die Autoren nicht davon abgehalten, die Ich-Form für die fiktionale Gestaltung dieser Grenzsituation zu wählen. Im älteren Roman ist es vor allem die Briefform, die dafür verwendet wird. Sie gestattet dem Autor, die intime Selbstdarstellung der Gedanken und Gefühle des dem Tode Geweihten bis an die äußerste Schwelle des Lebens zu bringen. Nach dem Tode ergreift dann, wie im *Werther,* ein auktorialer Erzähler in der Rolle des Herausgebers der Briefe das Wort, um die Geschichte zu vollenden; oder aber die anderen Korrespondenten runden die Erzählung ab, wobei manchmal auch noch, wie in *Clarissa Harlowe,* der fiktionale Herausgeber der Briefe in die Erzählung eingreift. In allen diesen Fällen wird also der Ich-Erzähler nach seinem Tod durch andere Erzähler abgelöst, an die Stelle der Innenperspektive tritt eine Außenperspektive der Darstellung. Diese Lösung des Darstellungsproblems findet sich auch noch in neue-

---

51 Damit ist auch klargestellt, daß nicht der innere Monolog, sondern eine Form der Bewußtseinsdarstellung, wie an Hand des Zitats aus dem „Lästrygonen"-Kapitel des *Ulysses* illustriert wurde, den Übergang von Ich-ES zu personaler ES markiert. Betrachtete man den inneren Monolog als die der Übergangsstelle am nächsten kommende Form, dann zeigte sich tatsächlich, wie Dorrit Cohn eingewendet hat, „a division line at the mid-point of Stanzel's continuous arc" („K. enters *The Castle*", 42), da sich dann an der Übergangsstelle eine Erzählform mit 1. Person und Präsens und eine Erzählform mit 3. Person und Präteritum gegenüberstünden.

ren Romanen, so z. B. in Iris Murdochs *The Black Prince,* wo der Tod des Ich-Erzählers Bradley Pearson durch einen fiktionalen Herausgeber der Autobiographie mitgeteilt wird. Andere moderne Autoren haben sich mit dieser konventionellen Form der Darstellung des Todes des Ich-Erzählers nicht zufriedengegeben. Indem sie das Erzähler-Ich zur Reflektorfigur machten, versuchen sie das Sterben selbst ohne Aufgabe der Innenperspektive darzustellen. Die Intensität der Wirkung einer solchen Sterbeszene, die den Leser gleichsam zwingt, die letzten Augenblicke des Sterbenden mitzuerleben, kann sehr nachhaltig sein. Die Möglichkeiten, der Individualität der Ich-Figur in diesem entscheidenden Moment gerecht zu werden, sind jedoch begrenzt. Das allmähliche Verlöschen des Bewußtseins nimmt in innerperspektivischer Darstellung leicht etwas stereotype Züge an. Ein gewisses Unbehagen daran scheint auch der Anlaß für Wayne Booths Kritik an dem Schluß von Schnitzlers innerem Monolog „Fräulein Else" zu sein: „The mistake of Schnitzler in *Fräulein Else* is not, of course, in entering a character's mind but in entering it at the wrong time for the wrong purpose". Booth widerlegt sich dann aber selbst, wenn er in einer (wahrscheinlich nachträglich angefügten) Fußnote einen durchaus beifälligen Kommentar zu K. A. Porters Kurzgeschichte „The Jilting of Granny Weatherall", in der das Bewußtsein in der Titelfigur ebenso wie in „Fräulein Else" bis in den Augenblick des Todes hinein dargestellt wird, abgibt. Eher trifft zu, daß der Verzicht von K. A. Porter, „to be literal and realistic in the heroine's language" den eigentlichen Unterschied zwischen beiden Sterbeszenen ausmacht.[52] Wie aus einem Vergleich der als Motto zu Beginn dieses Abschnittes zitierten letzten Bewußtseinsfragmente von Fräulein Else mit jenen Malones aus Becketts *Malone Dies* deutlich wird, ist Schnitzlers Verfahren eher mit dem Becketts als mit jenem von K. A Porter vergleichbar:

[. . .]
or light light I mean
never there he will never
never anything
there
any more
(*Molloy. Malone Dies. The Unnamable,* 289)

---

52 Vgl. W. C. Booth, *Rhetoric*, 61.

Fräulein Else und Malone haben persönlich so gut wie nichts miteinander gemeinsam. Die Form des inneren Monologs, in der sich ihr Sterben darstellt, macht sie aber in einer Weise einander ähnlich, die der Individualität ihrer Persönlichkeit nicht gemäß zu sein scheint. Das Problem wurde hier aufgegriffen, weil es geeignet ist, einen wichtigen Unterschied sichtbar zu machen, der zwischen der Ich- und den Er-Formen der Bewußtseinsdarstellung trotz der im vorangegangenen Abschnitt festgestellten Merkmallosigkeit von Ich- und Er-Bezug besteht. Der Unterschied liegt auch nicht primär im Ich-/Er-Bezug selbst, sondern in den verschiedenen Möglichkeiten der Einbettung in einen größeren narrativen Kontext, den Bewußtseinsdarstellungen in der Ich-Form und der Er-Form bieten. Der innere Monolog ist durch die Fixierung auf Innenperspektive in dieser Hinsicht viel weniger flexibel als die Bewußtseinsdarstellung mittels einer personalen ES. In einer personalen ES kann Innenperspektive jederzeit in neutral-objektive oder auch persönlich-auktoriale Außenperspektive übergeleitet werden. Bei der Darstellung des Sterbens einer Romanfigur, die als personales Medium fungiert, kann daher ein (auktorialer) Erzähler jederzeit Beistand leisten. Auf diese Weise wird die Gefahr der Stereotypisierung der letzten Äußerungen, Gedanken, Wahrnehmungen des Sterbenden umgangen. Beispiele dafür ließen sich in großer Zahl anführen. Tolstojs „Der Tod des Iwan Iljitsch" ist deshalb für unseren Zusammenhang sehr aufschlußreich, weil in dieser Erzählung vom Leben, von der Krankheit und dem schließlichen Tod der Titelfigur das Erzählprofil einen deutlichen Anstieg von vorherrschend auktorialer zu vorherrschend personaler ES zu erkennen gibt. Nichtsdestoweniger verweigert am Ende der Erzähler dem Sterbenden nicht seinen auktorialen Beistand:

,Und der Tod? Wo ist er?'
Und er suchte nach seiner früheren, so gewohnten Todesangst und konnte sie nicht finden. Wo war sie? Und was war das für ein Tod? Es war keine Angst da, weil auch kein Tod mehr da war.
Anstelle des Todes war ein Licht da.
„So ist das also!" sagte er plötzlich laut. „Welch eine Freude!" Für ihn geschah das alles in einem Augenblick, und die Bedeutung dieses Augenblickes wurde nicht mehr anders.
Für die Anwesenden freilich dauerte der Todeskampf noch zwei Stunden. In seiner Brust brodelte es; sein erschöpfter Körper zuckte zuweilen. Allein dieses Brodeln und Keuchen wurde immer seltener und seltener.
„Es ist zu Ende!" sagte jemand über ihm.
Er hörte diese Worte und wiederholte sie in seinem Geiste. ,Zu Ende der Tod', sagte er sich. ,Er ist nicht mehr.'

Er schöpfte noch einmal Luft, blieb mitten darin stecken, streckte sich lang aus und war tot. (*Der Tod des Iwan Iljitsch. Familienglück,* Wiesbaden o.J., 88)

Ganz ähnlich verfährt Th. Mann in „Der Tod in Venedig". Auf H. G. Wells' offene Gestaltung des Schlusses von „The Country of the Blind", die hieher zu stellen ist, falls man annimmt, daß Nunez am Ende stirbt, wurde schon hingewiesen. Der einsame Tod Geralds in der Schneewüste der Tiroler Berge in *Women in Love* wird auch auf eine solche personal-auktoriale Weise dargestellt. Daß sich dabei perspektivische Probleme, nämlich aus dem Übergang von personaler Innenperspektive zu auktorialer Außenperspektive ergeben können, wurde in den *Typischen Erzählsituationen* an Faulkners Gestaltung des Todes von Hightower aufgezeigt (56 ff.). Katherine Anne Porters Erzählung „The Jilting of Granny Weatherall" vereinigt beide Elemente, die hier zur Debatte stehen, den Wechsel zwischen Er- und Ich-Bezug und den auktorialen Beistand, der der Sterbenden geleistet wird. Die Geschichte von der Krankheit und dem Tod Granny Weatheralls wird in einer vorwiegend personalen ES mit Granny Weatherall als personalem Medium dargeboten. Die Darstellung der Gedanken der bis zu ihrer letzten Stunde sehr resoluten Granny wechselt dabei mehrfach von der personalen Er-Form zur Ich-Form über, so daß Teile der Geschichte den Charakter eines inneren Monologs annehmen. Dieser Bezugswechsel ereignet sich sogar noch im letzten Absatz. Das letzte Wort aber hat der auktoriale Erzähler, durch dessen lakonischen Bericht das Sterben der Granny zu einem ihre ganze Persönlichkeit noch einmal erhellenden Gestus wird:

For the second time there was no sign. Again no bridegroom and the priest in the house. She could not remember any other sorrow because this grief wiped them all away. Oh, no, there's nothing more cruel than this – I'll never forgive it. She stretched herself with a deep breath and blew out the light. (*The Collected Stories,* New York 1965, 89)

Als eine erzählerische „tour de force" in der Gestaltung dieses Themas ist W. Goldings Roman *Pincher Martin* (1956) anzusehen. Der Ertrinkungstod des schiffbrüchigen Titelhelden, der sich mit letzter Kraft an ein von Meereswogen überspültes Felsenriff klammert, wird unmittelbar aus dem Erlebnis des Ertrinkenden dargestellt, wobei eine personale ES vorherrscht, in der aber immer wieder kurze Abschnitte eines inneren Monologs auftauchen. Für unseren Zusammenhang ist neben diesem Wechsel von Er- und Ich-Bezug vor allem interessant, daß die Darstellung der letzten Phase des Sterbens nur mehr in personaler ES erfolgt.[53]

Als wesentlichstes Ergebnis dieses Vergleichs von Sterbeszenen in der Ich-Form und der Er-Form ist also festzuhalten, daß die Wahl zwischen Ich- und Er-Form für die Darstellung des Bewußtseins des Sterbenden unerheblich ist, nicht aber für die Einbettung der Sterbeszene in einen größeren narrativen Kontext. Unter diesem Gesichtspunkt erweist sich die personal-auktoriale Form der Gestaltung einer Sterbeszene jener mittels eines inneren Monologs zumindest darin überlegen, daß sie für die Darstellung der Individualität des Sterbenden mehr Spielraum gewährt als die strenge Innenperspektive eines inneren Monologs oder einer rein personalen ES.

7.3.2. „Camera Eye"

> I am a camera with its shutter open, quite passive, recording, not thinking.
> (Christopher Isherwood, *Goodbye to Berlin*)

Bei Christopher Isherwood bleibt die Selbstcharakteristik des Ich-Erzählers als „camera" Programm, die Erzählweise wird davon kaum bestimmt. In John Dos Passos' Trilogie *USA* tragen jene wiederkehrenden Kapitel, die eine Montage von zeitgenössischen „background"-Materialien zur Geschichte enthalten, die Überschrift „Newsreel". Als erzähltechnischer Terminus taucht der Begriff bei Norman Friedman auf, der ihn auch in dem Sinne definiert, wie er hier verstanden wird: „[...] the ultimate in authorial exclusion. Here the aim is to transmit, without apparent selection or arrangement, a ‚slice of life' as

---

53 Vgl. W. Golding, *Pincher Martin*, London 1956, 201. Im übrigen stoßen Kinkead-Weekes und Gregor bei ihrem Vergleich der Darstellung des Schiffbrüchigen in *Robinson Crusoe* und *Pincher Martin* auf einen Gegensatz in der Struktur dieser beiden Werke, der im wesentlichen mit der Opposition Erzählerfigur – Reflektorfigur identisch ist: „Where Defoe's passage is dominated by the personal pronoun, in Golding it is not the beholder but what is beheld that takes all our attention. He works to make us experience as directly as possible what is being described [...] We are never, as in Defoe, an audience for a narrator. We are inside a head, we are a pair of eyes, a consciousness aware of fear and pain". Mark Kinkead-Weekes und Ian Gregor, *William Golding, a critical study*, London 1967, 123 f.

it passes before the recording medium".[54] Friedman betrachtet „The Camera" im wesentlichen als Vervollständigung seiner Skala der „point of view"-Techniken, scheint ihr jedoch keine große Bedeutung beizumessen. Seit Friedman haben aber Autoren in einem Maße von der „Camera Eye"-Technik Gebrauch gemacht – der „nouveau roman" hat mit dieser Technik stärker als mit irgend einer anderen seiner charakteristischen Innovationen beispielgebend gewirkt –, daß eine kurze Analyse der „Camera Eye"-Technik nicht zu umgehen ist. Am besten kann vielleicht ein Vergleich mit dem in mancher Hinsicht verwandten inneren Monolog dieser Absicht entsprechen. Für einen solchen Vergleich hat Christian Paul Casparis, ausgehend von einer Studie der Funktion des Präsens in beiden Formen, eine sehr wichtige Vorarbeit geleistet.[55] Casparis geht von der engen Affinität zwischen innerem Monolog und „Camera Eye" aus, die zusammen ein Formkontinuum bilden, so daß eine scharfe Abgrenzung der einen Erscheinung von der anderen gar nicht möglich sei (58 f.). Die Einordnung der beiden Erzählformen in unser System läßt aber erkennen, in welcher Hinsicht dennoch eine Differenzierung zwischen den beiden Formen – die im übrigen auch bei Casparis angedeutet ist – notwendig wird. Zunächst sollen die wichtigsten Charakteristika der beiden Formen in parallelen Kolonnen einander gegenübergestellt werden:

	Innerer Monolog	„Camera Eye"
Person:	Ich-Bezug	Ich-/Er-Bezug ununterscheidbar
Tempus der Darstellung:	Präsens	Präsens
Tempus der Erinnerung:	Präteritum	fehlt
Perspektive:	Innenperspektive Innenwelt Innensicht	Innenperspektive? Außenwelt fehlt

---

54 N. Friedman, „Point of View in Fiction", 1178f. Vgl. dazu auch Leon Edel, „Novel and Camera", in: John Halperin (Hrsg.), *The Theory of the Novel. New Essays*, New York 1974, 177–188.
55 Vgl. C.P. Casparis, *Tense Without Time*, 49–62.

Modus:	Reflektorfigur (persönlich) Vollstufe des Bewußtseins	Reflektorfigur (unpersönlich) Reduktionsstufe des Bewußtseins
Strukturierung d. Inhalts:	durch Wahrnehmung, Assoziation, Erinnerung (vorherrschend metaphorisch)	nur durch Wahrnehmung (vorherrschend metonymisch)

Aus dieser Gegenüberstellung lassen sich eine Reihe von Aspekten ablesen, die für die Einordnung des inneren Monologs und des „Camera Eye" in unser System von Interesse sind. Zur Opposition ‚Person': Wenn die „Camera Eye"-Technik eine Unterscheidung zwischen Ich-/Er-Bezug nicht zuläßt, so könnte das zunächst als Folge der Merkmallosigkeit der Opposition ‚Person' im Bereich der Bewußtseinsdarstellung erklärt werden. Die Merkmallosigkeit hängt aber in diesem Fall mit der Entpersönlichung des Bewußtseins, das gewissermaßen das Kameraauge trägt, zusammen. Aus demselben Grunde ist das Kameraauge-Bewußtsein auch zu keiner Erinnerung fähig, sondern nur auf die Wahrnehmung von Außenwelt beschränkt, deren Elemente sich ihm im wesentlichen metonymisch darbieten, d. h. die Dinge werden nicht durch Assoziationen, sondern durch ihre Kontiguität im Raum, durch ihr Nebeneinander, in dem sie wahrnehmbar sind, gereiht. Casparis spricht von einer „reflection of the retina, but not the reflection in the mind", fügt aber auch gleich eine wichtige Einschränkung hinzu: Die Entpersönlichung des Darstellungsvorganges mittels der „Camera Eye"-Technik kann in der Literatur nie so weit getrieben werden wie etwa im Film: „There can be no pretence of reflecting like a mirror. Camera-Eye technique is linked to ‚humanity' physiologically in terms of *Gestalt* perception, not to speak of its dependence on human language. It can merely *aspire* to present sensation detached from cognition, mental reflection, evaluation, emotion within the limits of language" (53). Nichtsdestoweniger liegt hier, in der Tendenz zur Illusion der dehumanisierten Wahrnehmung, der eigentliche Grund für die Häufigkeit der „Camera Eye"-Technik in der modernen Erzählliteratur*.

Es ist jedoch zwischen verschiedenen Funktionen dieser Darstellungstechnik zu unterscheiden. Man kann „Camera-Eye" als letzte Konsequenz jener für den Roman seit dem 19. Jahrhundert so wichtigen Realismus- und Objektivitätsprogramme verstehen, die in den Roma-

nen von J. Joyce bis A. Döblin und J.-P. Sartre vielfältigen Niederschlag gefunden haben. Es war aber erst die Ideologie des „nouveau
roman" von A. Camus, A. Robbe-Grillet, Nathalie Sarraute und anderen, die dem „Camera Eye" eine anthropologische und psychologische Bedeutungsfunktion verliehen hat. Zur Definition des Menschen
als „Figur ohne Tiefe" und um seine „Stummheit des Inneren in Sprache" faßbar zu machen[56] eignet sich nämlich die „Camera Eye"-
Technik im besonderen Maße. Wir finden sie daher – in gemäßigter
Form – bei der Selbstdarstellung Meursaults in Camus' *L'Etranger*
und – in radikal gestalteter Form – in Robbe-Grillets *La Jalousie,* wo
als Träger des durch die Jalousien spähenden (Kamera-)Auges ein ei-
fersüchtiger Ehegatte anzunehmen ist. Hier wird die Verdinglichung
der vom „Camera Eye" aufgenommenen Wirklichkeit so weit getrieben, daß Rückschlüsse auf das Bewußtsein, das am Ort der Kamera zu
vermuten ist, meist ins Leere gehen. Es scheint nicht unangebracht,
hier von einer „Unbestimmtheitsstelle" im Sinne von Roman Ingarden zu sprechen.[57] Die Unbestimmtheit dieser für den Vermittlungsvorgang so wichtigen Stelle geht so weit, daß es keineswegs sicher ist,
ob wir es in *La Jalousie* „mit einem Text zu tun [haben], der in der ersten Person erzählt wird", wie Zeltner-Neukomm meint. Vorsichtiger
ist B. Morrissette, wenn er von einer „suppressed first person [narra-
tion]"[58] in diesem Roman spricht, doch auch dagegen melden sich Bedenken, denn gelegentlich registriert das „Camera Eye" die Dinge
außenperspektivisch, so also, als handle es sich um ein auktoriales Medium, nicht aber um ein Ich als Reflektorfigur:

In dem Maße, wie es [das Geräusch] in die Vergangenheit rückt, nimmt seine
Wahrscheinlichkeit ab. Nun ist es so, als ob überhaupt nichts gewesen wäre.
Durch die Spalten einer nur ein wenig – und ziemlich spät – geöffneten Jalousie
kann man natürlich nichts erkennen. Es bleibt nichts anderes übrig als sie wieder zu schließen, indem man den seitlichen Stab verschiebt, der eine Gruppe
von Brettchen steuert.
(*Die Jalousie oder die Eifersucht,* Stuttgart 1959, 95)

Die Information über den Verschlußmechanismus der Jalousie ist eher
auktorial als personal aufzufassen. Auch ist das „Camera Eye" dieses

56 Gerda Zeltner-Neukomm, *Das Wagnis des französischen Gegenwartsro-
    mans. Die neue Welterfahrung in der Literatur,* Hamburg 1960, 56 u. 72.
57 Vgl. oben Kap. 5.2., Anm. 9, und Kap. 6.2., Anm. 14.
58 Bruce Morrissette, „The Evolution of Narrative Viewpoint in Robbe-Gril-
    let", *Novel. A Forum on Fiction* 1 (1967), 28f.

Romans keineswegs immer ganz entpersönlicht, so z. B. wenn es Vermutungen, tentative Schlußfolgerungen, auch Erinnerungen einfließen läßt, wie etwa in folgendem Zitat:

A . . . muß soeben ihr Haar gewaschen haben, denn sie wäre sonst nicht damit
beschäftigt, es mitten am Tage zu kämmen. Sie hat ihre Bewegungen unterbrochen, da sie auf dieser Seite vielleicht fertig ist. (36)

Dient bei Robbe-Grillet die ,,Camera Eye"-Technik in erster Linie
der Verdinglichung und Entpersönlichung der Wahrnehmung und
Darstellung der Wirklichkeit, so setzt S. Beckett sie hauptsächlich
dazu ein, die Persönlichkeit des Bewußtseinsträgers, den wir an der
Stelle, wo die Kamera aufnimmt, annehmen müssen, auf einige wenige
Funktionen des Existierens zu reduzieren. Eine dieser Funktionen
scheint die Fähigkeit zur Wahrnehmung der Kontinuität und der kau-
salen Zusammenhänge im Ablauf eines Vorganges zu sein. Das Bild
des ,,Camera Eye" ist daher auch für die späten Prosastücke Becketts,
publiziert unter dem Titel *Residua*,[59] nicht mehr recht anwendbar. Die
Kamera dieser Prosastücke filmt nämlich nicht mehr kontinuierlich,
sondern scheint eher kaleidoskopartig Aufnahme an Aufnahme zu
reihen. Die syntaktischen Beziehungen zwischen den Satzteilen sind
daher größtenteils ausgespart. Die Radikalität der Reduktion, die bereits in der Trilogie *Molloy. Malone Dies. The Unnamable* von Roman
zu Roman zugenommen hat, eskaliert in den späten Fragmenten von
,,Enough" über ,,Imagination Dead Imagine" zu ,,Ping" sprunghaft.
In der anscheinend sinnlosen Wortsequenz ,,Ping", die nur durch das
ständig wiederkehrende Lautsignal ,Ping' interpungiert wird, sind alle
drei Grundoppositionen unseres Systems unbestimmt gelassen: Ich-
oder Er-Bezug? Innen- oder Außenperspektive? Erzählerfigur oder
Reflektorfigur? Die totale Reduktion des Erzählvorganges entspricht
der ebenso totalen Reduktion der Persönlichkeit des Bewußtseinsträgers, auf den diese Wortsequenz eventuell zurückzuführen ist. David
Lodges Beschreibung der Situation dieses reduzierten Wesens scheint
diese Erklärung auch inhaltlich zu bestätigen: ,,I suggest that ,Ping' is
the rendering of the consciousness of a person confined in a small,
bare, white room, a person who is evidently under extreme duress, and
probably at the last gasp of life. He has no freedom of movement: his
body is ,fixed', [. . .]".[60] So verstanden ist ,,Ping" sowohl im Inhalt als

---

59 S. Beckett, *Residua. Prosadichtungen in drei Sprachen*, Frankfurt/Main
   1970.
60 D. Lodge, ,,Samuel Beckett: Some Ping Understood", in: *The Novelist at
   the Crossroads*, 174 f.

auch in der Form Ausdruck einer Reduktion, die ontogenetisch und literarhistorisch auch als Regression verstanden werden kann. Im Diagramm unseres Typenkreises läßt sich dafür kein Ort finden, es sei denn ein Punkt nahe dem Zentrum des Kreises, wo sich die Achsen der drei Determinanten des Erzählvorganges Person, Perspektive und Modus schneiden, nahe also dem neutralen Nullpunkt für die entscheidenden Orientierungen, denen sich jeder Erzähltext zu unterwerfen hat, der Anspruch darauf erhebt, vom Leser mit dem ihm gemäßen Grad an Verständlichkeit gelesen zu werden. Becketts späte Prosafragmente erheben sicherlich nicht mehr diesen Anspruch. Es ist daher für unseren Zusammenhang unerheblich, ob Becketts Versuch als Bewegung in Richtung auf eine „Literature of Silence", wie Ihab Hassan sie als Ziel der letzten „avant-garde" auffaßt oder in Richtung auf irgend eine andere Anti-Literatur zu verstehen ist.[61]

Becketts „Ping" wurde am Ende der Beschreibung des Typenkreises eingeführt, um das Formenkontinuum, das durch den Typenkreis repräsentiert wird, zu vollenden und damit abzuschließen, zugleich aber auch wieder aufzubrechen und in Frage zu stellen. Es ist nicht auszuschließen, daß nach Ausschöpfung aller Möglichkeiten des Erzählens, die im Typenkreis systematisch dargestellt sind, eine Erzählliteratur, falls dieser Terminus dann überhaupt noch zutreffend ist, entstehen wird, deren Schwerpunkt zentrifugal oder – wie im Falle von „Ping" – zentripetal aus dem Typenkreis und seinen Formen, die jeweils ein mögliches Äquilibrium zwischen den oppositionellen Kräften der drei Grundkonstituenten Person, Perspektive und Modus darstellen, ausbrechen wird.

7.4. Schlußbetrachtung

Die wichtigsten Beobachtungen, die sich bei unserem Rundgang entlang des Typenkreises ergeben haben, können nun folgendermaßen zusammengefaßt werden:
Alle Grenzen zwischen den durch die drei Oppositionsachsen markierten Bereichen sind offen*. Es finden sich in jedem Fall Erzählwerke, in deren Erzählsituation sich Elemente von diesseits und jenseits einer dieser Grenzen miteinander verbinden.

---

61 Vgl. D. Lodge, *The Novelist at the Crossroads*, 172 f.

Durch die Modulationsfähigkeit jeder der drei typischen ES nach beiden Richtungen hin ergibt sich eine unendliche Zahl von Vermittlungsweisen, die ein praktisch lückenloses und in sich geschlossenes Kontinuum der Erzählformen bilden. Die Kreisform ist schematischer Ausdruck für die Totalität des hier konstituierten theoretischen Systems.

Das Formenkontinuum des Typenkreises ist auch aufzufassen als theoretisches Programm der Möglichkeiten des Erzählens, das in der Geschichte von Roman, Novelle und Short Story nach und nach verwirklicht wird. Hier begegnen einander also Literaturtheorie und Literaturgeschichte. In diesem Sinne wurde auch die vorliegende Theorie des Erzählens entworfen: als überschaubares System sowohl der denkbaren als auch der historischen Erzählformen. Diese Theorie des Erzählens stellt gleichzeitig ein geordnetes Begriffsinstrumentarium für die Analyse des einzelnen Erzählwerkes bereit, versteht sich also in letzter Hinsicht als Dienerin der Literaturkritik und der Interpretation.

Literaturverzeichnis

I. Primärliteratur

Austen, Jane, *Emma*, Harmondsworth 1977.

Austen, J., *Mansfield Park*, Harmondsworth 1972.

Austen, J., *Sense and Sensibility*, London 1962.

Balzac, Honoré de, *Père Goriot*, Paris 1968.

Barth, John, *Lost in the Funhouse*, Garden City, N. Y., 1968.

Beckett, Samuel, *Molloy. Malone Dies. The Unnamable*, London 1959.

Beckett, S., *Residua. Prosadichtungen in drei Sprachen*, Suhrkamp Taschenbuch, Frankfurt/M. 1970.

Bellow, Saul, *Herzog*, Harmondsworth 1965.

Broch, Hermann, *Der Tod des Vergil*, Zürich 1947.

Brontë, Charlotte, *Shirley*, London 1911.

Brontë, Emily, *Wuthering Heights*, Harmondsworth 1956.

Büchner, Georg, *Werke und Briefe*, Gesamtausgabe, hg. Fritz Bergemann,
Wiesbaden 1958.

Butler, Samuel, *The Way of All Flesh*, London 1961.

Butor, Michel, *La Modification*, Paris 1973.

Camus, Albert, *L'Etranger*, Paris 1957.

Camus, A., *Tagebücher 1935–1951*, übers. v. Guido G. Meister, Rowohlt Taschenbuch, Reinbek 1972.

Cary, Joyce, *Mister Johnson*, London 1947.

Cary, J., *A Prisoner of Grace*, London 1954.

Cervantes Saavedra, Miguel de, *Don Quijote de la Mancha,* Stuttgart 1964.

Chaucer, Geoffrey, *The Canterbury Tales,* in: *The Works of Geoffrey Chaucer*,
hg. F. N. Robinson, London 1957.

Compton-Burnett, Ivy, *Men and Wives*, London 1931.

Compton-Burnett, I., *Mother and Son*, London 1955.

Conrad, Joseph, *Lord Jim. A Tale*, Harmondsworth 1962.

Conrad, J., "The Secret Sharer", in: *Three Tales from Conrad*, hg. Douglas
Brown, London 1960.

Conrad, J., *Under Western Eyes*, London 1963.

Conrad, J., *Youth. Heart of Darkness. The End of the Tether*, Everyman's Library, London 1967.

Crane, Stephen, *The Red Badge of Courage. An Episode of the American Civil
War,* The Modern Library, New York 1951.

Defoe, Daniel, *Moll Flanders*, Everyman's Library, London 1963.

Dickens, Charles, *Bleak House*, Harmondsworth 1974.

Dickens, Ch., *The Christmas Books*, Bd. 1, Harmondsworth 1975.
Dickens, Ch., *David Copperfield*, Harmondsworth 1975.
Dickens, Ch., *Dombey and Son*, Harmondsworth 1977.
Dickens, Ch., *Great Expectations*, Harmondsworth 1955.
Dickens, Ch., *Hard Times*, Harmondsworth 1975.
Dickens, Ch., *Our Mutual Friend*, Harmondsworth 1975.
Dickens, Ch., *The Mystery of Edwin Drood*, London 1972.
Dickens, Ch., *The Old Curiosity Shop*, London 1966.
Dickens, Ch., *The Posthumous Papers of the Pickwick Club*, London 1948.
Döblin, Alfred, *Berlin Alexanderplatz. Die Geschichte von Franz Biberkopf*, dtv, München 1977.
Dos Passos, John, *U. S. A.,* Boston 1963.
Dostoevskij, Fedor M., *Die Brüder Karamasoff*, Gütersloh 1957.
Dostoevskij, F. M., *Die Dämonen*, dtv, München 1977.
Doyle, Arthur Conan, *Tales of Sherlock Holmes*, Washington 1932.
Drabble, Margaret, *The Needle's Eye*, Harmondsworth 1973.
Drabble, M., *The Waterfall*, London 1970.
Edgeworth, Maria, *Letters of Julia and Caroline* (1795), in: *Tales and Novels*, Bd. 3, New York 1967, 463–486.
Eliot, George, *Middlemarch*, London 1963.
Faulkner, William, *Absalom, Absalom!*, The Modern Library, New York 1951.
Faulkner, W., *As I Lay Dying*, Harmondsworth 1972.
Faulkner, W., „Honor", in: *Collected Stories,* New York 1943.
Faulkner, W. *The Sound and the Fury*, Harmondsworth 1964.
Fielding, Henry, *The History of Tom Jones*, London 1966/67.
Flaubert, Gustave, *Madame Bovary,* Paris 1966.
Fontane, Theodor, *Effi Briest,* in: *Sämtliche Werke*, Bd. 7, München 1959.
Forster, Edward Morgan, *A Passage to India*, London 1968.
Fowles, John, *The French Lieutenant's Woman*, Signet Books, New York 1970.
Frisch, Max, *Montauk. Eine Erzählung*, Frankfurt/M. 1975.
Frisch, M., *Mein Name sei Gantenbein,* Frankfurt/M. 1964.
Frisch, M., *Stiller. Roman*, Suhrkamp Taschenbuch, Frankfurt/M. 1975.
Goethe, Johann Wolfgang von, *Die Leiden des jungen Werthers*, Berlin und Weimar 1974.
Goethe, J. W. von, „Noten und Abhandlungen zu besserem Verständnis des west-östlichen Divans", in: *West-östlicher Divan*, dtv, München 1961, 121–254.
Goethe, J. W. von, *Die Wahlverwandtschaften*, dtv, München 1963.
Goethe, J. W. von, *Wilhelm Meisters Lehrjahre*, Berlin und Weimar 1974.
Gogol', Nikolaj V., *Der Mantel und andere Erzählungen*, übers. von R. Fritze-Hanschmann, Insel Taschenbuch, Frankfurt/M. 1977.
Golding, William, *Pincher Martin*, London 1956.
Grass, Günter, *Die Blechtrommel*, Fischer Taschenbuch, Frankfurt/M. 1963.
Green, Henry, *Nothing*, London 1950.

Greene, Graham, *Brighton Rock*, London 1947.

Grimmelshausen, H.J. Chr. von, *Simplicissimus Teutsch*, Halle/Saale 1938.

Handke, Peter, *Die linkshändige Frau. Erzählung*, Frankfurt/M. 1976.

Hardy, Thomas, *The Return of the Native*, London 1961.

Hardy, Th., *Tess of the D'Urbervilles*, London 1928.

Hardy, Th., *The Woodlanders*, London 1958.

Hawthorne, Nathaniel, ,,Egotism; or, The Bosom Serpent", in: *The Complete Novels and Selected Tales of Nathaniel Hawthorne*, New York 1937, 1106–1115.

Hemingway, Ernest, ,,Fifty Grand" und ,,The Killers", in: *Men Without Women*, Harmondsworth 1955.

Hemingway, E., ,,The Gambler, The Nun, and the Radio", in: *The Short Stories of Ernest Hemingway*, New York 1953, 468–487.

Hemingway, E., *A Moveable Feast*, Harmondsworth 1966.

Henry, O., ,,The Marionettes", in: *The Complete Works*, Bd. 2, Garden City, N.Y., 1953.

Hesse, Hermann, *Der Steppenwolf*, in: *Gesammelte Dichtungen*, Bd. 4, Frankfurt/M. 1952.

Hoffmann, Heinrich, *Der Struwwelpeter*, Frankfurter Originalausgabe, o.J..

James, Henry, *The Ambassadors*, New York 1948.

James, H., *The Art of the Novel. Critical Prefaces*, hg. Richard P. Blackmur, New York 1950.

James, H., *The Complete Tales of Henry James*, hg. Leon Edel, London 1963.

James, H., *The Notebooks of Henry James*, hg. F.O. Mathiessen und K.B. Murdock, New York 1947.

Johnson, Uwe, *Das dritte Buch über Achim. Roman*, Frankfurt/M. 1961.

Joyce, James, *Dubliners*, Harmondsworth 1974.

Joyce, J., *The Dubliners, Text, Criticism, and Notes*, hg. R. Scholes und A.W. Litz, New York 1969.

Joyce, J., *A Portrait of the Artist as a Young Man,* Harmondsworth 1963.

Joyce, J., *Stephen Hero*, London 1969.

Joyce, J., *Ulysses*, Harmondsworth 1969.

Kafka, Franz, *Der Prozeß*, Fischer Taschenbuch, Frankfurt/M. 1970.

Kafka, F., *Das Schloß*, Fischer Taschenbuch, Frankfurt/M. 1974.

Kafka, F., *Die Verwandlung. Erzählung,* Wiesbaden 1958.

Keller, Gottfried, *Der grüne Heinrich*, 2 Bde, Stuttgart 1912.

Keller, G., *Die Leute von Seldwyla*, Basel 1942.

Kesey, Ken, *One Flew Over The Cuckoo's Nest* (1962), London 1976.

Kleist, Heinrich von, *Sämtliche Werke,* Leipzig 1883.

Lawrence, David Herbert, *Lady Chatterley's Lover*, London 1960.

Lawrence, D.H., *The Rainbow*, London 1961.

Lawrence, D.H., *Sons and Lovers,* New York 1968.

Lawrence, D.H., ,,The Spirit of Place," in: *Studies in Classic American Literature,* New York 1969, 1–8.

Lawrence, D.H., *Women in Love*, Harmondsworth 1973.

Lenz, Siegfried, *Deutschstunde*, dtv, München 1977.

Lessing, Doris, *The Golden Notebook*, New York 1972.

Lessing, Gotthold Ephraim, *Laokoon*, Zürich 1965.

Mann, Thomas, *Die Bekenntnisse des Hochstaplers Felix Krull*, Frankfurt/M. 1955.

Mann, Th., *Die Buddenbrooks*, Berlin 1930.

Mann, Th., *Doktor Faustus*, Frankfurt/M. 1960.

Mann, Th., *Die Entstehung des Doktor Faustus. Roman eines Romans,* Amsterdam 1949.

Mann, Th., *Der Erwählte*, Frankfurt/M. 1951.

Mann, Th., *Der Tod in Venedig und andere Erzählungen*, Frankfurt/M. 1954.

Mann, Th., „Tristan", in: *Sämtliche Erzählungen*, Frankfurt/M. 1963.

Mann, Th., *Der Zauberberg*, Frankfurt/M. 1960.

Mansfield, Katherine, *The Garden Party and Other Stories*, Harmondsworth 1976.

Maugham, W. Somerset, *Cakes and Ale*, Harmondsworth 1963.

Maugham, W. S., „The Force of Circumstance", in: *The Complete Short Stories of W. Somerset Maugham*, Bd. 1, London et al. 1963, 481–505.

Melville, Herman, *Moby-Dick*, Rinehart Edition, New York 1952.

Mitchell, Julian, *The Undiscovered Country*, London 1968.

Murdoch, Iris, *The Black Prince*, Harmondsworth 1977.

Murdoch, I., *The Italian Girl,* London 1964.

Murdoch, I., *Under the Net*, London 1954.

Musil, Robert, *Der Mann ohne Eigenschaften*, Hamburg 1958.

Nashe, Thomas, *The Unfortunate Traveller*, Elizabethan Fiction, hg. R. Ashley & M. Moseley, New York 1953.

O'Brien, Flann, *At Swim-Two-Birds*, Harmondsworth 1960.

Orwell, George, *The Collected Essays, Journalism and Letters of George Orwell,* Bd. 4, Harmondsworth 1970.

Paltock, Robert, *The Life and Adventures of Peter Wilkins* (1750), London 1973.

Pater, Walter, *Marius the Epicurean*, London 1939.

Platon, *Der Staat*, übers. v. Karl Vretska, Bd. 3, Stuttgart 1958.

Porter, Katherine Anne, *The Collected Stories of Katherine Anne Porter*, New York 1965.

Rabelais, François, *Pantagruel*, Paris 1955.

Richardson, Dorothy, *Pilgrimage*, London 1915.

Richardson, Samuel, *The History of Clarissa Harlowe*, Everyman's Library, London 1932.

Richardson, S., *Pamela or, Virtue Rewarded*, London 1801; *Pamela*, Everyman's Library, London 1955.

Richardson, S., „Preface" zu *Clarissa Harlowe*, Everyman's Library, London 1932.

Richter, Johann Paul Friedrich, (Jean Paul), *Flegeljahre*, Berlin 1841.

Richter, J. P., (Jean Paul), *Siebenkäs*, Berlin 1841.

Robbe-Grillet, Alain, *Die Jalousie oder die Eifersucht*, übers. v. Elmar Tophoven, Stuttgart 1959.

Robbe-Grillet, A., *Le Voyeur*, Paris 1955.

Salinger, J. D., *The Catcher in the Rye*, Harmondsworth 1958.

Sarraute, Nathalie, *Le Planétarium*, Paris 1959.

Sartre, Jean-Paul, *La Nausée*, Paris 1948.

Schnitzler, Arthur, „Fräulein Else", in: *Die Erzählenden Schriften,* Bd. 2, Frankfurt/M. 1970, 324–381.

Schnitzler, A., *Leutnant Gustl und andere Erzählungen*, in: *Ausgewählte Werke*, Bd. 2, Frankfurt/M. 1962.

Scott, Sir Walter, *Ivanhoe*, London 1960.

Shakespeare, William, *Love's Labour's Lost*, hg. R. David, The Arden Edition, London 1956.

Smollett, Tobias, *The Adventures of Peregrine Pickle*, hg. James L. Clifford, London 1964.

Spark, Muriel, *The Prime of Miss Jean Brodie*, Harmondsworth 1974.

Steinbeck, John, *The Pearl*, New York 1957.

Sterne, Laurence, *The Life and Opinions of Tristram Shandy, Gentleman,* hg. J. A. Work, New York 1940.

Stifter, Adalbert, *Nachsommer*, Augsburg 1954.

Storm, Theodor, *Der Schimmelreiter,* in: *Werke*, Bd. 4, Frankfurt/M. 1967.

Swift, Jonathan, *Gulliver's Travels*, Everyman's Library, London 1960.

Thackeray, William Makepeace, *Henry Esmond* (1852), Harmondsworth 1972.

Thackeray, W. M. *The History of Pendennis*, Leipzig 1849–1850.

Thackeray, W. M., *The Memoirs of Barry Lyndon, Esq., Written by Himself,* London 1844.

Thackeray, W. M., *The Newcomes*, Leipzig 1855.

Thackeray, W. M., *Vanity Fair*, Harmondsworth 1968.

Tolstoj, Lev N., *Anna Karenina*, übers. v. Leomare Seidler, Klagenfurt, o. J..

Tolstoj, L. N., *Krieg und Frieden*, München 1956.

Tolstoj, L. N., *Der Tod des Iwan Iljitsch. Familienglück,* Wiesbaden, o. J..

Trollope, Anthony, *Barchester Towers*, New York 1963.

Trollope, A., *Phineas Finn*, London 1973.

Twain, Mark, *The Adventures of Huckleberry Finn,* New York 1957.

Vonnegut, Kurt, Jr., *A Breakfast of Champions,* New York 1973.

Vonnegut, K., Jr., *Slaughterhouse – Five, or the Children's Crusade,* New York 1969.

Warren, Robert Penn, *All the King's Men,* New York 1964.

Wells, H. G., „The Country of the Blind", in: *The Short Stories of H. G. Wells,* London 1927.

Werfel, Franz, *Das Lied von Bernadette*, Stockholm 1942.

Wieland, Christoph Martin, *Agathon*, Berlin 1937.

Woolf, Virginia, *Mrs Dalloway,* Harmondsworth 1975.

Woolf, V., *To the Lighthouse*, London 1932.

Wordsworth, William, *The Prelude*, in: *The Poetical Works of W. Wordsworth*, Oxford Standard Authors, London 1956.

II. Sekundärliteratur

Allott, Miriam, *Novelists on the Novel*, London 1959.
Anderegg, Johannes, *Fiktion und Kommunikation: Ein Beitrag zur Theorie der Prosa* (1973), Göttingen ²1977.
Anderegg, J., *Leseübungen,* Göttingen 1970.
Anderegg, J., *Literaturwissenschaftliche Stiltheorie*, Göttingen 1977.
Austin, John, *How to Do Things With Words* (1955), New York 1962.
Bachtin, Michail M., *Die Ästhetik des Wortes,* hg. R. Grübel, Frankfurt/M. 1979.
Backus, Joseph M., „,,He came into her line of vision walking backward'. Nonsequential Sequence-Signals in Short Story Openings", *Language Learning* 15 (1965), 67–83.
Bal, Mieke, „Narration et focalisation. Pour une théorie des instances du récit", *Poétique* 29 (1977), 107–127.
Baur, Uwe, „Musils Novelle ‚Die Amsel'", in: *Vom ‚Törless' zum ‚Mann ohne Eigenschaften',* hg. U. Baur u. D. Goltschnigg, München und Salzburg 1973, 237–292.
Beach, Joseph Warren, *The Twentieth-Century Novel: Studies in Technique,* New York 1932.
Benveniste, Emile, *Problèmes de linguistique générale*, Paris 1966.
Bergonzi, Bernard, *The Situation of the Novel*, Harmondsworth 1972.
Bisanz, Adam J., „Linearität versus Simultaneität im narrativen Zeit-Raum-Gefüge. Ein methodisches Problem und die medialen Grenzen der modernen Erzählstruktur", in: *Erzählforschung 1*, hg. W. Haubrichs, Göttingen 1976, 184–223.
Boege, Fred W., „Point of View in Dickens", *PMLA* 65 (1950), 90–105.
Bonheim, Helmut, „Mode Markers in the American Short Story", in: *Proceedings of the Fourth International Congress of Applied Linguistics,* Stuttgart 1976, 541–550.
Bonheim, H., „Theory of Narrative Modes", *Semiotica* 14 (1975), 329–334.
Boost, Karl, *Neue Untersuchungen zum Wesen und zur Struktur des deutschen Satzes,* Berlin 1955.
Booth, Wayne C., „Distance and Point of View", *Essays in Criticism* 11 (1961), 60–79.
Booth, W. C., *The Rhetoric of Fiction*, Chicago 1961.
Botheroyd, P. F., *ich und er. First and Third Person Self-Reference and Problems of Identity in Three Contemporary German-Language Novels,* Den Haag und Paris 1976.
Bremond, Claude, *Logique du récit*, Paris 1973.
Bronzwaer, W.J.M., *Tense in the Novel. An Investigation of Some Potentialities of Linguistic Criticism*, Groningen 1970.

Brooks, Cleanth und R.P. Warren, *Understanding Fiction*, New York 1943.

Bühler, Karl, *Sprachtheorie* (1934), Stuttgart ²1965.

Bühler, Willi, *Die ,,Erlebte Rede" im englischen Roman. Ihre Vorstufen und ihre Ausbildung im Werke Jane Austens,* Zürich und Leipzig 1937.

Bulhof, Francis, *Transpersonalismus und Synchronizität. Wiederholung als Strukturelement in Thomas Manns ,,Zauberberg",* Groningen 1966.

Cary, Joyce, *Art and Reality*, Cambridge 1958.

Casparis, Christian Paul, *Tense Without Time. The Present Tense in Narration,* Bern 1975.

Cazamian, Louis, *The Social Novel in England 1830–1850,* London und Boston 1973.

Cerny, Lothar, *Erinnerung bei Dickens*, Amsterdam 1975.

Chatman, Seymour, *The Later Style of Henry James*, Oxford 1972.

Chatman, S., *Linguistics and Literature. An Introduction to Literary Stylistics*, London 1973.

Chatman, S. (Hrsg.), *Literary Style. A Symposium,* London u. New York 1971.

Chatman, S., *Story and Discourse,* Princeton, N.J., 1978.

Chatman, S., ,,The Structure of Narrative Transmission", in: *Style and Structure in Literature: Essays in the New Stylistics,* hg. Roger Fowler, Oxford 1975, 213–257.

Clemen, Wolfgang, *Shakespeares Bilder. Ihre Entwicklung und ihre Funktionen im dramatischen Werk*, Bonn 1936.

Clissmann, Anne, *Flann O'Brien. A Critical Introduction to His Writings*, Dublin 1975.

Cohn, Dorrit, "The Encirclement of Narrative. On Franz Stanzel's *Theorie des Erzählens*", *Poetics Today* 2 (1981), 157–182.

Cohn, D., ,,Erlebte Rede im Ich-Roman", *GRM*, N. F. 19 (1969), 303–313.

Cohn, D., ,,K. enters *The Castle*: On the Change of Person in Kafka's Manuscript", *Euphorion* 62 (1968), 28–45.

Cohn, D., ,,Narrated Monologue: Definition of a Fictional Style", *Comparative Literature* 18 (1966), 97–112.

Cohn, D., *Transparent Minds: Narrative Modes for Presenting Consciousness in Fiction*, Princeton, N.J., 1978.

Collins, Philip, *A Critical Commentary on ,Bleak House'*, London 1971.

Doležel, Lubomír, *Narrative Modes in Czech Literature*, Toronto 1973.

Doležel, L., ,,Toward a Structural Theory of Content in Prose Fiction", in: *Literary Style. A Symposium*, hg. S. Chatman, London u. New York 1971, 95–110.

Doležel, L., ,,The Typology of the Narrator: Point of View in Fiction", in: *To Honor Roman Jakobson*, Den Haag 1967, Bd. 1, 541–552, dt. Übers.: ,,Die Typologie des Erzählers: ,Erzählsituationen' (,Point of View') in der Dichtung", in: Jens Ihwe (Hrsg.), *Literaturwissenschaft und Linguistik*, Frankfurt/M. 1972, Bd. 3, 376–392, u. in: B. Hillebrand (Hrsg.), *Zur Struktur des Romans*, Darmstadt 1978, 370–387.

Dubois, Jacques et al., *Allgemeine Rhetorik* (1970), übers. von Armin Schütz, München 1974 (UTB 128).

Edel, Leon, „Novel and Camera", in: *The Theory of the Novel. New Essays,* hg. J. Halperin, New York 1974, 177–188.

Ejchenbaum, Boris, „Die Illusion des ‚Skaz‘ ", in: *Russischer Formalismus. Texte zur allgemeinen Literaturtheorie und zur Theorie der Prosa,* hg. Jurij Striedter, München 1971 (UTB 40), 161–167.

Fabian, Bernhard, „Laurence Sterne: *Tristram Shandy",* in: *Der Englische Roman,* hg. F. K. Stanzel, Düsseldorf 1969, Bd. 1, 232–269.

Fietz, Lothar, „Möglichkeiten und Grenzen einer Deutung von Kafkas Schloß-Roman", *DVjs* 37 (1963), 71–77.

Fischer, Therese, *Bewußtseinsdarstellung im Werk von James Joyce. Von „Dubliners" zu „Ulysses",* Frankfurt/M. 1973.

Fischer-Seidel, Th., „Charakter als Mimesis und Rhetorik. Bewußtseinsdarstellung in Joyces *Ulysses",* in: *James Joyces „Ulysses". Neuere deutsche Aufsätze,* hg. Th. Fischer-Seidel, Frankfurt/M. 1977, 309–343.

Fischer-Seidel, Th. (Hrsg.), *James Joyces „Ulysses". Neuere deutsche Aufsätze,* Frankfurt/M. 1977.

Forster, Edward Morgan, *Aspects of the Novel,* New York 1927.

Forstreuter, Kurt, *Die deutsche Ich-Erzählung. Eine Studie zu ihrer Geschichte und Technik,* Berlin 1924.

Fowler, Roger, *Linguistics and the Novel,* London 1977.

Fowler, R. (Hrsg.), *Style and Structure in Literature: Essays in the New Stylistics,* Oxford 1975.

Frey, John R., „Author-Intrusion in the Narrative: German Theory and Some Modern Examples", *Germanic Review* 23 (1948), 274–289.

Friedemann, Käte, *Die Rolle des Erzählers in der Epik,* Neudruck Darmstadt 1965.

Friedman, Melvin, *Stream of Consciousness: A Study in Literary Method,* New Haven 1955.

Friedman, Norman, „Point of View in Fiction. The Development of a Critical Concept", *PMLA* 70 (1955), 1160–1184.

Fries, Charles C., *The Structure of English,* New York 1952.

Füger, Wilhelm, „Das Nichtwissen des Erzählers in Fieldings *Joseph Andrews",* *Poetica* 10 (1978), 188–216.

Füger, W., „Zur Tiefenstruktur des Narrativen. Prolegomena zu einer generativen ‚Grammatik‘ des Erzählens", *Poetica* 5 (1972), 268–292.

Funke, Otto, „Zur ‚Erlebten Rede‘ bei Galsworthy", *Englische Studien* 64 (1929), 450–474.

Genette, Gérard, *Narrative Discourse (Figures III),* übers. Jane E. Lewis, Ithaca, N.Y., 1980.

Goldknopf, David, *The Life of the Novel,* Chicago 1972.

Gombrich, E. H., *Art and Illusion. A Study in the Psychology of Pictorial Representation* (1960), London ³1968.

Graevenitz, Gerhart von, *Die Setzung des Subjekts,* Tübingen 1973.

Graham, Kenneth, *Criticism of Fiction in England 1865–1900,* Oxford 1965.

Grimm, Reinhold (Hrsg.), *Deutsche Romantheorien: Beiträge zu einer historischen Poetik des Romans in Deutschland,* Frankfurt/M. 1968.

Gülich, Elisabeth, „Ansätze zu einer kommunikationsorientierten Erzähltextanalyse", in: *Erzählforschung 1,* hg. W. Haubrichs, Göttingen 1976, 224–256.

Gülich, E., „Erzähltextanalyse (Narrativik)", *Linguistik und Didaktik* 15 (1973), 325–328.

Günther, Werner, *Probleme der Rededarstellung. Untersuchungen zur direkten, indirekten und erlebten Rede im Deutschen, Französischen und Italienischen,* Marburg 1928.

Habermas, Jürgen, „Der Universalitätsanspruch der Hermeneutik", in: *Hermeneutik und Ideologiekritik,* hg. J. Habermas, D. Henrich und J. Taubes, Frankfurt/M. 1971, 120–159.

Habicht, Werner und I. Schabert (Hrsg.), *Sympathielenkung in den Dramen Shakespeares,* München 1978.

Halperin, John (Hrsg.), *The Theory of the Novel. New Essays,* New York 1974.

Halpern, Daniel und John Fowles, „A Sort of Exile in Lyme Regis", *London Magazine,* March 1971, 34–46.

Hamburger, Käte, *Die Logik der Dichtung* (1957), Stuttgart ²1968.

Hamburger, K., „Noch einmal: Vom Erzählen", *Euphorion* 59 (1965), 46–71.

Hardy, Barbara, *The Appropriate Form: An Essay on the Novel,* London 1964.

Hardy, B., *The Novels of George Eliot,* London ²1963.

Harvey, W. J., *The Art of George Eliot,* London 1961.

Harvey, W. J., *Character and the Novel,* London 1970.

Harweg, Roland, „Präsuppositionen und Rekonstruktion. Zur Erzählsituation in Thomas Manns *Tristan* aus textlinguistischer Sicht", in: *Textgrammatik,* hg. Schecker und Wunderli, Tübingen 1975, 166–185.

Harweg, R., *Pronomina und Textkonstitution,* München 1968.

Haubrichs, Wolfgang (Hrsg.), *Erzählforschung 1, LiLi* Beiheft 4, Göttingen 1976.

Haubrichs, W. (Hrsg.), *Erzählforschung 2, LiLi* Beiheft 6, Göttingen 1977.

Hempfer, Klaus, *Gattungstheorie,* München 1973 (UTB 133).

Hendrick, Leo, *Henry James: The Late and Early Styles,* Univ. of Michigan Diss. 1953.

Hendricks, William O., „The Structural Study of Narration: Sample Analysis" *Poetics* 3 (1972), 100–123.

Henning, Margit, *Die Ich-Form und ihre Funktion in Thomas Manns „Doktor Faustus" und in der deutschen Literatur der Gegenwart,* Tübingen 1966.

Hernadi, Paul, *Beyond Genre. New Directions in Literary Classification,* Ithaca und London 1972.

Heselhaus, Clemens, „Grimmelshausen, *Der abenteuerliche Simplicissimus",* in: *Der deutsche Roman,* hg. B. v. Wiese. Bd. 1, Düsseldorf 1963.

Hillebrand, Bruno (Hrsg.), *Zur Struktur des Romans,* Darmstadt 1978.

Hönnighausen, Lothar, „Maske und Perspektive. Weltanschauliche Voraussetzungen des perspektivischen Erzählens", *GRM*, N.F. 26 (1976), 287–307.

Hoffmann, Gerhard, *Raum, Situation, erzählte Wirklichkeit,* Stuttgart 1978.

Hoffmeister, Werner, *Studien zur erlebten Rede bei Thomas Mann und Robert Musil,* London/Den Haag/Paris 1965.

Holthusen, J., „Erzählung und auktorialer Kommentar im modernen russischen Roman", *Welt der Slaven* 8 (1963), 252–267.

Hough, Graham, „Narrative and Dialogue in Jane Austen", *Critical Quarterly* 12 (1970), 201–229.

Huxley, Aldous, *The Doors of Perception,* Harmondsworth 1963.

Ihwe, Jens, „On the Foundations of a General Theory of Narrative Structure", *Poetics* 3 (1972), 5–14.

Ingarden, Roman, *Vom Erkennen des literarischen Kunstwerks,* Tübingen 1968.

Ingarden, R., „Konkretisation und Rekonstruktion", in: *Rezeptionsästhetik,* hg. R. Warning, München 1975, 42–70 (UTB 303).

Ingarden, R., *Das literarische Kunstwerk,* Tübingen ⁴1972.

Iser, Wolfgang, *Der Akt des Lesens,* München 1976 (UTB 636).

Iser, W., *Der implizite Leser,* München 1972 (UTB 163).

Jakobson, Dan, „Muffled Majesty", *Times Literary Supplement,* Oct. 26, 1967, 1007.

Jakobson, Roman, *Fundamentals of Language,* Den Haag 1956.

James, Henry, *The Art of the Novel. Critical Prefaces,* hg. Richard P. Blackmur, New York 1950.

Janik, Dieter, *Die Kommunikationsstruktur des Erzählwerkes. Ein semiologisches Modell,* Bebenhausen 1973.

Jauss, Hans Robert, *Literaturgeschichte als Provokation der Literaturwissenschaft,* Konstanz 1967.

Jauss, H. R. (Hrsg.), *Nachahmung und Illusion,* München 1969.

Jens, W., *Deutsche Literaturgeschichte der Gegenwart,* München 1961.

Jinks, William, *The Celluloid Literature. Film in the Humanities,* Beverly Hills 1974.

Kanzog, Klaus, *Erzählstrategie,* Heidelberg 1976 (UTB 495).

Karpf, Fritz, „Die erlebte Rede im Englischen", *Anglia* 45 (1933), 225–276.

Karrer, Wolfgang und Eberhard Kreutzer, *Daten der englischen und amerikanischen Literatur von 1890 bis zur Gegenwart,* München 1973.

Kayser, Wolfgang, „Entstehung und Krise des modernen Romans", *DVjs* 28 (1954), 417–474; Neudruck: Stuttgart ²1955.

Kayser, W., *Die Vortragsreise. Studien zur Literatur,* Bern 1958.

Kayser, W., „Wer erzählt den Roman?", in: *Zur Poetik des Romans,* hg. V. Klotz, Darmstadt 1965, 197–216.

Kenner, Hugh, *Samuel Beckett. A Critical Study,* London 1962.

Kimpel, Dieter und Conrad Wiedemann, *Theorie und Technik des Romans im 17. und 18. Jahrhundert,* 2 Bde, Tübingen 1970.

Kindlers Literaturlexikon (1964), Zürich 1965.

Kinkead-Weekes, Mark u. Ian Gregor, *William Golding, a critical study,* London 1967.

Klesczewski, R., „Erzähler und ‚Geist der Erzählung'. Diskussion einer Theorie Wolfgang Kaysers und Bemerkungen zu Formen der Ironie bei Th. Mann", *Archiv für das Studium der Neueren Sprachen und Literaturen* 210 (1973). 126–131.

Klotz, Volker (Hrsg.), *Zur Poetik des Romans,* Darmstadt 1965.

Kudszus, Winfried, „Erzählperspektive und Erzählgeschehen in Kafkas ‚Prozeß'", *DVjs* 44 (1970), 306–317.

Kuhn, Thomas S., *Die Struktur wissenschaftlicher Revolutionen,* Frankfurt/M. 1967.

Kunz, Josef, *Die deutsche Novelle im 20. Jahrhundert,* Berlin 1977.

Kunze, Christoph, *Die Erzählperspektive in den Romanen Alain Robbe-Grillets,* Diss. Regensburg 1975.

Lachmann, Renate, „Die ‚Verfremdung' und das ‚Neue Sehen' bei Viktor Šklovskij", *Poetica* 3 (1970), 226–249.

Lämmert, Eberhard, *Bauformen des Erzählens,* Stuttgart 1955.

Lämmert, E. (Hrsg.), *Romantheorie: Dokumentation ihrer Geschichte in Deutschland seit 1880,* Köln 1975.

Lamb, Charles und Mary, *Tales from Shakespeare,* hg. A. Hämel – Würzburg, Wien 1926.

Langer, Susanne, *Feeling and Form: A Theory of Art Developed From ‚Philosophy in a New Key',* London [4]1967.

Lass, Abraham, *A Student's Guide to 50 British Novels,* New York 1966.

Leibfried, Erwin, *Kritische Wissenschaft vom Text. Manipulation, Reflexion, transparente Poetologie* (1970), Stuttgart [2]1972.

Lester, John A., Jr., „Thackeray's Narrative Technique", *PMLA* 69 (1954), 392–409.

Lévi-Strauss, Claude, *The Savage Mind,* Chicago 1966.

Lewandowski, Theodor, *Linguistisches Wörterbuch,* Heidelberg 1975 (UTB 201).

Link, Jürgen, *Literaturwissenschaftliche Grundbegriffe. Eine programmierte Einführung auf strukturalistischer Basis,* München 1974 (UTB 305).

Litz, A. Walton, *Jane Austen: A Study of Her Artistic Development,* London 1965.

Lockemann, Wolfgang, „Zur Lage der Ezählforschung", *GRM,* N.F. 15 (1965), 63–84.

Lodge, David, *The Novelist at the Crossroads and Other Essays on Fiction and Criticism,* London 1971.

Loofbourow, John, *Thackeray and the Form of Fiction,* Princeton, N.J., 1964.

Lotman, Jurij, *Die Struktur literarischer Texte,* München 1972.

Lubbock, Percy, *The Craft of Fiction,* New York 1947.

Ludwig, Otto, „Formen der Erzählung", in: *Epische Studien. Gesammelte Schriften,* hg. A. Stern, Leipzig 1891, Bd. 6.

312   Literaturverzeichnis

Ludwig, Otto, „Thesen zu den Tempora im Deutschen", *Zeitschrift für deutsche Philologie* 91 (1972), 58–81.
McLuhan, Herbert Marshall, *The Gutenberg Galaxy: The Making of Typographic Man*, Toronto u. London 1962.
Markus, Manfred, *Tempus und Aspekt. Zur Funktion von Präsens, Präteritum und Perfekt im Englischen und Deutschen*, München 1977.
Meindl, Dieter, „Zur Renaissance des amerikanischen Ich-Romans in den fünfziger Jahren", *Jahrbuch für Amerikastudien* 19 (1974), 201–218.
Meixner, Horst, „Filmische Literatur und literarisierter Film", in: *Literaturwissenschaft – Medienwissenschaft*, hg. Helmut Kreuzer, Heidelberg 1977, 32–43.
Moffet, J. und K.R. McElheny, *Points of View. An Anthology of Short Stories*, New York und London 1966.
Morrison, Sister Kristin, „James's and Lubbock's Differing Points of View", *Nineteenth-Century Fiction* 16 (1961), 245–55.
Morrissette, Bruce, „The Evolution of Narrative Viewpoint in Robbe-Grillet", *Novel. A Forum on Fiction* 1 (1967), 24–33.
Müller, Wolfgang, „Gefühlsdarstellung bei Jane Austen", *Sprachkunst* 8 (1977), 87–103.
Mukařovský, Jan, „Standard Language and Poetic Language", in: *A Prague School Reader on Esthetics, Literary Structure, and Style*, hg. Paul L. Garvin, Georgetown ³1964, 17–30.
Neubert, Albrecht, *Die Stilformen der „Erlebten Rede" im neueren englischen Roman*, Halle/Saale 1957.
Neuhaus, Volker, *Typen multiperspektivischen Erzählens*, Köln 1971.
Ornstein, Robert, *The Psychology of Consciousness*, San Francisco 1972.
Partlow, R.B., Jr., „The Moving I: A Study of the Point of View in *Great Expectations*", *College English* 23 (1961), 122–131.
Pascal, Roy, *The Dual Voice: Free indirect speech and its functioning in the nineteenth-century European novel*, Manchester 1977.
Pascal, R., „Tense and Novel", *Modern Language Review* 57(1962), 1–11.
Peper, Jürgen, „Über transzendentale Strukturen im Erzählen", *Sprache im technischen Zeitalter* 34 (1970), 136–157.
Petersen, Jürgen H., „Kategorien des Erzählens. Zur systematischen Deskription epischer Texte", *Poetica* 9 (1977), 167–195.
Petsch, Robert, *Wesen und Formen der Erzählkunst*, Halle/Saale 1934.
Pike, Kenneth L., *Language in Relation to a Unified Theory of the Structure of Human Behavior*, Glendale 1954.
Pinion, F.B., *A Jane Austen Companion*, London 1973.
Pouillon, Jean, *Temps et roman*, Paris 1946.
Propp, Vladimir, *Morphology of the Folktale*, Austin ²1968.
Ray, Gordon N., *Thackeray: The Uses of Adversity*, London 1955.
Reclams Romanführer, Stuttgart ⁵1974.
Reinhold, Heinz, *Der englische Roman des 19. Jahrhunderts*, Düsseldorf 1976.
Ricardou, Jean, „Nouveau Roman, Tel Quel", *Poétique* 1 (1970), 433–454.

Richardson, Samuel, „Preface" zu *Clarissa Harlowe*, London 1932 (Everyman's Library).

Riehle, Wolfgang, „*Coriolanus:* Dic Gebärde als sympathielenkendes Element", in: *Sympathielenkung in den Dramen Shakespeares,* hg. W. Habicht u. I. Schabert, München 1978, 132—141.

Riffaterre, Michael, *Strukturale Stilistik*, München 1973.

Rolph, C.H. (Hrsg.), *The Trial of Lady Chatterley: Regina vs. Penguin Books Limited*, Harmondsworth 1961.

Romberg, Bertil, *Studies in the Narrative Technique of the First-Person Novel*, Stockholm 1962.

Rossum-Guyon, Françoise van, *Critique du roman*, Paris 1970.

Rossum-Guyon, F. van, „Point de vue ou perspective narrative", *Poétique* 1 (1970), 476—497.

Saussure, Ferdinand de, *Grundlagen der allgemeinen Sprachwissenschaft* (1916), Berlin ² 1967.

Schanze, Helmut, *Medienkunde für Literaturwissenschaftler,* München 1974 (UTB 302).

Scheerer, Thomas M. und Markus Winkler, „Zum Versuch einer Erzählgrammatik bei Claude Bremond", *Poetica* 8 (1976), 1—24.

Schmid, Wolf, „Zur Erzähltechnik und Bewußtseinsdarstellung in Dostoevskijs ‚Večnij muž'", *Welt der Slaven* 13 (1968), 294—306.

Schober, Wolfgang Heinz, *Erzähltechniken in Romanen. Eine Untersuchung erzähltechnischer Probleme in zeitgenössischen deutschen Romanen*, Wiesbaden 1975.

Scholes, Robert, *Structuralism in Literature*, New Haven 1974.

Scholes, R. u. R. Kellogg, *The Nature of Narrative*, London 1971.

Schulte-Sasse, J. und R. Werner, *Einführung in die Literaturwissenschaft*, München 1977 (UTB 640).

Sebeok, Thomas A. (Hrsg.), *The Tell-Tale Sign. A Survey of Semiotics,* Lisse (Niederlande) 1957.

Seidler, Herbert, *Die Dichtung. Wesen, Form, Dasein,* Stuttgart 1965.

Šklovskij, Viktor, *Theorie der Prosa*, Frankfurt/M. 1966.

Sokel, Walter H., „Das Verhältnis der Erzählperspektive zu Erzählgeschehen und Sinngehalt in ‚Vor dem Gesetz', ‚Schakale und Araber' und ‚Der Prozeß'", *Zeitschrift für deutsche Philologie* 86 (1967), 267—300.

Spencer, Theodore, „Introduction to the First Edition", in: *Stephen Hero*, hg. J. Slocum u. H. Cahoon, London (1944), 1969, 13—24.

Spielhagen, Friedrich, *Beiträge zur Theorie und Technik des Romans,* Göttingen 1967.

Spielhagen, F., „Der Ich-Roman", in: *Zur Poetik des Romans*, hg. Volker Klotz, Darmstadt 1965, 66—161.

Spitzer, Leo, „Sprachmischung als Stilmittel und als Ausdruck der Klangphantasie", *GRM* 11 (1923), 193—216.

Spitzer, L., *Stilstudien II,* München 1928.

Spranger, Eduard, „Der psychologische Perspektivismus im Roman", neu abgedruckt in: *Zur Poetik des Romans,* hg. V. Klotz, Darmstadt 1965, 217–238.

Spurgeon, C., *Shakespeare's Imagery and What It Tells Us* (1953), Cambridge, Mass., 1961.

Staffhorst, Albrecht, *Die Subjekt-Objekt-Struktur. Ein Beitrag zur Erzähltheorie,* Stuttgart 1979.

Stang, R., *The Theory of the Novel in England 1850–1870,* New York 1959.

Stanzel, F. K. (Hrsg.), *Der englische Roman,* 2 Bde, Düsseldorf 1969.

Stanzel, F. K., „Episches Präteritum, erlebte Rede, historisches Präsens", *DVjs* 33 (1959), 1–12; neu abgedruckt in: *Zur Poetik des Romans,* hg. V. Klotz, Darmstadt 1965, 319–338.

Stanzel, F. K., „Gedanken zur Poetik des Romans", in: *Der englische Roman,* hg. F.K. Stanzel, Düsseldorf 1969, Bd. 1, 9–20.

Stanzel, F. K., „Innenwelt. Ein Darstellungsproblem des englischen Romans", *GRM,* N.F. 12 (1962), 273–286.

Stanzel, F.K., „Die Komplementärgeschichte. Entwurf zu einer leserorientierten Romantheorie", in: *Erzählforschung 2,* hg. Wolfgang Haubrichs, Göttingen 1977, 240–259.

Stanzel, F. K., „Zur Konstituierung der typischen Erzählsituationen", in: *Zur Struktur des Romans,* hg. B. Hillebrand, Darmstadt 1978, 558–576.

Stanzel, F. K., „Die Personalisierung des Erzählaktes im *Ulysses"*, in: *James Joyces „Ulysses". Neuere deutsche Aufsätze,* hg. Th. Fischer-Seidel, Frankfurt/M. 1977, 284–308.

Stanzel, F.K., „Second Thoughts on *Narrative Situations in the Novel*: Towards a 'Grammar of Fiction' ", *Novel. A Forum on Fiction* 11 (1978), 247–264.

Stanzel, F. K., „Thomas Nashe: *The Unfortunate Traveller"*, in: *Der englische Roman,* hg. F.K. Stanzel, Düsseldorf 1969, Bd. 1, 54–84.

Stanzel, F. K., „*Tom Jones* und *Tristram Shandy"*, in: *Henry Fielding und der englische Roman des 18.Jahrhunderts,* hg. W. Iser, Darmstadt 1972, 437–473.

Stanzel, F.K., „*Tristram Shandy* und die Klimatheorie", *GRM,* N.F. 21 (1971), 16–28.

Stanzel, F. K., *Typische Formen des Romans,* Göttingen 9 1979.

Stanzel, F. K., *Die typischen Erzählsituationen im Roman. Dargestellt an „Tom Jones", „Moby-Dick", „The Ambassadors", „Ulysses" u. a.,* Wien u. Stuttgart 1955.

Stanzel, F. K., „Die typischen Formen des englischen Romans und ihre Entstehung im 18.Jahrhundert", in: *Stil- und Formprobleme in der Literatur,* hg. Paul Böckmann, Heidelberg 1959.

Steinberg, Günter, *Erlebte Rede. Ihre Eigenart und ihre Formen in neuerer deutscher, französischer und englischer Erzählliteratur,* Göppingen 1971.

Steiner, G., „A Preface to *Middlemarch"*, *Nineteenth–Century Fiction* 9 (1955), 262–279.

Stierle, Karlheinz, „Geschehen, Geschichte, Text der Geschichte", in: *Geschichte – Ereignis und Erzählung,* hg. R. Koselleck und W.-D. Stempel,

Poetik und Hermeneutik 5, München 1973, 530–534; neu abgedruckt in: K. Stierle, *Text als Handlung*, München 1975, 49–55.

Stierle, K., *Text als Handlung. Perspektiven einer systematischen Literaturwissenschaft*, München 1975 (UTB 423).

Storms, Godfrid, *The Origin and the Functions of the Definite Article in English*, Amsterdam 1961.

Sutherland, James, *Thackeray at Work*, London 1974.

Tanner, Tony, „Introduction" zu *Sense and Sensibility*, Harmondsworth 1974, 7–34.

Tetzeli von Rosador, Kurt, „Charles Dickens: *Great Expectations*. Das Ende eines Ich-Romans", *Die Neueren Sprachen*, N.F. 18 (1969), 399–408.

Tillotson, Geoffrey, *Thackeray the Novelist*, Cambridge 1954.

Tillotson, Kathleen, *The Novel of the 1840s*, Oxford 1954.

Titunik, Irwin R., „Das Problem des ‚skaz'. Kritik und Theorie", in: *Erzählforschung 2*, hg. Wolfgang Haubrichs, Göttingen 1977, 114–140.

Todorov, Tzvetan, „Les Catégories du récit littéraire", *Communications* 8 (1966), 125–151.

Todorov, T., *Poetik der Prosa,* Frankfurt/M. 1974.

Ulich, Michaela, *Perspektive und Erzählstruktur von ‚The Sound and the Fury' bis ‚Intruder in the Dust'*, Heidelberg 1972.

Uspenskij, Boris A., *A Poetics of Composition. The Structure of the Artistic Text and Typology of a Compositional Form,* Berkeley, Calif., 1973.

Vaid, Krishna Baldev, *Technique in the Tales of Henry James,* Cambridge, Mass., 1964.

Viswanathan, Jacqueline, „Point of View and Unreliability in Ch. Brontë's *Wuthering Heights*, Conrad's *Under Western Eyes* and Mann's *Doktor Faustus*", *Orbis Litterarum* 29 (1974), 42–60.

Waldmann, Günter, *Kommunikationsästhetik. Die Ideologie der Erzählform,* München 1976 (UTB 525).

Warning, Rainer (Hrsg.), *Rezeptionsästhetik. Theorie und Praxis*, München 1975 (UTB 303).

Watt, Ian, *The Rise of the Novel: Studies in Defoe, Richardson and Fielding*, London 1957.

Weber, Dietrich, *Theorie der analytischen Erzählung*, München 1975.

Weber, Max, *Gesammelte Aufsätze zur Wissenschaftslehre*, Tübingen 1922.

Wehle, Winfried, *Französischer Roman der Gegenwart. Erzählstruktur und Wirklichkeit im Nouveau Roman*, Berlin 1972.

Weimann, Robert, „Erzählerstandpunkt und ‚Point of View'. Zur Geschichte und Ästhetik der Perspektive im englischen Roman", *Zeitschrift für Anglistik und Amerikanistik* 10 (1962), 369–416.

Weinrich, Harald, *Tempus. Erzählte und besprochene Welt* (1964), Stuttgart [2]1971.

Wellek, René und Austin Warren, *Theory of Literature* (1949), Harmondsworth 1970.

Welzig, Werner, *Der deutsche Roman im 20. Jahrhundert,* Stuttgart [2]1970.

Werlich, Egon, *A Text Grammar of English*, Heidelberg 1976 (UTB 597).

Wickardt, Wolfgang, *Die Formen der Perspektive in Charles Dickens' Romanen, ihr sprachlicher Ausdruck und ihre strukturelle Bedeutung*, Berlin 1933.

Wieckenberg, Ernst-Peter, *Zur Geschichte der Kapitelüberschrift im deutschen Roman vom 15. Jahrhundert bis zum Ausgang des Barock*, Göttingen 1969.

Wilson, Edmund, „The Ambiguity of Henry James", in: *A Casebook on Henry James's , The Turn of the Screw'*, hg. G. Willen, New York ²1969.

Winkler, Reinhold, *Lyrische Elemente in den Kurzgeschichten Ernest Hemingways*, Diss. Erlangen 1967.

Winkler, R., „Über Deixis und Wirklichkeitsbezug in fiktionalen und nicht-fiktionalen Texten", in: *Erzählforschung 1*, hg. W. Haubrichs, Göttingen 1976, 156–174.

Winter, Helmut, *Literaturtheorie und Literaturkritik*, Düsseldorf 1975.

Worringer, Wilhelm, *Abstraktion und Einfühlung*, Berlin 1908.

Würzbach, Natascha, *The Novel in Letters*, London 1969.

Würzbach, N., *Die Struktur des Briefromans und seine Entstehung in England*, Diss. München 1964.

Yates, F. A., *The Art of Memory*, London 1969.

Young, E., „Conjectures on Original Composition – in a Letter to the Author of Sir Charles Grandison (1759)", in: *English Critical Essays*, hg. E. D. Jones, London 1968.

Zach, Wolfgang, „Richardson und der Leser. *Pamela-Shamela-Pamela II*", *Arbeiten aus Anglistik und Amerikanistik* 1, Graz 1976, 65–105.

Zeltner-Neukomm, Gerda, *Das Wagnis des französischen Gegenwartsromans. Die neue Welterfahrung in der Literatur*, Hamburg 1960.

Ergänzende Anmerkungen zur 2. Auflage

Seite 15 * M. Pfister stellt die Kommunikationsmodelle narrativer und dramatischer Texte einander gegenüber (20 ff.). Neben diesem Gegensatz zwischen Erzählung und Drama im Hinblick auf die Darbietungsweise bestehen zwischen den beiden Gattungen auch Gemeinsamkeiten, vor allem solche, die in der Fiktionalität von Handlung, Schauplatz und Charakteren in Erzählung und Drama begründet sind. Vgl. dazu M. Pfister, *Das Drama. Theorie und Analyse,* München 1977 (UTB 580), bes. 221 ff.

Seite 16 * Eine umfassende Übersicht der auf linguistischer (und narratologischer) Basis erstellten Erzähltextmodelle bieten E. Gülich u. W. Raible in *Linguistische Textmodelle,* München 1977 (UTB 130), 192–314.

Seite 22 * Jetzt auch in englischer Übersetzung: *Narrative Discourse,* übers. Jane E. Lewis, Ithaca, N. Y. 1980.

Seite 38 * Dagegen rückt der Kommunikationsaspekt unter Einbeziehung des Lesers in den Mittelpunkt bei C. Kahrmann, G. Reiß, M. Schluchter in *Erzähltextanalyse. Eine Einführung in Grundlagen und Verfahren,* Bd. 1, Königstein/Ts. ²1981.

† Stanislaw Eile skizziert mögliche ideologische Zusammenhänge zwischen der Wahl einer der hier beschriebenen Erzählsituationen und der Weltanschauung des Autors in: „The Novel as an Expression of the Writer's Vision of the World", *New Literary History* 9 (1977/78), 116–128. Hier wird ein weites Feld betreten, das noch intensiver Bearbeitung bedarf.

Seite 40 * Zur schuldidaktischen Problematik der Inhaltsangabe als Nacherzählung vgl. B. Hurrelmann, „Erzähltextverarbeitung im schulischen Handlungskontext", in: *Erzählen im Alltag,* hg. K. Ehlich, Frankfurt/M. 1980, 308 ff.

Seite 70 * Wie eingehend diese Analyse der Konstituenten betrieben werden muß, um möglichst deskriptive, von typologischen Generalisierungen unbelastete Kategorien zu erhalten, ist nicht nur eine methodologische Frage, sondern hängt auch von der Intention, mit der eine Theorie des Erzählens aufgestellt wird, ab. Uwe Baur, z. B., plädiert für ein stärker analytisches und rein deskriptives Verfahren. Vgl. „Deskriptive Kategorien des Erzählverhaltens", in: *Erzählung und Erzählforschung im 20. Jahrhundert*, hg. R. Kloepfer und G. Janetzke-Dillner, Stuttgart 1981, 31–39.

Seite 80   * Inzwischen ist S. Chatmans *Story and Discourse. Narrative Structure in Fiction and Film* (Ithaca 1978) erschienen. Diese Erzähltheorie enthält den oben zitierten Aufsatz in überarbeiteter Form. Die Auseinandersetzung mit den *Typischen Erzählsituationen* wurde nicht in das Buch übernommen.

Seite 81   * Die prinzipiellen Einwände gegen meine Typologie auf triadischer Basis lassen sich in zwei bzw. vier Lager gliedern. Das eine Lager fordert eine Reduktion der drei Konstituenten auf die Er-/Ich-Opposition (K. Hamburger), der sekundär dann die Erzähler-/Reflektor-Opposition zugeordnet wird (W. Lockemann, A. Staffhorst). Das andere Lager fordert die Reduktion der drei Konstituenten auf die Erzähler-Reflektor-Opposition, der dann die Er-/Ich-Opposition sekundär zugeordnet wird (J. Anderegg, H. Kraft, u. a.). Ein weiteres Lager will der Konstituente „Perspektive" einen Primat über „Person" und „Modus" zuerkennen (Leibfried, Füger), das vierte Lager schlägt schließlich die Aufgabe der Konstituente „Perspektive" vor (Dorrit Cohn, Lockemann, Staffhorst u. a.). Angesichts der Unvereinbarkeit der Einwände und Änderungsvorschläge erscheint es mir geradezu ein Vorzug meines Ansatzes zu sein, daß er alle drei Konstituenten in sich aufnimmt, ohne eine Rangabstufung zwischen ihnen zu postulieren. Vgl. u. a. Albrecht Staffhorst, *Die Subjekt-Objekt-Struktur. Ein Beitrag zur Erzähltheorie,* Stuttgart 1979, 17–22; Herbert Kraft, *Um Schiller betrogen,* Pfullingen 1978, 48–58.

Seite 86   * J. Landwehr u. a. haben die Meinung vertreten, daß es in den „Humanwissenschaften" keine ahistorischen Konstanten geben könne. Seine Begründung ist aber nicht überzeugend, nämlich daß solche Konstanten auch für die Zukunft gelten müßten, was bedeuten würde, daß sie eine Vorhersage zuließen, die jederzeit durch die gezielte Produktion eines die Konstanten widerlegenden Werkes falsifiziert werden könnte. Ein einzelnes Werk hat aber in diesem Zusammenhang überhaupt keine Aussagekraft, und die gezielte Massenproduktion von Werken zur Widerlegung dieser Konstanten ist eher unwahrscheinlich. Wohl aber ist damit zu rechnen, daß die Beschreibung und damit das Bewußtmachen solcher Konstanten die Autoren zu einer Gegenreaktion veranlassen könnte. Die dabei entstehenden Antikonstanten würden aber, aller Wahrscheinlichkeit nach, wiederum auf dem Typenkreis einen

Platz finden können. Eine solche Entwicklung ist zumindest seit James Joyce bereits zu beobachten. Die Ahistorizität der bereits beschriebenen typischen ES wird aber dadurch nicht aufgehoben. Dem historischen Wandel unterliegen nicht die Idealtypen als gedankliche Konstrukte charakteristischer Möglichkeiten narrativer Gestaltung, sondern die historischen Formen, die sich diesen Idealtypen mehr oder weniger nähern. Vgl. J. Landwehr, *Text und Fiktion. Zu einigen literaturwissenschaftlichen und kommunikationstheoretischen Grundbegriffen,* München 1975, 24f.

Seite 88   * Vgl. dazu F. K. Stanzel, „Wandlungen des narrativen Diskurses in der Moderne", in: *Erzählung und Erzählforschung im 20. Jahrhundert,* hg. R. Kloepfer und Gisela Janetzke-Dillner, Stuttgart 1981, 371–383.

Seite 93   * Das schließt natürlich die Integration des Dialogs in den narrativen Kontext nicht aus. Vgl. dazu Michał Głowiński, „Der Dialog im Roman", *Poetica* 6 (1974), 1–16. L. Doležel definiert überhaupt einen narrativen Text als Abfolge von Abschnitten aus „narrator's discourse" und „characters' discourse". (Vgl. *Narrative Modes in Czech Literature,* 4). Durch eine solche Definition wird die Aufmerksamkeit darauf gelenkt, daß viele der besonders interessanten Erscheinungen des narrativen Diskurses gerade an der Grenze zwischen diesen beiden Diskursteilen angesiedelt sind.

Seite 94   * Vgl. dazu auch G. Genettes *Narrative Discourse,* 162–164.

Seite 120 * Zur historischen Entwicklung der Ich-Form gegenüber der Er-Form vgl. M. Głowiński, „On the First-Person Novel", *New Literary History* 9 (1977), 103–114.

Seite 138 * Distanzierung eines autobiographischen Ich von den früheren Stadien seiner Lebensgeschichte ist auch eine von Philippe Lejeunes zwei Erklärungen der Autobiographie in der 3. Person. Die andere Erklärung bezieht sich auf sogenannte „fictive fictions", in denen sich das autobiographische Ich in eine andere Person versetzt, um von deren imaginiertem Standpunkt auf sich selbst zu blicken. Beispiel: Gertrude Steins *Autobiography of Alice B. Toklas.* Vgl. „Autobiography in the Third Person", *New Literary History* 9 (1977), 26–50.

Seite 155 * Joseph Frank hat schon 1945 die Tendenz zur „spatial form" als innovative Deviation von der temporal-dominierten Form der konventionellen Erzählung erkannt: „Spatial Form in Modern Literature", *Sewanee Review* 53 (1945). Dieser Aufsatz hat vor allem

in der amerikanischen Kritik eine eingehende Diskussion ausge-
löst. Vgl. Jeffrey R. Smitten und Ann Daghistany, *Spatial Form in
Narrative,* Ithaca und London 1981. Deutsche Arbeiten über die
Raumdarstellung im Roman sind vorwiegend inhaltlich-thema-
tisch orientiert. (Vgl. H. Meyer, „Raum und Zeit in Wilhelm Raa-
bes Erzählkunst", *DVjs* 27 (1953), 237–267. B. Hillebrand,
Mensch und Raum im Roman, München 1971; A. Ritter (Hrsg.),
Landschaft und Raum in der Erzählkunst, Darmstadt 1957; und G.
Hoffmann, *Raum, Situation, erzählte Wirklichkeit,* Stuttgart 1978).
Noch zu leisten ist eine Verbindung der beiden Aspekte der
Raumdarstellung, wie sie in der auf sehr breiter Basis angelegten
Arbeit von G. Hoffmann für den englisch-amerikanischen Roman
bereits unternommen wird.

Seite 190 * Eine englische Zusammenfassung dieses Kapitels ist erschienen als
„Teller-Characters and Reflector-Characters in Narrative Theory", *Poetics Today* 2 (1981), 5–15.

Seite 194 * Joseph Conrads ausgeprägte Vorliebe für den Erzählermodus, vor
allem in den Marlow-Erzählungen, hängt wahrscheinlich mit der
spezifisch östlichen mündlichen Erzähltradition (russisch „skaz",
polnisch „gawęda") zusammen. Vgl. F. R. Karl, *Joseph Conrad.
The Three Lives,* London 1979, 30 und 942.

Seite 194 † Eine terminologische Klarstellung: Als Reflektorfiguren sind Charaktere beider Bewußtseinslagen anzusehen, die von Ann Banfield
als „reflective" und „non-reflective consciousness" unterschieden
werden. Emma Bovary, z. B., zeigt ein vorwiegend „non-reflective
consciousness": „‚during much of the narrative' she ‚is nothing
more than bodily surfaces and intense sensations'. On the other
hand, Virginia Woolf's novels show a preponderance of reflective
consciousness"; man könnte hinzufügen, auch die späteren Romane von Henry James. Ann Banfield, „Reflective and Non-Reflective Consciousness in the Language of Fiction", *Poetics Today*
2 (1981), 75.

Seite 258 * Dem Einwand von Dorrit Cohn, daß Rahmenerzähler und fiktionale Herausgeber von Manuskripten als Erzähler auf einer anderen Ebene anzusiedeln seien als Ich-Erzähler und auktoriale Erzähler, ist entgegenzuhalten, daß sich viele dieser Rahmenerzähler
und Herausgeber als Zeitgenossen jener Charaktere präsentieren,
deren Geschichte sie erzählen, indem sie vorgeben, die Mitteilung
der Begebenheit oder das Manuskript eben von diesen Charakteren erhalten zu haben. So läßt z. B. der Herausgeber der Memoi-
ren von Moll Flanders anklingen, er habe diese Geschichte von
Moll Flanders selbst übernommen. Auch habe er sich veranlaßt
gesehen, ihre Selbstgeständnisse stilistisch zu überarbeiten, um

jede Anstößigkeit zu vermeiden. Mit dieser Erklärung rückt die Figur des Herausgebers auf dem Typenkreis ein Stück näher an den Ort des peripheren Ich-Erzählers heran, mit dem sie nicht nur die Seins-, sondern auch die Erzählebene teilt. Herausgeber und Rahmenerzähler, die keinen persönlichen Kontakt mit den Charakteren ihrer Geschichten haben, lassen sich dagegen nicht in das Kontinuum zwischen auktorialer ES und Ich-ES einordnen. Für sie trifft zu, was D. Cohn einwendet. Vgl. Dorrit Cohn. „The Encirclement of Narrative", *Poetics Today* 2 (1981), 165 f. und 180.

Seite 287 *   Eine eingehende Beschreibung der verschiedenen Formen des inneren Monologs bietet Dorrit Cohn in *Transparent Minds*. Auch ihre Unterscheidung zwischen „autonomous (interior) monologue" („Leutnant Gustl", „Penelope"-Kapitel des *Ulysses*) und „quoted (interior) monologue", kürzere, in eine auktoriale oder personale ES eingebettete Passagen mit innerem Monolog, empfiehlt sich zur Übernahme. Dagegen kann Dorrit Cohns Einwand, der autonome Monolog habe keinen legitimen Platz auf meinem Typenkreis, weil es sich bei ihm um eine autonome, d.h. von der Mittelbarkeit des Erzählens freie Form handle, zumindest für den Molly-Monolog in „Penelope", nicht überzeugen. (Vgl. *Transparent Minds*, 257–261, und „The Encirclement of Narrative", 170).

Seite 296 *   Neuerdings versuchen Autoren auch die Form des Filmskripts einschließlich der Anweisung für die Kameraführung etc. für die literarische Erzählung zu nützen. Es ist das Verdienst von Jacqueline Viswanathan, die Erzählforschung auf diesen interessanten Versuch aufmerksam gemacht zu haben. Anhand einer Analyse von drei Beispielen des „roman-scénario" – H. Aquin, *Neige noire*, K. Gangemi, *Pilote de Chasse*, und William Burroughs, *The Last Words of Dutch Schulz* (alle 1975 erschienen) – kommt sie zu einigen für die Erzähltheorie sehr aufschlußreichen Ergebnissen, wie z.B. „Suivant la classification de Benveniste qui distingue entre ,histoire' et ,discours' d'après l'usage des temps et des pronoms, on dira que le scénario suit le système temporel du ,discours' mais qu'il adopte le système pronominal de ,l'histoire'. On trouve la même combinaison dans *La Jalousie* de Robbe-Grillet, par exemple. Cette combinaison produit un effet de détachement émotionnel (système pronominal) accompagné d'une attention immédiate à la diégèse (temps de discours)." J. Viswanathan, „Le roman-scénario: étude d'une forme romanesque", *Journal Canadien de Recherche Sémiotique,* 1980, 125–149.

Seite 299   Dagegen wurden Einwände vorgebracht u.a. von Dorrit Cohn („The Encirclement of Narrative", 168, 180) und Dieter Meindl, „Zur Problematik des Erzählerbegriffs", *Zur Terminologie der Literaturwissenschaft und Literaturkritik*, hg. W. Erzgräber, *LiLi* Heft 30/31, Göttingen 1978, 207–213.

Sachregister

(erstellt und für die Neuauflage überarbeitet von Ingrid Buchegger)

Register der Autoren und Werke

(erstellt von Monika Fludernik, für die Neuauflage überarbeitet von Ingrid Buchegger)

Franz K. Stanzel · Typische Formen des Romans
11. Auflage 1987. Mit einem Nachwort. 81 Seiten, kartoniert. Kleine Vandenhoeck-Reihe 1187

Wolfgang Haubrichs (Hg.) · Erzählforschung
Theorien, Modelle und Methoden der Narrativik
Band 1. Zehn Beiträge. 1976. 332 Seiten, kartoniert
Band 2. Vierzehn Beiträge. 1977. 301 Seiten, kartoniert
Band 3. Vierzehn Beiträge. 1978. 416 Seiten, kartoniert
Beihefte 4, 6 und 8 zur »Zeitschrift für Literaturwissenschaft und Linguistik/LiLi«

Johannes Anderegg · Fiktion und Kommunikation
Ein Beitrag zur Theorie der Prosa. 2. Auflage 1977. Mit einem Nachwort. 189 Seiten, Paperback. Sammlung Vandenhoeck

Johannes Anderegg · Literaturwissenschaftliche Stiltheorie
1977. 114 Seiten, kartoniert. Kleine Vandenhoeck-Reihe 1429

Willy Sanders · Linguistische Stiltheorie
Probleme, Prinzipien und moderne Perspektiven des Sprachstils. 1973. 149 Seiten, kartoniert. Kleine Vandenhoeck-Reihe 1386

Willy Sanders · Linguistische Stilistik
Grundzüge der Stilanalyse sprachlicher Kommunikation. 1977. 201 Seiten, kartoniert. Kleine Vandenhoeck-Reihe 1437

Gerhard Kurz · Metapher, Allegorie, Symbol
2., verbesserte Auflage 1988. 106 Seiten, kartoniert. Kleine Vandenhoeck-Reihe 1486

Kaspar H. Spinner (Hg.) · Zeichen, Text, Sinn
Zur Semiotik des literarischen Verstehens. Mit Beiträgen von Wilhelm Köller, Peter Rusterholz, Kaspar H. Spinner. 1977. 165 Seiten, kartoniert. Kleine Vandenhoeck-Reihe 1436

Vandenhoeck & Ruprecht · Göttingen/Zürich

Die Stadt in der Literatur
Mit Beiträgen von Uwe Böker, Hartwig Isernhagen, Volker Klotz, Christoph Perels, Ralph-Rainer Wuthenow. Herausgegeben von Cord Meckseper und Elisabeth Schraut. 1983. 123 Seiten mit drei Notenbeispielen, kartoniert. Kleine Vandenhoeck-Reihe 1496

Silvio Vietta (Hg.) · Die literarische Frühromantik
Mit Beiträgen von Wolfgang Frühwald, Heinz Gockel, Hans-Joachim Mähl, Horst Meixner, Lothar Pikulik, Gerhard Sauder, Silvio Vietta. 1983. 223 Seiten, kartoniert. Kleine Vandenhoeck-Reihe 1488

Ingrid Kreuzer · Märchenform und individuelle Geschichte
Zu Text- und Handlungsstrukturen in Werken Ludwig Tiecks zwischen 1790 und 1811. 1983. 190 Seiten, kartoniert

Lothar Pikulik · E.T.A. Hoffmann als Erzähler
Ein Kommentar zu den »Serapions-Brüdern«. 1987. 223 Seiten, Paperback. Sammlung Vandenhoeck

Helmut Koopmann · Thomas Mann
Konstanten seines literarischen Werkes. 1975. 194 Seiten, kartoniert. Kleine Vandenhoeck-Reihe 1404

Claude David (Hg.) · Franz Kafka
Themen und Probleme. 1980. 257 Seiten, kartoniert. Kleine Vandenhoeck-Reihe 1451

Horst Steinmetz · Suspensive Interpretation.
Am Beispiel Franz Kafkas
1977. 153 Seiten, Paperback. Sammlung Vandenhoeck

Johannes Anderegg · Sprache und Verwandlung
Zur literarischen Ästhetik. 1985. 143 Seiten, kartoniert

Vandenhoeck & Ruprecht · Göttingen / Zürich